9·7급 공무원 시험대비 개정4판

박문각
공무원

기 본 서

브랜드만족
1위
박문각

2025

행정법총론 압축 기본서

1편 행정법통론 **2편** 행정작용법 **3편** 행정절차법

공무원 / 군무원 / 소방직 / 소방간부 / 경찰간부 / 행정사 시험대비

유대웅
행정법총론 핵심정리 #1

동영상 강의 www.pmg.co.kr

박문각

유대웅 편저

이 책의 **머리말**

이 책은 행정법의 기본서입니다. 기존 기본서들은 훌륭한 내용을 담고 있기는 했지만, 분량이 과도하게 많아 결국 수험생이 시험장까지 계속해서 들고 가기에는 과도하게 무거운 경향이 있었습니다. 그래서 수험생들이 처음에는 기본서로 공부를 시작했지만 나중에는 요약서로 갈아타는 것이 일반적인 현상이었습니다. 문제는 그렇게 중간에 책을 변경하였을 경우, 새로 그 책에 적응하는 데 시간이 추가로 소요되고, 경우에 따라서는 그 새 책에 맞춘 이론 강의를 또 다시 수강하는 일까지 빈번하게 발생하곤 하였다는 점입니다. 이 책은 그러한 현상을 방지하기 위해 만들어진 것입니다. 수험생이 처음부터 끝까지 이 책만 들고 갈 수 있도록 만들어진 행정법의 기본서입니다.

출제가능한 99.99%의 내용을 담으면서도 분량을 최소화하기 위해 애썼습니다. 지난 15년간 출제된 **모든 행정법 시험(소방간부, 국회직, 군무원, 세무사, 변호사 등등)의 기출을 반영**하였습니다. 그러면서도 분량을 이 정도로 줄인 것입니다. 이 책에 빠져 있는 것은 다른 수험생들도 모른다고 생각하셔도 좋습니다. 무슨 시험을 준비하시든 이 책 한 권만 믿고 계속 보시면 됩니다.

목차는 큰 항목부터 순서대로 노란색 박스(□) – 초록색 박스(□) – 파란색 박스(□) – 노란 테두리 박스(□) – 초록 테두리 박스(□)로 구분하였습니다. (변)으로 표시된 지문은 변별력을 확보하기 위한 목적으로 출제된 지문입니다. 공무원 시험 수준에서는 너무 어려운 내용이거나, 과도하게 지엽적인 내용들입니다. 이 지문들의 경우에는 행정법에서 96점 이상의 득점이 필요하지 않은 경우에는 보지 않아도 됩니다. 96점 이상의 득점이 필요한 경우(예 : 군무원 또는 7급 공무원, 소방직)라 하더라도 시험 막바지에 한 번 정도 정독을 하고, 시험 직전에 또 다시 한번만 눈에 바른 다음 시험장에 들어가시면 충분합니다.

개정법령은 2024년 3월 15일에 시행된 「개인정보 보호법」까지 모두 반영하였습니다.

서두에 있는 진도표를 보시면 알겠지만 이 책은 여러 번 반복해서 읽으셔야 합니다. **최소 3번은 읽을 생각을 하셔야 합니다.** 3번을 읽고 난 다음 부터만 합격 가능권 안에 들어가게 되기 때문입니다. 다만, 이때 알고 있어야 하는 중요한 '수험의 기술'이 하나 있습니다. 이해가 안 되는 부분이 나오면 바로 '그냥 그런가보다' 하고 대충 넘어가셔야 한다는 것입니다. 문제풀이를 할 때는 모든 글자를 꼼꼼하고 정확하게 읽고 넘어가야 하지만, 이렇게 옳은 문장들로만 구성된 기본서를 읽을 때는 대충대충 빨리빨리 읽는 것이 관건입니다. 진도를 쭉쭉 빼는 것이 능사입니다. 꼼꼼하고 정확한 이해는 3회독을 시작할 때 쯤 되면, 대부분 알아서 되기 때문입니다.

잔소리는 여기서 마무리 하겠습니다. 이 책이 얼마나 좋은 책인지는 독자 여러분께서 직접 읽어 보시면 알게 되실 것입니다.

이 책이 출간되기까지 김예린 님, 박소영 님, 심채림 님, 인규원 님이 많은 도움을 주셨습니다. 이 지면을 통해 깊은 감사의 마음을 전합니다.

끝으로, 이 책으로 공부하는 모든 수험생 여러분들이 내년에는 반드시 활짝 웃고, 웃고, 웃고, 웃게 되시기를 기원합니다. 감사합니다.

2024년 6월

유대웅

진도표

1쪽 ～ 50쪽		51쪽 ～ 100쪽		101쪽 ～ 150쪽		151쪽 ～ 200쪽		201쪽 ～ 250쪽		251쪽 ～ 300쪽		301쪽 ～ 350쪽		351쪽 ～ 400쪽		401쪽 ～ 450쪽		451쪽 ～ 끝		1회독
시작일		시작일		시작일		시작일		시작일		시작일		시작일		시작일		시작일		시작일		
종료일		종료일		종료일		종료일		종료일		종료일		종료일		종료일		종료일		종료일		(도장)
확인		확인		확인		확인		확인		확인		확인		확인		확인		확인		

1쪽 ～ 50쪽		51쪽 ～ 100쪽		101쪽 ～ 150쪽		151쪽 ～ 200쪽		201쪽 ～ 250쪽		251쪽 ～ 300쪽		301쪽 ～ 350쪽		351쪽 ～ 400쪽		401쪽 ～ 450쪽		451쪽 ～ 끝		2회독
시작일		시작일		시작일		시작일		시작일		시작일		시작일		시작일		시작일		시작일		
종료일		종료일		종료일		종료일		종료일		종료일		종료일		종료일		종료일		종료일		(도장)
확인		확인		확인		확인		확인		확인		확인		확인		확인		확인		

1쪽 ～ 50쪽		51쪽 ～ 100쪽		101쪽 ～ 150쪽		151쪽 ～ 200쪽		201쪽 ～ 250쪽		251쪽 ～ 300쪽		301쪽 ～ 350쪽		351쪽 ～ 400쪽		401쪽 ～ 450쪽		451쪽 ～ 끝		3회독
시작일		시작일		시작일		시작일		시작일		시작일		시작일		시작일		시작일		시작일		
종료일		종료일		종료일		종료일		종료일		종료일		종료일		종료일		종료일		종료일		(도장)
확인		확인		확인		확인		확인		확인		확인		확인		확인		확인		

1쪽 ～ 50쪽		51쪽 ～ 100쪽		101쪽 ～ 150쪽		151쪽 ～ 200쪽		201쪽 ～ 250쪽		251쪽 ～ 300쪽		301쪽 ～ 350쪽		351쪽 ～ 400쪽		401쪽 ～ 450쪽		451쪽 ～ 끝		4회독
시작일		시작일		시작일		시작일		시작일		시작일		시작일		시작일		시작일		시작일		
종료일		종료일		종료일		종료일		종료일		종료일		종료일		종료일		종료일		종료일		(도장)
확인		확인		확인		확인		확인		확인		확인		확인		확인		확인		

1쪽 ～ 50쪽		51쪽 ～ 100쪽		101쪽 ～ 150쪽		151쪽 ～ 200쪽		201쪽 ～ 250쪽		251쪽 ～ 300쪽		301쪽 ～ 350쪽		351쪽 ～ 400쪽		401쪽 ～ 450쪽		451쪽 ～ 끝		5회독
시작일		시작일		시작일		시작일		시작일		시작일		시작일		시작일		시작일		시작일		
종료일		종료일		종료일		종료일		종료일		종료일		종료일		종료일		종료일		종료일		(도장)
확인		확인		확인		확인		확인		확인		확인		확인		확인		확인		

이 책의 차례

#1 제1편 ✦ 행정법통론

제1장 서론	8
제2장 행정법의 성립	15
제3장 행정의 개념	22
제4장 행정법의 법원	23
제1절 법원의 종류 및 해석	23
제2절 법원의 효력범위	38
제5장 행정법률관계	43
제1절 행정상 법률관계의 구분	43
제2절 행정작용법 관계의 당사자	48
제3절 행정법관계(공법관계)의 내용	51
제4절 공법관계에 대한 사법규정의 유추적용	56
제5절 법률요건과 법률사실	57

제3장 행정행위	97
제1절 행정행위의 의의	97
제2절 행정행위의 종류	100
제3절 행정행위의 효력	146
제4절 행정행위의 성립	157
제5절 행정행위의 하자	161
제6절 행정행위의 폐지	175
제7절 행정행위의 실효	180
제8절 하자의 승계	181
제9절 행정행위의 부관	185
제4장 행정계약	194
제5장 행정상 사실행위	201
제6장 그 밖의 행정작용 형식	207

제2편 ✦ 행정작용법

제1장 서론	70
제2장 행정입법	71
제1절 서론	71
제2절 법규명령	72
제3절 행정규칙	84
제4절 형식과 실질의 불일치	90
제5절 자치법규(자치규정)	95

제3편 ✦ 행정절차

제1장 서론	220
제2장 행정절차법	221
제1절 행정절차법 총칙	221
제2절 처분절차	226
제3절 행정상 입법예고제와 행정예고제	235
제4절 행정절차법 기타규정	236
제3장 민원 처리에 관한 법률	237

이 책의 차례

#2 **제4편** ✦ 행정의 실효성 확보수단

제1장 서론 242

제2장 행정강제 246

제1절 행정대집행 246

제2절 이행강제금 251

제3절 강제징수 254

제4절 직접강제 257

제5절 즉시강제 258

제3장 행정벌 260

제1절 서론 260

제2절 행정형벌 261

제3절 행정질서벌 265

제4장 새로운 실효성 확보수단 269

제1절 과징금 269

제2절 가산금 및 가산세 271

제3절 비금전적 실효성 확보수단 272

제4절 행정조사 275

제5편 ✦ 행정상 전보제도

제1장 서론 282

제2장 국가배상제도 284

제1절 서론 284

제2절 국가배상법 제2조에 따른 책임 286

제3절 국가배상법 제5조에 따른 책임 303

제4절 구체적인 국가배상 309

제3장 손실보상제도 315

제1절 의의 및 근거 315

제2절 손실보상청구권의 성립요건 320

제3절 성립요건 충족의 효과 – 공익사업을 위한 토지등의 취득 및 보상에 관한 법률 324

제4장 행정상 전보제도의 보완 338

제6편 ✦ 행정쟁송

제1장 행정소송 342

제1절 서론 342

제2절 취소소송(revocation litigation) 345

제3절 무효등 확인소송(Litigation of seeking confirmation of nullity, etc.) 427

제4절 부작위위법확인소송(Litigation of seeking confirmation of illegality of an omission) 430

제5절 당사자소송 433

제6절 민중소송 및 기관소송 441

제7절 행정구제수단으로서의 헌법소원 442

제2장 행정심판 443

제1절 서론 443

제2절 행정심판위원회 449

제3절 행정심판의 당사자와 관계인 451

제4절 행정심판의 청구 453

제5절 행정심판의 심리 456

제6절 임시구제수단 457

제7절 재결 459

제8절 전자정보처리조직을 통한 행정심판 462

제7편 ✦ 정보행정법

제1장 공공기관의 정보공개에 관한 법률 466

제2장 개인정보 보호법 477

유대웅
행정법총론
핵심정리 #1

PART

01

행정법통론

제1장 서론 | 제2장 행정법의 성립 | 제3장 행정의 개념 | 제4장 행정법의 법원 | 제5장 행정법률관계

서론

행정법 개관

① 현재 우리나라에는 약 1,500여 개의 법률이 존재 ➜ 이 중 90%는 행정과 관련된 것 ➜ 그 개별 법률들을 <u>이론적으로 일반화한 내용</u>을 배우는 과목이 행정법❶

② 그 개별 법률들은 규율하는 영역(⑩ 조세, 군사, 도시개발, 위생 등)에 따라 법리가 조금씩 다르지만 공통점도 많음 ➜ 공통이 되는 법리를 다루는 분야가 행정법총론이고, 서로 다른 개별 영역의 법리들을 다루는 분야가 행정법각론

③ 행정법총론은 크게, ㉠ 행정법 전체에 대한 서론❷인 통론과 ㉡ 행정작용이 준수해야 하는 원칙과 절차를 다루는 행정작용법, ㉢ 그 행정작용으로 인하여 피해를 입은 국민이 자신의 권익을 지켜낼 수 있는 수단들을 다루는 행정구제법, ㉣ 행정기관이 보유·관리하는 정보의 공개와 개인정보의 보호에 관하여 다루는 <u>정보행정법</u>으로 구분됨

④ 다만, 행정법 교과서❸는 맨 앞의 통론에서부터 행정구제법의 내용들도 이미 어느 정도 알고 있음을 전제로 서술이 되어 있음(∵ 행정법학이라는 학문이 전반적으로 전제하고 있는 것이 무엇인지를 다루는 부분이기 때문) ➜ 행정구제법을 먼저 개략적으로 다룬 후, 통론부터 순서대로 강의할 예정임

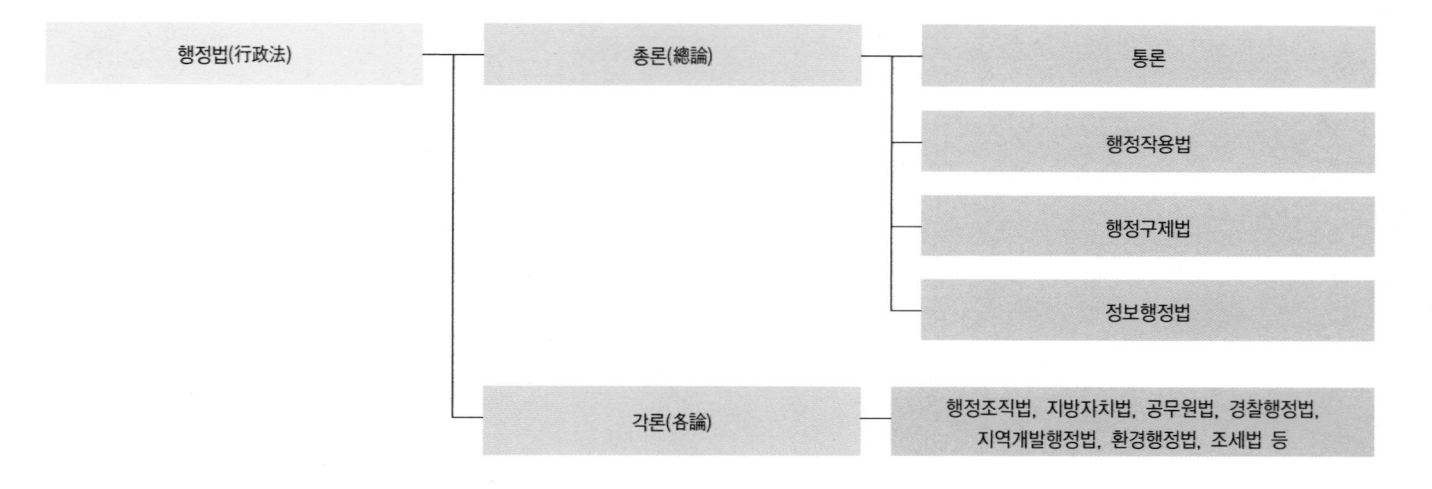

---

❶ 이 점 때문에 행정법이라는 과목이 어려워진다. 왜냐하면 실제 법규정에 따라 이루어지는 **구체적인 국가의 활동들**(예컨대, 조세부과처분, 건축허가, 도로교통법 시행규칙의 제정, 서신검열, 중소기업정보화지원사업협약 등)에 대해 배우는 것이 아니라, 그것들을 일반화한 **이론상의 개념**인 행정행위, 행정계약, 사실행위 등에 대하여 배우는 것이기 때문이다.

❷ 행정법의 역사, 행정법이 논리적 전제로 하고 있는 것들, 배경지식들에 대해 다룬다.

❸ 여기서 말하는 '교과서'란 대학에서 강의용으로 사용하는 교재를 말한다. 공무원 시험도 이를 표준으로 하여 출제가 이루어지고 있다.

법률관계	권리와 의무로 맺어진 사람 사이의 관계
공법상의 법률관계(공법관계)와 사법상의 법률관계(사법관계)	① 법률관계는 공법상의 법률관계와 사법상의 법률관계로 나뉨 ➡ 권리와 의무에는 ㉠ 공법상의 권리·의무와 ㉡ 사법상의 권리·의무가 있는 것 ② 공법관계와 사법관계의 구별기준에 대해서는 여러 학설이 제시되어 복잡하게 싸우고 있음 ➡ 일단은 ㉠ 국가와만 맺을 수 있는 법률관계를 공법관계, ㉡ 개인 간에도 맺을 수 있는 법률관계를 사법관계라 이해하고 있으면 충분
'법률'의 의미	① [광의의 법률(실질적 의미의 법률)] 일상적 의미의 '법'(온갖 규범) ➡ 헌법, 대통령령, 총리령 등도 포함 ② [협의의 법률(형식적 의미의 법률)] '법' 중에서도 국민의 대표들의 모임인 국회에서, 본회의 의결을 거쳐 제정되는 것만을 말함
공법(公法)과 사법(私法)	① [공법(公法, public law)] 공법관계를 규율하려는 목적으로 제정된 (광의의) 법률 ➡ 예 국세징수법, 행정절차법 등 ② [사법(私法, private law)] 사법관계를 규율하려는 목적으로 제정된 (광의의) 법률 ➡ 예 민법, 상법 등 ③ [역사] 사법은 로마시대부터 존재해 왔지만, 공법은 프랑스 혁명 이후에야 생겨나 현재에도 생성·발전 중인 비교적 신생의 법임
형사소송, 민사소송, 행정소송	① [형사소송] 범죄 여부의 확정과 그에 따른 형벌의 부과를 위해 열리는 소송 ② [민사소송] 개인과 개인 사이의 권리·의무의 확정을 위해 열리는 소송 ③ [행정소송] 행정작용의 시정을 구하거나, 공법상의 권리·의무의 확정을 위해 열리는 소송
사법부의 이원적(二元的) 구조	① 우리 헌법은 사법부를 ㉠ 대법원을 정점으로 하는 일반법원과 ㉡ 헌법재판소로 나누어 규정하고 있음 ② 일반법원은 법률적 차원의 법적 분쟁을 다루고, 헌법재판소는 헌법적 차원의 법적 분쟁을 다룸 ③ 일반법원은 지방법원(1심 관할) - 고등법원(2심 관할) - 대법원(3심 관할)의 단계구조로 되어 있는 반면, 헌법재판소는 단심구조로 되어 있음 ④ 지방법원은 형사소송, 민사소송 등 각종 소송의 1심을 관할함 ➡ 다만, 서울의 경우 행정소송의 1심은 별도로 마련된 행정법원이 관할하게 하고 있음
법인, (권리)주체, 기관	① [법인] 실제로는 사람이 아니지만 법적 취급의 편의를 위해 법적으로 사람으로 취급하는 단위 ② [(권리)주체] 권리와 의무를 보유할 수 있는 법적 단위 ➡ 보통 사람을 뜻함 ➡ 사람에는 자연인과 법인이 있음 ➡ 행정법적으로는 대한민국이나 지방자치단체도 법인으로 취급된다는 점이 중요 ③ [기관(organ)] 관념적 존재인 법인을 위해 실제로 활동하는 존재 ➡ 자연인이나 자연인들로 구성됨 ➡ 기관이 직무와 관련하여 행한 행위로 인해 발생한 권리나 의무는 주체인 법인에게(기관에게×) 귀속된다는 점이 특징
선거관리위원회 및 감사원, 국민권익위원회	① [선거관리위원회] 선거와 국민투표, 정당에 관한 사무를 처리하기 위한 목적으로 헌법에 따라 선거관리위원회가 설치되어 있음(제114조) ➡ 선거관리위원회는 중앙선거관리위원회와 각급선거관리위원회로 구분됨 ➡ 국회·행정부·법원·헌법재판소와 동급의 지위를 갖는 독립된 합의제 기관 ② [감사원] 국가의 세입·세출의 결산, 국가 및 법률이 정한 단체의 회계검사와 행정기관 및 공무원의 직무에 관한 감찰을 하기 위한 목적으로 헌법에 따라 대통령 소속으로 감사원이 설치되어 있음(제97조) ③ [국민권익위원회] 고충민원의 처리와 이에 관련된 불합리한 행정제도를 개선하고, 부패의 발생을 예방하며 부패행위를 효율적으로 규제하도록 하기 위한 목적으로 법률에 따라 국민권익위원회가 설치되어 있음(부패방지 및 국민권익위원회의 설치와 운영에 관한 법률 제11조)

| 의회유보의 원칙 | ① [의회유보(Parliament reservation)] 어떤 법적 사항을 의회가 정하도록 하는 것 ➜ 🔵 "대한민국의 국민이 되는 요건은 법률로 정한다"(헌법 제2조 제1항) ➜ "대한민국 국민의 요건은 의회에 유보되어 있다." |

① [의회유보(Parliament reservation)] 어떤 법적 사항을 의회가 정하도록 하는 것 ➜ 🔵 "대한민국의 국민이 되는 요건은 법률로 정한다"(헌법 제2조 제1항) ➜ "대한민국 국민의 요건은 의회에 유보되어 있다."

② [의회유보원칙] 국가공동체와 그 구성원에게 기본적이고도 중요한 의미를 갖는 입법사항의 본질적인 내용은 반드시 법률에 의하여 규정되어야 한다는 헌법상의 원칙

"권리 있는 곳에 구제 있다" (Ubi ius ibi remedium)

① [권리] 법이 보호하는 이익 향수(享受) 권능 ➜ 🔵 소유권, 인격권, 금전채권, 연금지급청구권 등

② 권리가 침해될 경우 권리자는 침해자에 대하여 ㉠ 손해배상청구를 하거나, ㉡ 그 침해작용의 중지를 청구할 수 있음

공익과 사익

① [공익(公益)] 공동체가 함께 누리는 이익 ➜ 🔵 국가안전, 깨끗한 환경, 금융질서의 확립 등

② [사익(私益)] 특정인에게만 귀속되는 이익 ➜ 🔵 토지소유권, 생명, 신체의 자유 등

행정구제법 개관 1

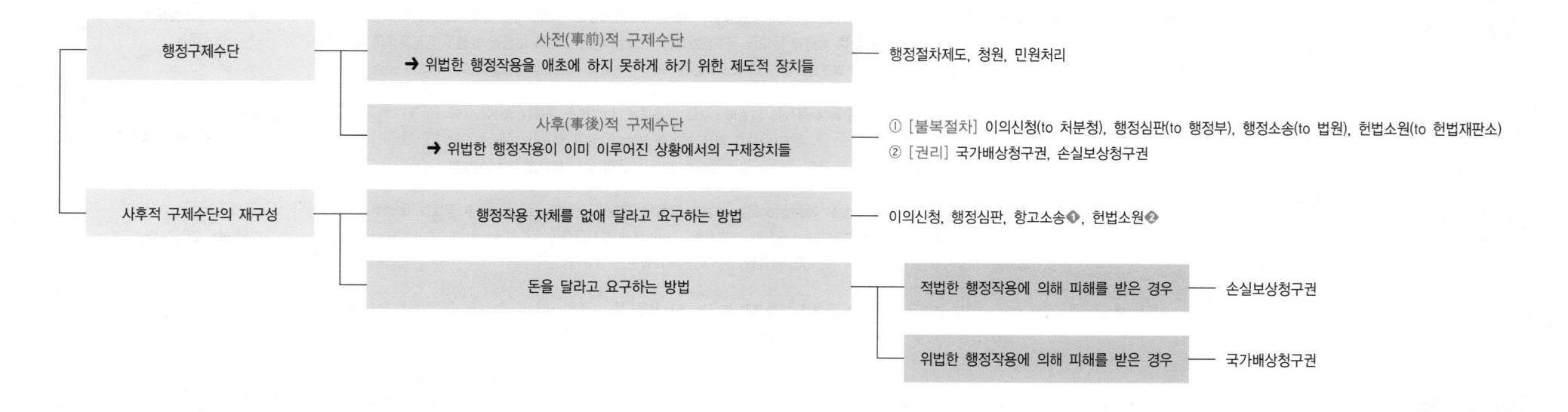

행정구제수단

사전(事前)적 구제수단
➜ 위법한 행정작용을 애초에 하지 못하게 하기 위한 제도적 장치들

행정절차제도, 청원, 민원처리

사후(事後)적 구제수단
➜ 위법한 행정작용이 이미 이루어진 상황에서의 구제장치들

① [불복절차] 이의신청(to 처분청), 행정심판(to 행정부), 행정소송(to 법원), 헌법소원(to 헌법재판소)
② [권리] 국가배상청구권, 손실보상청구권

사후적 구제수단의 재구성

행정작용 자체를 없애 달라고 요구하는 방법

이의신청, 행정심판, 항고소송❶, 헌법소원❷

돈을 달라고 요구하는 방법

적법한 행정작용에 의해 피해를 받은 경우 ─ 손실보상청구권

위법한 행정작용에 의해 피해를 받은 경우 ─ 국가배상청구권

---

❶ ① 항고소송이란 행정청의 처분등이나 처분 부작위를 직접 불복의 대상으로 하여 제기하는 행정소송을 말한다. 처분에 관하여 다투는 소송이다. ② "처분등"이란 '처분+처분에 대한 행정심판에서의 재결'을 말하는데, 처분에 대해서는 뒤에서 다룬다. 일단은 소득세부과처분, 입영통지처분 등 가장 전형적인 행정작용을 처분이라 칭한다고 이해하고 있으면 충분하다.

❷ [헌법] 다만, 이 넷 중에서 헌법소원은 보충적으로만 활용된다. 헌법재판소법 제68조 제1항 단서에서 그렇게만 활용하라고 규정하고 있기 때문이다. 따라서 행정작용 자체의 폐지를 구하는 것은 1차적으로는 행정심판이나 항고소송을 통해야 한다.

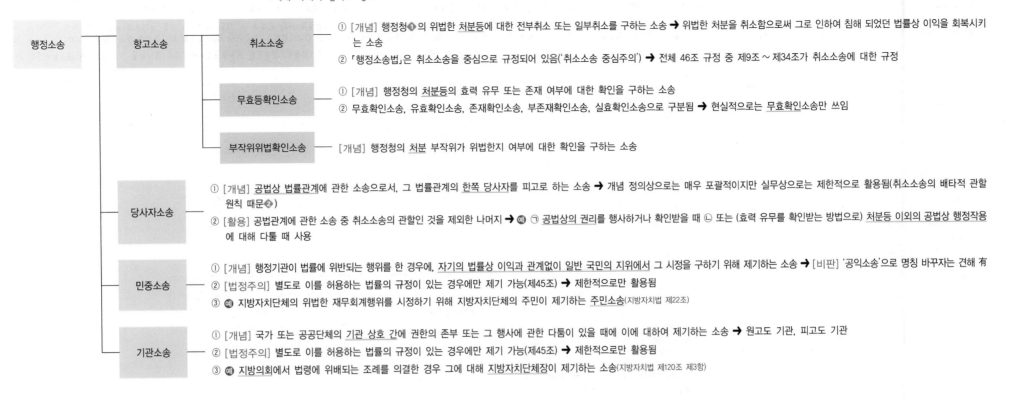

행정소송 → 항고소송 → 취소소송

① [개념] 행정청❶의 위법한 처분등에 대한 전부취소 또는 일부취소를 구하는 소송 → 위법한 처분을 취소함으로써 그로 인하여 침해 되었던 법률상 이익을 회복시키는 소송

② 「행정소송법」은 취소소송을 중심으로 규정되어 있음('취소소송 중심주의') → 전체 46조 규정 중 제9조 ~ 제34조가 취소소송에 대한 규정

무효등확인소송

① [개념] 행정청의 처분등의 효력 유무 또는 존재 여부에 대한 확인을 구하는 소송

② 무효확인소송, 유효확인소송, 존재확인소송, 부존재확인소송, 실효확인소송으로 구분됨 → 현실적으로는 무효확인소송만 쓰임

부작위위법확인소송

[개념] 행정청의 처분 부작위가 위법한지 여부에 대한 확인을 구하는 소송

당사자소송

① [개념] 공법상 법률관계에 관한 소송으로서, 그 법률관계의 한쪽 당사자를 피고로 하는 소송 → 개념 정의상으로는 매우 포괄적이지만 실무상으로는 제한적으로 활용됨(취소소송의 배타적 관할 원칙 때문❷)

② [활용] 공법관계에 관한 소송 중 취소소송의 관할인 것을 제외한 나머지 → 예 ㉠ 공법상의 권리를 행사하거나 확인받을 때 ㉡ 또는 (효력 유무를 확인받는 방법으로) 처분등 이외의 공법상 행정작용에 대해 다툴 때 사용

민중소송

① [개념] 행정기관이 법률에 위반되는 행위를 한 경우에, 자기의 법률상 이익과 관계없이 일반 국민의 지위에서 그 시정을 구하기 위해 제기하는 소송 → [비판] '공익소송'으로 명칭 바꾸자는 견해 有

② [법정주의] 별도로 이를 허용하는 법률의 규정이 있는 경우에만 제기 가능(제45조) → 제한적으로만 활용됨

③ 예 지방자치단체의 위법한 재무회계행위를 시정하기 위해 지방자치단체의 주민이 제기하는 주민소송(지방자치법 제22조)

기관소송

① [개념] 국가 또는 공공단체의 기관 상호 간에 권한의 존부 또는 그 행사에 관한 다툼이 있을 때에 이에 대하여 제기하는 소송 → 원고도 기관, 피고도 기관

② [법정주의] 별도로 이를 허용하는 법률의 규정이 있는 경우에만 제기 가능(제45조) → 제한적으로만 활용됨

③ 예 지방의회에서 법령에 위배되는 조례를 의결한 경우 그에 대해 지방자치단체장이 제기하는 소송(지방자치법 제120조 제3항)

---

❶ 행정청에 대해서는 뒤에서 다룬다. 일단은 공무원이라고 이해하고 있으면 된다.

❷ 취소소송의 배타적 관할 원칙에 대해서는 뒤에서 다룬다.

취소소송[1] 의 일반적 전개

본안전(前)판단(형식판단, 소송판단)[2]	
경우	판결
소송요건을 모두 갖춘 경우 ("원고의 소 제기가 적법한 경우")	별도로 하지 않음
소송요건을 하나라도 갖추지 못한 경우 ("원고의 소 제기가 부적법한 경우")	소 각하(dismissal) 판결로 종결

→

본안판단(실질판단, 실체판단)[3]	
경우	판결
원고의 요구가 법적으로 타당한 경우 ("원고의 청구가 이유 있는 경우")	청구인용(acceptance) 판결
원고의 요구가 법적으로 부당한 경우 ("원고의 청구가 이유 없는 경우")	청구기각(rejection) 판결

---

[1] 행정구제법은 행정구제제도 중에서도 행정소송, 그중에서도 항고소송, 그중에서도 취소소송을 중심으로 하여 논의가 전개된다.

[2] 본안전판단에서는 소송요건을 갖추었는지 여부에 대해 판단한다. 소송요건이란 본안판단을 통해 판결을 받기 위해 구비해야 하는 조건을 말한다. 취소소송의 소송요건으로는 ① 대상적격 구비, ② 원고적격 구비, ③ 소의 이익 구비, ④ 피고적격 구비, ⑤ 제소기간 준수, ⑥ 행정심판 전치가 요구되는 경우 행정심판 전치, ⑦ 관할권 있는 법원에의 제소, ⑧ 소장의 필요적 기재사항 기재가 있다. 바로 뒤에서 다룬다.

[3] ① 본안판단이란 원고가 판단을 요청한 사항('소송물')에 대한 법원의 판단을 말한다. 취소소송의 경우 문제가 된 처분등이 위법한지 여부가 본안판단의 대상('소송물')이 된다. 이때 위법여부는 주체, 내용, 절차, 형식에 관한 적법요건을 모두 갖추었는지 여부로 판단된다(이 점에 대해서는 나중에 자세히 다룬다). ② 참고로, 원고가 판단을 요청한 사항에 대해 법관이 판단을 하기 위해 사용하는 법령 규정들을 '실체법'이라 한다.

대상적격 (reviewablity)

① [개념] 소송의 대상이 될 수 있는 자격 ➔ 대상적격이 없는 행정작용은 취소소송의 대상이 될 수 없음

② [법규정] 취소소송의 경우 「행정소송법」에서 '처분등'의 개념을 추상적으로 정의해 놓고(개괄주의❶)(제2조), 행정작용이 '처분등'에 해당하는 경우에만 취소소송의 대상이 될 수 있다고 규정하고 있음(제19조)

③ [처분등] 처분+처분에 대한 행정심판에서의 재결

④ [처분] 다양한 행정작용 중 무엇이 처분? ➔ 대법원이 정책적으로 판단! ➔ 다만, 대법원은 해당 행정작용이 직접적으로 권리나 의무를 변동시키는지 여부를 가장 중요한 징표로 삼고 있음

⑤ [사례] 공무원 시험을 치른 甲이 자신이 이번 공무원 시험에 합격하였는지 여부에 대해 인사혁신처에 문의하였는데, 인사혁신처 공무원이 '아직 결과가 나오지 않았다'고 안내하여 준 행위에 대해서는 취소소송을 제기하여 다툴 수 없음 ➔ ∵ 권리나 의무를 변동시키는 작용이 아니어서 처분이 아니기 때문

원고적격

① [개념] 해당 소송에서 원고가 될 수 있는 자격 ➔ 원고적격이 없는 자는 취소소송을 제기할 수 없음

② [법규정] 취소소송의 경우 「행정소송법」에서 '법률상 이익'을 침해받은 자에게 원고적격이 있다고 규정하고 있음(제12조)

③ [법률상 이익?] 처분의 근거법률이나 관련법률에서 보호를 고려하는 이익을 의미 ➔ 근거법률이나 관련법률을 해석해 보아야 알 수 있음 ➔ 대법원은 처분의 근거법률이나 관련법률은 보통 불이익처분의 직접상대방의 이익만 보호한다고 봄 ➔ 제3자×('너한테 발급된 처분도 아니잖아?'), 수익적 처분의 직접상대방×('이익을 주는 처분이 발급됐으니까 불만없지?')

④ [사례] 주변에 다른 감자탕집이 없이 홀로 「식품위생법」에 따라 감자탕집 영업허가를 받아 甲이 많은 매출을 올리고 있었는데, 근처에 새롭게 乙에 대하여 감자탕집 영업허가가 발급된 경우 ➔ ㉠ 甲은 감자탕집 영업허가의 직접 상대방도 아니고, ㉡ 감자탕집 영업허가는 불이익 처분도 아님 ➔ 甲이 독점적으로 누리던 이익은 영업허가의 근거법률인 「식품위생법」에서 보호를 고려하는 이익('법률상 이익')이 아니라고 봄 ➔ 甲은 자신이 독점적으로 누리던 영업상의 이익을 침해받았음을 이유로, 乙에 대하여 발급된 감자탕집 영업허가에 대한 취소소송을 제기할 수 있는 원고적격×

소의 이익 (necessity)

① [개념] 인용판결을 해줄 경우 그것으로 인하여 원고가 얻게 되는 법적 이익('법률상 이익') ➔ 소의 이익이 없는 경우 취소소송의 제기가 허용×

② [법규정] 법규정은 없지만, 사법작용의 본질상 요구하고 있음

③ [사례] 억울하게 영업정지 1개월 처분을 받은 甲이 영업정지처분에 대해 취소소송을 제기하기 전에 이미 1개월이 지나 버린 경우 ➔ 소의 이익× ➔ ∵ 취소판결을 해주든 안 해주든 甲은 이미 영업을 할 수 있기 때문

④ [법적 이익만 보호] 위 사례에서 취소판결을 해주면 甲의 억울한 기분이 해소될 수는 있으나 그것은 법적 문제× ➔ 소의 이익× ➔ 취소소송 각하 ➔ [의문] 그럼 억울해서 어떻게 사나? ➔ [답] 국가배상으로 구제받으면 됨

⑤ 소의 이익의 존부는 보통, 인용판결이 내려졌을 경우 원고가 원하는 법적 이익을 얻게 되는지를 인용판결 전후를 가정·비교하여 판단됨

피고적격

① [개념] 해당 소송에서 피고가 될 수 있는 자격 ➔ 취소소송은 피고적격이 있는 자를 상대로 제기해야 함

② [법규정] 「행정소송법」은 원칙적으로 처분등을 행한 행정청에 피고적격이 있다고 규정(제13조)

③ [사례] 국세청장이 동작구에 사는 甲에 대하여 발급한 소득세부과처분에 대해, 甲은 동작구청장을 피고로 하여 소송을 제기할 수 없음

❶ 개괄주의란 조세부과처분, 입영통지처분과 같이 행정소송의 대상이 될 수 있는 행정작용을 일일이 구체적으로 나열(열기주의)하는 대신, 그 객체를 추상적으로 정의한 후 그에 해당하면 사법심사의 대상이 될 수 있게 함으로써 가급적 국민의 권익구제의 범위를 넓히려는 제도 설정방식을 말한다.

| 제소기간 | ① 취소소송은 처분등이 있음을 안 날로부터 90일 or 처분등이 있은 날로부터 1년 이내에 제기하여야 함(제20조) ➡ 둘 중 하나가 끝나기 전에 제기해야 함 |
| | ② 제소기간의 제한이 있다는 것은, 처분등에 설사 위법이 있다 하더라도, 일정기간이 지나면 덮고 넘어가겠다는 입법적 결단임 |

행정심판 전치	① [개념] 소송을 제기하기 전에 먼저 행정심판을 거치는 것 ➡ 취소소송을 제기하기 전에 먼저 행정심판을 거쳐야 하는지에 대해 제18조 제1항에서 규정하고 있음
	② [원칙적 소송요건×] 원칙적으로 취소소송을 제기하기 전에 굳이 행정심판을 먼저 거칠 필요는 없음(제18조 제1항 본문) ➡ 행정심판을 거치지 않고 취소소송을 제기해도 원칙적으로 각하×
	③ [예외적 소송요건○] 다만, 개별 법령에서 어떤 처분에 대해 취소소송으로 다투기 위해서는 먼저 행정심판을 거칠 것을 요구하고 있는 경우(예 「도로교통법」상의 처분에 대해 다투는 경우)에는, 행정심판을 거치지 않고 곧바로 취소소송을 제기하면 각하됨(제18조 제1항 단서)

| 관할권 | ① 취소소송은 당해 취소소송을 관할할 권한이 있는 법원에 제기해야 함 |
| | ② [사례] 취소소송의 1심을 대법원에 제기할 수는 없음 |

| 소장의 필요적
기재사항 기재 | 당사자(와 법정대리인), 청구취지(gist of claim)❶, 청구원인(cause of claim)❷은 적은 소장으로 취소소송을 제기하여야 함(행정소송법 제8조 제2항, 민사소송법 제249조) |

---

❶ 법원이 내려주기를 원하는 판결의 내용을 말한다('나한테 무슨 판결을 내리라는 거냐?'). 예컨대, "피고가 2021. 5. 13. 원고에 대하여 한 입영통지처분을 취소한다라는 판결을 구합니다."와 같은 식으로 쓴다.

❷ 청구취지를 정당화하는 근거를 말한다('뭘 근거로 그렇게 판결해 달라는 거냐?'). 취소소송에서는 처분이 위법하다고 생각하는 이유를 적는다.

제 2 장

행정법의 성립

행정법의 성립

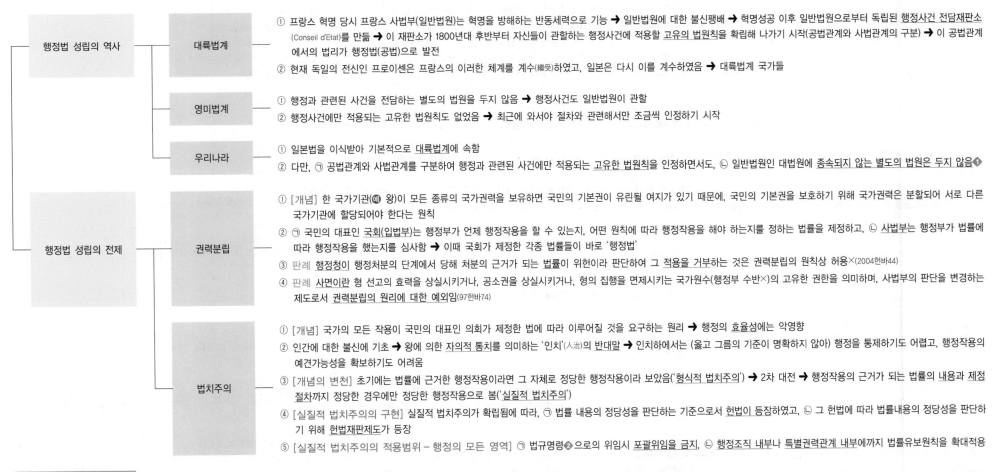

행정법 성립의 역사

대륙법계
① 프랑스 혁명 당시 프랑스 사법부(일반법원)는 혁명을 방해하는 반동세력으로 기능 ➜ 일반법원에 대한 불신팽배 ➜ 혁명성공 이후 일반법원으로부터 독립된 행정사건 전담재판소(Conseil d'Etat)를 만듦 ➜ 이 재판소가 1800년대 후반부터 자신들이 관할하는 행정사건에 적용할 고유의 법원칙을 확립해 나가기 시작(공법관계와 사법관계의 구분) ➜ 이 공법관계에서의 법리가 행정법(공법)으로 발전
② 현재 독일의 전신인 프로이센은 프랑스의 이러한 체계를 계수(繼受)하였고, 일본은 다시 이를 계수하였음 ➜ 대륙법계 국가들

영미법계
① 행정과 관련된 사건을 전담하는 별도의 법원을 두지 않음 ➜ 행정사건도 일반법원이 관할
② 행정사건에만 적용되는 고유한 법원칙도 없었음 ➜ 최근에 와서야 절차와 관련해서만 조금씩 인정하기 시작

우리나라
① 일본법을 이식받아 기본적으로 대륙법계에 속함
② 다만, ㉠ 공법관계와 사법관계를 구분하여 행정과 관련된 사건에만 적용되는 고유한 법원칙을 인정하면서도, ㉡ 일반법원인 대법원에 종속되지 않는 별도의 법원은 두지 않음❶

행정법 성립의 전제

권력분립
① [개념] 한 국가기관(예 왕)이 모든 종류의 국가권력을 보유하면 국민의 기본권이 유린될 여지가 있기 때문에, 국민의 기본권을 보호하기 위해 국가권력은 분할되어 서로 다른 국가기관에 할당되어야 한다는 원칙
② ㉠ 국민의 대표인 국회(입법부)는 행정부가 언제 행정작용을 할 수 있는지, 어떤 원칙에 따라 행정작용을 해야 하는지를 정하는 법률을 제정하고, ㉡ 사법부는 행정부가 법률에 따라 행정작용을 했는지를 심사함 ➜ 이때 국회가 제정한 각종 법률들이 바로 '행정법'
③ 판례 행정청이 행정처분의 단계에서 당해 처분의 근거가 되는 법률이 위헌이라 판단하여 그 적용을 거부하는 것은 권력분립의 원칙상 허용×(2004헌바44)
④ 판례 사면이란 형 선고의 효력을 상실시키거나, 공소권을 상실시키거나, 형의 집행을 면제시키는 국가원수(행정부 수반×)의 고유한 권한을 의미하며, 사법부의 판단을 변경하는 제도로서 권력분립의 원리에 대한 예외임(97헌바74)

법치주의
① [개념] 국가의 모든 작용이 국민의 대표인 의회가 제정한 법에 따라 이루어질 것을 요구하는 원리 ➜ 행정의 효율성에는 악영향
② 인간에 대한 불신에 기초 ➜ 왕에 의한 자의적 통치를 의미하는 '인치'(人治)의 반대말 ➜ 인치하에서는 (옳고 그름의 기준이 명확하지 않아) 행정을 통제하기도 어렵고, 행정작용의 예견가능성을 확보하기도 어려움
③ [개념의 변천] 초기에는 법률에 근거한 행정작용이라면 그 자체로 정당한 행정작용이라 보았음('형식적 법치주의') ➜ 2차 대전 ➜ 행정작용의 근거가 되는 법률의 내용과 제정절차까지 정당한 경우에만 정당한 행정작용으로 봄('실질적 법치주의')
④ [실질적 법치주의의 구현] 실질적 법치주의가 확립됨에 따라, ㉠ 법률 내용의 정당성을 판단하는 기준으로서 헌법이 등장하였고, ㉡ 그 헌법에 따라 법률내용의 정당성을 판단하기 위해 헌법재판제도가 등장
⑤ [실질적 법치주의의 적용범위 – 행정의 모든 영역] ㉠ 법규명령❷으로의 위임시 포괄위임을 금지, ㉡ 행정조직 내부나 특별권력관계 내부에까지 법률유보원칙을 확대적용

❶ 우리나라에도 행정사건을 담당하는 행정법원이 별도로 존재하기는 하지만, 이 행정법원은 행정사건의 1심만을 관할한다. 2심이나 3심은 여전히 일반법원인 고등법원과 대법원이 관할하므로 우리 행정법원은 일반법원인 대법원으로부터 독립되어 있는 별도의 법원이 아니다.

법치행정의 원칙

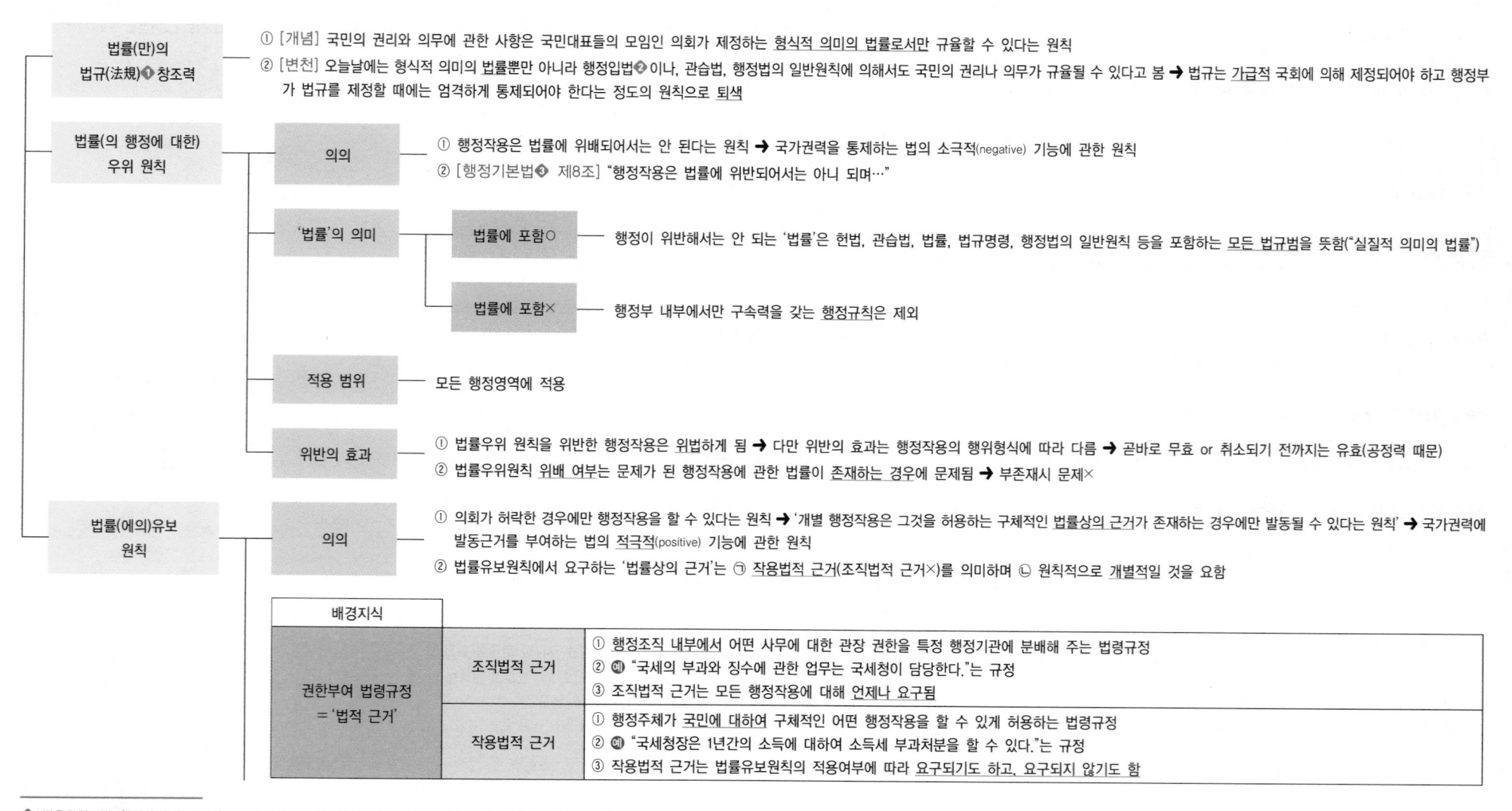

법률(만)의 법규(法規)❶ 창조력
- ① [개념] 국민의 권리와 의무에 관한 사항은 국민대표들의 모임인 의회가 제정하는 형식적 의미의 법률로서만 규율할 수 있다는 원칙
- ② [변천] 오늘날에는 형식적 의미의 법률뿐만 아니라 행정입법❷이나, 관습법, 행정법의 일반원칙에 의해서도 국민의 권리나 의무가 규율될 수 있다고 봄 ➜ 법규는 가급적 국회에 의해 제정되어야 하고 행정부가 법규를 제정할 때에는 엄격하게 통제되어야 한다는 정도의 원칙으로 퇴색

법률(의 행정에 대한) 우위 원칙

의의
- ① 행정작용은 법률에 위배되어서는 안 된다는 원칙 ➜ 국가권력을 통제하는 법의 소극적(negative) 기능에 관한 원칙
- ② [행정기본법❸ 제8조] "행정작용은 법률에 위반되어서는 아니 되며…"

'법률'의 의미
- 법률에 포함○ ── 행정이 위반해서는 안 되는 '법률'은 헌법, 관습법, 법률, 법규명령, 행정법의 일반원칙 등을 포함하는 모든 법규범을 뜻함("실질적 의미의 법률")
- 법률에 포함× ── 행정부 내부에서만 구속력을 갖는 행정규칙은 제외

적용 범위 ── 모든 행정영역에 적용

위반의 효과
- ① 법률우위 원칙을 위반한 행정작용은 위법하게 됨 ➜ 다만 위반의 효과는 행정작용의 행위형식에 따라 다름 ➜ 곧바로 무효 or 취소되기 전까지는 유효(공정력 때문)
- ② 법률우위원칙 위배 여부는 문제가 된 행정작용에 관한 법률이 존재하는 경우에 문제됨 ➜ 부존재시 문제×

법률(예의)유보 원칙

의의
- ① 의회가 허락한 경우에만 행정작용을 할 수 있다는 원칙 ➜ '개별 행정작용은 그것을 허용하는 구체적인 법률상의 근거가 존재하는 경우에만 발동될 수 있다는 원칙' ➜ 국가권력에 발동근거를 부여하는 법의 적극적(positive) 기능에 관한 원칙
- ② 법률유보원칙에서 요구하는 '법률상의 근거'는 ㉠ 작용법적 근거(조직법적 근거×)를 의미하며 ㉡ 원칙적으로 개별적일 것을 요함

배경지식

권한부여 법령규정 = '법적 근거'	조직법적 근거	① 행정조직 내부에서 어떤 사무에 대한 관장 권한을 특정 행정기관에 분배해 주는 법령규정 ② 예 "국세의 부과와 징수에 관한 업무는 국세청이 담당한다."는 규정 ③ 조직법적 근거는 모든 행정작용에 대해 언제나 요구됨
	작용법적 근거	① 행정주체가 국민에 대하여 구체적인 어떤 행정작용을 할 수 있게 허용하는 법령규정 ② 예 "국세청장은 1년간의 소득에 대하여 소득세 부과처분을 할 수 있다."는 규정 ③ 작용법적 근거는 법률유보원칙의 적용여부에 따라 요구되기도 하고, 요구되지 않기도 함

---

❶ 법규명령이란 행정입법 중에서 행정조직 외부에서도 법으로서의 효력을 갖는 것을 말한다. 뒤에서 다룬다.

❷ 법규(法規)란 국민의 권리와 의무에 관하여 규율하는 넓은 의미의 법을 말한다.

❸ 행정입법이란 행정기관이 제정하는 규범을 말한다. 권력분립원칙의 중대한 예외이지만, 오늘날은 현실적인 이유 때문에 일정한 요건하에서 허용하고 있다. 행정입법 중 행정조직 외부에서도 효력을 갖는 (대외적 효력이 있는) 것을 법규명령이라 하고, 행정조직 외부에서는 효력을 갖지 못하는 (대외적 효력이 없는) 것을 행정규칙이라 하는데 뒤에서 다룬다.

❹ 모든 행정 분야에 공통적으로 적용되는 기본원칙을 담고 있는 법률로서, 2021년 3월 23일에 제정되었다.

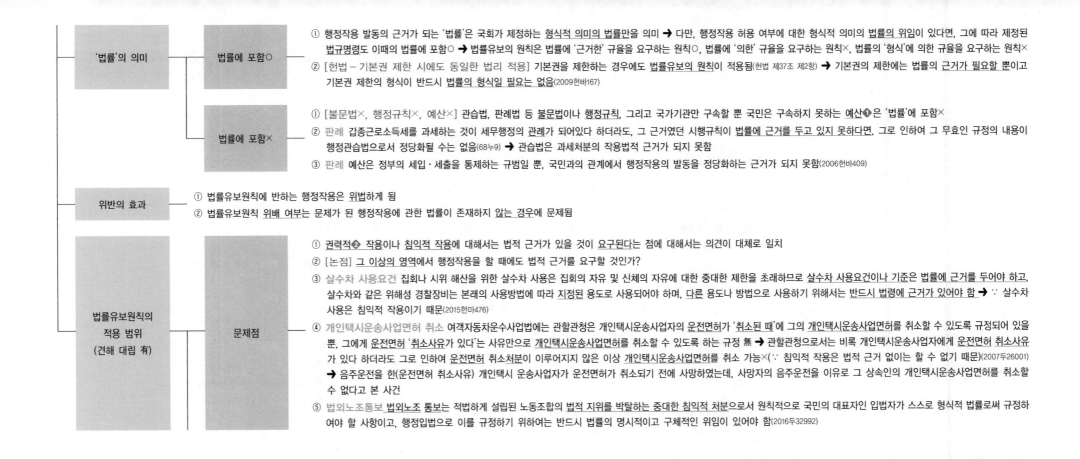

'법률'의 의미

법률에 포함○

① 행정작용 발동의 근거가 되는 '법률'은 국회가 제정하는 형식적 의미의 법률만을 의미 ➜ 다만, 행정작용 허용 여부에 대한 형식적 의미의 법률의 위임이 있다면, 그에 따라 제정된 법규명령도 이때의 법률에 포함○ ➜ 법률유보의 원칙은 법률에 '근거한' 규율을 요구하는 원칙○, 법률에 '의한' 규율을 요구하는 원칙×, 법률의 '형식'에 의한 규율을 요구하는 원칙×

② [헌법 – 기본권 제한 시에도 동일한 법리 적용] 기본권을 제한하는 경우에도 법률유보의 원칙이 적용됨(헌법 제37조 제2항) ➜ 기본권의 제한에는 법률의 근거가 필요할 뿐이고 기본권 제한의 형식이 반드시 법률의 형식일 필요는 없음(2009헌바167)

법률에 포함×

① [불문법×, 행정규칙×, 예산×] 관습법, 판례법 등 불문법이나 행정규칙, 그리고 국가기관만 구속할 뿐 국민은 구속하지 못하는 예산❶은 '법률'에 포함×

② 판례 갑종근로소득세를 과세하는 것이 세무행정의 관례가 되어있다 하더라도, 그 근거였던 시행규칙이 법률에 근거를 두고 있지 못하다면, 그로 인하여 그 무효인 규정의 내용이 행정관습법으로서 정당화될 수는 없음(68누9) ➜ 관습법은 과세처분의 작용법적 근거가 되지 못함

③ 판례 예산은 정부의 세입·세출을 통제하는 규범일 뿐, 국민과의 관계에서 행정작용의 발동을 정당화하는 근거가 되지 못함(2006헌바409)

위반의 효과

① 법률유보원칙에 반하는 행정작용은 위법하게 됨

② 법률유보원칙 위배 여부는 문제가 된 행정작용에 관한 법률이 존재하지 않는 경우에 문제됨

법률유보원칙의 적용 범위 (견해 대립 有)

문제점

① 권력적❷ 작용이나 침익적 작용에 대해서는 법적 근거가 있을 것이 요구된다는 점에 대해서는 의견이 대체로 일치

② [논점] 그 이상의 영역에서 행정작용을 할 때에도 법적 근거를 요구할 것인가?

③ 살수차 사용요건 집회나 시위 해산을 위한 살수차 사용은 집회의 자유 및 신체의 자유에 대한 중대한 제한을 초래하므로 살수차 사용요건이나 기준은 법률에 근거를 두어야 하고, 살수차와 같은 위해성 경찰장비는 본래의 사용방법에 따라 지정된 용도로 사용되어야 하며, 다른 용도나 방법으로 사용하기 위해서는 반드시 법령에 근거가 있어야 함 ➜ ∵ 살수차 사용은 침익적 작용이기 때문(2015헌마476)

④ 개인택시운송사업면허 취소 여객자동차운수사업법에는 관할관청은 개인택시운송사업자의 운전면허가 '취소된 때'에 그의 개인택시운송사업면허를 취소할 수 있도록 규정되어 있을 뿐, 그에게 운전면허 '취소사유가 있다'는 사유만으로 개인택시운송사업면허를 취소할 수 있도록 하는 규정 無 ➜ 관할관청으로서는 비록 개인택시운송사업자에게 운전면허 취소사유가 있다 하더라도 그로 인하여 운전면허 취소처분이 이루어지지 않은 이상 개인택시운송사업면허를 취소 가능×(∵ 침익적 작용은 법적 근거 없이는 할 수 없기 때문)(2007두26001) ➜ 음주운전을 한(운전면허 취소사유) 개인택시 운송사업자가 운전면허가 취소되기 전에 사망하였는데, 사망자의 음주운전을 이유로 그 상속인의 개인택시운송사업면허를 취소할 수 없다고 본 사건

⑤ 법외노조통보 법외노조 통보는 적법하게 설립된 노동조합의 법적 지위를 박탈하는 중대한 침익적 처분으로서 원칙적으로 국민의 대표자인 입법자가 스스로 형식적 법률로써 규정하여야 할 사항이고, 행정입법으로 이를 규정하기 위하여는 반드시 법률의 명시적이고 구체적인 위임이 있어야 함(2016두32992)

---

❶ [헌법] 국가의 수입과 지출에 대하여 행정부가 작성한 예정적 계산서를 '예산'이라 한다. 예산은 국회의 심의·의결을 거치면 효력을 갖게 되는데, 국가기관만을 구속하는 법규범이라 본다.

❷ 권력적(우월적)이란 명령성과 강제성을 의미한다. 명령성이란 행정주체가 국민의 의사와 관계없이 일방적으로 그 내용을 정하는 성질을 말하고, 강제성이란 그렇게 정해진 법률관계에 따를 것이 직·간접적으로 강제되는 성질을 말한다.

| 학설 | 침해유보설 | 권력적 작용이나 침익적 작용의 경우에만 법적 근거를 요구하면 충분하다고 보는 견해 |

| | 급부행정유보설 | 오늘날 사회적 복지국가관을 전제로, 침익적 행정작용뿐만 아니라 급부적 행정작용을 할 때에도 법적 근거를 요구하여야 한다고 보는 견해(행정을 '통한' 자유를 중시) |

| | 전부유보설 | 모든 행정작용에 법적 근거를 요구하여야 한다고 보는 견해(행정의 자유영역을 부정) ➜ 법률의 수권이 없으면, 국민에게 필요한 급부도 할 수 없게 된다는 문제점 |

중요사항유보설 (본질성설) (통설, 판례)

① ㉠ 국가공동체와 그 구성원에게 기본적이고도 중요한 의미를 갖는 영역(예 국민의 기본권 실현과 관련된 영역)에서 행정작용을 하는 경우에는 법적 근거가 있어야 하고, ㉡ 다시 그 중에서도 본질적으로 중요한 영역에서 행정작용을 하기 위해서는, 국회가 그 내용을 직접 결정한 경우이거나 법률의 형식으로 허용한 경우이어야 한다고 보는 견해 ➜ 법률유보원칙은 의회유보의 원칙도 내포하고 있다고 봄 ➜ '중요사항유보설은 법률유보원칙의 적용범위에 대해서 뿐만 아니라, 규율밀도에 대해서도 설명'

적용범위	국가공동체와 그 구성원에게 기본적이고도 중요한 의미를 갖는 영역	
규율밀도	중요하되 본질적으로 중요하지는 않은 영역	㉠ 법률로 직접 행정작용을 허용할 수도 있고, ㉡ 법규명령으로 허용 여부를 결정하도록 법률이 위임하는 방식으로 허용할 수도 있음
	본질적으로 중요한 영역	법률로써 허용하는 것만이 가능 ➜ 위임의 방식으로 허용하는 것은 가능×

② [개별적 판단] 어떠한 사안이 국회가 형식적 법률로 스스로 규정하여야 하는 본질적 사항에 해당되는지는, 구체적 사례에서 관련된 이익 내지 가치의 중요성, 규제 또는 침해의 정도와 방법 등을 고려하여 개별적으로 결정함(2015헌마236, 2016두32992)

③ [본질적 중요성 판단기준] 국회가 형식적 법률로 직접 규율하여야 하는 필요성은, ㉠ 규율대상이 기본권 및 기본적 의무와 관련된 중요성을 가질수록, ㉡ 그에 관한 공개적 토론의 필요성 또는 상충하는 이익 사이의 조정 필요성이 클수록 더 증대됨(2012두23808, 2017헌마1384)

④ [행정기본법 제8조 – 중요사항유보설에 따라 입법] "행정작용은 … 국민의 권리를 제한하거나 의무를 부과하는 경우와 그 밖에 국민생활에 중요한 영향을 미치는 경우에는 법률에 근거하여야 한다."

⑤ 판례 오늘날의 법률유보의 원칙은 단순히 행정작용이 법률에 근거를 두기만 하면 충분한 것이 아니라, 국가공동체와 그 구성원에게 기본적이고도 중요한 의미를 갖는 영역에 있어서는 행정에 맡길 것이 아니라 국민의 대표자인 입법자 스스로 그 본질적 사항에 대하여 결정하여야 한다는 요구까지 내포하는 것으로 이해되고 있음(2015헌마236, 2016두32992)

⑥ 판례 국민의 헌법상 기본권 및 기본의무와 관련된 중요한 사항 내지 본질적인 내용에 대한 정책형성기능은 원칙적으로 주권자인 국민에 의하여 선출된 대표자들로 구성되는 입법부가 담당하여 법률의 형식으로 이를 수행하는 것이 필요함(98헌바68)

⑦ 판례 법률유보의 원칙은 국민의 기본권 실현과 관련된 영역에 있어서는 입법자가 그 본질적인 사항에 대해서 스스로 결정하여야 한다는 요구까지 내포하고 있음(98헌바70)

⑧ 판례 헌법상 보장된 국민의 자유나 권리를 제한할 때에는 적어도 그 제한의 본질적인 사항에 관하여 국회가 법률로써 스스로 규율하여야 함(98헌바70)

구체적 판례들

본질적으로 중요한 사항으로 본 경우

① TV 수신료의 금액과 납부의무자의 범위 수신료와 관련된 사항은 기본권 실현에 관련된 영역(∵ 기본권인 국민의 재산권 및 한국방송공사의 방송의 자유와 관련되어 있기 때문) → 그중에서도 수신료 금액과 납부의무자의 범위는 본질적으로 중요한 사항이므로 국회가 스스로 결정해야 한다고 봄 → 국회의 결정이나 관여를 배제한 채, 한국방송공사와 문화부장관이 결정하게 한 것은 위법(98헌바70)

② 지방의회에 유급보좌인력을 두는 것 지방의회의원에 대하여 유급보좌인력(의정활동을 지원하는 근로자)을 두는 것은 지방의회의원의 신분·지위 및 그 처우에 관한 현행 법령상의 제도에 중대한 변경을 초래하는 것으로서, 이는 개별 지방의회의 조례로써 규정할 사항이 아니라 국회의 법률로써 규정하여야 할 입법사항(2012추84) → [개정 지방자치법 제41조 제1항] "지방의회의원의 의정활동을 지원하기 위하여 지방의회의원 정수의 2분의 1 범위에서 해당 지방자치단체의 조례로 정하는 바에 따라 지방의회에 정책지원 전문인력을 둘 수 있다." → 유급보좌인력을 둘 수 있는지 여부에 대해서는 법률인 지방자치법으로 정한 것이기 때문에 모순이 아님

③ 토지등소유자가 직접 시행하는 도시정비사업의 시행인가 신청시 동의정족수 토지등소유자가 직접 도시환경정비사업을 시행하는 경우, 사업시행인가 신청시 필요한 토지등소유자의 동의정족수를 정하는 것은 국민의 권리와 의무의 형성에 관한 기본적이고 본질적인 사항으로 법률유보 내지 의회유보의 원칙이 지켜져야 할 영역임 → 그 동의정족수를 법률이 아니라 토지등소유자가 자치적으로 정하여 운영하는 규약으로 정하도록 한 것(동의요건조항)은 법률유보원칙 내지 의회유보원칙에 위반(∵ 토지등소유자가 직접 도시환경정비사업을 시행하는 경우 사업시행(계획에 대한)인가는 강학상 특허로서, 이 절차는 행정주체로서의 지위를 가지는 사업시행자 지정에 관한 문제이기 때문)(2010헌바1, 2009헌바128)

④ (변) 토지초과이득세법상 기준시가 (구)토지초과이득세법상의 기준시가는 국민의 납세의무의 성부(成否) 및 범위와 직접적인 관계를 가지고 있는 중요한 사항임에도 불구하고, 해당 내용을 법률에 규정하지 않고 하위법령에 위임한 것은 헌법 제75조 위반(96헌바10, 93헌바1, 92헌바49) → ※ 헌법재판소는 헌법 제75조가 하위법령으로 위임시에 준수해야 하는 법리에 대한 규정이기 때문에, 의회유보원칙이 포괄위임금지의 원칙을 규정한 헌법 제75조에서도 도출될 수 있다고 보는 경향이 있음

⑤ (변) 교통안전분담금의 분담방법 및 분담비율 교통안전기금의 재원의 하나로 운송사업자들 및 교통수단 제조업자들에 대하여 부과되는 분담금의 분담방법 및 분담비율에 관한 기본사항은 국민의 재산권과 관련된 중요한 사항 내지 본질적인 요소에 해당함(97헌가8)

⑥ 병의 복무기간 병(兵)의 복무기간은 국방의무의 본질적 내용에 관한 것이어서 반드시 법률로 정하여야 할 입법사항에 속함(85초13)

⑦ 중학교 의무교육 실시여부 중학교 의무교육 실시여부 자체는 법률로 정하여야 하는 기본사항으로서 법률유보사항(90헌가72)

⑧ (변) 입찰참가자격 제한처분의 주체, 사유, 대상, 기간, 내용 「공공기관의 운영에 관한 법률」에서 제재처분의 본질적인 사항인 입찰참가자격 제한처분의 주체, 사유, 대상, 기간 및 내용 등을 이미 직접 규정하고 있었다면, '입찰참가자격의 제한기준 등에 관하여 필요한 사항은 기획재정부령으로 정한다'는 동법 제39조 제3항은 의회유보원칙에 위배×(2015헌바388)

⑨ 납세신고의무 이행에 필요한 기본적 사항 및 불이행시 입게 될 불이익 법인세, 종합소득세와 같이 납세의무자에게 조세의 납부의무뿐만 아니라 스스로 과세표준과 세액을 계산하여 신고하여야 하는 의무까지 부과하는 경우에는, 신고의무이행에 필요한 기본적인 사항과 신고의무불이행시 납세의무자가 입게 될 불이익 등은 납세의무를 구성하는 기본적, 본질적 내용으로서 법률로 정하여야 함(2012두23808)

본질적으로 중요한 사항이 아니라고 본 경우

① 수신료 징수기관 및 업무결합 가부 ㉠ TV 수신료 징수업무를 한국방송공사가 직접 수행할 것인지 제3자에게 위탁할 것인지나, ㉡ 위탁한다면 누구에게 위탁하도록 할 것인지, ㉢ 위탁받은 자가 자신의 고유업무와 결합하여 징수업무를 할 수 있는지는 징수업무 처리의 효율성 등을 감안하여 결정할 수 있는 사항으로서 국민의 기본권 제한에 관한 본질적인 사항×(2006헌바70) → ∵ 수신료를 납부해야 하는 국민의 입장에서는 누가 징수업무를 맡는지는 중요하지 않기 때문

② 조합의 사업시행인가 신청시 동의요건 조합의 사업시행인가 신청시의 토지등소유자의 동의요건은 사업시행인가 신청에 대한 토지등소유자의 사전 통제를 위한 절차적 요건에 불과하고 토지등소유자의 재산상 권리·의무에 관한 기본적이고 본질적인 사항×(2006두14476) → ∵ 사업시행자가 조합인 경우에는 사업시행(계획에 대한)인가는 강학상 인가에 불과하기 때문

③ 중학교 의무교육의 실시 시기와 범위 중학교 의무교육 실시의 시기, 범위 등 구체적 실시에 필요한 세부사항은 법률유보사항×(90헌가27)

의의

① [개념] 고도의 정치성으로 인하여 사법심사의 대상으로 삼기에 부적절한 행위 ➡ 예 국무위원의 임명, 대통령의 사면, 서훈수여, 조약체결과 같은 대통령의 외교에 관한 행위, 외국정부에 대한 국가로의 승인

② 법치행정의 원칙의 예외 ➡ ∵ 국가작용임에도 불구하고 사법심사를 못하기 때문

③ 행정부나 입법부에 의해서만 이루어짐 ➡ ∵ 사법부는 정치적 활동을 하는 기관이 아니기 때문

성립 및 발전

① 법치주의가 확립된 국가들에서도 현실적으로 인정되고 있음 ➡ ㉠ 프랑스의 꽁쎄유 데따(Conseil d'Etat)에서 행정부 수반의 행위에 대해 사법심사를 자제한 데서 최초로 논의되기 시작(통치행위론의 탄생지), ㉡ 독일의 경우 2차 대전 이후에 열기주의에서 개괄주의❶로 전환하는 과정에서 논의되었음

② 각 국가마다 판례와 이론으로 성립·발전한 것(실정법❷상 개념으로서 발전한 것×)

한계

① 사법적 통제의 대상이 되지 못한다 하더라도, 정치적인 통제로부터까지 자유로운 것은 아님

② 국민의 기본권적 가치를 실현하기 위한 수단이라는 한계를 반드시 지켜야 함

③ 고도의 정치성을 띤 행위라 하더라도 헌법상의 국민주권의 원리, 비례성의 원칙 등에 위배되어서는 안 됨

④ 통치행위에 부수하는 행위(예 계엄선포 후 계엄법에 따라 이루어지는 계엄사령관의 과세처분, 건축허가처분)는 통치행위 자체와 별개로 행정소송의 대상이 될 수도 있고, 국가배상책임을 발생시킬 수도 있음

인정여부

① [실정법 규정] 헌법상 통치행위 자체에 대한 직접적인 명문 규정 없음 ➡ (변) 국회의 의원에 대한 자격심사, 징계, 제명에 대해서는 법원에 제소할 수 없다는 규정은 존재(헌법 제64조 제4항)

② 우리나라에서도 통치행위 개념을 인정할 것인지 여부에 대해 학설은 대립 ➡ 개별 사건에서 판례가 무어라 판시했는지가 중요함

③ [대법원의 입장] 통치행위의 개념을 인정한다고 하더라도, 과도한 사법심사의 자제가 기본권을 보장하고 법치주의 이념을 구현하여야 할 법원의 책무를 태만히 하거나 포기하는 것이 되지 않도록 그 인정을 지극히 신중하게 하여야 하며, 그 판단은 오로지 사법부만에 의하여 이루어져야 함(2003도7878)

---

❶ ① 2차 대전 이후에 국민의 권익구제 확대경향의 일환으로서 다수의 국가들이 열기주의에서 개괄주의로 제도를 전환하였다. ② 열기주의하에서는 행정소송의 대상으로 법전에 열거하지 않은 것은 자동적으로 행정소송의 대상이 되지 못한다. 그렇기 때문에 행정소송의 대상을 추상적 개념으로 정의하는 개괄주의하에서만 사법심사의 대상에서 제외되는 국가작용에는 무엇이 있는지를 '통치행위'라는 개념으로 묶어 별도로 논의할 필요가 생기게 된다.

❷ 실정법이란 본래는 '법제화되어 통용되고 있는 규범'을 가리키는 말이지만, 단순히 명문의 규정으로 법제화되어 있는 성문의 법과 동의어로 이해해도 무방하다.

판례 정리	이라크 파병 (2003헌마814)	대의기관인 대통령과 국회의 국군(일반사병) 해외(이라크)파병 결정은 국방 및 외교와 관련된 고도의 정치적 결단을 요하는 문제로서 통치행위○ ➡ 헌법과 법률이 정한 절차를 지켜 이루어진 것이라면, 사법적 기준만으로 이를 심판하는 것은 자제되어야 함 ➡ 각하
	긴급재정·경제명령 사건 (93헌마186)	대통령의 「금융실명거래 및 비밀보장에 관한 긴급재정경제명령」은 고도의 정치적 결단에 의하여 발동되는 행위이고, 그 결단을 존중하여야 할 필요성이 있는 행위라는 의미에서 이른바 통치행위○ But 국민의 기본권 침해와 관련 있다면 사법심사 가능○ ➡ 국민의 알권리나 청원권의 침해와 관련○ ➡ 사법심사○
	비상계엄선포 행위	① 대통령의 계엄선포행위가 계엄선포의 요건을 구비하였는지 여부나 그 당(當)·부당(否當)에 대해 사법부가 판단하는 것은 가능× ➡ 사법권의 한계를 넘어서는 것(79초70) ② 비상계엄의 선포와 그 확대행위가 국헌문란의 목적을 달성하기 위하여 행하여진 경우에는, 법원은 그 자체 범죄행위에 해당하는지의 여부에 관하여는 심사가능○(96도3376)
	남북정상회담 개최 사건 (2003도7878)	① 남북정상회담 개최 자체는 고도의 정치적 성격을 지니고 있는 행위(통치행위○) ➡ 사법심사의 대상으로 하는 것은 적절× ② 개최과정에서 재정경제부장관에게 신고하지 아니하거나 통일부장관의 협력사업승인을 얻지 아니한 채 북한 측에 사업권의 대가 명목으로 송금한 행위가 「남북교류협력에 관한 법률」이나 「외국환거래법」을 위반한 것인지에 대한 사법심사는 가능○(가분행위 이론) ➡ 송금행위의 유죄 인정○
	신행정수도 사건 (2004헌마554)	① 신행정수도건설이나 수도이전의 문제가 정치적 성격을 가지고 있는 것은 인정○ But 그 자체로 고도의 정치적 결단을 요하여 사법심사의 대상으로 하기에는 부적절한 문제에는 해당× ➡ 「신행정수도의건설을위한특별조치법」이 위헌인지 여부에 대해서는 심사○ ② 신행정수도건설이나 수도 이전의 문제를 국민투표에 붙일지 여부에 대한 대통령의 의사결정은 고도의 정치적 결단을 요하는 문제○ ➡ 사법심사를 자제함이 바람직○ But 국민의 기본권침해와 직접 관련되는 경우에는 헌법재판소의 심판대상○
	한미연합 군사훈련 사건 (2007헌마369)	한미연합 군사훈련의 일종인 2007년 전시증원연습을 하기로 한 대통령의 결정은, 국방에 관련되는 고도의 정치적 결단이 아니어서, 사법심사를 자제하여야 하는 통치행위에 해당×
	유신헌법상 긴급조치권 발동 (2010도5986)	기본권 보장의 최후 보루인 법원으로서는 사법심사권을 행사함으로써, 대통령의 긴급조치권 행사로 인하여 우리나라 헌법의 근본이념인 자유민주적 기본질서가 부정되는 사태가 발생하지 않도록 그 책무를 다해야 함
	대통령의 서훈취소 (2012두26920)	대통령의 서훈취소는 대통령이 국가원수로서 행하는 행위라 하더라도 사법심사를 자제해야 할 고도의 정치성을 띠는 통치행위에 해당× ➡ ∵ 서훈취소의 근거법인 「상훈법」에 서훈취소의 요건과 절차가 구체적으로 규정되어 있어서, 법을 위반했는지 여부를 분명하게 판단할 수 있는 대상이기 때문

제3장

행정의 개념

행정개념의 정의 - 형식적 의미의 행정과 실질적 의미의 행정

실질(무엇을 하는가) / 형식(누가하는가)	입법(법 만들기)	사법(재판하기)	행정(나머지?)
행정 (행정부가)	대통령령, 총리령, 부령 등 법규명령의 제정, 개정(행정입법)	행정심판의 재결, 통고처분	조세체납처분, 집회금지통고, 대통령의 대법원장, 대법관 등 임명
사법 (사법부가)	대법원규칙의 제정	법원의 재판	일반법관의 임명
입법 (입법부가)	국회의 (형식적 의미의) 법률제정		국회사무총장의 소속직원 임명

행정법학의 탐구대상 —— 행정법학은 실질적 행정뿐만 아니라, 형식적 행정, 그리고 더 나아가 그와 관련이 있기만 하다면 <u>그 이외의 국가권력작용까지도</u> 탐구의 대상으로 삼음

실질적 행정개념 —— ① 본래 권력분립의 원칙은 왕(王)이 법을 만드는 일(입법)과, 재판을 하는 일(사법)까지 하면 안 된다는 데서 비롯된 원칙이기 때문에, 행정의 개념 정의가 모호해도 아무런 문제없이 성립할 수 있었음
➜ 그러나 후에 학문적 엄밀성을 위하여 실질적 의미의 행정개념을 적극적(positive)으로 정의하려는 여러 견해들이 제시되었음
② [현재 통설] 공익을 추구하는 장래성, 적극성, 구체성, 계속성, 통일성, 미래지향성을 갖는 형성작용 ➜ 불만족스러운 포괄적 결론

실질적 행정개념의 구분
　근거법의 법형식에 따른 구분 —— 행정은 그 근거법의 법형식을 기준으로 하여 ㉠ 공법(公法)형식의 행정과 ㉡ 사법(私法)형식의 행정으로 구분되기도 함

　주체에 따른 구분 —— 행정은 행정주체를 기준으로 하여 ㉠ 국가행정, ㉡ 자치행정, ㉢ 위임행정으로 구분되기도 함

제1절 법원의 종류 및 해석

행정법의 법원(法源, Source of Law)

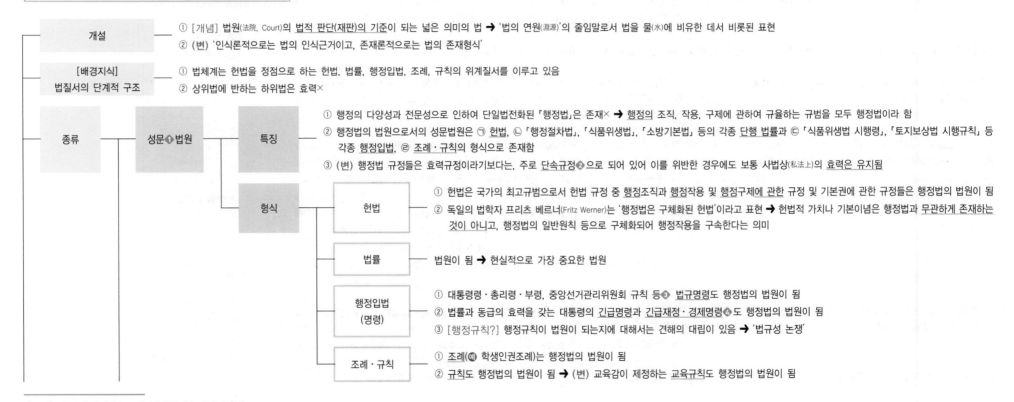

개설
① [개념] 법원(法院, Court)의 법적 판단(재판)의 기준이 되는 넓은 의미의 법 → '법의 연원(淵源)'의 줄임말로서 법을 물(水)에 비유한 데서 비롯된 표현
② (변) '인식론적으로는 법의 인식근거이고, 존재론적으로는 법의 존재형식'

[배경지식] 법질서의 단계적 구조
① 법체계는 헌법을 정점으로 하는 헌법, 법률, 행정입법, 조례, 규칙의 위계질서를 이루고 있음
② 상위법에 반하는 하위법은 효력×

종류 — 성문❶법원 — 특징
① 행정의 다양성과 전문성으로 인하여 단일법전화된「행정법」은 존재× → 행정의 조직, 작용, 구제에 관하여 규율하는 규범을 모두 행정법이라 함
② 행정법의 법원으로서의 성문법원은 ㉠ 헌법, ㉡「행정절차법」,「식품위생법」,「소방기본법」등의 각종 단행 법률과 ㉢「식품위생법 시행령」,「토지보상법 시행규칙」등 각종 행정입법, ㉣ 조례·규칙의 형식으로 존재함
③ (변) 행정법 규정들은 효력규정이라기보다는, 주로 단속규정❷으로 되어 있어 이를 위반한 경우에도 보통 사법상(私法上)의 효력은 유지됨

형식 — 헌법
① 헌법은 국가의 최고규범으로서 헌법 규정 중 행정조직과 행정작용 및 행정구제에 관한 규정 및 기본권에 관한 규정들은 행정법의 법원이 됨
② 독일의 법학자 프리츠 베르너(Fritz Werner)는 '행정법은 구체화된 헌법'이라고 표현 → 헌법적 가치나 기본이념은 행정법과 무관하게 존재하는 것이 아니고, 행정법의 일반원칙 등으로 구체화되어 행정작용을 구속한다는 의미

형식 — 법률
법원이 됨 → 현실적으로 가장 중요한 법원

형식 — 행정입법(명령)
① 대통령령·총리령·부령, 중앙선거관리위원회 규칙 등❸ 법규명령도 행정법의 법원이 됨
② 법률과 동급의 효력을 갖는 대통령의 긴급명령과 긴급재정·경제명령❹도 행정법의 법원이 됨
③ [행정규칙?] 행정규칙이 법원이 되는지에 대해서는 견해의 대립이 있음 → '법규성 논쟁'

형식 — 조례·규칙
① 조례(예 학생인권조례)는 행정법의 법원이 됨
② 규칙도 행정법의 법원이 됨 → (변) 교육감이 제정하는 교육규칙도 행정법의 법원이 됨

---

❶ 성문이란 명문의 규정으로 법제화되어 있는 것을 말한다.
❷ [민법] '단속규정'이란 공법상의 질서유지를 목적으로 하여 존재하는 법규정으로서, 그 위반행위의 효력과는 무관한 법규정(the provision which does not affect the validity)을 말한다. 이와 반대로 '효력규정'이란 위반시 그 위반행위의 효력도 인정되지 않는 법규정(the provision which affects the validity)을 말한다.
❸ 대통령령, 총리령, 부령, 중앙선거관리위원회 규칙 등에 대해서는 뒤에서 다룬다.
❹ 긴급명령이나 긴급재정·경제명령에 대해서는 뒤에서 다룬다.

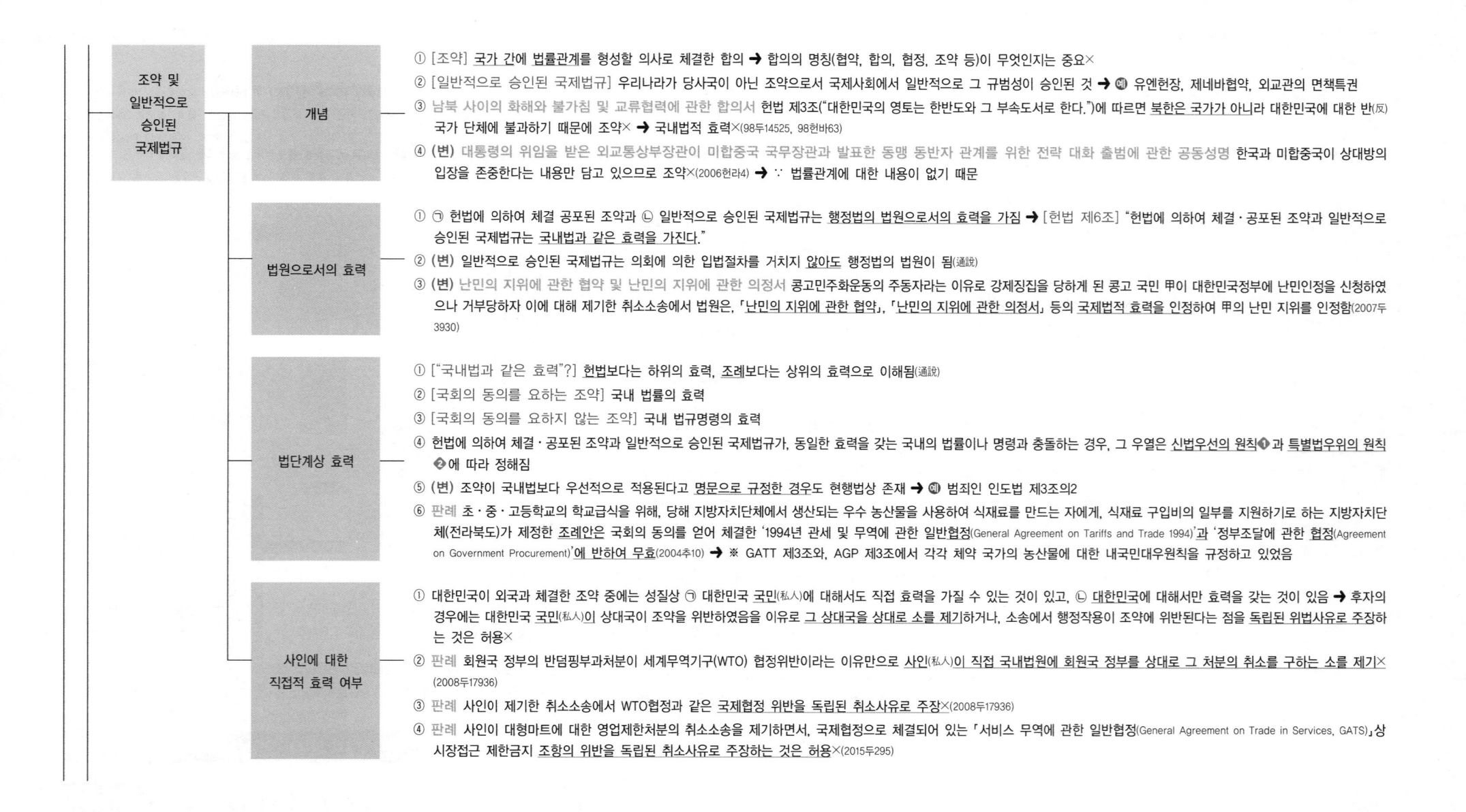

조약 및 일반적으로 승인된 국제법규

개념

① [조약] 국가 간에 법률관계를 형성할 의사로 체결한 합의 ➜ 합의의 명칭(협약, 합의, 협정, 조약 등)이 무엇인지는 중요×

② [일반적으로 승인된 국제법규] 우리나라가 당사국이 아닌 조약으로서 국제사회에서 일반적으로 그 규범성이 승인된 것 ➜ ⓔ 유엔헌장, 제네바협약, 외교관의 면책특권

③ 남북 사이의 화해와 불가침 및 교류협력에 관한 합의서 헌법 제3조("대한민국의 영토는 한반도와 그 부속도서로 한다.")에 따르면 북한은 국가가 아니라 대한민국에 대한 반(反)국가 단체에 불과하기 때문에 조약× ➜ 국내법적 효력×(98두14525, 98헌바63)

④ (변) 대통령의 위임을 받은 외교통상부장관이 미합중국 국무장관과 발표한 동맹 동반자 관계를 위한 전략 대화 출범에 관한 공동성명 한국과 미합중국이 상대방의 입장을 존중한다는 내용만 담고 있으므로 조약×(2006헌라4) ➜ ∵ 법률관계에 대한 내용이 없기 때문

법원으로서의 효력

① ㉠ 헌법에 의하여 체결 공포된 조약과 ㉡ 일반적으로 승인된 국제법규는 행정법의 법원으로서의 효력을 가짐 ➜ [헌법 제6조] "헌법에 의하여 체결·공포된 조약과 일반적으로 승인된 국제법규는 국내법과 같은 효력을 가진다."

② (변) 일반적으로 승인된 국제법규는 의회에 의한 입법절차를 거치지 않아도 행정법의 법원이 됨(通說)

③ (변) 난민의 지위에 관한 협약 및 난민의 지위에 관한 의정서 콩고민주화운동의 주동자라는 이유로 강제징집을 당하게 된 콩고 국민 甲이 대한민국정부에 난민인정을 신청하였으나 거부당하자 이에 대해 제기한 취소소송에서 법원은, 「난민의 지위에 관한 협약」, 「난민의 지위에 관한 의정서」 등의 국제법적 효력을 인정하여 甲의 난민 지위를 인정함(2007두3930)

법단계상 효력

① ["국내법과 같은 효력"?] 헌법보다는 하위의 효력, 조례보다는 상위의 효력으로 이해됨(通說)

② [국회의 동의를 요하는 조약] 국내 법률의 효력

③ [국회의 동의를 요하지 않는 조약] 국내 법규명령의 효력

④ 헌법에 의하여 체결·공포된 조약과 일반적으로 승인된 국제법규가, 동일한 효력을 갖는 국내의 법률이나 명령과 충돌하는 경우, 그 우열은 신법우선의 원칙❶과 특별법우위의 원칙❷에 따라 정해짐

⑤ (변) 조약이 국내법보다 우선적으로 적용된다고 명문으로 규정한 경우도 현행법상 존재 ➜ ⓔ 범죄인 인도법 제3조의2

⑥ 판례 초·중·고등학교의 학교급식을 위해, 당해 지방자치단체에서 생산되는 우수 농산물을 사용하여 식재료를 만드는 자에게, 식재료 구입비의 일부를 지원하기로 하는 지방자치단체(전라북도)가 제정한 조례안은 국회의 동의를 얻어 체결한 '1994년 관세 및 무역에 관한 일반협정(General Agreement on Tariffs and Trade 1994)'과 '정부조달에 관한 협정(Agreement on Government Procurement)'에 반하여 무효(2004추10) ➜ ※ GATT 제3조와, AGP 제3조에서 각각 체약 국가의 농산물에 대한 내국민대우원칙을 규정하고 있었음

사인에 대한 직접적 효력 여부

① 대한민국이 외국과 체결한 조약 중에는 성질상 ㉠ 대한민국 국민(私人)에 대해서도 직접 효력을 가질 수 있는 것이 있고, ㉡ 대한민국에 대해서만 효력을 갖는 것이 있음 ➜ 후자의 경우에는 대한민국 국민(私人)이 상대국이 조약을 위반하였음을 이유로 그 상대국을 상대로 소를 제기하거나, 소송에서 행정작용이 조약에 위반된다는 점을 독립된 위법사유로 주장하는 것은 허용×

② 판례 회원국 정부의 반덤핑부과처분이 세계무역기구(WTO) 협정위반이라는 이유만으로 사인(私人)이 직접 국내법원에 회원국 정부를 상대로 그 처분의 취소를 구하는 소를 제기×(2008두17936)

③ 판례 사인이 제기한 취소소송에서 WTO협정과 같은 국제협정 위반을 독립된 취소사유로 주장×(2008두17936)

④ 판례 사인이 대형마트에 대한 영업제한처분의 취소소송을 제기하면서, 국제협정으로 체결되어 있는 「서비스 무역에 관한 일반협정(General Agreement on Trade in Services, GATS)」상 시장접근 제한금지 조항의 위반을 독립된 취소사유로 주장하는 것은 허용×(2015두295)

---

❶ 신법우선의 원칙이란, 법단계상 동급의 지위를 갖는 모순되는 내용의 법령이 존재하는 경우, 나중에 제정(개정)된 법령이 우선하는 효력을 갖는다고 보는 원칙을 말한다.

❷ 법단계상 동급의 지위를 갖는 모순되는 내용의 법령이 존재하는 경우, 더 좁은 영역을 규율하기 위한 목적으로 제정된 법령이 우선하는 효력을 갖는다고 보는 원칙을 말한다.

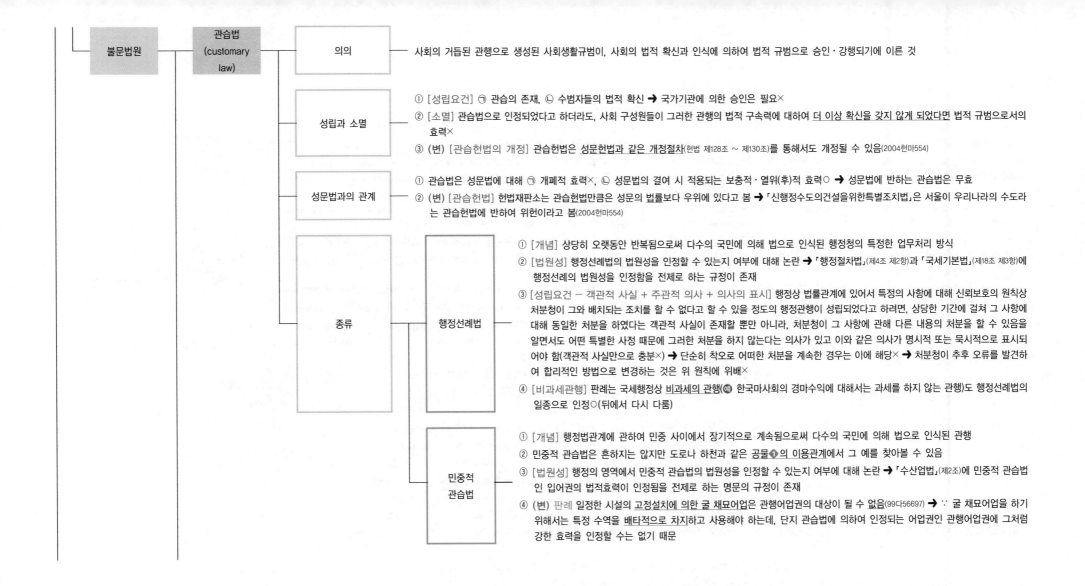

| 불문법원 | 관습법 (customary law) | 의의 | 사회의 거듭된 관행으로 생성된 사회생활규범이, 사회의 법적 확신과 인식에 의하여 법적 규범으로 승인·강행되기에 이른 것 |

성립과 소멸

① [성립요건] ㉠ 관습의 존재, ㉡ 수범자들의 법적 확신 ➔ 국가기관에 의한 승인은 필요×

② [소멸] 관습법으로 인정되었다고 하더라도, 사회 구성원들이 그러한 관행의 법적 구속력에 대하여 더 이상 확신을 갖지 않게 되었다면 법적 규범으로서의 효력×

③ (변) [관습헌법의 개정] 관습헌법은 성문헌법과 같은 개정절차(헌법 제128조 ~ 제130조)를 통해서도 개정될 수 있음(2004헌마554)

성문법과의 관계

① 관습법은 성문법에 대해 ㉠ 개폐적 효력×, ㉡ 성문법의 결여 시 적용되는 보충적·열위(후)적 효력○ ➔ 성문법에 반하는 관습법은 무효

② (변) [관습헌법] 헌법재판소는 관습헌법만큼은 성문의 법률보다 우위에 있다고 봄 ➔ 「신행정수도의건설을위한특별조치법」은 서울이 우리나라의 수도라는 관습헌법에 반하여 위헌이라고 봄(2004헌마554)

종류

행정선례법

① [개념] 상당히 오랫동안 반복됨으로써 다수의 국민에 의해 법으로 인식된 행정청의 특정한 업무처리 방식

② [법원성] 행정선례법의 법원성을 인정할 수 있는지 여부에 대해 논란 ➔ 「행정절차법」(제4조 제2항)과 「국세기본법」(제18조 제3항)에 행정선례의 법원성을 인정함을 전제로 하는 규정이 존재

③ [성립요건 − 객관적 사실 + 주관적 의사 + 의사의 표시] 행정상 법률관계에 있어서 특정의 사항에 대해 신뢰보호의 원칙상 처분청이 그와 배치되는 조치를 할 수 없다고 할 수 있을 정도의 행정관행이 성립되었다고 하려면, 상당한 기간에 걸쳐 그 사항에 대해 동일한 처분을 하였다는 객관적 사실이 존재할 뿐만 아니라, 처분청이 그 사항에 관해 다른 내용의 처분을 할 수 있음을 알면서도 어떤 특별한 사정 때문에 그러한 처분을 하지 않는다는 의사가 있고 이와 같은 의사가 명시적 또는 묵시적으로 표시되어야 함(객관적 사실만으로 충분×) ➔ 단순히 착오로 어떠한 처분을 계속한 경우는 이에 해당× ➔ 처분청이 추후 오류를 발견하여 합리적인 방법으로 변경하는 것은 위 원칙에 위배×

④ [비과세관행] 판례는 국세행정상 비과세의 관행(예 한국마사회의 경마수익에 대해서는 과세를 하지 않는 관행)도 행정선례법의 일종으로 인정○(뒤에서 다시 다룸)

민중적 관습법

① [개념] 행정법관계에 관하여 민중 사이에서 장기적으로 계속됨으로써 다수의 국민에 의해 법으로 인식된 관행

② 민중적 관습법은 흔하지는 않지만 도로나 하천과 같은 공물❶의 이용관계에서 그 예를 찾아볼 수 있음

③ [법원성] 행정의 영역에서 민중적 관습법의 법원성을 인정할 수 있는지 여부에 대해 논란 ➔ 「수산업법」(제2조)에 민중적 관습법인 입어권의 법적효력이 인정됨을 전제로 하는 명문의 규정이 존재

④ (변) 판례 일정한 시설의 고정설치에 의한 굴 채묘어업은 관행어업권의 대상이 될 수 없음(99다56697) ➔ ∵ 굴 채묘어업을 하기 위해서는 특정 수역을 배타적으로 차지하고 사용해야 하는데, 단지 관습법에 의하여 인정되는 어업권인 관행어업권에 그처럼 강한 효력을 인정할 수는 없기 때문

---

❶ 행정주체가 관리하는 공적인 물건(예 관공서 건물, 바다, 도로, 공원, 전투비행장, K2소총)을 공물이라 한다.

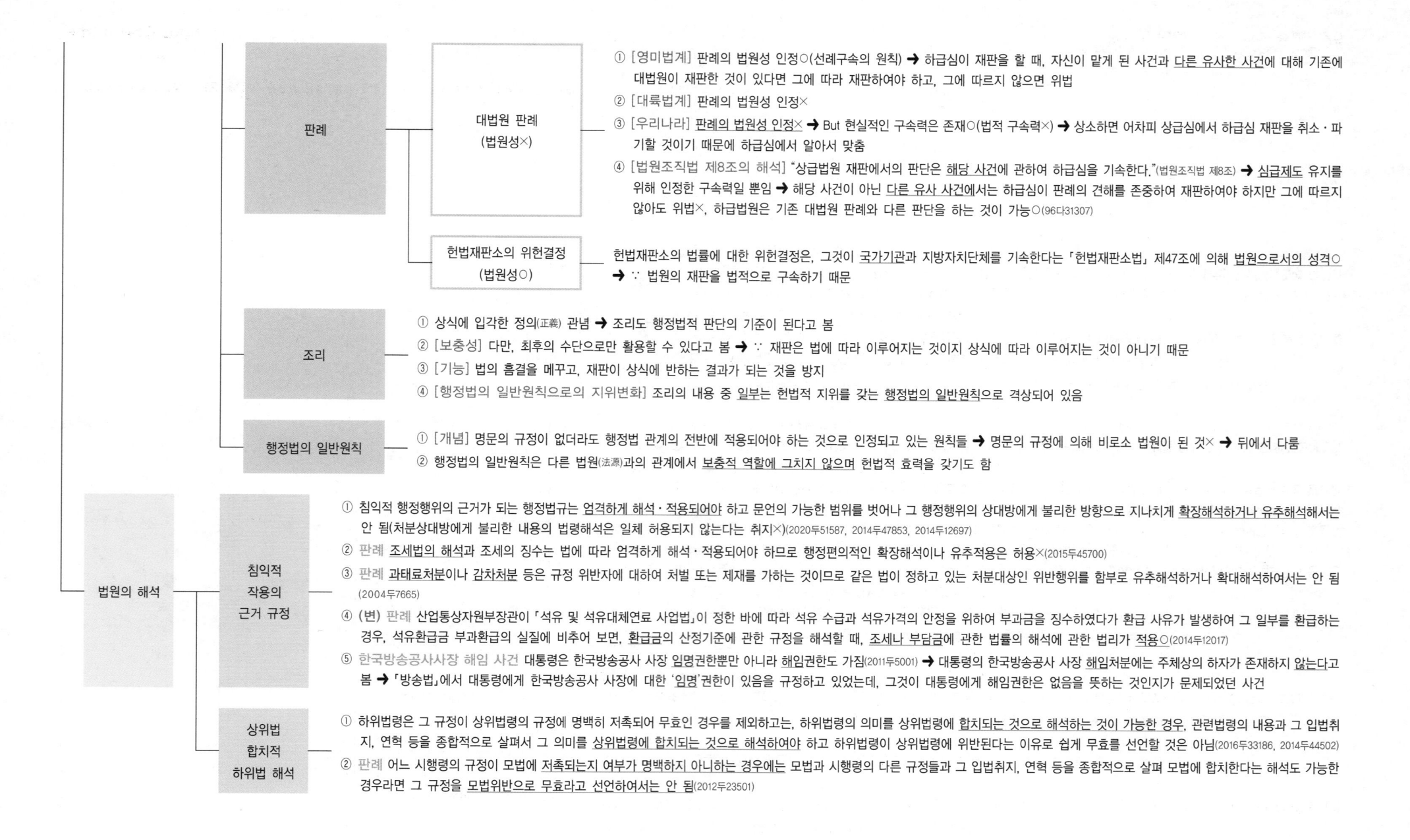

판례

대법원 판례 (법원성×)

① [영미법계] 판례의 법원성 인정○(선례구속의 원칙) ➜ 하급심이 재판을 할 때, 자신이 맡게 된 사건과 다른 유사한 사건에 대해 기존에 대법원이 재판한 것이 있다면 그에 따라 재판하여야 하고, 그에 따르지 않으면 위법

② [대륙법계] 판례의 법원성 인정×

③ [우리나라] 판례의 법원성 인정× ➜ But 현실적인 구속력은 존재○(법적 구속력×) ➜ 상소하면 어차피 상급심에서 하급심 재판을 취소·파기할 것이기 때문에 하급심에서 알아서 맞춤

④ [법원조직법 제8조의 해석] "상급법원 재판에서의 판단은 해당 사건에 관하여 하급심을 기속한다."(법원조직법 제8조) ➜ 심급제도 유지를 위해 인정한 구속력일 뿐임 ➜ 해당 사건이 아닌 다른 유사 사건에서는 하급심이 판례의 견해를 존중하여 재판하여야 하지만 그에 따르지 않아도 위법×, 하급법원은 기존 대법원 판례와 다른 판단을 하는 것이 가능○(96다31307)

헌법재판소의 위헌결정 (법원성○)

헌법재판소의 법률에 대한 위헌결정은, 그것이 국가기관과 지방자치단체를 기속한다는 「헌법재판소법」 제47조에 의해 법원으로서의 성격○ ➜ ∵ 법원의 재판을 법적으로 구속하기 때문

조리

① 상식에 입각한 정의(正義) 관념 ➜ 조리도 행정법적 판단의 기준이 된다고 봄

② [보충성] 다만, 최후의 수단으로만 활용할 수 있다고 봄 ➜ ∵ 재판은 법에 따라 이루어지는 것이지 상식에 따라 이루어지는 것이 아니기 때문

③ [기능] 법의 흠결을 메꾸고, 재판이 상식에 반하는 결과가 되는 것을 방지

④ [행정법의 일반원칙으로의 지위변화] 조리의 내용 중 일부는 헌법적 지위를 갖는 행정법의 일반원칙으로 격상되어 있음

행정법의 일반원칙

① [개념] 명문의 규정이 없더라도 행정법 관계의 전반에 적용되어야 하는 것으로 인정되고 있는 원칙들 ➜ 명문의 규정에 의해 비로소 법원이 된 것× ➜ 뒤에서 다룸

② 행정법의 일반원칙은 다른 법원(法源)과의 관계에서 보충적 역할에 그치지 않으며 헌법적 효력을 갖기도 함

법원의 해석

침익적 작용의 근거 규정

① 침익적 행정행위의 근거가 되는 행정법규는 엄격하게 해석·적용되어야 하고 문언의 가능한 범위를 벗어나 그 행정행위의 상대방에게 불리한 방향으로 지나치게 확장해석하거나 유추해석해서는 안 됨(처분상대방에게 불리한 내용의 법령해석은 일체 허용되지 않는다는 취지×)(2020두51587, 2014두47853, 2014두12697)

② 판례 조세법의 해석과 조세의 징수는 법에 따라 엄격하게 해석·적용되어야 하므로 행정편의적인 확장해석이나 유추적용은 허용×(2015두45700)

③ 판례 과태료처분이나 감차처분 등은 규정 위반자에 대하여 처벌 또는 제재를 가하는 것이므로 같은 법이 정하고 있는 처분대상인 위반행위를 함부로 유추해석하거나 확대해석하여서는 안 됨 (2004두7665)

④ (변) 판례 산업통상자원부장관이 「석유 및 석유대체연료 사업법」이 정한 바에 따라 석유 수급과 석유가격의 안정을 위하여 부과금을 징수하였다가 환급 사유가 발생하여 그 일부를 환급하는 경우, 석유환급금 부과환급의 실질에 비추어 보면, 환급금의 산정기준에 관한 규정을 해석할 때, 조세나 부담금에 관한 법률의 해석에 관한 법리가 적용○(2014두12017)

⑤ 한국방송공사사장 해임 사건 대통령은 한국방송공사 사장 임명권한뿐만 아니라 해임권한도 가짐(2011두5001) ➜ 대통령의 한국방송공사 사장 해임처분에는 주체상의 하자가 존재하지 않는다고 봄 ➜ 「방송법」에서 대통령에게 한국방송공사 사장에 대한 '임명'권한이 있음을 규정하고 있었는데, 그것이 대통령에게 해임권한은 없음을 뜻하는 것인지가 문제되었던 사건

상위법 합치적 하위법 해석

① 하위법령은 그 규정이 상위법령의 규정에 명백히 저촉되어 무효인 경우를 제외하고는, 하위법령의 의미를 상위법령에 합치되는 것으로 해석하는 것이 가능한 경우, 관련법령의 내용과 그 입법취지, 연혁 등을 종합적으로 살펴서 그 의미를 상위법령에 합치되는 것으로 해석하여야 하고 하위법령이 상위법령에 위반된다는 이유로 쉽게 무효를 선언할 것은 아님(2016두33186, 2014두44502)

② 판례 어느 시행령의 규정이 모법에 저촉되는지 여부가 명백하지 아니하는 경우에는 모법과 시행령의 다른 규정들과 그 입법취지, 연혁 등을 종합적으로 살펴 모법에 합치한다는 해석도 가능한 경우라면 그 규정을 모법위반으로 무효라고 선언하여서는 안 됨(2012두23501)

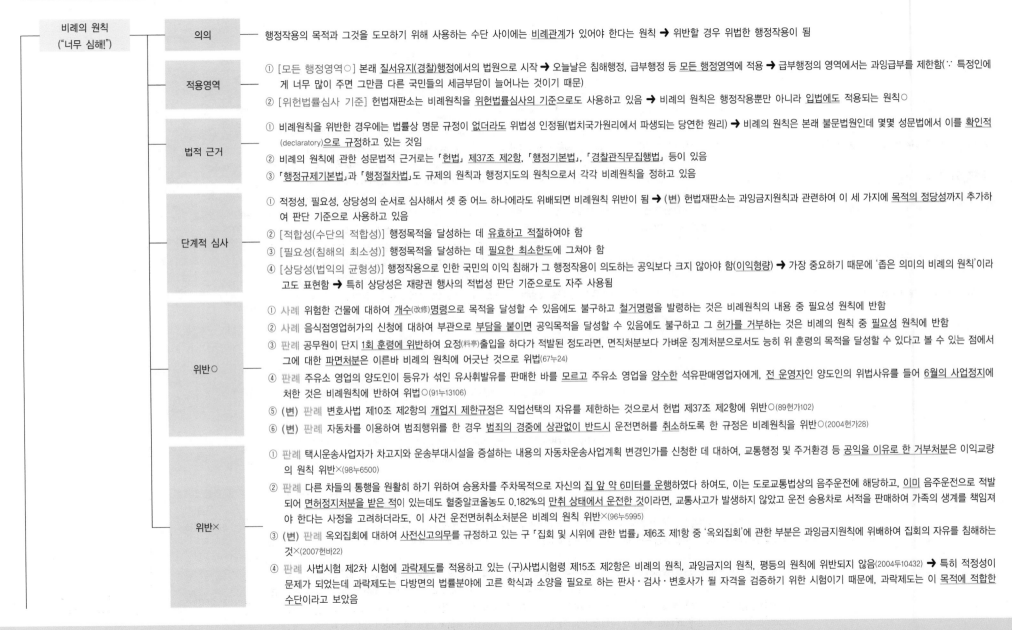

비례의 원칙 ("너무 심해!")

의의

행정작용의 목적과 그것을 도모하기 위해 사용하는 수단 사이에는 비례관계가 있어야 한다는 원칙 ➜ 위반할 경우 위법한 행정작용이 됨

적용영역

① [모든 행정영역○] 본래 질서유지(경찰)행정에서의 법원으로 시작 ➜ 오늘날은 침해행정, 급부행정 등 모든 행정영역에 적용 ➜ 급부행정의 영역에서는 과잉급부를 제한함(∵ 특정인에게 너무 많이 주면 그만큼 다른 국민들의 세금부담이 늘어나는 것이기 때문)

② [위헌법률심사 기준] 헌법재판소는 비례원칙을 위헌법률심사의 기준으로도 사용하고 있음 ➜ 비례의 원칙은 행정작용뿐만 아니라 입법에도 적용되는 원칙○

법적 근거

① 비례원칙을 위반한 경우에는 법률상 명문 규정이 없더라도 위법성 인정됨(법치국가원리에서 파생되는 당연한 원리) ➜ 비례의 원칙은 본래 불문법원인데 몇몇 성문법에서 이를 확인적(declaratory)으로 규정하고 있는 것임

② 비례의 원칙에 관한 성문법적 근거로는 「헌법」 제37조 제2항, 「행정기본법」, 「경찰관직무집행법」 등이 있음

③ 「행정규제기본법」과 「행정절차법」도 규제의 원칙과 행정지도의 원칙으로서 각각 비례원칙을 정하고 있음

단계적 심사

① 적정성, 필요성, 상당성의 순서로 심사해서 셋 중 어느 하나에라도 위배되면 비례원칙 위반이 됨 ➜ (변) 헌법재판소는 과잉금지원칙과 관련하여 이 세 가지에 목적의 정당성까지 추가하여 판단 기준으로 사용하고 있음

② [적합성(수단의 적합성)] 행정목적을 달성하는 데 유효하고 적절하여야 함

③ [필요성(침해의 최소성)] 행정목적을 달성하는 데 필요한 최소한도에 그쳐야 함

④ [상당성(법익의 균형성)] 행정작용으로 인한 국민의 이익 침해가 그 행정작용이 의도하는 공익보다 크지 않아야 함(이익형량) ➜ 가장 중요하기 때문에 '좁은 의미의 비례의 원칙'이라고도 표현함 ➜ 특히 상당성은 재량권 행사의 적법성 판단 기준으로도 자주 사용됨

위반○

① 사례 위험한 건물에 대하여 개수(改修)명령으로 목적을 달성할 수 있음에도 불구하고 철거명령을 발령하는 것은 비례원칙의 내용 중 필요성 원칙에 반함

② 사례 음식점영업허가의 신청에 대하여 부관으로 부담을 붙이면 공익목적을 달성할 수 있음에도 불구하고 그 허가를 거부하는 것은 비례의 원칙 중 필요성 원칙에 반함

③ 판례 공무원이 단지 1회 훈령에 위반하여 요정(料亭)출입을 하다가 적발된 정도라면, 면직처분보다 가벼운 징계처분으로서도 능히 위 훈령의 목적을 달성할 수 있다고 볼 수 있는 점에서 그에 대한 파면처분은 이른바 비례의 원칙에 어긋난 것으로 위법(67누24)

④ 판례 주유소 영업의 양도인이 등유가 섞인 유사휘발유를 판매한 바를 모르고 주유소 영업을 양수한 석유판매영업자에게, 전 운영자인 양도인의 위법사유를 들어 6월의 사업정지에 처한 것은 비례원칙에 반하여 위법(91누13106)

⑤ (변) 판례 변호사법 제10조 제2항의 개업지 제한규정은 직업선택의 자유를 제한하는 것으로서 헌법 제37조 제2항에 위반(89헌가102)

⑥ (변) 판례 자동차를 이용하여 범죄행위를 한 경우 범죄의 경중에 상관없이 반드시 운전면허를 취소하도록 한 규정은 비례원칙을 위반○(2004헌가28)

위반×

① 판례 택시운송사업자가 차고지와 운송부대시설을 증설하는 내용의 자동차운송사업계획 변경인가를 신청한 데 대하여, 교통행정 및 주거환경 등 공익을 이유로 한 거부처분은 이익교량의 원칙 위반×(98누6500)

② 판례 다른 차들의 통행을 원활히 하기 위하여 승용차를 주차목적으로 자신의 집 앞 약 6미터를 운행하였다 하여도, 이는 도로교통법상의 음주운전에 해당하고, 이미 음주운전으로 적발되어 면허정지처분을 받은 적이 있는데도 혈중알코올농도 0.182%의 만취 상태에서 운전한 것이라면, 교통사고가 발생하지 않았고 운전 승용차로 서적을 판매하여 가족의 생계를 책임져야 한다는 사정을 고려하더라도, 이 사건 운전면허취소처분은 비례의 원칙 위반×(96누5995)

③ (변) 판례 옥외집회에 대하여 사전신고의무를 규정하고 있는 구 「집회 및 시위에 관한 법률」 제6조 제1항 중 '옥외집회'에 관한 부분은 과잉금지원칙에 위배하여 집회의 자유를 침해하는 것×(2007헌바22)

④ 판례 사법시험 제2차 시험에 과락제도를 적용하고 있는 (구)사법시험령 제15조 제2항은 비례의 원칙, 과잉금지의 원칙, 평등의 원칙에 위반되지 않음(2004두10432) ➜ 특히 적정성이 문제가 되었는데 과락제도는 다방면의 법률분야에 고른 학식과 소양을 필요로 하는 판사·검사·변호사가 될 자격을 검증하기 위한 시험이기 때문에, 과락제도는 이 목적에 적합한 수단이라고 보았음

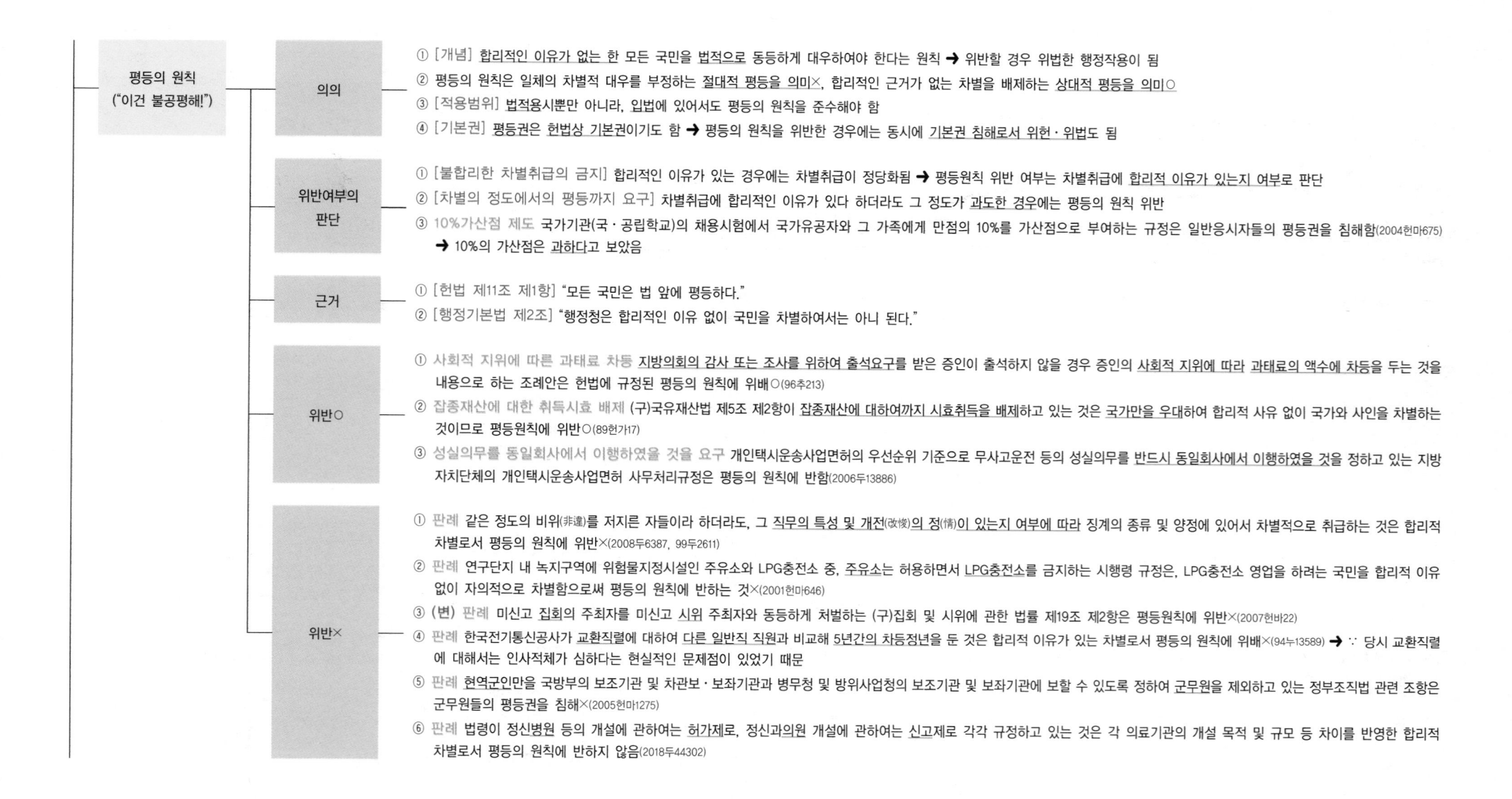

평등의 원칙
("이건 불공평해!")

의의

① [개념] 합리적인 이유가 없는 한 모든 국민을 법적으로 동등하게 대우하여야 한다는 원칙 ➡ 위반할 경우 위법한 행정작용이 됨
② 평등의 원칙은 일체의 차별적 대우를 부정하는 절대적 평등을 의미✕, 합리적인 근거가 없는 차별을 배제하는 상대적 평등을 의미○
③ [적용범위] 법적용시뿐만 아니라, 입법에 있어서도 평등의 원칙을 준수해야 함
④ [기본권] 평등권은 헌법상 기본권이기도 함 ➡ 평등의 원칙을 위반한 경우에는 동시에 기본권 침해로서 위헌·위법도 됨

위반여부의 판단

① [불합리한 차별취급의 금지] 합리적인 이유가 있는 경우에는 차별취급이 정당화됨 ➡ 평등원칙 위반 여부는 차별취급에 합리적 이유가 있는지 여부로 판단
② [차별의 정도에서의 평등까지 요구] 차별취급에 합리적인 이유가 있다 하더라도 그 정도가 과도한 경우에는 평등의 원칙 위반
③ 10%가산점 제도 국가기관(국·공립학교)의 채용시험에서 국가유공자와 그 가족에게 만점의 10%를 가산점으로 부여하는 규정은 일반응시자들의 평등권을 침해함(2004헌마675)
　➡ 10%의 가산점은 과하다고 보았음

근거

① [헌법 제11조 제1항] "모든 국민은 법 앞에 평등하다."
② [행정기본법 제2조] "행정청은 합리적인 이유 없이 국민을 차별하여서는 아니 된다."

위반○

① 사회적 지위에 따른 과태료 차등 지방의회의 감사 또는 조사를 위하여 출석요구를 받은 증인이 출석하지 않을 경우 증인의 사회적 지위에 따라 과태료의 액수에 차등을 두는 것을 내용으로 하는 조례안은 헌법에 규정된 평등의 원칙에 위배○(96추213)
② 잡종재산에 대한 취득시효 배제 (구)국유재산법 제5조 제2항이 잡종재산에 대하여까지 시효취득을 배제하고 있는 것은 국가만을 우대하여 합리적 사유 없이 국가와 사인을 차별하는 것이므로 평등원칙에 위반○(89헌가17)
③ 성실의무를 동일회사에서 이행하였을 것을 요구 개인택시운송사업면허의 우선순위 기준으로 무사고운전 등의 성실의무를 반드시 동일회사에서 이행하였을 것을 정하고 있는 지방자치단체의 개인택시운송사업면허 사무처리규정은 평등의 원칙에 반함(2006두13886)

위반✕

① 판례 같은 정도의 비위(非違)를 저지른 자들이라 하더라도, 그 직무의 특성 및 개전(改悛)의 정(情)이 있는지 여부에 따라 징계의 종류 및 양정에 있어서 차별적으로 취급하는 것은 합리적 차별로서 평등의 원칙에 위반✕(2008두6387, 99두2611)
② 판례 연구단지 내 녹지구역에 위험물지정시설인 주유소와 LPG충전소 중, 주유소는 허용하면서 LPG충전소를 금지하는 시행령 규정은, LPG충전소 영업을 하려는 국민을 합리적 이유 없이 자의적으로 차별함으로써 평등의 원칙에 반하는 것✕(2001헌마646)
③ (변) 판례 미신고 집회의 주최자를 미신고 시위 주최자와 동등하게 처벌하는 (구)집회 및 시위에 관한 법률 제19조 제2항은 평등원칙에 위반✕(2007헌바22)
④ 판례 한국전기통신공사가 교환직렬에 대하여 다른 일반직 직원과 비교해 5년간의 차등정년을 둔 것은 합리적 이유가 있는 차별로서 평등의 원칙에 위배✕(94누13589) ➡ ∵ 당시 교환직렬에 대해서는 인사적체가 심하다는 현실적인 문제점이 있었기 때문
⑤ 판례 현역군인만을 국방부의 보조기관 및 차관보·보좌기관과 병무청 및 방위사업청의 보조기관 및 보좌기관에 보할 수 있도록 정하여 군무원을 제외하고 있는 정부조직법 관련 조항은 군무원들의 평등권을 침해✕(2005헌마1275)
⑥ 판례 법령이 정신병원 등의 개설에 관하여는 허가제로, 정신과의원 개설에 관하여는 신고제로 각각 규정하고 있는 것은 각 의료기관의 개설 목적 및 규모 등 차이를 반영한 합리적 차별로서 평등의 원칙에 반하지 않음(2018두44302)

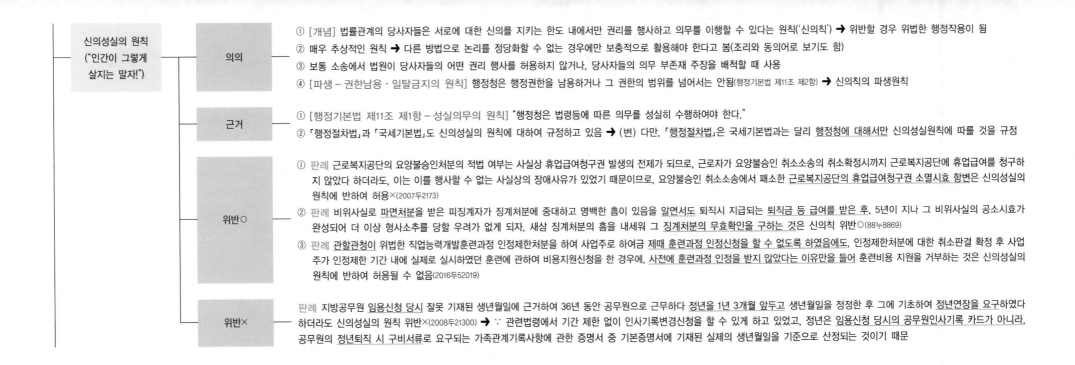

신의성실의 원칙 ("인간이 그렇게 살지는 말자!")	의의	① [개념] 법률관계의 당사자들은 서로에 대한 신의를 지키는 한도 내에서만 권리를 행사하고 의무를 이행할 수 있다는 원칙('신의칙') ➜ 위반할 경우 위법한 행정작용이 됨 ② 매우 추상적인 원칙 ➜ 다른 방법으로 논리를 정당화할 수 없는 경우에만 보충적으로 활용해야 한다고 봄(조리와 동의어로 보기도 함) ③ 보통 소송에서 법원이 당사자들의 어떤 권리 행사를 허용하지 않거나, 당사자들의 의무 부존재 주장을 배척할 때 사용 ④ [파생 – 권한남용·일탈금지의 원칙] 행정청은 행정권한을 남용하거나 그 권한의 범위를 넘어서는 안됨(행정기본법 제11조 제2항) ➜ 신의칙의 파생원칙
	근거	① [행정기본법 제11조 제1항 – 성실의무의 원칙] "행정청은 법령등에 따른 의무를 성실히 수행하여야 한다." ② 「행정절차법」과 「국세기본법」도 신의성실의 원칙에 대하여 규정하고 있음 ➜ (변) 다만, 「행정절차법」은 국세기본법과는 달리 행정청에 대해서만 신의성실원칙에 따를 것을 규정
	위반○	① 판례 근로복지공단의 요양불승인처분의 적법 여부는 사실상 휴업급여청구권 발생의 전제가 되므로, 근로자가 요양불승인 취소소송의 취소확정시까지 근로복지공단에 휴업급여를 청구하지 않았다 하더라도, 이는 이를 행사할 수 없는 사실상의 장애사유가 있었기 때문이므로, 요양불승인 취소소송에서 패소한 근로복지공단의 휴업급여청구권 소멸시효 항변은 신의성실의 원칙에 반하여 허용×(2007두2173) ② 판례 비위사실로 파면처분을 받은 피징계자가 징계처분에 중대하고 명백한 흠이 있음을 알면서도 퇴직시 지급되는 퇴직금 등 급여를 받은 후, 5년이 지나 그 비위사실의 공소시효가 완성되어 더 이상 형사소추를 당할 우려가 없게 되자, 새삼 징계처분의 흠을 내세워 그 징계처분의 무효확인을 구하는 것은 신의칙 위반○(88누8869) ③ 판례 관할관청이 위법한 직업능력개발훈련과정 인정제한처분을 하여 사업주로 하여금 제때 훈련과정 인정신청을 할 수 없도록 하였음에도, 인정제한처분에 대한 취소판결 확정 후 사업주가 인정제한 기간 내에 실제로 실시하였던 훈련에 관하여 비용지원신청을 한 경우에, 사전에 훈련과정 인정을 받지 않았다는 이유만을 들어 훈련비용 지원을 거부하는 것은 신의성실의 원칙에 반하여 허용될 수 없음(2016두52019)
	위반×	판례 지방공무원 임용신청 당시 잘못 기재된 생년월일에 근거하여 36년 동안 공무원으로 근무하다 정년을 1년 3개월 앞두고 생년월일을 정정한 후 그에 기초하여 정년연장을 요구하였다 하더라도 신의성실의 원칙 위반×(2008두21300) ➜ ∵ 관련법령에서 기간 제한 없이 인사기록변경신청을 할 수 있게 하고 있었고, 정년은 임용신청 당시의 공무원인사기록 카드가 아니라, 공무원의 정년퇴직 시 구비서류로 요구되는 가족관계기록사항에 관한 증명서 중 기본증명서에 기재된 실제의 생년월일을 기준으로 산정되는 것이기 때문

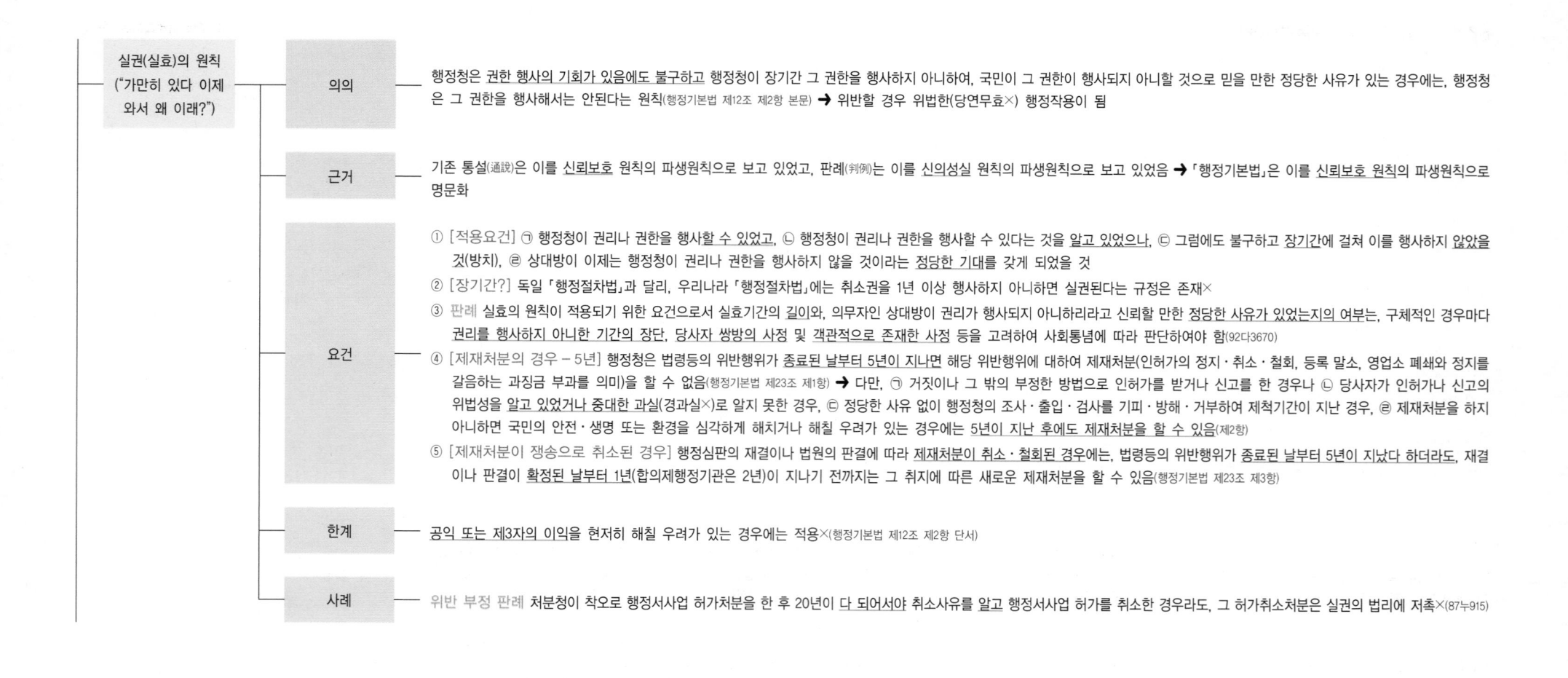

실권(실효)의 원칙
("가만히 있다 이제 와서 왜 이래?")

의의

행정청은 권한 행사의 기회가 있음에도 불구하고 행정청이 장기간 그 권한을 행사하지 아니하여, 국민이 그 권한이 행사되지 아니할 것으로 믿을 만한 정당한 사유가 있는 경우에는, 행정청은 그 권한을 행사해서는 안된다는 원칙(행정기본법 제12조 제2항 본문) ➔ 위반할 경우 위법한(당연무효×) 행정작용이 됨

근거

기존 통설(通說)은 이를 신뢰보호 원칙의 파생원칙으로 보고 있었고, 판례(判例)는 이를 신의성실 원칙의 파생원칙으로 보고 있었음 ➔ 「행정기본법」은 이를 신뢰보호 원칙의 파생원칙으로 명문화

요건

① [적용요건] ㉠ 행정청이 권리나 권한을 행사할 수 있었고, ㉡ 행정청이 권리나 권한을 행사할 수 있다는 것을 알고 있었으나, ㉢ 그럼에도 불구하고 장기간에 걸쳐 이를 행사하지 않았을 것(방치), ㉣ 상대방이 이제는 행정청이 권리나 권한을 행사하지 않을 것이라는 정당한 기대를 갖게 되었을 것

② [장기간?] 독일 「행정절차법」과 달리, 우리나라 「행정절차법」에는 취소권을 1년 이상 행사하지 아니하면 실권된다는 규정은 존재×

③ 판례 실효의 원칙이 적용되기 위한 요건으로서 실효기간의 길이와, 의무자인 상대방이 권리가 행사되지 아니하리라고 신뢰할 만한 정당한 사유가 있었는지의 여부는, 구체적인 경우마다 권리를 행사하지 아니한 기간의 장단, 당사자 쌍방의 사정 및 객관적으로 존재한 사정 등을 고려하여 사회통념에 따라 판단하여야 함(92다3670)

④ [제재처분의 경우 – 5년] 행정청은 법령등의 위반행위가 종료된 날부터 5년이 지나면 해당 위반행위에 대하여 제재처분(인허가의 정지·취소·철회, 등록 말소, 영업소 폐쇄와 정지를 갈음하는 과징금 부과를 의미)을 할 수 없음(행정기본법 제23조 제1항) ➔ 다만, ㉠ 거짓이나 그 밖의 부정한 방법으로 인허가를 받거나 신고를 한 경우나 ㉡ 당사자가 인허가나 신고의 위법성을 알고 있었거나 중대한 과실(경과실×)로 알지 못한 경우, ㉢ 정당한 사유 없이 행정청의 조사·출입·검사를 기피·방해·거부하여 제척기간이 지난 경우, ㉣ 제재처분을 하지 아니하면 국민의 안전·생명 또는 환경을 심각하게 해치거나 해칠 우려가 있는 경우에는 5년이 지난 후에도 제재처분을 할 수 있음(제2항)

⑤ [제재처분이 쟁송으로 취소된 경우] 행정심판의 재결이나 법원의 판결에 따라 제재처분이 취소·철회된 경우에는, 법령등의 위반행위가 종료된 날부터 5년이 지났다 하더라도, 재결이나 판결이 확정된 날부터 1년(합의제행정기관은 2년)이 지나기 전까지는 그 취지에 따른 새로운 제재처분을 할 수 있음(행정기본법 제23조 제3항)

한계

공익 또는 제3자의 이익을 현저히 해칠 우려가 있는 경우에는 적용×(행정기본법 제12조 제2항 단서)

사례

위반 부정 판례 처분청이 착오로 행정서사업 허가처분을 한 후 20년이 다 되어서야 취소사유를 알고 행정서사업 허가를 취소한 경우라도, 그 허가취소처분은 실권의 법리에 저촉×(87누915)

부당결부금지 원칙 ("그거랑 이게 무슨 상관인데?")	의의	① [개념] 행정기관이 행정작용을 할 때 상대방에게 해당 행정작용과 실질적인 관련이 없는 의무를 부과해서는 안 된다는 원칙(행정기본법 제13조) ➔ 위반할 경우 위법한 행정작용이 됨 ② [비례의 원칙과의 관계] 부당결부금지원칙을 비례의 원칙 중 적합성의 원칙과 같은 개념으로 보는 견해도 존재함 ③ 보통 허가를 해주면서 부관을 붙이거나 국민과 계약을 체결하는 과정에서 문제됨 ④ (변)「행정규제기본법」에는 부당결부금지 원칙에 대한 규정×
	실질적 관련성 (출제×)	① [원인적 관련성] 반대급부로 의무를 부과하는 이유가, 행정작용을 해주게 되었기 때문이어야 함 ➔ 행정작용을 하지 않았더라면, 반대급부로 의무를 부과하지도 않았을 경우이어야 한다는 말 ② [목적적 관련성] 행정작용의 근거법률이나 그 행정작용이 추구하는 목적을 위해 반대급부가 부과되어야 함 ③ 둘 모두 충족해야만 실질적 관련성이 있는 것으로 인정됨
	사법 형식을 통한 잠탈 방지	부당결부금지 원칙에 반하여 부관으로 붙이는 것이 허용되지 않는 부담의 내용이라면, 이를 상대방에게 사법상(私法上) 계약의 형식으로 부담하게 하는 것도 허용×(2007다63966)
	위반○	① 판례 지방자치단체의 장이 사업자에게 주택건설사업계획 승인❶을 하면서 그 주택사업과는 아무런 관련이 없는 토지를 기부채납하도록 부관을 붙였다면, 그 부관은 부당결부금지의 원칙에 위반되어 위법○(96다49650) ➔ (변) 다만, 이 부관에는 취소사유(무효사유×)에 해당하는 하자만 있다고 보았음 ② 판례 건축물에 인접한 도로의 개설을 위한 도시계획 사업시행허가처분은, 건축물에 대한 건축허가처분과는 별개의 행정처분이므로, 건축법상의 근거 없이 사업시행허가를 함에 있어 조건으로 내세운 기부채납의무를 이행하지 않았음을 이유로 한 건축물에 대한 준공거부처분은 위법○(92누10364) ➔ ∵ 기부채납의무의 이행은 도로에 대한 사업시행허가와 결부된 것이지, 건축물에 대한 건축허가처분과 결부된 것이 아니기 때문 ③ 판례 지방자치단체가 골프장사업계획승인과 관련하여 사업자로부터 기부금을 지급받기로 한 증여계약은 무효(2007다63966) ➔ 금전과 행정작용을 결부짓는 것은 위법하다고 봄
	위반×	① 판례 65세대의 주택건설사업에 대한 사업계획승인을 하면서 입주민이 이용하는 '진입도로 설치 후 기부채납'과 '기존 통행로 폐쇄에 따른 대체 통행로 설치 후 그 부지 일부 기부채납'을 부담으로 부과하는 것은 부당결부금지원칙에 위배×(96누16698) ② 판례 고속국도 관리청이 고속도로 부지와 접도구역에 송유관 매설을 허가하면서 상대방과 체결한 협약에 따라 송유관 시설을 이전하게 될 경우 그 비용을 상대방에게 부담하도록 한 부관은 부당결부금지의 원칙에 위배×(2005다65500)

❶ [더 들어가기] 일정규모 이상의 주택(예 30세대 이상의 아파트)을 짓기 위해서는 「건축법」상의 건축허가가 아니라, 「주택법」상의 사업계획승인을 받아야 한다. 집단주거지 개발의 성격을 띠기 때문에 부대시설 및 복시시설까지 규율대상에 포함되며, 「건축법」상의 건축허가보다 절차가 까다롭다.

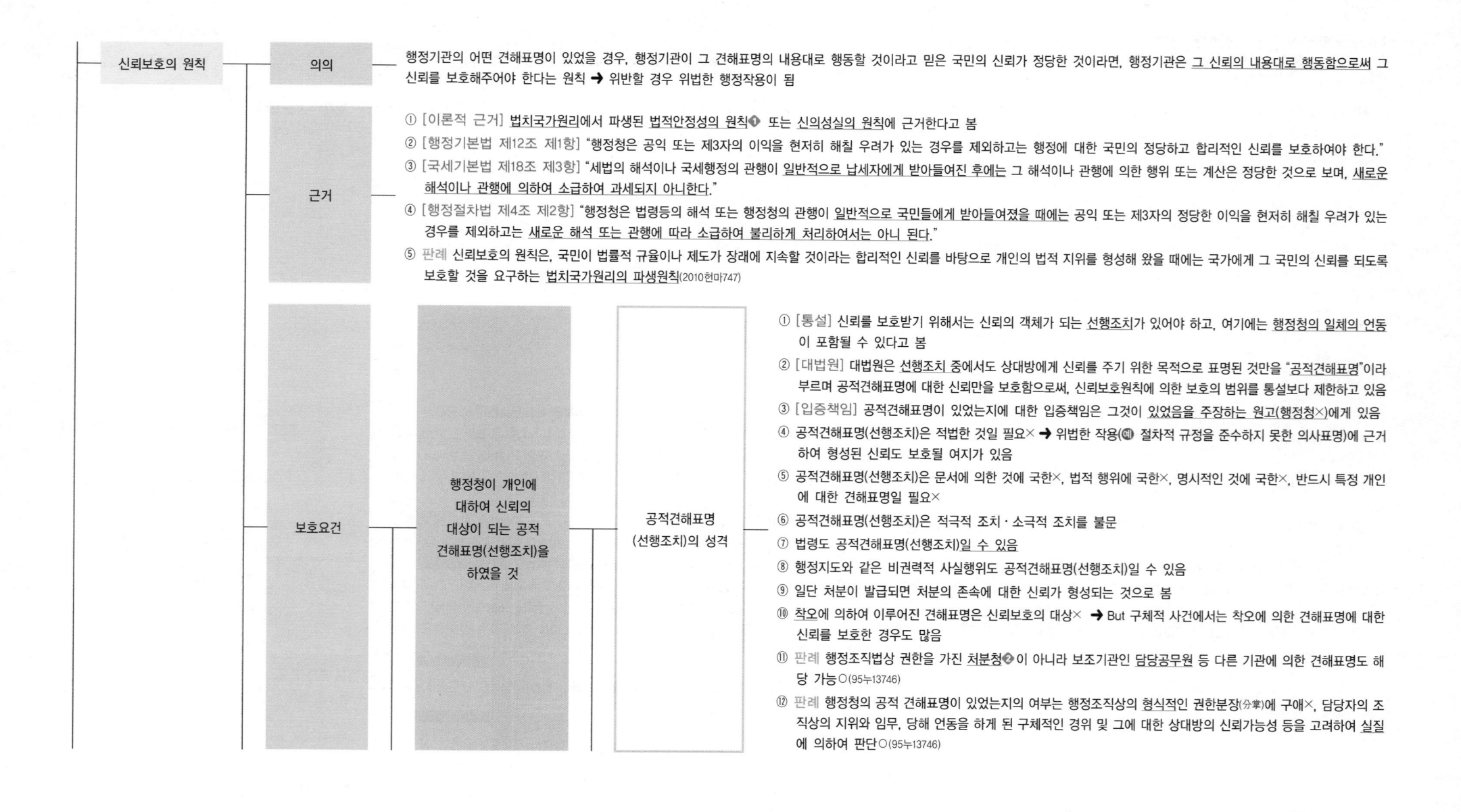

신뢰보호의 원칙 ─ 의의 ─ 행정기관의 어떤 견해표명이 있었을 경우, 행정기관이 그 견해표명의 내용대로 행동할 것이라고 믿은 국민의 신뢰가 정당한 것이라면, 행정기관은 <u>그 신뢰의 내용대로 행동함으로써</u> 그 신뢰를 보호해주어야 한다는 원칙 ➜ 위반할 경우 위법한 행정작용이 됨

근거
① [이론적 근거] <u>법치국가원리에서 파생된 법적안정성의 원칙❶</u> 또는 신의성실의 원칙에 근거한다고 봄
② [행정기본법 제12조 제1항] "행정청은 공익 또는 제3자의 이익을 현저히 해칠 우려가 있는 경우를 제외하고는 행정에 대한 국민의 정당하고 합리적인 신뢰를 보호하여야 한다."
③ [국세기본법 제18조 제3항] "세법의 해석이나 국세행정의 관행이 일반적으로 납세자에게 받아들여진 후에는 그 해석이나 관행에 의한 행위 또는 계산은 정당한 것으로 보며, 새로운 해석이나 관행에 의하여 소급하여 과세되지 아니한다."
④ [행정절차법 제4조 제2항] "행정청은 법령등의 해석 또는 행정청의 관행이 일반적으로 국민들에게 받아들여졌을 때에는 공익 또는 제3자의 정당한 이익을 현저히 해칠 우려가 있는 경우를 제외하고는 새로운 해석 또는 관행에 따라 소급하여 불리하게 처리하여서는 아니 된다."
⑤ 판례 신뢰보호의 원칙은, 국민이 법률적 규율이나 제도가 장래에 지속할 것이라는 합리적인 신뢰를 바탕으로 개인의 법적 지위를 형성해 왔을 때에는 국가에게 그 국민의 신뢰를 되도록 보호할 것을 요구하는 법치국가원리의 파생원칙(2010헌마747)

보호요건 ─ 행정청이 개인에 대하여 신뢰의 대상이 되는 공적 견해표명(선행조치)을 하였을 것 ─ 공적견해표명(선행조치)의 성격
① [통설] 신뢰를 보호받기 위해서는 신뢰의 객체가 되는 <u>선행조치</u>가 있어야 하고, 여기에는 행정청의 일체의 언동이 포함될 수 있다고 봄
② [대법원] 대법원은 <u>선행조치</u> 중에서도 상대방에게 신뢰를 주기 위한 목적으로 표명된 것만을 "공적견해표명"이라 부르며 공적견해표명에 대한 신뢰만을 보호함으로써, 신뢰보호원칙에 의한 보호의 범위를 통설보다 제한하고 있음
③ [입증책임] 공적견해표명이 있었는지에 대한 입증책임은 그것이 있었음을 주장하는 <u>원고(행정청×)</u>에게 있음
④ 공적견해표명(선행조치)은 적법한 것일 필요× ➜ 위법한 작용(❷ 절차적 규정을 준수하지 못한 의사표명)에 근거하여 형성된 신뢰도 보호될 여지가 있음
⑤ 공적견해표명(선행조치)은 문서에 의한 것에 국한×, 법적 행위에 국한×, 명시적인 것에 국한×, 반드시 특정 개인에 대한 견해표명일 필요×
⑥ 공적견해표명(선행조치)은 적극적 조치·소극적 조치를 불문
⑦ 법령도 공적견해표명(선행조치)일 수 있음
⑧ 행정지도와 같은 비권력적 사실행위도 공적견해표명(선행조치)일 수 있음
⑨ 일단 처분이 발급되면 처분의 존속에 대한 신뢰가 형성되는 것으로 봄
⑩ 착오에 의하여 이루어진 견해표명은 신뢰보호의 대상× ➜ But 구체적 사건에서는 착오에 의한 견해표명에 대한 신뢰를 보호한 경우도 많음
⑪ 판례 행정조직법상 권한을 가진 <u>처분청❷</u>이 아니라 보조기관인 담당공무원 등 다른 기관에 의한 견해표명도 해당 가능○(95누13746)
⑫ 판례 행정청의 공적 견해표명이 있었는지의 여부는 행정조직상의 형식적인 권한분장(分掌)에 구애×, 담당자의 조직상의 지위와 임무, 당해 언동을 하게 된 구체적인 경위 및 그에 대한 상대방의 신뢰가능성 등을 고려하여 실질에 의하여 판단○(95누13746)

---

❶ [헌법] 법적안정성의 원칙이란 법질서는 자주 변경되어서는 안 된다는 헌법상의 원칙을 말한다.

❷ 처분청이란 처분을 행한 행정청을 말하는 것으로서 처분명의자를 뜻한다. 처분은 처분을 발급할 권한을 갖는 자의 이름으로 발급된다. 보통 각 행정조직의 장(예 지방병무청장, 보건복지부장관, 시장, 군수)이 처분을 발급할 권한을 갖는다.

특수논점 – 비과세관행

① 비과세관행도 공적견해표명에 해당할 수 있음

② 판례 면허세의 근거 법령이 제정되어 폐지될 때까지의 4년 동안 과세관청이 면허세를 부과할 수 있음을 알면서도 수출확대라는 공익상 필요에서 한 건도 부과한 일이 없었다면 선행조치로서의 비과세관행이 이루어졌다고 보아도 무방(80누6)

③ [객관적 사실 필요] 비과세관행이 성립되었다고 하려면 상당한 기간에 걸쳐 과세를 하지 않은 객관적 사실이 존재하여야 함(2000두5203)

④ [+ 비과세 의사의 존재 + 의사표시 필요] 비과세관행의 성립을 위해서는 과세관청 스스로 과세할 수 있음을 알면서도 어떤 특별한 사정 때문에 과세하지 않는다는 의사가 있고, 이와 같은 의사는 명시적 또는 묵시적으로 표시되어야 함(2000두5203)

⑤ 판례 국세기본법에 따른 비과세관행의 성립요건인 공적 견해나 의사의 묵시적 표시가 있다고 하기 위해서는, 과세관청이 상당기간의 불과세 상태에 대하여 과세하지 않겠다는 의사표시를 한 것으로 볼 수 있는 사정이 있어야 함(2000두5203)

⑥ [입증책임 – 납세자] 납세자에게 신뢰의 대상이 되는 공적인 견해가 표명되었다는 사실은 납세자(행정청×)가 주장·입증하여야 함(94누6574, 91누9824)

공적견해표명 해당○

① 판례 종교법인이 도시계획구역 내 생산녹지로 답(畓)인 토지에 대하여 종교회관 건립을 이용목적으로 하는 토지거래계약의 허가를 받으면서, 담당공무원이 관련 법규상 허용된다고 하여 이를 신뢰하고 건축준비를 하였으나, 지역주민들의 반발이 있자 후에 충주시장이 토지형질변경❶허가신청을 불허가한 것은 신뢰보호의 원칙 위반○(96누18380)

② 판례 한국건설기술인협회가 「지방세법」에서 정한 취득세 등이 면제되는 '기술진흥단체'인지 여부에 관한 질의에 대하여 건설교통부장관과 내무부장관이 비과세 의견으로 회신한 경우 공적인 견해표명이 있었던 경우에 해당함(2008두1115)

③ 판례 시의 도시계획과장과 도시계획국장이 도시계획사업의 준공과 동시에 사업부지에 편입한 토지에 대한 완충녹지 지정을 해제함과 아울러 당초의 토지소유자들에게 환매하겠다는 약속을 했음에도, 이를 믿고 토지를 협의매매한 토지소유자의 완충녹지지정해제신청을 거부한 것은 신뢰보호의 원칙에 위반○(2008두6127)

④ 판례 보건사회부장관이 중앙일간지에 "의료취약지 병원설립운용자에게 5년간 지방세 중 재산세를 면제한다"는 취지의 공고를 하였고, 이에 甲은 의료취약지인 강원도 B군(郡)에서 병원을 설립·운용하였으나, B군수가 지방세법 규정에 근거하여 甲에 대해 군세(郡稅)인 재산세를 부과한 경우, 보건사회부장관에게는 권한분장관계상 재산세를 부과할 권한이 없다 하더라도 보건사회부장관의 공고는 신뢰보호원칙의 요건인 행정청의 공적견해표명에 해당○(95누13746)

⑤ 판례 행정청이 착오로 인하여, 이중국적자인 甲의 국적이탈신고가 없었음에도 불구하고 국적이탈을 이유로 주민 등록을 말소한 행위는 법령에 따라 국적이탈이 처리되었다는 견해를 표명한 것으로 볼 수 있고, 상대방이 이러한 주민등록말소를 통하여 자신의 국적이탈이 적법하게 처리된 것으로 신뢰하였다면 이는 보호할 가치 있는 신뢰에 해당함(2006두10931) ➡ 국적이탈이 행정청의 직권에 의해 이루어진 줄 알고, 만 18세 이전에 별도로 국적이탈 신고를 하지 아니하였다가, 甲이 만 18세가 넘은 후에 동사무소에서 甲의 주민등록을 직권으로 재등록하자, 다시 국적이탈신고를 하였는데, 행정청이 '병역을 필하였거나 면제받았다는 증명서가 첨부되지 않았다'는 이유로 이를 반려한 사건 ➡ 대법원은 이 반려 처분은 신뢰보호의 원칙에 반하여 위법하다고 보았음

---

❶ [각론] 참고로, 토지형질변경이란, 절토(땅깎기)·성토(흙쌓기)·정지(땅고르기)·포장 등의 방법으로 토지의 형상을 변경하는 행위와 공유수면의 매립을 말한다(국토의 계획 및 이용에 관한 법률 시행령). 토지형질변경허가는 토지의 법적성질(質)을 바꾸는 것을 허가하고, 그것을 위해 토지의 형(形)상을 바꾸기 위한 공사를 허용하는 것을 말한다. 보통 지목을 바꾸기 위한 목적으로 토지형질변경허가신청이 이루어진다.

공적견해표명
해당×

① 입법예고 정책의 주무 부처인 중앙행정기관이 입법 예고를 통해 법령안의 내용을 국민에게 예고한 적이 있다고 하더라도, 그것이 법령으로 확정되지 아니한 이상 국가가 이해관계자들에게 그 법령안에 관련된 사항을 약속하였다고 볼 수 없으며, 이러한 사정만으로 어떠한 신뢰를 부여하였다고 볼 수도 없음(2017다249769)

② 국회의 법률안 심의·의결 국회에서 일정한 법률안을 심의하거나 의결한 적이 있다고 하더라도, 그것이 법률로 확정되지 아니한 이상, 국가가 이해관계자들에게 위 법률안에 관련된 사항을 약속하였다고 볼 수 없으며, 이러한 사정만으로 어떠한 신뢰를 부여하였다고 볼 수도 없음(2004다33469)

③ (변) 조세법령의 내용 또는 행정규칙 자체 조세법령의 규정내용 및 행정규칙 자체는 과세관청의 공적 견해 표명에 해당하지 아니함(2001두403) ➔ 학자들의 입장과 충돌하는 판례임

④ 행정규칙의 공표 행정청 내부의 재량권 행사의 준칙(사무처리준칙)인 행정규칙의 공표만으로는 상대방은 보호가치 있는 신뢰를 갖게 되었다고 볼 수 없음(2009두7967) ➔ ∵ 행정규칙의 공표는 행정업무의 투명성을 위해 하는 것일 뿐, 어떠한 약속을 하기 위한 목적으로 하는 것이 아니기 때문

⑤ 농림사업시행지침서(재량준칙) 공표 행정청 내부의 사무처리준칙에 해당하는 농림사업시행지침서가 공표된 것만으로는 사업자로 선정되기를 희망하는 자가 당해 지침에 명시된 요건을 충족할 경우 사업자로 선정되어 사업자금 지원 등의 혜택을 받을 수 있다는 보호가치 있는 신뢰를 가지게 되었다고 보기 어려움(2009두7967) ➔ 학자들의 입장과 충돌하는 판례임

⑥ 추상적 질의에 대한 일반적 견해표명 행정기관의 추상적 질의에 대한 일반적 견해표명은 공적견해표명×(90누10384, 84누59) ➔ 과세관청이 질의회신 등을 통하여 어떤 견해를 표명하였다고 하더라도 그것이 중요한 사실관계와 법적인 쟁점을 제대로 드러내지 아니한 채 질의한 데 따른 것이라면 공적인 견해표명에 의하여 정당한 기대를 가지게 할 만한 신뢰가 부여된 경우라고 볼 수 없음(2011두5940)

⑦ 문화관광부장관의 지방자치단체 장에 대한 회신 문화관광부장관이 지방자치단체장에게 한 사업승인가능성에 대한 회신은 사업신청자인 민원인에 대한 공적견해표명×(2005두6539)

⑧ 개발사업 저촉사항 없음 甲이 「개발이익환수에 관한 법률」에 정하고 있는 개발사업을 시행하기 전에 예식장·대형할인매장을 건축하는 것이 가능한지에 대해 질의하자, 행정청이 민원예비심사로서 관련부서의견으로 '저촉사항 없음'이라고 기재하였다 하더라도, 그것은 개발부담금부과처분에 대한 신뢰보호의 원칙을 적용하기 위한 요건인 공적인 견해표명×(2000두46) ➔ ∵ 예식장이나 대형할인매장 건축이 관련법령에 위배되는지 여부와 개발부담금부과처분의 대상이 되는지 여부는 별개의 문제이기 때문

⑨ 민원봉사차원의 답변 서울지방병무청 담당부서의 담당공무원에게 공적 견해의 표명을 구하는 정식의 서면질의 등을 하지 아니한 채, 총무과 민원팀장에 불과한 공무원이 민원봉사차원에서 법령의 내용을 숙지하지 못한 채 국외영주권을 취득한 사람의 상담에 응하여 현역입영대상자가 아니라 보충역편입대상자가 될 수 있다고 한 답변은 공적인 견해표명× ➔ 후에 현역병입영판정을 받았다 하더라도 신뢰보호원칙 위반×(2003두1875) ➔ 민원봉사차원의 답변은 공적견해표명에 해당하지 않는다고 봄

⑩ 권장용도 결정 행정청이 지구단위계획을 수립하면서 권장용도를 판매·위락·숙박시설로 결정하여 고시하였다 하더라도, 그것은 그 구역에서는 공익과 무관하게 언제든지 숙박시설에 대한 건축허가를 발급해주겠다는 공적 견해를 표명한 것×(2004두6822)

⑪ 도시계획결정 당초 정구장시설을 설치한다는 도시계획결정을 하였다가, 정구장 대신 청소년수련시설을 설치한다는 내용의 도시계획변경결정 및 지적승인을 한 경우, 당초의 도시계획결정만으로는 사업시행자로 지정받을 것을 예상하고 정구장 설계비용 등을 지출한 자에 대하여 도시계획사업의 시행자 지정을 받게 된다는 공적 견해를 표명한 것×(2000두727)

⑫ 사업자등록증 교부 또는 고유번호 부여 과세관청이 납세의무자에게 부가가치세 면세사업자(ⓔ 출판업)용 사업자등록증을 교부하거나 고유번호를 부여하였다고 하더라도 그가 실제로 영위하는 사업(ⓔ 학원업)에 관하여 부가가치세를 과세하지 않겠다는 언동이나 공적 견해를 표명한 것×(2007두23255)

⑬ 폐기물처리업 사업계획 적정통보 일반적으로 행정청이 폐기물처리업 사업계획에 대한 적정통보를 한 경우 이는 토지에 대한 형질변경신청을 허가하는 취지의 공적 견해표명을 한 것으로 볼 수 없음(98두6498)

⑭ 착오에 의한 경계측량표지는 공원구역지정에 대한 공적견해표명× 국립공원 관리권한을 가진 행정청이 실제의 공원구역과 다르게 경계측량표지를 설치한 십수 년 후 착오를 발견하여 지형도를 수정한 조치는 신뢰보호 원칙에 위배×(92누2325) ➔ 국립공원표지와 그에 따른 지형도를 신뢰하여 그 바깥에 축사를 신축하였는데, 수정된 지형도에 따르면 국립공원 내부에 축사를 지은 것이 된 사건

⑮ 헌법재판소의 위헌결정 헌법재판소의 위헌결정은 행정청이 개인에 대하여 신뢰의 대상이 되는 공적인 견해를 표명한 것이라고 할 수 없으므로 그 결정에 관련한 개인의 행위에 대하여는 신뢰보호의 원칙이 적용되지 아니함(2002두6965)

행정청의 견해표명이 정당하다고 신뢰한 데에 대하여 그 개인에게 귀책사유가 없을 것 (보호가치가 있을 것)	① 공적 견해표명의 상대방에게 귀책사유가 있었던 경우에는 보호× ➜ 이때에는 그 신뢰를 보호할 가치가 없다고 보는 것

① 공적 견해표명의 상대방에게 귀책사유가 있었던 경우에는 보호× ➜ 이때에는 그 신뢰를 보호할 가치가 없다고 보는 것

② [귀책사유] ㉠ 행정청의 견해표명 하자❶가 상대방 등 관계자의 사실은폐나 기타 사위(詐僞)의 방법에 의한 신청행위 등 부정행위에 기인한 경우이거나(or), ㉡ 그러한 부정행위가 없다고 하더라도 하자가 있음을 알았거나 중대한 과실로 알지 못한 경우를 의미

③ 귀책사유가 있는지 여부는 견해표명의 상대방과 그로부터 신청행위를 위임받은 수임인 등 관계자 모두를 기준으로 하여 판단

④ [무효인 행정행위에 대한 신뢰] 행정행위에 중대하고 명백한 하자가 있어 무효인 경우에는, 그에 대한 신뢰는 보호가치가 없다고 봄

⑤ 판례 행정기관의 선행조치의 하자가 당사자의 사실은폐나 기타 사위의 방법에 의한 신청행위에 기인한 것이라면, 당사자는 그 처분에 의한 이익이 위법하게 취득되었음을 알아 그 취소가능성도 예상하고 있었다고 할 것이므로 그 자신이 위 처분에 관한 신뢰이익을 원용할 수 없다(2001두5286) ➜ 행정청이 이를 고려하지 않아도 재량의 일탈·남용×

⑥ 판례 수익적 처분이 상대방의 허위 기타 부정한 방법으로 인하여 행하여졌다면 상대방은 그 처분이 그와 같은 사유로 인하여 취소될 것임을 예상할 수 없었다고 할 수 없으므로, 이러한 경우에까지 상대방의 신뢰를 보호하여야 하는 것은 아님(94누6529)

⑦ 판례 건축주 甲이 건축사 乙에게 건축설계와 건축허가 신청행위를 의뢰 ➜ 乙이 부정행위 혹은 중대한 과실로 위법사실은 은폐한 채 건축허가 신청을 하였으나 행정청이 이를 발견하지 못하고 건축허가를 발급해 주었음 ➜ 후에 완공된 건축물이 건축한계선을 위반하였다는 이유로 행정청이 철거명령 ➜ 甲과 그로부터 신청행위를 위임받은 수임인 乙 등 관계자 모두를 기준으로 판단할 때 甲에게 귀책사유가 있다고 볼 수 있으므로 甲의 건축허가에 대한 신뢰는 신뢰보호원칙에 의해 보호×(2001두1512)

⑧ 판례 교통사고가 일어난 지 1년 10개월이 지난 뒤 그 교통사고를 일으킨 택시에 대하여 운송사업면허를 취소한 경우, 택시운송사업자로서는 자동차운수사업법의 내용을 잘 알고 있어 교통사고를 낸 택시에 대하여 운송사업면허가 취소될 가능성을 예상할 수 있었으므로, 별다른 행정조치가 없을 것으로 자신이 믿고 있었다 하여도 신뢰의 이익을 주장할 수는 없음(88누6283)

⑨ 판례 수익적 행정처분의 하자가 당사자의 사실은폐나 기타 사위의 방법에 의한 신청행위에 기인한 경우, 행정청이 사실관계에 대한 명확한 확인을 하지 않아 이를 발견하지 못하였다 하더라도, 신청인 측에서 의도적으로 법령에 정한 각종 규제를 탈법적인 방법으로 회피하려고 한 것이 정당화되지는 않음(2013두16111)

⑩ 판례 폐기물처리업 사업계획에 대하여 적정통보를 한 것만으로, 원고가 그 사업부지에 대한 국토이용계획변경신청을 승인받을 수 있을 것이라고 신뢰하였다면 이것은 원고에게 귀책사유가 있는 신뢰임(2004두8828) ➜ 국토이용계획변경신청을 승인해 주겠다는 공적견해표명에 해당하지 않으므로 그것을 신뢰하였다면 그 신뢰가 잘못된 것이라는 말

⑪ 판례 국가가 공무원임용결격사유가 있는 자에 대하여 결격사유가 있는 것을 알지 못하고 공무원으로 임용하였다가, 사후에 결격사유가 있는 자임을 발견하고 공무원 임용행위를 취소함은, 당사자에게 원래의 임용행위가 당초부터 당연무효이었음을 통지하여 확인시켜 주는 행위에 지나지 아니하는 것이므로, 그러한 의미에서 당초의 임용처분을 취소함에 있어서는 신의칙 내지 신뢰의 원칙을 적용할 수 없어 취소권은 시효에 의한 제한을 받지 않음(86누459) ➜ 결격사유 있는 자에 대한 공무원 임용은 무효이기 때문에, 신뢰보호의 원칙에 의한 보호를 받지 못해, 시간의 제한이 없이 임용취소를 할 수 있다는 말

상대방이 견해표명을 신뢰하여 (인과관계) 그에 따라 어떠한 처리행위를 하였을 것	① 외적인 어떤 행위를 하였어야 함 ➜ ㉠ 정신적 신뢰만 한 것으로는 충분×, ㉡ 적극적 행위로 한정×

① 외적인 어떤 행위를 하였어야 함 ➜ ㉠ 정신적 신뢰만 한 것으로는 충분×, ㉡ 적극적 행위로 한정×

② [사례] 폐기물처리업적합통보로 인한 사기업 면접 불참과 같은 소극적 행위도 신뢰에 따른 처리행위에 해당○

③ 선행조치에 대한 신뢰와 무관하게 우연히 행해진 사인의 처리행위는 신뢰보호의 대상×

행정청이 그 견해표명에 반하는 처분을 할 경우 견해표명을 신뢰한 개인의 이익이 침해되는 결과가 초래될 것

❶ 여기서 '하자'란, 문제점 혹은 잘못을 뜻한다.

적용 한계	① [신뢰보호의 이익 vs 제3자의 이익 또는 공익] 견해표명에 따른 행정처분을 할 경우 이로 인하여 공익 또는 제3자의 정당한 이익을 현저히 해할 우려가 있는 경우가 아닐 것 ➡ '현저히 해할 우려' 어떻게 판단? ➡ 신뢰를 보호해 주지 않을 경우 입게 되는 상대방의 피해와 보호되는 공익 또는 제3자의 정당한 이익을 형량하여 판단
	② [신뢰보호의 원칙 vs 합법률성의 원칙] 행정의 합법률성(법률적합성) 원칙과 신뢰보호원칙이 충돌하는 경우(신뢰에 따라 행정청이 행동하여 주는 것이 위법한 것인 경우), 양자는 동위에 있으므로 언제나 어느 한쪽이 우선하는 것이 아니라, 사안에 따라 이익형량을 하여 더 무거운 쪽을 우선하여야 함
	③ [공적견해표명의 실효] 신뢰보호의 원칙은 행정청이 공적인 견해를 표명할 당시의 사정이 그대로 유지됨을 전제로 적용되는 것이 원칙이므로, 이 공적견해 표명은 행정청이 상대방에게 장차 어떤 처분을 하겠다고 공적인 의사표명을 하였다고 하더라도, ⑦ 그 자체에서 상대방으로 하여금 언제까지 처분의 발령을 신청을 하도록 유효기간을 두었는데도 그 기간 내에 상대방의 신청이 없었다거나 ⓒ 공적인 의사표명이 있은 후에 사실적·법률적 상태가 변경되었다면, 그와 같은 공적인 의사표명은 더 이상 개인에게 신뢰의 대상이 된다고 보기 어려우므로 행정청의 별다른 의사표시를 기다리지 않고(행정청이 의사표시를 취소하면×) 실효됨(2018두34732, 95누10877) ➡ 비판有
	④ 판례 행정청이 공적인 견해표명에 반하는 처분을 함으로써 달성하려는 공익이, 행정청의 공적 견해표명을 신뢰한 개인이 그 행정처분으로 인하여 입게 되는 이익의 침해를 정당화할 수 있을 정도로 강한 경우에는, 신뢰보호의 원칙을 들어 그 행정처분이 위법하다고는 할 수 없음(2007두25060, 2004두6822)
	⑤ 판례 학생들의 교육환경과 인근 주민들의 주거환경 보호라는 공익이 그 신청인이 잃게 되는 이익의 침해를 정당화할 수 있을 정도로 크다면 숙박시설 건축허가 신청을 반려한 처분은 신뢰보호의 원칙에 위배×(2004두6822)
	⑥ 한려해상국립공원이라서 공익이 더 무겁다고 본 판례 甲은 시장에게 한려해상국립공원 인근 자연녹지지역에서 토석채취허가 여부에 대한 문의를 하였고, 평소 개발에 대한 소신을 가지고 있던 시장이 '법적인 장애만 없으면 허가를 해주겠다'는 답변을 하자, 甲은 토지를 매입하고 설계에 착수하고 건설회사와 토석채취 및 운반계약을 체결하는 등 많은 비용을 들여 준비행위를 마치고 형질변경 및 토석채취허가신청을 하였으나, 신임시장이 해당 토지에서 토석채취 작업을 할 경우 주변의 환경·풍치·미관 등이 크게 손상될 우려가 있다는 이유로 이를 불허가하는 처분을 한 경우 당해 불허가처분은 신뢰보호원칙에 반하여 위법×(98두7343)
	⑦ 신뢰보호의 이익이 더 무겁다고 본 판례 폐기물처리업에 대하여 관할 관청의 사전 적정통보를 받고 막대한 비용을 들여 허가요건을 갖춘 다음 허가신청을 하였음에도, 청소업자의 난립으로 효율적인 청소업무의 수행에 지장이 있다는 이유로 한 불허가처분은 신뢰보호의 원칙에 반하여 재량권을 남용한 위법한 처분(98두4061) ➡ 적정통보는 폐기물처리업허가에 대한 공적견해표명에 해당함을 전제로 한 판시임
	⑧ 취소처분으로 바꾸기 위해 정지처분을 취소하는 것 – 허용× 운전면허 취소사유에 해당하는 음주운전을 적발한 경찰관 소속의 경찰서장이, 사무착오로 위반자에게 운전면허정지처분을 한 상태에서, 위반자의 주소지 관할 지방경찰청장이 위반자에게 운전면허취소처분을 한 것은 선행처분에 대한 당사자의 신뢰 및 법적 안정성을 저해하는 것으로 허용될 수 없음(99두10520) ➡ 단순히 더 무거운 제재로 정정할 필요가 있다는 것만으로는 정지처분을 취소하고 취소처분을 할 수는 없다고 하였음
	⑨ 비과세관행에 대한 신뢰보호 – 이익형량 조세법률관계에 있어서 신의성실의 원칙이나 신뢰보호의 원칙 또는 비과세 관행 존중의 원칙은 합법성의 원칙을 희생하여서라도 납세자의 신뢰를 보호함이 정의에 부합하는 것으로 인정되는 특별한 사정이 있을 경우에 한하여 적용되는 예외적인 법 원칙임(2011두5940)
법령의 존속에 대한 신뢰보호 (헌법학의 영역)	① 일단 법령이 제정되면 법령의 존속에 대한 신뢰가 형성됨 ➡ 법령의 존속에 대한 신뢰도 신뢰보호원칙에 의해 보호됨 ➡ 법령이 개정된 경우에 문제됨
	② [보호되는 신뢰의 종류] ⑦ 법률에 따른 개인의 행위가 국가에 의하여 일정 방향으로 유인된 신뢰의 행사라면 보호가치가 있는 신뢰이익으로 인정○ ⓒ But 단지 법률이 부여한 기회를 활용한 것에 불과한 경우에는 보호가치 있는 신뢰이익으로 인정×(2002헌바45)
	③ [법리 확장] 국가 관리의 입시제도와 같이 국민의 권리에 직접 영향을 미치는 제도운영지침의 개폐에도 신뢰보호의 원칙이 적용됨
	④ [이익형량에 의한 보호여부 판단] 법령 개폐에 있어서도 신뢰보호원칙의 위반 여부는 ⑦ 한편으로는 침해받은 신뢰이익의 보호가치, 침해의 중한 정도, 신뢰침해의 방법 등과 ⓒ 다른 한편으로는 새 입법을 통해 실현코자 하는 공익목적을 종합적으로 비교·형량하여 판단하여야 함(2008두17745)
	⑤ 판례 헌법적 신뢰보호는 개개의 국민이 어떠한 경우에도 실망을 하지 않도록 하여 주는 데까지 미칠 수는 없는 것이며, 입법자는 구법질서가 더 이상 그 법률관계에 적절하지 않음에도 불구하고 기존 수혜자들을 위하여 이를 계속 유지하여줄 의무는 없음(2002헌마152)
	⑥ 판례 재건축조합에서 일단 내부 규범이 정립되면 조합원들은 특별한 사정이 없는 한 그것이 존속하리라는 신뢰를 가지게 되므로, 내부 규범을 변경할 경우, 내부 규범 변경을 통해 달성하려는 이익이 종전 내부 규범의 존속을 신뢰한 조합원들의 이익보다 우월해야 함(2018두34732) ➡ ※ 재건축조합의 정관은 그 구성원들에 대하여는 법적 구속력을 갖는 규범임

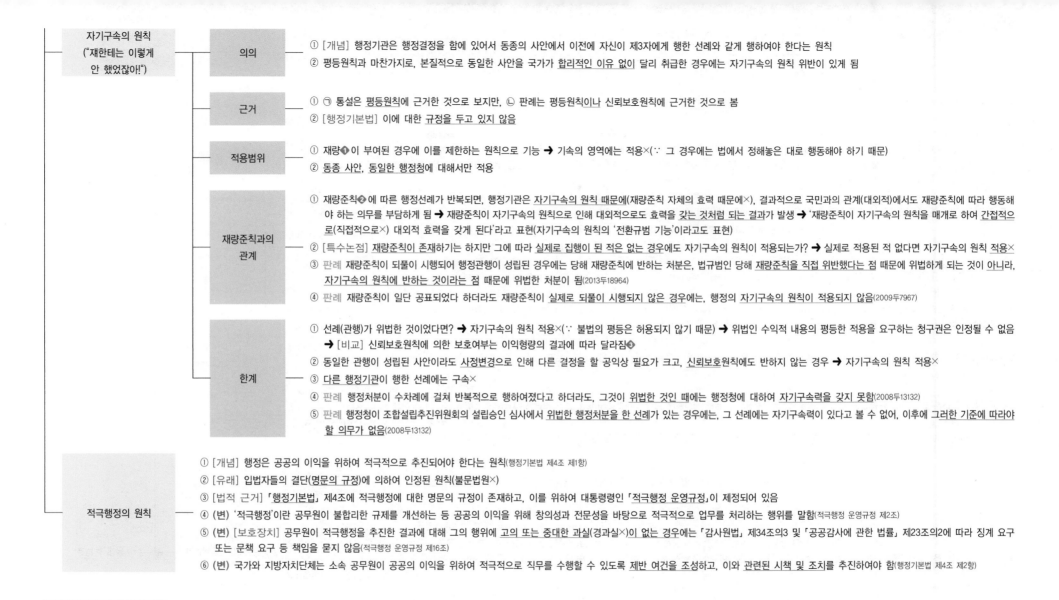

자기구속의 원칙
("쟤한테는 이렇게 안 했었잖아!")

의의
① [개념] 행정기관은 행정결정을 함에 있어서 동종의 사안에서 이전에 자신이 제3자에게 행한 선례와 같게 행하여야 한다는 원칙
② 평등원칙과 마찬가지로, 본질적으로 동일한 사안을 국가가 합리적인 이유 없이 달리 취급한 경우에는 자기구속의 원칙 위반이 있게 됨

근거
① ㉠ 통설은 평등원칙에 근거한 것으로 보지만, ㉡ 판례는 평등원칙이나 신뢰보호원칙에 근거한 것으로 봄
② [행정기본법] 이에 대한 규정을 두고 있지 않음

적용범위
① 재량❶이 부여된 경우에 이를 제한하는 원칙으로 기능 ➜ 기속의 영역에는 적용×(∵ 그 경우에는 법에서 정해놓은 대로 행동해야 하기 때문)
② 동종 사안, 동일한 행정청에 대해서만 적용

재량준칙과의 관계
① 재량준칙❷에 따른 행정선례가 반복되면, 행정기관은 자기구속의 원칙 때문에(재량준칙 자체의 효력 때문에×), 결과적으로 국민과의 관계(대외적)에서도 재량준칙에 따라 행동해야 하는 의무를 부담하게 됨 ➜ 재량준칙이 자기구속의 원칙으로 인해 대외적으로도 효력을 갖는 것처럼 되는 결과가 발생 ➜ '재량준칙이 자기구속의 원칙을 매개로 하여 간접적으로(직접적으로×) 대외적 효력을 갖게 된다'라고 표현(자기구속의 원칙의 '전환규범 기능'이라고도 표현)
② [특수논점] 재량준칙이 존재하기는 하지만 그에 따라 실제로 집행이 된 적은 없는 경우에도 자기구속의 원칙이 적용되는가? ➜ 실제로 적용된 적 없다면 자기구속의 원칙 적용×
③ 판례 재량준칙이 되풀이 시행되어 행정관행이 성립된 경우에는 당해 재량준칙에 반하는 처분은, 법규범인 당해 재량준칙을 직접 위반했다는 점 때문에 위법하게 되는 것이 아니라, 자기구속의 원칙에 반하는 것이라는 점 때문에 위법한 처분이 됨(2013두18964)
④ 판례 재량준칙이 일단 공표되었다 하더라도 재량준칙이 실제로 되풀이 시행되지 않은 경우에는, 행정의 자기구속의 원칙이 적용되지 않음(2009두7967)

한계
① 선례(관행)가 위법한 것이었다면? ➜ 자기구속의 원칙 적용×(∵ 불법의 평등은 허용되지 않기 때문) ➜ 위법인 수익적 내용의 평등한 적용을 요구하는 청구권은 인정될 수 없음 ➜ [비교] 신뢰보호원칙에 의한 보호여부는 이익형량의 결과에 따라 달라짐❸
② 동일한 관행이 성립된 사안이라도 사정변경으로 인해 다른 결정을 할 공익상 필요가 크고, 신뢰보호원칙에도 반하지 않는 경우 ➜ 자기구속의 원칙 적용×
③ 다른 행정기관이 행한 선례에는 구속×
④ 판례 행정처분이 수차례에 걸쳐 반복적으로 행하여졌다고 하더라도, 그것이 위법한 것인 때에는 행정청에 대하여 자기구속력을 갖지 못함(2008두13132)
⑤ 판례 행정청이 조합설립추진위원회의 설립승인 심사에서 위법한 행정처분을 한 선례가 있는 경우에는, 그 선례에는 자기구속력이 있다고 볼 수 없어, 이후에 그러한 기준에 따라야 할 의무가 없음(2008두13132)

적극행정의 원칙
① [개념] 행정은 공공의 이익을 위하여 적극적으로 추진되어야 한다는 원칙(행정기본법 제4조 제1항)
② [유래] 입법자들의 결단(명문의 규정)에 의하여 인정된 원칙(불문법원×)
③ [법적 근거] 「행정기본법」 제4조에 적극행정에 대한 명문의 규정이 존재하고, 이를 위하여 대통령령인 「적극행정 운영규정」이 제정되어 있음
④ (변) '적극행정'이란 공무원이 불합리한 규제를 개선하는 등 공공의 이익을 위해 창의성과 전문성을 바탕으로 적극적으로 업무를 처리하는 행위를 말함(적극행정 운영규정 제2조)
⑤ (변) [보호장치] 공무원이 적극행정을 추진한 결과에 대해 그의 행위에 고의 또는 중대한 과실(경과실×)이 없는 경우에는 「감사원법」 제34조의3 및 「공공감사에 관한 법률」 제23조의2에 따라 징계 요구 또는 문책 요구 등 책임을 묻지 않음(적극행정 운영규정 제16조)
⑥ (변) 국가와 지방자치단체는 소속 공무원이 공공의 이익을 위하여 적극적으로 직무를 수행할 수 있도록 제반 여건을 조성하고, 이와 관련된 시책 및 조치를 추진하여야 함(행정기본법 제4조 제2항)

---

❶ ① '재량'이란 행정청에게 부여된 일정한 행위 선택의 자유를 말한다. 예컨대, 법률에서 청소년에게 주류를 판매한 자에 대해서는 행정청이 6개월 이하의 영업정지 처분을 할 수 있다고 규정하고 있는 경우, 행정청은 6개월의 범위 내에서는 선택의 자유를 갖게 된다. 이렇게 부여받게 된 재량에 따라 이루어진 행정행위를 '재량행위'라 한다. ② 한편, 행정청이 기계적으로 특정한 행위를 하여야 하고, 재량이 부여되지 않는 경우를 '기속'이라 한다.
❷ 재량준칙이란 행정부에 재량이 부여된 경우에 그 재량을 어떻게 행사할 것인지에 대해 행정조직 내부에서 사전에 정해둔 규칙을 말한다. 행정규칙의 일종으로서 행정조직 내부에서만 효력을 갖는다.
❸ 자기구속의 원칙이 신뢰보호의 원칙에서 파생된 원칙이라는 것과, 자기구속의 원칙과 신뢰보호의 원칙이 서로 다르다는 것은 모순이 아니다.

법원의 시간적 효력범위

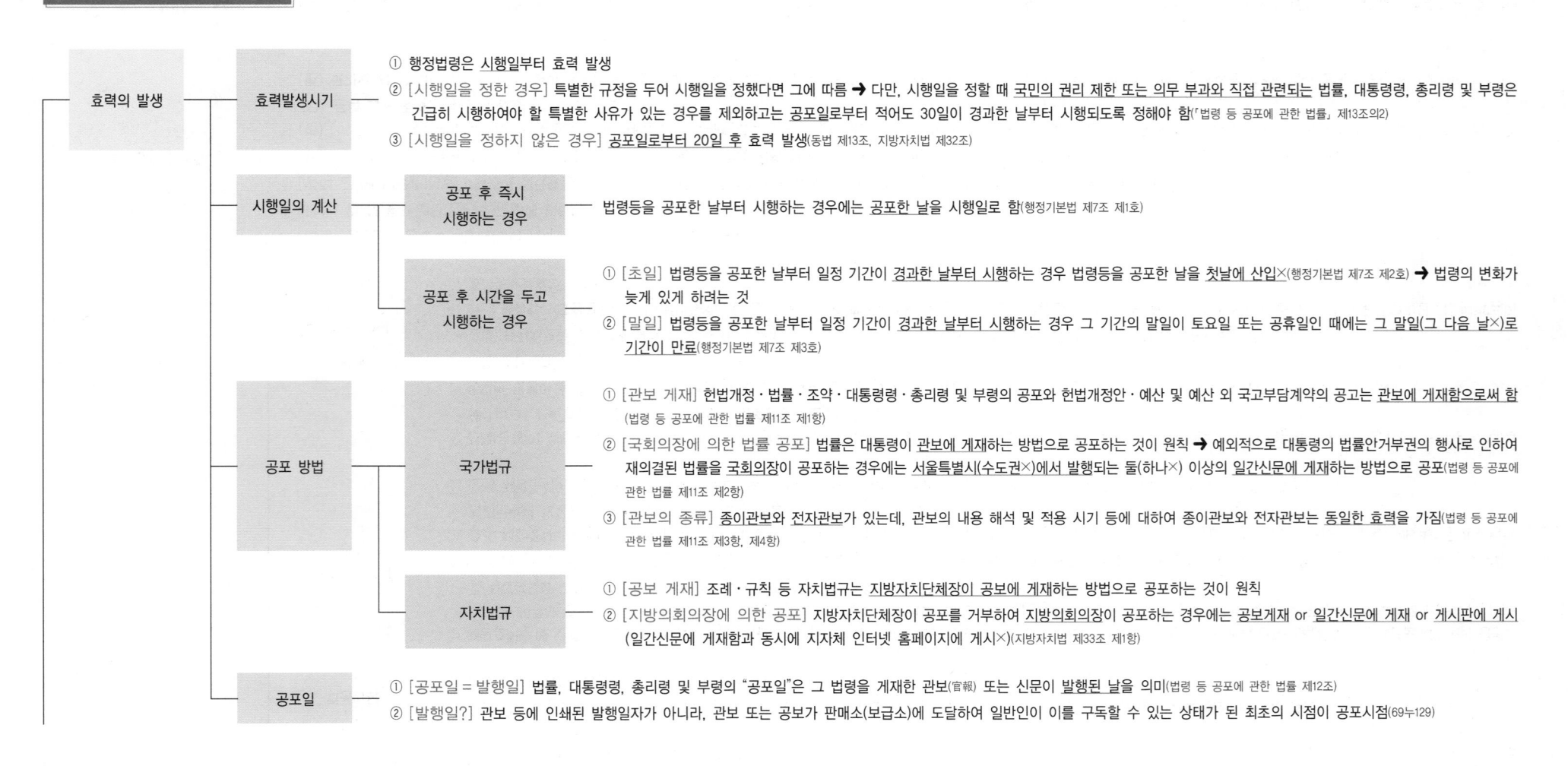

효력의 발생

효력발생시기

① 행정법령은 <u>시행일</u>부터 효력 발생
② [시행일을 정한 경우] 특별한 규정을 두어 시행일을 정했다면 그에 따름 ➡ 다만, 시행일을 정할 때 <u>국민의 권리 제한 또는 의무 부과와 직접 관련되는 법률, 대통령령, 총리령 및 부령</u>은 긴급히 시행하여야 할 특별한 사유가 있는 경우를 제외하고는 <u>공포일로부터 적어도 30일이 경과한 날부터 시행</u>되도록 정해야 함(「법령 등 공포에 관한 법률」 제13조의2)
③ [시행일을 정하지 않은 경우] <u>공포일로부터 20일 후 효력 발생</u>(동법 제13조, 지방자치법 제32조)

시행일의 계산

공포 후 즉시 시행하는 경우

법령등을 공포한 날부터 시행하는 경우에는 <u>공포한 날</u>을 시행일로 함(행정기본법 제7조 제1호)

공포 후 시간을 두고 시행하는 경우

① [초일] 법령등을 공포한 날부터 일정 기간이 <u>경과한 날부터 시행</u>하는 경우 법령등을 공포한 날을 <u>첫날에 산입×</u>(행정기본법 제7조 제2호) ➡ 법령의 변화가 늦게 있게 하려는 것
② [말일] 법령등을 공포한 날부터 일정 기간이 <u>경과한 날부터 시행</u>하는 경우 그 기간의 말일이 토요일 또는 공휴일인 때에는 <u>그 말일(그 다음 날×)로 기간이 만료</u>(행정기본법 제7조 제3호)

공포 방법

국가법규

① [관보 게재] 헌법개정 · 법률 · 조약 · 대통령령 · 총리령 및 부령의 공포와 헌법개정안 · 예산 및 예산 외 국고부담계약의 공고는 <u>관보에 게재함으로써 함</u> (법령 등 공포에 관한 법률 제11조 제1항)
② [국회의장에 의한 법률 공포] 법률은 대통령이 관보에 게재하는 방법으로 공포하는 것이 원칙 ➡ 예외적으로 대통령의 법률안거부권의 행사로 인하여 재의결된 법률을 국회의장이 공포하는 경우에는 <u>서울특별시(수도권×)</u>에서 발행되는 <u>둘(하나×) 이상</u>의 일간신문에 게재하는 방법으로 공포(법령 등 공포에 관한 법률 제11조 제2항)
③ [관보의 종류] 종이관보와 전자관보가 있는데, 관보의 내용 해석 및 적용 시기 등에 대하여 <u>종이관보와 전자관보는 동일한 효력</u>을 가짐(법령 등 공포에 관한 법률 제11조 제3항, 제4항)

자치법규

① [공보 게재] 조례 · 규칙 등 자치법규는 <u>지방자치단체장이 공보에 게재</u>하는 방법으로 공포하는 것이 원칙
② [지방의회의장에 의한 공포] 지방자치단체장이 공포를 거부하여 <u>지방의회의장이 공포</u>하는 경우에는 <u>공보게재 or 일간신문에 게재 or 게시판에 게시</u> (일간신문에 게재함과 동시에 지자체 인터넷 홈페이지에 게시×)(지방자치법 제33조 제1항)

공포일

① [공포일 = 발행일] **법률, 대통령령, 총리령 및 부령**의 "공포일"은 그 법령을 게재한 관보(官報) 또는 신문이 <u>발행된 날</u>을 의미(법령 등 공포에 관한 법률 제12조)
② [발행일?] 관보 등에 인쇄된 발행일자가 아니라, 관보 또는 공보가 <u>판매소(보급소)에 도달하여 일반인이 이를 구독할 수 있는 상태</u>가 된 최초의 시점이 공포시점(69누129)

법령 개정시 적용되는 법령	소급적용금지의 원칙 (법령불소급의 원칙)	① 사실관계나 법률관계가 종결될 당시에 시행 중이던 법령(구법)을 적용하는 것이 원칙 ➔ 이미 종결된 일에 그 후에 시행된 법령(신법)을 적용하는 것은 허용×

법령 개정시 적용되는 법령

소급적용금지의 원칙 (법령불소급의 원칙)

① 사실관계나 법률관계가 종결될 당시에 시행 중이던 법령(구법)을 적용하는 것이 원칙 ➔ 이미 종결된 일에 그 후에 시행된 법령(신법)을 적용하는 것은 허용×

② [행정기본법 제14조 제1항] "새로운 법령등은 법령등에 특별한 규정이 있는 경우를 제외하고는 그 법령등의 효력 발생 전에 완성되거나 종결된 사실관계 또는 법률관계에 대해서는 적용되지 아니한다."

③ [예외법리] 다만, 이미 사실관계가 종결된 후에 법령이 개정된 경우라 하더라도(즉, 소급적용금지원칙에 따르면 개정 전 법령을 적용해야 하더라도), 예외적으로 ㉠ 일반 국민의 이해에 직접 관계가 없는 경우, ㉡ 오히려 이익을 그 증진하는 경우, ㉢ 불이익이나 고통을 제거하는 경우에는 새 법령(신법)의 소급적용이 허용됨(2004다8630)

④ 판례 법령이 변경된 경우 신 법령이 피적용자에게 유리하여 이를 적용하도록 하는 경과규정❶을 두는 등의 특별한 규정이 없는 한, 「헌법」 제13조❷ 등의 규정에 비추어 볼 때, 그 변경 전에 발생한 사항에 대하여는 변경 후의 신 법령이 아니라 변경 전의 구 법령이 적용○(2001두3228)

⑤ 판례 행정법령이 개정된 경우에 그 법령의 경과규정에서 달리 정함이 없는 한 개정된 법령의 시행일부터는 개정된 법령과 그에서 정한 기준을 적용하는 것이 원칙(2012두23501, 2008두8918) ➔ 개정 이후에 종결된 사실관계나 법률관계에 대해서는 이러하다는 말

인·허가신청 이후 법령이 개정된 경우

① [행정기본법 제14조 제2항] "당사자의 신청에 따른 처분은 법령등에 특별한 규정이 있거나 처분 당시의 법령등을 적용하기 곤란한 특별한 사정이 있는 경우를 제외하고는 처분 당시(신청시×)의 법령등에 따른다." ➔ 신법을 적용

② [예외1] 다만, 행정청이 허가신청을 수리하고도 정당한 이유 없이 처리를 늦추어 그 사이에 허가기준이 변경된 경우 ➔ 신청 당시 시행 중이던 법령(구법)에 따름(95누10877)

③ [예외2] 개정 전 허가기준의 존속에 관한 국민의 신뢰가, 개정된 허가기준의 적용에 관한 공익상의 요구보다, 더 보호가치가 있다고 인정되는 경우에는 그러한 국민의 신뢰를 보호하기 위하여 개정된 허가기준의 적용을 제한할 여지가 있음(2005두8092) ➔ 신뢰보호의 원칙에 따라 신법의 적용이 제한될 수도 있다는 말

위반행위에 대해 제재처분을 하는 경우

① [행정기본법 제14조 제3항] "법령등을 위반한 행위의 성립과 이에 대한 제재처분은 법령등에 특별한 규정이 있는 경우를 제외하고는 법령등을 위반한 행위 당시의 법령등에 따른다. 다만, 법령등을 위반한 행위 후 법령등의 변경에 의하여 그 행위가 법령등을 위반한 행위에 해당하지 아니하거나 제재처분 기준이 가벼워진 경우로서 해당 법령등에 특별한 규정이 없는 경우에는 변경된 법령등을 적용한다."

② [질서위반행위규제법 제3조] "질서위반행위의 성립과 과태료 처분은 행위시의 법률에 따른다. 그러나 질서위반행위 후 법률이 변경되어 그 행위가 질서위반행위에 해당하지 아니하게 되거나 과태료가 변경되기 전의 법률보다 가볍게 된 때에는 법률에 특별한 규정이 없는 한 변경된 법률을 적용한다."

③ 건설업면허수첩 대여 사건 건설업면허수첩을 대여한 것이 그 당시 시행된 건설업법 소정의 건설업면허 취소사유에 해당된다면, 그 후 동법 시행령이 개정되어 건설업면허 취소사유에 해당하지 아니하게 되었더라도, 건설부장관은 동 면허수첩 대여행위 당시 시행된 건설업법을 적용하여 건설업면허를 취소하여야 함(82누1) ➔ 아직 예외법리가 형성되기 이전의 판례임

④ 판례 건설업자가 시공자격 없는 자에게 전문공사를 하도급한 행위에 대하여 과징금 부과처분을 하는 경우, 구체적인 부과기준에 대하여 처분시의 법령이 행위시의 법령보다 불리하게 개정되었고 어느 법령을 적용할 것인지에 대하여 특별한 규정이 없다면 행위시의 법령을 적용하여야 함(2001두3228)

---

❶ 경과규정이란 법령을 개정하면서, 일정한 사항(예 개정법령 시행 전에 시작되었으나 개정법령 시행 후에 종결되는 사실관계)에 대해서는 계속해서 구법을 적용할 것을 명(命)하는 법령규정을 말한다.

❷ [헌법] 헌법 제13조는 소급입법금지의 원칙을 선언하고 있는 규정이다.

부진정 소급적용의 경우	① [개념] 부진정(untrue) 소급적용이란 사실관계가 개정법의 시행 전에 시작되었으나, 개정 법의 시행 전에 아직 종결되지 않은 경우에, 개정된 법령을 과거에 시작된 부분에 대해서도 적용하는 것 ➜ 살인 사건처럼 짧은 시간에 종결되는 사실관계가 아니라, 1년 간의 금융소득처럼 어느 정도 긴 시간에 걸쳐 벌어지는 사실관계에 대해 법령을 적용하는 경우에 문제됨
	② [부진정소급적용은 금지✕] 소급적용금지의 원칙 혹은 법령불소급의 원칙은, 새 법령의 효력발생 전에 완성된 요건 사실에 대하여 당해 법령을 적용할 수 없다는 의미일 뿐, 새 법령의 효력발생 시점 당시에도 계속 중인 사실이나 그 이후에 발생한 사실에 대한 법령적용까지 제한하는 것✕(93누20726)
	③ 판례 소득세법이 개정되어 세율이 인상된 경우, 법 개정 전부터 개정법이 발효된 후에까지 걸쳐 있는 과세기간(1년)의 전체 소득에 대하여 인상된 세율을 적용하는 것은 재산권에 대한 부진정소급으로서 원칙적으로 위법✕(81누423)
	④ 판례 수강신청 후에 징계요건을 완화하는 학칙개정이 이루어지고 이어 시험이 실시되어 그 개정 학칙에 따라 대학이 성적 불량을 이유로 학생에 대하여 징계처분을 한 경우라면 이는 이른바 부진정소급 효에 관한 것으로서 특별한 사정이 없는 한 위법이라고 할 수 없음(87누1123) ➜ 개정 후에 치러진 시험의 성적을 근거로 징계처분을 한 것이기 때문에, 진정소급의 문제가 아님
(변) 법률관계를 확인하는 처분을 하는 경우	① 사건의 발생시 법령에 따라 이미 법률관계가 확정되었으나, 행정청이 그 법률관계를 확인(판정)하는 처분을 하는 경우에는 당해 법률관계가 확정된 때(처분시✕)의 법령을 적용 ➜ 구법을 적용
	② 판례 장애연금지급을 위한 장애등급결정을 하는 경우에는, 장애연금지급을 결정할 당시의 법령이 아니라, 장애연금지급청구권을 취득할 당시, 즉 치료종결 후 신체 등에 장애가 있게 된 당시의 법령에 따르는 것이 원칙(2012두15135) ➜ ∵ 국민연금법상 장애연금지급청구권은 장애가 발생하면 곧바로 발생하지만, 그것의 구체적인 내용은 장애등급결정을 받아 확정되는 것이기 때문
	③ 판례 장해급여 지급을 위한 장해등급결정과 같이 행정청이 확정된 법률관계를 확인하는 처분을 하는 경우에는, 장해급여지급청구권을 취득할 당시, 즉 지급사유 발생당시의 법령을 적용(2004두12957)

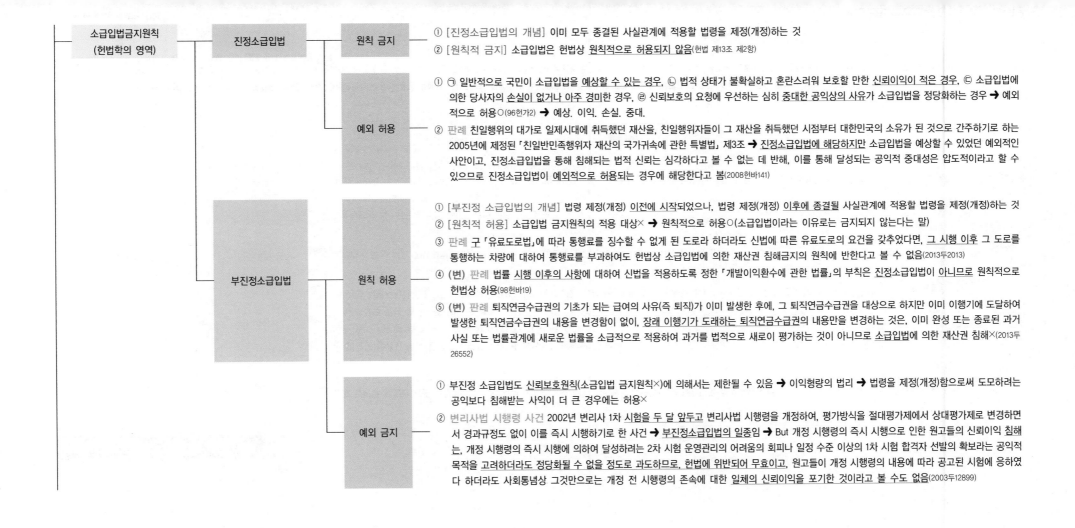

소급입법금지원칙 (헌법학의 영역)

진정소급입법

원칙 금지

① [진정소급입법의 개념] 이미 모두 종결된 사실관계에 적용할 법령을 제정(개정)하는 것
② [원칙적 금지] 소급입법은 헌법상 원칙적으로 허용되지 않음(헌법 제13조 제2항)

예외 허용

① ㉠ 일반적으로 국민이 소급입법을 예상할 수 있는 경우, ㉡ 법적 상태가 불확실하고 혼란스러워 보호할 만한 신뢰이익이 적은 경우, ㉢ 소급입법에 의한 당사자의 손실이 없거나 아주 경미한 경우, ㉣ 신뢰보호의 요청에 우선하는 심히 중대한 공익상의 사유가 소급입법을 정당화하는 경우 → 예외적으로 허용○(96헌가2) → 예상. 이익. 손실. 중대.
② 판례 친일행위의 대가로 일제시대에 취득했던 재산을, 친일행위자들이 그 재산을 취득했던 시점부터 대한민국의 소유가 된 것으로 간주하기로 하는 2005년에 제정된 「친일반민족행위자 재산의 국가귀속에 관한 특별법」 제3조 → 진정소급입법에 해당하지만 소급입법을 예상할 수 있었던 예외적인 사안이고, 진정소급입법을 통해 침해되는 법적 신뢰는 심각하다고 볼 수 없는 데 반해, 이를 통해 달성되는 공익적 중대성은 압도적이라고 할 수 있으므로 진정소급입법이 예외적으로 허용되는 경우에 해당한다고 봄(2008헌바141)

부진정소급입법

원칙 허용

① [부진정 소급입법의 개념] 법령 제정(개정) 이전에 시작되었으나, 법령 제정(개정) 이후에 종결될 사실관계에 적용할 법령을 제정(개정)하는 것
② [원칙적 허용] 소급입법 금지원칙의 적용 대상× → 원칙적으로 허용○(소급입법이라는 이유로는 금지되지 않는다는 말)
③ 판례 구 「유료도로법」에 따라 통행료를 징수할 수 없게 된 도로라 하더라도 신법에 따른 유료도로의 요건을 갖추었다면, 그 시행 이후 그 도로를 통행하는 차량에 대하여 통행료를 부과하여도 헌법상 소급입법에 의한 재산권 침해금지의 원칙에 반한다고 볼 수 없음(2013두2013)
④ (변) 판례 법률 시행 이후의 사항에 대하여 신법을 적용하도록 정한 「개발이익환수에 관한 법률」의 부칙은 진정소급입법이 아니므로 원칙적으로 헌법상 허용(98헌바19)
⑤ (변) 판례 퇴직연금수급권의 기초가 되는 급여의 사유(즉 퇴직)가 이미 발생한 후에, 그 퇴직연금수급권을 대상으로 하지만 이미 이행기에 도달하여 발생한 퇴직연금수급권의 내용을 변경함이 없이, 장래 이행기가 도래하는 퇴직연금수급권의 내용만을 변경하는 것은, 이미 완성 또는 종료된 과거 사실 또는 법률관계에 새로운 법률을 소급적으로 적용하여 과거를 법적으로 새로이 평가하는 것이 아니므로 소급입법에 의한 재산권 침해×(2013두26552)

예외 금지

① 부진정 소급입법도 신뢰보호원칙(소급입법 금지원칙×)에 의해서는 제한될 수 있음 → 이익형량의 법리 → 법령을 제정(개정)함으로써 도모하려는 공익보다 침해받는 사익이 더 큰 경우에는 허용×
② 변리사법 시행령 사건 2002년 변리사 1차 시험을 두 달 앞두고 변리사법 시행령을 개정하여, 평가방식을 절대평가제에서 상대평가제로 변경하면서 경과규정도 없이 이를 즉시 시행하기로 한 사건 → 부진정소급입법의 일종임 → But 개정 시행령의 즉시 시행으로 인한 원고들의 신뢰이익 침해는, 개정 시행령의 즉시 시행에 의하여 달성하려는 2차 시험 운영관리의 어려움의 회피나 일정 수준 이상의 1차 시험 합격자 선발의 확보라는 공익적 목적을 고려하더라도 정당화될 수 없을 정도로 과도하므로, 헌법에 위반되어 무효이고, 원고들이 개정 시행령의 내용에 따라 공고된 시험에 응하였다 하더라도 사회통념상 그것만으로는 개정 전 시행령의 존속에 대한 일체의 신뢰이익을 포기한 것이라고 볼 수도 없음(2003두12899)

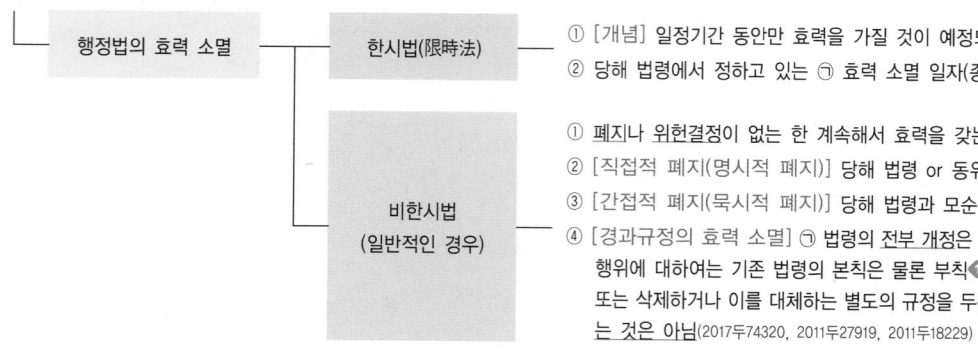

행정법의 효력 소멸	한시법(限時法)	① [개념] 일정기간 동안만 효력을 가질 것이 예정되어 있는 법 ② 당해 법령에서 정하고 있는 ⊙ 효력 소멸 일자(종기)가 도래하거나 ⓒ 효력 소멸 조건(해제조건)이 달성되면, 당연히 효력이 소멸
	비한시법 (일반적인 경우)	① 폐지나 위헌결정이 없는 한 계속해서 효력을 갖는 것이 원칙 ➔ 폐지에는 직접적 폐지와 간접적 폐지가 있음 ② [직접적 폐지(명시적 폐지)] 당해 법령 or 동위 법령 or 상위법령에서 명시적으로 효력을 없애는 것("폐지한다") ③ [간접적 폐지(묵시적 폐지)] 당해 법령과 모순·저촉되는 동위 법령 or 상위법령을 제정하여 효력을 없애는 것 ④ [경과규정의 효력 소멸] ⊙ 법령의 전부 개정은 기존 법령을 폐지하고 새로운 법령을 제정하는 것과 마찬가지여서 특별한 사정이 없는 한 새로운 법령이 효력을 발생한 이후의 행위에 대하여는 기존 법령의 본칙은 물론 부칙❶의 경과규정도 모두 실효되어 더는 적용할 수 없지만, ⓒ 법령이 일부 개정된 경우에는 기존 법령 부칙의 경과규정을 개정 또는 삭제하거나 이를 대체하는 별도의 규정을 두는 등의 특별한 조치가 없는 한 개정 법령에 다시 경과규정을 두지 않았다고 하여 기존 법령 부칙의 경과규정이 당연히 실효되는 것은 아님(2017두74320, 2011두27919, 2011두18229)

◆ 법원의 지역적 · 대인적 효력범위

지역적 효력범위	원칙	당해 법령을 제정한 기관의 권한이 미치는 지역 내에서만 효력을 가짐 ➔ ⊙ 국가법령은 대한민국 전역에서 효력○, ⓒ 지방자치단체의 조례·규칙은 해당 지방자치 단체의 구역 내에서 효력○
	예외	① 법령 자체에서 특정 범위를 제한한 경우 ➔ 그 범위 내에서만 효력○ ② 치외법권이 인정되는 시설(⑩ 주한 미대사관 건물) ➔ 효력× ③ 공해상에 있는 대한민국 선박 ➔ 효력○ ④ 어떤 지방자치단체가 다른 지방자치단체의 구역 내에 공공시설을 설치한 경우(⑩ 서울시립 벽제화장장) ➔ 다른 지방자치단체의 구역 내에서도 효력○
대인적 효력범위	속지주의의 원칙	대한민국 또는 해당 지방자치단체의 구역 내에 있는 모든 사람에게 효력○ ➔ 외국인, 법인에게도 효력○
	예외	① [속인주의] 외국에 있는 대한민국 국민에게도 효력○ ② 치외법권(외교특권)을 갖는 자에게는 효력× ③ 대한민국 내에 있는 주한미군의 구성원에게는 국내법 적용이 제한됨 ➔ 「대한민국과 아메리카합중국 간의 상호방위조약 제4조에 의한 시설과 구역 및 대한민국에서의 합중국 군대의 지위에 관한 협정」(「한·미 행정협정」)에 의한 제한 ④ 상호주의❷에 의한 제한

---

❶ 법령은 본칙(本則)과 부칙(附則)으로 구성되는데, 본칙은 법령이 본래 규율하려는 주된 내용을 정하는 부분으로서 법령의 본체를 말하고, 부칙은 본칙에 따르는 시행일, 적용례, 경과조치 등을 정하는 부분을 말한다.

❷ 상호주의(相互主義)란 우리 국민이 어떤 외국 국가에서 누릴 수 있는 권리와 보호만큼만, 우리나라에서도 그 외국의 국민에게 권리와 보호를 베푸는 국제법상의 원칙을 말한다. 예컨대, A국 국민의 대한민국 정부에 대한 국가배상청구권은, A국 정부가 우리 국민에게 국가배상청구권을 인정하고 있는지 여부에 따라 달라진다(국가배상법 제7조).

제5장 행정법률관계

제1절 행정상 법률관계의 구분

행정상 법률관계의 구분

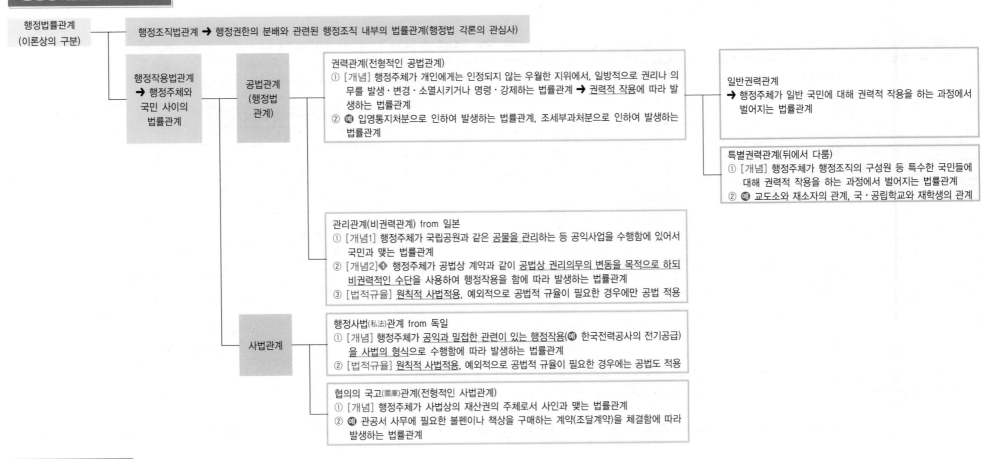

행정법률관계 (이론상의 구분)

행정조직법관계 ➡ 행정권한의 분배와 관련된 행정조직 내부의 법률관계(행정법 각론의 관심사)

행정작용법관계 ➡ 행정주체와 국민 사이의 법률관계

공법관계 (행정법관계)

권력관계(전형적인 공법관계)
① [개념] 행정주체가 개인에게는 인정되지 않는 우월한 지위에서, 일방적으로 권리나 의무를 발생·변경·소멸시키거나 명령·강제하는 법률관계 ➡ 권력적 작용에 따라 발생하는 법률관계
② ⓔ 입영통지처분으로 인하여 발생하는 법률관계, 조세부과처분으로 인하여 발생하는 법률관계

일반권력관계
➡ 행정주체가 일반 국민에 대해 권력적 작용을 하는 과정에서 벌어지는 법률관계

특별권력관계(뒤에서 다룸)
① [개념] 행정주체가 행정조직의 구성원 등 특수한 국민들에 대해 권력적 작용을 하는 과정에서 벌어지는 법률관계
② ⓔ 교도소와 재소자의 관계, 국·공립학교와 재학생의 관계

관리관계(비권력관계) from 일본
① [개념1] 행정주체가 국립공원과 같은 공물을 관리하는 등 공익사업을 수행함에 있어서 국민과 맺는 법률관계
② [개념2]❶ 행정주체가 공법상 계약과 같이 공법상 권리의무의 변동을 목적으로 하되 비권력적인 수단을 사용하여 행정작용을 함에 따라 발생하는 법률관계
③ [법적규율] 원칙적 사법적용, 예외적으로 공법적 규율이 필요한 경우에만 공법 적용

사법관계

행정사법(私法)관계 from 독일
① [개념] 행정주체가 공익과 밀접한 관련이 있는 행정작용(ⓔ 한국전력공사의 전기공급)을 사법의 형식으로 수행함에 따라 발생하는 법률관계
② [법적규율] 원칙적 사법적용, 예외적으로 공법적 규율이 필요한 경우에는 공법도 적용

협의의 국고(國庫)관계(전형적인 사법관계)
① [개념] 행정주체가 사법상의 재산권의 주체로서 사인과 맺는 법률관계
② ⓔ 관공서 사무에 필요한 볼펜이나 책상을 구매하는 계약(조달계약)을 체결함에 따라 발생하는 법률관계

---

❶ [더 들어가기] 개념 정의가 2개나 되는 이유는 학자들 간에도 이 개념을 어떻게 받아들인 것인지에 대해 정리가 되어 있지 않기 때문이다.

문제의 소재 ── 국가가 공적인 일을 하는 과정에서 맺게 되는 법률관계와, 개인처럼 사적인 일을 하느라 맺게 되는 법률관계는 다르게 취급되어야 한다는 문제의식에서 비롯 ➜ 공법관계와 사법관계로 구분

구분의 실익

구분		공법관계	사법관계
실체법적 실익	적용법규	공법	사법
	적용법원리	법치주의	사적자치
	손해배상	국가배상법	민법
절차(소송)법적 실익	쟁송수단	행정소송	민사소송❶
	절차	행정절차법 적용○	행정절차법 적용×
	제소기간	취소소송은 제소기간 제한○	제소기간 제한×
	공정력	권력관계의 경우 인정○	인정×
	자력강제의 활용❷	활용○	활용×

구분기준

학설

구분	공법관계	사법관계
구주체설	법률관계의 당사자 중 한쪽이라도 행정주체인 법률관계	당사자가 모두 사인인 법률관계
신주체설(귀속설)	행정주체에 대해서만 권리·의무를 귀속시키는 법률관계	모든 권리주체에게 권리·의무를 귀속시키는 법률관계
이익설	공익을 실현하는 과정에서 발생한 법률관계	사익을 실현하는 과정에서 발생한 법률관계
권력설(종속설, 복종설)	지배복종관계	대등한 법률관계

판례 (복수기준설)

① 구주체설, 신주체설, 권력설, 이익설을 종합적으로 고려하여 개별적으로 판단해야 한다는 학설 ➜ 개별 판례들이 출제의 포인트(행정쟁송 부분에서 다룸)

② [구체적 판단 기준] ㉠ 1차적으로 관련 법령에서 어떻게 정하고 있는지(㉾ 자력강제나 일방적 내용결정 등)가 중요한 기준으로 작용 ➜ 다만, 시험에서는 관련 법령 제시× ➜ 암기의 문제
ㄴ 규정이 불분명한 경우, 개인과 개인 사이에서도 행해질 수 있는 작용(㉾ 부동산 매각)이 이루어지는 법률관계는 사법관계로, 개인과 개인 사이에서는 행해질 수 없는 작용(㉾ 조세부과처분)이 이루어지는 법률관계는 공법관계로 분류

---

❶ [더 들어가기] 공법관계나 사법관계에서 분쟁이 발생한 경우라고 해서 언제나 행정소송이나 민사소송을 제기할 수 있다는 말은 아니다. 대법원은 소송을 통해 구제받는 것보다 손쉬운 수단('더 간이하고 경제적인 구제수단')(㉾ 법원의 판결 없이도 행정청이 할 수 있는 강제징수)이 별도로 마련되어 있는 경우에는 소의 이익을 이유로('더 쉽게 해결할 수 있는데 왜 굳이 소송을 벌이려는 거야?') 소송의 제기를 허용하지 않고 있다. 자세한 내용은 뒤에서 다룬다.

❷ 자력강제란 의무불이행이 있는 경우에, 권리자가 법원의 힘을 빌리지 않고 스스로의 힘으로 강제집행을 하는 것을 말한다.

특별권력관계

의의

① [개념] 행정주체가 행정조직의 구성원 등 특별한 신분을 가진 자들에 대해 권력적 작용을 하는 과정에서 벌어지는 법률관계 ➡ '특별행정법관계'라 부르기도 함

② 예 국가와 공무원의 근무관계, 교도소와 재소자의 관계, 육군과 병사의 관계, 국·공립학교와 재학생의 관계

③ [문제의식] 행정조직의 구성원 등에 대해서도 일반국민과의 관계에서와 동일하게 법치주의를 적용하기에는 제약이 많기 때문에, 그들에 대해서는 일반국민에 대하여 권력적 작용을 하는 경우와 달리 취급될 필요가 있다는 문제의식하에 등장한 개념

성립

법률규정에 의한 성립 ─ 예 징집대상자의 입대, 교도소 수감, 전염병환자의 강제입원

상대방의 동의에 의한 성립

　자유로운 의사에 따른 경우 ─ 예 공무원 임용, 국공립학교 입학, 국립도서관 이용

　동의가 강제되는 경우 ─ 예 초등학교 입학, 중학교 입학

특별권력관계이론

의의

① 특별권력관계에 대해서는 법치주의가 제한된다는 이론(19세기 후반 독일에서 등장한 독일 특유의 이론)

② 행정을 국민의 의사인 법률에 의하여 제한하려는 입장과, 행정(왕)의 특권적 지위를 계속 확보하려는 입장 간의 타협적 산물

③ 법치주의의 제한? ➡ ㉠ 특별권력주체에 대해서는 헌법상의 기본권을 주장·행사 가능×, ㉡ 특별권력관계에서는 법률상의 근거가 없이도 권력적 행위 가능○(법률유보 원칙 적용×), ㉢ 특별권력관계에서 벌어진 일에 대해서는 사법심사 가능×

(변) 이론적 근거 (불침투이론) ─ 하나의 법인체인 국가 내부에서 벌어지는 일은 사람과 사람 사이의 문제가 아니므로, 사람과 사람 사이에 적용되는 법치주의가 적용될 수 없다는 논리

오늘날 인정 여부

① 특별권력관계이론을 인정하지 않는 것이 오늘날 통설과 판례의 입장 ➡ 특별권력관계에도 법치주의가 적용된다고 봄

② ㉠ 특별권력관계에 있어서 권리를 침해당한 경우에도 행정소송 제기 가능○, ㉡ 헌법 제37조 제2항의 기본권 제한의 원칙에 따라 법률상의 근거가 있는 경우에만, 비례의 원칙에 부합하는 한도 내에서만 기본권 제한이 허용○

관련판례

① 판례 국립교육대학 학생에 대한 퇴학처분은 행정처분으로서 행정소송의 대상○(91누2144)

② 판례 교도소장의 수용자의 서신에 대한 검열행위는 이른바 특별권력관계 내부에서의 행위이지만, 그에 대한 사법심사가 가능○(96헌마398)

③ 판례 구청장과 동장의 관계는 이른바 특별권력관계로서 이러한 특별권력관계의 행위에 의해 권리를 침해당한 자는 행정소송법에 따라 취소소송을 제기할 수 있음(80누86)

④ 판례 신병교육훈련기간 동안 전화사용을 하지 못하도록 정하고 있는 규율은 신병교육훈련생들의 통신의 자유 등 기본권을 과도하게 제한하는 것×(2007헌마890) ➡ 특별권력관계에서도 기본권이 보호됨을 전제로, 비례의 원칙에 반하는지 여부를 따진 것

⑤ 판례 교정시설의 안전과 질서유지, 수용자의 교화 및 사회복귀를 원활하게 하기 위해, 수용자가 밖으로 보내려는 모든 서신에 대해 무봉함 상태의 제출을 강제함으로써 수용자의 발송 서신 모두를 사실상 검열 가능한 상태에 놓이도록 하는 것은, 기본권 제한의 최소 침해성 요건을 위반하여 수용자의 통신비밀의 자유를 침해하는 것○(2009헌마333) ➡ 역시 특별권력관계에서도 기본권인 통신비밀의 자유가 보호됨을 전제로 한 판시

⑥ 판례 군인이 상관의 지시 및 그 근거 법령에 대해 법원이나 헌법재판소에 법적 판단을 청구하는 행위 자체만으로는 군인의 복종의무를 위반×(2012두26401) ➡ 상관의 지시나 명령에 대해서도 헌법상 기본권인 재판청구권을 행사할 수 있음을 전제로 한 판시

⑦ 판례 금치처분을 받은 수형자에 대해 금치기간 중 운동을 절대적으로 금지하는 것은 필요 최소한도의 범위를 넘어선 것으로서 헌법 제10조의 인간의 존엄과 가치 및 제12조의 신체의 자유를 침해하는 것임(2002헌마478) ➡ 역시 특별권력관계에서도 기본권인 신체의 자유가 보호됨을 전제로 한 판시

오늘날의 제한적 수용	① [포괄적 지배권의 인정] 특별권력관계이론을 인정하지 않는 오늘날에도, 특별권력관계의 주체는 그 구성원에 대해 **포괄적 지배권**을 갖는다고 봄 ➜ 특정한 영역에서만이 아니라, 생활의 전반에 걸친 명령권과 징계권(형벌권×, 과세권×)을 갖는다는 말 ② [법률유보원칙의 완화] <u>군인의 복무 기타 병영생활 및 정신전력 등과 밀접하게 관련되어 있는 부분은 행정부에 널리 독자적 재량을 인정할 수 있는 영역이라고 할 것이므로, 이와 같은 영역에 대하여 **법률유보원칙을 철저하게 준수할 것을 요구**하고, 그와 같은 요구를 따르지 못한 경우 헌법에 위반된다고 판단하는 것은 **합리적인 것×** ➜ 구「군인사법」제47조의2가 군인의 복무에 관한 사항을 규율할 권한을 대통령령에 위임하면서, 대통령령으로 규정될 내용 및 범위에 관한 <u>기본적인 사항을 다소 광범위하게 위임하였다 하더라도 **포괄위임금지원칙에 위배×**</u>(2008헌마638) ③ [기본권에 대한 더 많은 제한 가능] 특별권력관계이론을 인정하지 않는 오늘날에도, 특별권력관계의 구성원은 그 목적달성에 필요한 한도 내에서 일반국민보다 기본권이 더 제한될 수는 있다고 봄 ④ 판례 군인은 국가의 존립과 안전을 보장함을 직접적인 존재의 목적으로 하는 군조직의 구성원인 특수한 신분관계에 있으므로, 그 존립목적을 달성하기 위하여 필요한 한도 내에서 일반 국민보다 <u>상대적으로 기본권이 더 제한될 수 있음</u>(2012두26401) ⑤ 판례 육군3사관학교의 사관생도는 학교에 입학한 날에 육군사관생도의 병적에 편입하고 준사관에 준하는 대우를 받는 특수한 신분관계에 있으므로, 그 존립 목적을 달성하기 위하여 필요한 한도 내에서 일반 국민보다 상대적으로 기본권이 더 제한될 수 있음 ➜ But 여전히 법률유보원칙, 과잉금지원칙 등 기본권 제한의 헌법상 원칙들을 지켜야 함 ➜ 육군3사관학교의「사관생도 행정예규」로 사관생도의 모든 사적 생활에서까지 예외 없이 금주의무를 이행할 것을 요구하면서, 경위 등을 묻지 않고 일률적으로 2회 위반 시 원칙적으로 퇴학조치하도록 정한 것은 사관생도의 기본권을 지나치게 침해하는 것이어서 무효(2016두60591)

특별권력관계이론에 대한 수정이론으로서, 독일의 울레는 특별권력관계를 기본관계와 경영수행관계로 나누어 달리 취급할 것을 주장

구분	기본관계	경영수행관계
의의	특별권력관계 자체의 성립·변경·종료와 관련된 법률관계	특별권력관계의 목표를 실현하는 데 필요한 관계로서 내부질서를 유지하기 위한 행위와 관련된 법률관계
예	공무원의 임명·파면, 군인의 입대·제대, 국립대학교 학생의 입학허가·퇴학 등	공무원에 대한 직무명령, 군인의 훈련, 국립대학교 학생에 대한 성적평가 등
법치주의 적용	적용○	적용×
소송제기 가부	가능○	가능×

울레(Ule)의 수정이론

| 발생유형❶ | 공법상 근무관계 | ① [개념] 공무원, 군인 등이 국가나 지방자치단체 및 공공단체와 포괄적으로 맺는 근무관계 |
| | | ② 예 국가와 공무원의 근무관계, 지방자치단체와 공무원의 근무관계, 육군과 병사의 관계 |

공법상 영조물 이용관계

① [개념] 영조물(營造物)을 이용함에 있어서 그 영조물의 이용규칙을 준수해야 하는 법률관계

② [영조물?] 일정한 공적목적을 위해 존재하는 사람(인적)과 물건(물적)의 결합체 ➡ 인적조직만 있거나 물적시설만 있는 경우에는 영조물×(둘 다 있어야 함) ➡ 예 국립대학병원의 경우 국민의 건강과 보건이라는 공적목적을 위하여, 의사나 간호사, 직원 등의 인적조직과 의료시설, 병원 건물 등의 물적시설을 모두 갖추고 있기 때문에 대표적인 영조물에 해당함

③ 예 국·공립학교와 재학생의 관계, 강제입원한 전염병환자와 병원의 관계, 교도소와 재소자의 관계

공법상 특별감독관계

① [개념] 국가적 목적의 달성을 위하여 국가로부터 특별한 감독을 받는 법률관계

② 예 공무수탁사인과 국가의 관계, 특허기업과 감독행정기관의 관계, 국토교통부와 한국도로공사의 관계, 서울시와 SH공사의 관계

공법상 사단관계

① [개념] 공법상 사단(공공조합)❷과 그 구성원(조합원)(직원×) 사이의 법률관계

② 예 농지개량조합과 그 조합원의 관계, 대한의사협회와 그 구성원의 관계, 재개발조합과 그 조합원의 관계

③ 판례 도시재개발조합에 대하여 조합원으로서의 자격확인을 구하는 법률관계는 공법상의 관계이고, 아직 처분등이 개입될 여지는 없으므로 공법상의 당사자소송으로 조합원 자격의 확인을 구할 수 있음(94다31235)

④ 판례 ㉠ 농지개량조합과 그 직원(실제로는 조합원)의 관계는 사법상의 근로관계가 아닌 공법상의 특별권력관계로서, ㉡ 그 조합의 직원(실제로는 조합원)에 대한 징계처분에는 처분성이 인정되어 그에 대한 취소를 구하는 소송은 행정소송사항에 해당○(94누10870) ➡ 특별권력관계에 대해서도 사법심사가 가능하다는 것까지 함께 판시한 판례임

---

❶ 특별권력관계가 발생하게 되는 경우들을 살펴보면, 행정주체와 근무관계를 맺게 되었기 때문에, 영조물을 이용하기 때문에, 행정주체로부터 감독을 받아야 하는 지위에 있기 때문에, 공법적으로 특수한 지위를 누리는 사단의 구성원이 되었기 때문에 발생한 경우들로 분류해 볼 수 있다는 말이다. 유형별 구분의 실익은 없다.

❷ 공법상 사단에 대해서는 뒤에서 다룬다.

당사자의 구분

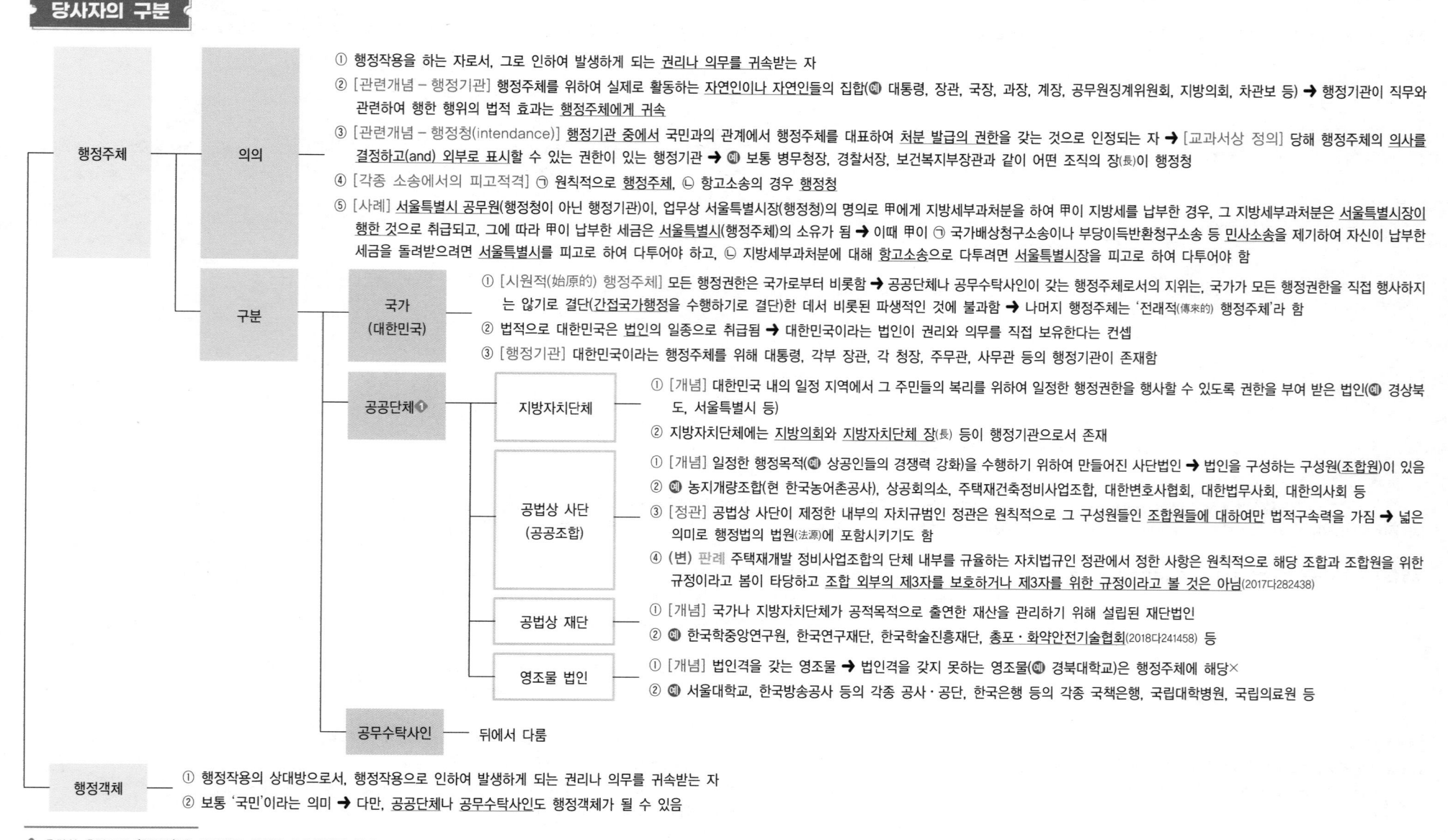

행정주체

의의

① 행정작용을 하는 자로서, 그로 인하여 발생하게 되는 <u>권리나 의무를 귀속받는 자</u>

② [관련개념 – 행정기관] 행정주체를 위하여 실제로 활동하는 <u>자연인이나 자연인들의 집합</u>(☞ 대통령, 장관, 국장, 과장, 계장, 공무원징계위원회, 지방의회, 차관보 등) ➡ 행정기관이 직무와 관련하여 행한 행위의 법적 효과는 <u>행정주체에게 귀속</u>

③ [관련개념 – 행정청(intendance)] 행정기관 중에서 국민과의 관계에서 행정주체를 대표하여 <u>처분 발급의 권한을 갖는 것</u>으로 인정되는 자 ➡ [교과서상 정의] 당해 행정주체의 <u>의사를 결정하고(and) 외부로 표시할 수 있는 권한</u>이 있는 행정기관 ➡ ☞ 보통 병무청장, 경찰서장, 보건복지부장관과 같이 어떤 조직의 장(長)이 행정청

④ [각종 소송에서의 피고적격] ㉠ 원칙적으로 <u>행정주체</u>, ㉡ 항고소송의 경우 <u>행정청</u>

⑤ [사례] 서울특별시 공무원(행정청이 아닌 행정기관)이, 업무상 서울특별시장(행정청)의 명의로 甲에게 지방세부과처분을 하여 甲이 지방세를 납부한 경우, 그 지방세부과처분은 <u>서울특별시장이 행한 것으로 취급</u>되고, 그에 따라 甲이 납부한 세금은 <u>서울특별시(행정주체)의 소유</u>가 됨 ➡ 이때 甲이 ㉠ 국가배상청구소송이나 부당이득반환청구소송 등 <u>민사소송</u>을 제기하여 자신이 납부한 세금을 돌려받으려면 서울특별시를 피고로 하여 다투어야 하고, ㉡ 지방세부과처분에 대해 <u>항고소송</u>으로 다투려면 서울특별시장을 피고로 하여 다투어야 함

구분

국가 (대한민국)

① [시원적(始原的) 행정주체] 모든 행정권한은 국가로부터 비롯함 ➡ 공공단체나 공무수탁사인이 갖는 행정주체로서의 지위는, 국가가 모든 행정권한을 직접 행사하지는 않기로 결단(간접국가행정을 수행하기로 결단)한 데서 비롯된 파생적인 것에 불과함 ➡ 나머지 행정주체는 '전래적(傳來的) 행정주체'라 함

② 법적으로 대한민국은 법인의 일종으로 취급됨 ➡ 대한민국이라는 법인이 권리와 의무를 직접 보유한다는 컨셉

③ [행정기관] 대한민국이라는 행정주체를 위해 대통령, 각부 장관, 각 청장, 주무관, 사무관 등의 행정기관이 존재함

공공단체❶

지방자치단체

① [개념] 대한민국 내의 일정 지역에서 그 주민들의 복리를 위하여 일정한 행정권한을 행사할 수 있도록 권한을 부여 받은 법인(☞ 경상북도, 서울특별시 등)

② 지방자치단체에는 <u>지방의회와 지방자치단체 장(長)</u> 등이 행정기관으로서 존재

공법상 사단 (공공조합)

① [개념] 일정한 행정목적(☞ 상공인들의 경쟁력 강화)을 수행하기 위하여 만들어진 사단법인 ➡ 법인을 구성하는 구성원(조합원)이 있음

② ☞ 농지개량조합(현 한국농어촌공사), 상공회의소, 주택재건축정비사업조합, 대한변호사협회, 대한법무사회, 대한의사회 등

③ [정관] 공법상 사단이 제정한 내부의 자치규범인 정관은 원칙적으로 그 구성원들인 <u>조합원들에 대하여만 법적구속력</u>을 가짐 ➡ 넓은 의미로 행정법의 법원(法源)에 포함시키기도 함

④ (변) 판례 주택재개발 정비사업조합의 단체 내부를 규율하는 자치법규인 정관에서 정한 사항은 원칙적으로 해당 조합과 조합원을 위한 규정이라고 봄이 타당하고 <u>조합 외부의 제3자를 보호하거나 제3자를 위한 규정이라고 볼 것은 아님</u>(2017다282438)

공법상 재단

① [개념] 국가나 지방자치단체가 공적목적으로 출연한 재산을 관리하기 위해 설립된 재단법인

② ☞ 한국학중앙연구원, 한국연구재단, 한국학술진흥재단, 총포·화약안전기술협회(2018다241458) 등

영조물 법인

① [개념] 법인격을 갖는 영조물 ➡ 법인격을 갖지 못하는 영조물(☞ 경북대학교)은 행정주체에 해당×

② ☞ 서울대학교, 한국방송공사 등의 각종 공사·공단, 한국은행 등의 각종 국책은행, 국립대학병원, 국립의료원 등

공무수탁사인 ── 뒤에서 다룸

행정객체

① 행정작용의 상대방으로서, 행정작용으로 인하여 발생하게 되는 권리나 의무를 귀속받는 자

② 보통 '국민'이라는 의미 ➡ 다만, 공공단체나 <u>공무수탁사인</u>도 행정객체가 될 수 있음

❶ 공적인 목적으로 행정권한을 부여받은 법인을 공공단체라 한다.

구분	대한민국, 지방자치단체	나머지 공공단체('협의의 공공단체')
행정주체와 행정청의 일치 여부	일치○ ➜ ① [행정주체] 대한민국, 지방자치단체 ② [행정청] 대통령, 국무총리, 각부 장관, 지방자치단체장, 지방의회 등	일치❶× ➜ ① [행정주체] 그 공공단체 ② [행정청] 그 공공단체
대외관계(국민과의 관계)	언제나 행정주체로서의 지위가 인정됨	부여받은 행정권한을 행사하는 한도 내에서만 행정주체로서의 지위가 인정됨
대내관계(직원들의 근무관계)	① 별도의 규정이 없는 한, 공법(公法)관계 ② 직원들은 공무원○ ③ 판례 지방자치단체와 그 소속 경력직 공무원인 지방소방공무원 사이의 관계는 공법관계에 해당(2012다102629) ④ 판례 국가나 지방자치단체에 근무하는 청원경찰의 근무관계는 단순한 사법상의 고용관계가 아니라 공법관계로 보아야 함(92다47564)	① 별도의 규정이 없는 한, 사법(私法)관계 ② 직원들은 공무원× ③ 판례 정부투자기관(한국토지공사)의 투자로 설립된 회사(한국토지신탁) 내부의 근무관계에 관한 사항은, 특별한 공법적 규정이 존재하지 않는 한, 사법관계에 속함(2001헌마464) ④ 판례 (구)종합유선방송법상의 종합유선방송위원회 직원의 근로관계는 사법관계임(2001다54038) ⑤ 판례 서울특별시지하철공사의 임원과 직원의 근무관계의 성질은 공법상의 특별권력관계라고는 볼 수 없고 사법관계에 속할 뿐만 아니라, 그 소속직원에 대한 징계처분에 대한 불복절차는 민사소송에 의할 것이지 행정소송에 의할 수는 없음(89누2103) ➜ 이 징계처분은 처분× ⑥ 판례 한국조폐공사 직원의 근무관계는 사법관계에 속하고, 그 직원에 대한 파면행위도 사법상의 행위로 보아야 함(78다414) ⑦ 판례 주한미군한국인직원의료보호조합이 행한 소속직원 징계면직행위는 사법관계에서의 행위임(87누884) ⑧ 판례 공무원및사립학교교직원의료보험관리공단 직원의 근무관계는 사법관계임(93누15212) ⑨ 판례 주택재개발정비사업 재개발조합과 조합장 또는 조합임원 사이의 선임·해임 등을 둘러싼 법률관계는 사법상의 법률관계로서 그 조합장 또는 조합임원의 지위를 다투는 소송은 민사소송에 의하여야 함(2009마168) ⑩ (변) 판례 ㉠ 한국방송공사의 직원 채용관계는 특별한 공법적 규제 없이 한국방송공사의 자율에 맡겨진 셈이 되므로 이는 사법적인 관계에 해당한다고 봄이 상당하고, ㉡ 직원 채용관계가 사법적인 것이라면 그러한 채용에 필수적으로 따르는 사전절차로 채용시험의 응시자격을 정한 공고(公告) 또한 사법적인 성격을 지닌다고 할 것이므로, 이러한 채용시험공고는 헌법소원으로 다툴 수 있는 공권력의 행사에 해당하지 않음(2005헌마855) ➜ ※ 헌법소원의 대상인 '공권력의 행사'에 해당하기 위해서도 그것이 권력적으로 이루어진 것이어야 함

❶ 대한민국이나 지방자치단체 이외의 행정주체들은 규모가 크지도 않고 업무도 분화되어 있지 않기 때문에, 항고소송에서의 피고를 기관별로 구분할 필요가 없어, 항고소송이든 그 외의 소송이든, 그 단체 자체를 피고로 삼을 수 있도록 행정주체와 행정청이 일치하는 것으로 취급하고 있다. 예컨대, 영조물 법인을 상대로 소송을 제기할 때는 민사소송이든 항고소송이든 당해 영조물 법인 자체를 피고로 삼으면 된다.

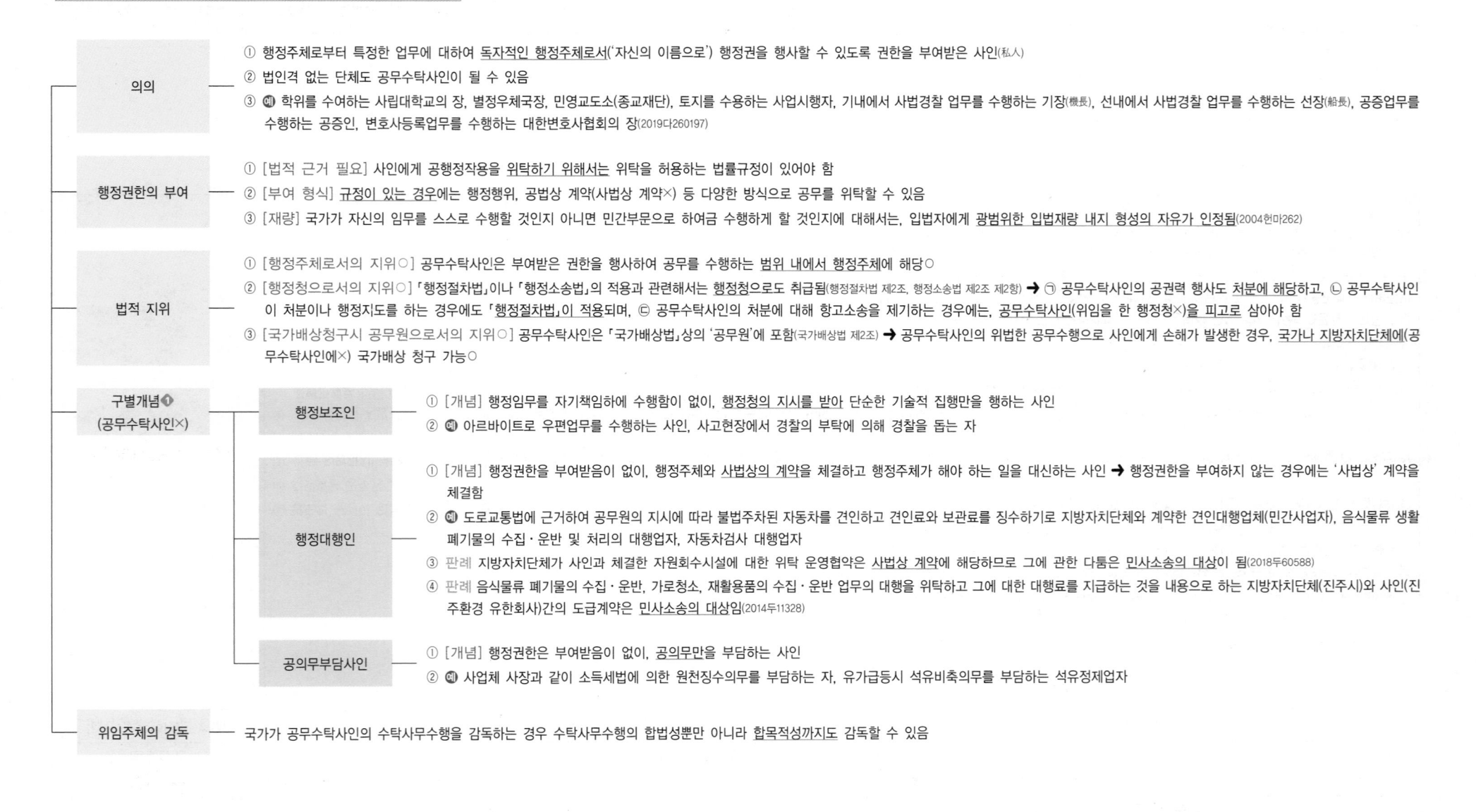

의의
① 행정주체로부터 특정한 업무에 대하여 독자적인 행정주체로서('자신의 이름으로') 행정권을 행사할 수 있도록 권한을 부여받은 사인(私人)
② 법인격 없는 단체도 공무수탁사인이 될 수 있음
③ **예** 학위를 수여하는 사립대학교의 장, 별정우체국장, 민영교도소(종교재단), 토지를 수용하는 사업시행자, 기내에서 사법경찰 업무를 수행하는 기장(機長), 선내에서 사법경찰 업무를 수행하는 선장(船長), 공증업무를 수행하는 공증인, 변호사등록업무를 수행하는 대한변호사협회의 장(2019다260197)

행정권한의 부여
① [법적 근거 필요] 사인에게 공행정작용을 위탁하기 위해서는 위탁을 허용하는 법률규정이 있어야 함
② [부여 형식] 규정이 있는 경우에는 행정행위, 공법상 계약(사법상 계약×) 등 다양한 방식으로 공무를 위탁할 수 있음
③ [재량] 국가가 자신의 임무를 스스로 수행할 것인지 아니면 민간부문으로 하여금 수행하게 할 것인지에 대해서는, 입법자에게 광범위한 입법재량 내지 형성의 자유가 인정됨(2004헌마262)

법적 지위
① [행정주체로서의 지위○] 공무수탁사인은 부여받은 권한을 행사하여 공무를 수행하는 범위 내에서 행정주체에 해당○
② [행정청으로서의 지위○] 「행정절차법」이나 「행정소송법」의 적용과 관련해서는 행정청으로도 취급됨(행정절차법 제2조, 행정소송법 제2조 제2항) → ㉠ 공무수탁사인의 공권력 행사도 처분에 해당하고, ㉡ 공무수탁사인이 처분이나 행정지도를 하는 경우에도 「행정절차법」이 적용되며, ㉢ 공무수탁사인의 처분에 대해 항고소송을 제기하는 경우에는, 공무수탁사인(위임을 한 행정청×)을 피고로 삼아야 함
③ [국가배상청구시 공무원으로서의 지위○] 공무수탁사인은 「국가배상법」상의 '공무원'에 포함(국가배상법 제2조) → 공무수탁사인의 위법한 공무수행으로 사인에게 손해가 발생한 경우, 국가나 지방자치단체에(공무수탁사인에×) 국가배상 청구 가능○

구별개념❶
(공무수탁사인×)

행정보조인
① [개념] 행정임무를 자기책임하에 수행함이 없이, 행정청의 지시를 받아 단순한 기술적 집행만을 행하는 사인
② **예** 아르바이트로 우편업무를 수행하는 사인, 사고현장에서 경찰의 부탁에 의해 경찰을 돕는 자

행정대행인
① [개념] 행정권한을 부여받음이 없이, 행정주체와 사법상의 계약을 체결하고 행정주체가 해야 하는 일을 대신하는 사인 → 행정권한을 부여하지 않는 경우에는 '사법상' 계약을 체결함
② **예** 도로교통법에 근거하여 공무원의 지시에 따라 불법주차된 자동차를 견인하고 견인료와 보관료를 징수하기로 지방자치단체와 계약한 견인대행업체(민간사업자), 음식물류 생활폐기물의 수집·운반 및 처리의 대행업자, 자동차검사 대행업자
③ 판례 지방자치단체가 사인과 체결한 자원회수시설에 대한 위탁 운영협약은 사법상 계약에 해당하므로 그에 관한 다툼은 민사소송의 대상이 됨(2018두60588)
④ 판례 음식물류 폐기물의 수집·운반, 가로청소, 재활용품의 수집·운반 업무의 대행을 위탁하고 그에 대한 대행료를 지급하는 것을 내용으로 하는 지방자치단체(진주시)와 사인(진주환경 유한회사)간의 도급계약은 민사소송의 대상임(2014두11328)

공의무부담사인
① [개념] 행정권한은 부여받음이 없이, 공의무만을 부담하는 사인
② **예** 사업체 사장과 같이 소득세법에 의한 원천징수의무를 부담하는 자, 유가급등시 석유비축의무를 부담하는 석유정제업자

위임주체의 감독
국가가 공무수탁사인의 수탁사무수행을 감독하는 경우 수탁사무수행의 합법성뿐만 아니라 합목적성까지도 감독할 수 있음

---

❶ 공무수탁사인이 아닌 자들의 분류방식은 학자들마다 조금씩 다른데, 어쨌든 핵심은 이들은 모두 공무수탁사인이 아니기 때문에, 행정주체도 아니고 행정청도 아니라는 점에 있다. 국민에 대하여 어떤 행정권한을 행사할 것이 예정되어 있지 않은 자들이 이에 속한다.

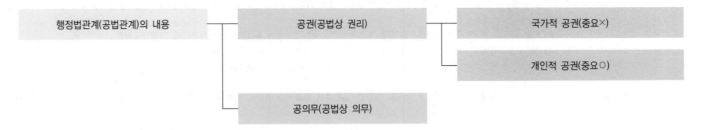

행정법관계의 내용 - 개인적 공권

의의

① [개념] 사인(私人)이 행정주체에 대하여 갖는 공법상의 권리

② 예 투표권, 소권(訴權), 건축허가 발급청구권, 식당영업허가를 받을 수 있는 권리, 공무원연금지급청구권, 관할 구역 내 공장들에 대한 폐기물 불법투기 단속요구권 등

③ 이것이 침해되면 법이 보호하는 이익('권리')을 침해받은 것이기 때문에 ㉠ 행정주체를 상대로 손해배상을 청구할 수 있고, ㉡ 그 침해작용에 대한 항고소송에서 원고적격을 인정받을 수 있음

특징

① 개인적 공권은 오로지 사익만을 위해 인정된 권리가 아니어서, 사권과 달리 자유롭게 포기할 수 없는 것이 원칙 ➜ ㉠ 제3자와 개인적 공권인 소권의 포기에 관한 계약을 체결하더라도 그 계약은 무효이고, ㉡ 행정청이 행정작용을 할 때 개인적 공권을 포기한다는 내용의 부관을 붙이는 것도 허용×

② 개인적 공권은 일반적으로 일신전속적 성질을 가지므로 대행이나 위임이 제한되는 경우가 많음

③ 개인적 공권은 양도나 상속 등 이전이 제한되는 경우가 많음 ➜ 공무원연금청구권, 국민기초생활보장법상 급여를 받을 권리 등

④ 판례 「석탄산업법 시행령」 소정의 재해위로금 청구권은 개인의 공권으로서 그 공익적 성격에 비추어 당사자의 합의에 의하여 이를 미리 포기×(97누5046)

⑤ 판례 당사자 사이에 「석탄산업법시행령」 제41조 제4항 제5호 소정의 재해위로금에 대한 지급청구권에 관한 부제소합의가 있었다고 하더라도 그러한 합의는 무효라고 할 것임(98두12598)

⑥ 판례 도매시장법인으로 지정하면서 지정기간 중 지정취소 또는 폐쇄지시에도 일체의 소송을 청구할 수 없다는 부관을 붙이는 것은 허용×(98두8919)

개인적 공권의 성립 근거

헌법상 기본권 규정

구체적 기본권

① [개념] 법률에 의한 구체화가 없어도 그 자체로 법적인 효력을 갖는 기본권 ➜ 보통 자유권적 기본권❶이 이에 속함

② 예 변호인 접견권, 경쟁의 자유, 신체의 자유, 고문을 받지 않을 권리, 영업수행의 자유 등

③ (변) 법률이나 법규명령 등 다른 경로로 개인적 공권이 인정될 수 없는 경우에는(보충성), 곧바로 개인적 공권의 근거가 될 수 있다고 봄(직접성)

④ (변) 판례 국세청장의 납세병마개 제조자 지정행위의 근거가 되는 법령 조항들로부터 사익보호성을 도출할 수 없다 하더라도, 이 지정행위가 헌법상 기본권인 기업의 경쟁의 자유를 제한하는 것임이 명백한 경우에는, 국세청장의 납세병마개 제조자 지정행위로 말미암아 기업의 경쟁의 자유를 제한받게 된 자들에게는, 일반 법규에서 경쟁자를 보호하는 규정을 별도로 두고 있지 않은 경우에도 기본권인 경쟁의 자유가 바로 행정청의 지정행위의 취소를 구할 법률상의 이익이 됨(97헌마141)

추상적 기본권

① [개념] 법률에 의한 구체화가 있는 경우에만 법적인 효력을 갖는 기본권 ➜ 보통 사회권적 기본권❷이 이에 속함

② 예 쾌적한 환경에서 생활할 권리(환경권), 인간다운 생활을 할 권리, 사회보장수급권, 근로의 권리 등

③ 추상적 기본권에 대한 헌법 규정만으로는 개인적 공권이 인정될 수 없고, 법률에 의한 구체화가 있어야만 개인적 공권의 근거가 될 수 있다고 봄

④ 근로의 권리 추상적 기본권인 근로의 권리 자체만으로는, 직장존속청구권, 일자리청구권, 일자리에 갈음하는 생계비지급청구권이 인정될 수 없고, 이러한 권리들을 인정하는 법률상의 구체화가 뒤따라야 함(2009헌마408)

⑤ 사회보장수급권 추상적 기본권인 사회보장수급권 자체만으로는, 공무원 연금수급권, 퇴직급여를 청구할 수 있는 권리, 의료보험수급권, 산재보험수급권이 인정될 수 없고, 이러한 권리들을 인정하는 법률상의 구체화가 뒤따라야 함(2002헌바1, 2011헌바272)

법률 · 법규명령

법률 · 법규명령에 의해 명문으로 인정되는 권리는 개인적 공권으로 인정됨

불문법원

과거에는 성문법원에 의해서만 개인적 공권이 인정될 수 있다고 보았으나, 오늘날에는 관습법이나 조리와 불문법원에 근거해서도 인정될 수 있음 ➜ 예컨대, 관습에 의해 입어권과 같은 어업권이 인정될 수도 있음

공법상 계약

행정주체와의 계약을 통해 공법상의 권리를 취득하게 되었다면, 그것도 개인적 공권으로 인정 ➜ 예 계약직 공무원은 공법상 계약에 근거하여 보수지급청구권을 취득함

행정규칙 (인정×)

① 행정규칙에서만 인정하고 있는 권리는 개인적 공권으로 인정×

② 판례 서울특별시의 '철거민에 대한 시영아파트특별분양개선지침'에 의해서는 무허가 건물의 소유자에게 시영아파트 특별분양신청권이 인정될 수 없음(∵ '철거민에 대한 시영아파트특별분양개선지침'이 행정규칙이기 때문) ➜ 서울특별시의 시영아파트에 대한 분양불허의 의사표시도 처분에 해당×(87누1214)

❶ [헌법] 자유권적 기본권이란, 자신이 누리는 자유에 대해 국가의 간섭이나 침해를 받지 않을 수 있는 기본권을 말한다. 보통 국가를 상대로 무언가를 하지 말아달라고 요구할 수 있는 기본권들이다.

❷ [헌법] 사회권적 기본권이란, 인간다운 생활을 확보하기 위해 국가에 대하여 급부와 배려를 요구할 수 있는 기본권을 말한다. 보통 국가를 상대로 무언가를 해달라고 요구할 수 있는 기본권들이다.

개인적 공권 인정의 확대(개인적 공권 인정의 완화경향)

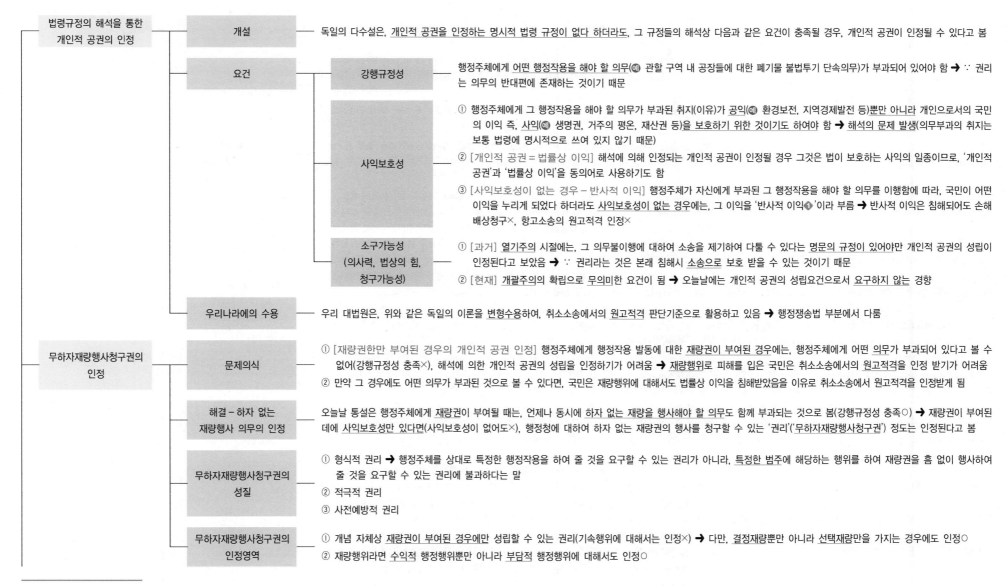

법령규정의 해석을 통한 개인적 공권의 인정	**개설**	독일의 다수설은, 개인적 공권을 인정하는 명시적 법령 규정이 없다 하더라도, 그 규정들의 해석상 다음과 같은 요건이 충족될 경우, 개인적 공권이 인정될 수 있다고 봄
	요건 / 강행규정성	행정주체에게 어떤 행정작용을 해야 할 의무(⑩ 관할 구역 내 공장들에 대한 폐기물 불법투기 단속의무)가 부과되어 있어야 함 ➜ ∵ 권리는 의무의 반대편에 존재하는 것이기 때문
	사익보호성	① 행정주체에게 그 행정작용을 해야 할 의무가 부과된 취지(이유)가 공익(⑩ 환경보전, 지역경제발전 등)뿐만 아니라 개인으로서의 국민의 이익 즉, 사익(⑩ 생명권, 거주의 평온, 재산권 등)을 보호하기 위한 것이기도 하여야 함 ➜ 해석의 문제 발생(의무부과의 취지는 보통 법령에 명시적으로 쓰여 있지 않기 때문)
		② [개인적 공권 = 법률상 이익] 해석에 의해 인정되는 개인적 공권이 인정될 경우 그것은 법이 보호하는 사익의 일종이므로, '개인적 공권'과 '법률상 이익'을 동의어로 사용하기도 함
		③ [사익보호성이 없는 경우 – 반사적 이익] 행정주체가 자신에게 부과된 그 행정작용을 해야 할 의무를 이행함에 따라, 국민이 어떤 이익을 누리게 되었다 하더라도 사익보호성이 없는 경우에는, 그 이익을 '반사적 이익❶'이라 부름 ➜ 반사적 이익은 침해되어도 손해배상청구×, 항고소송의 원고적격 인정×
	소구가능성 (의사력, 법상의 힘, 청구가능성)	① [과거] 열기주의 시절에는, 그 의무불이행에 대하여 소송을 제기하여 다툴 수 있다는 명문의 규정이 있어야만 개인적 공권의 성립이 인정된다고 보았음 ➜ ∵ 권리라는 것은 본래 침해시 소송으로 보호 받을 수 있는 것이기 때문
		② [현재] 개괄주의의 확립으로 무의미한 요건이 됨 ➜ 오늘날에는 개인적 공권의 성립요건으로서 요구하지 않는 경향
	우리나라에의 수용	우리 대법원은, 위와 같은 독일의 이론을 변형수용하여, 취소소송에서의 원고적격 판단기준으로 활용하고 있음 ➜ 행정쟁송법 부분에서 다룸
무하자재량행사청구권의 인정	**문제의식**	① [재량권한만 부여된 경우의 개인적 공권 인정] 행정주체에게 행정작용 발동에 대한 재량권이 부여된 경우에는, 행정주체에게 어떤 의무가 부과되어 있다고 볼 수 없어(강행규정성 충족×), 해석에 의한 개인적 공권의 성립을 인정하기가 어려움 ➜ 재량행위로 피해를 입은 국민은 취소소송에서의 원고적격을 인정 받기가 어려움
		② 만약 그 경우에도 어떤 의무가 부과된 것으로 볼 수 있다면, 국민은 재량행위에 대해서도 법률상 이익을 침해받았음을 이유로 취소소송에서 원고적격을 인정받게 됨
	해결 – 하자 없는 재량행사 의무의 인정	오늘날 통설은 행정주체에게 재량권이 부여될 때는, 언제나 동시에 하자 없는 재량을 행사해야 할 의무도 함께 부과되는 것으로 봄(강행규정성 충족○) ➜ 재량권이 부여된 데에 사익보호성만 있다면(사익보호성이 없어도×), 행정청에 대하여 하자 없는 재량권의 행사를 청구할 수 있는 '권리'('무하자재량행사청구권') 정도는 인정된다고 봄
	무하자재량행사청구권의 성질	① 형식적 권리 ➜ 행정주체를 상대로 특정한 행정작용을 하여 줄 것을 요구할 수 있는 권리가 아니라, 특정한 범주에 해당하는 행위를 하여 재량권을 흠 없이 행사하여 줄 것을 요구할 수 있는 권리에 불과하다는 말
		② 적극적 권리
		③ 사전예방적 권리
	무하자재량행사청구권의 인정영역	① 개념 자체상 재량권이 부여된 경우에만 성립할 수 있는 권리(기속행위에 대해서는 인정×) ➜ 다만, 결정재량뿐만 아니라 선택재량만을 가지는 경우에도 인정○
		② 재량행위라면 수익적 행정행위뿐만 아니라 부담적 행정행위에 대해서도 인정○

❶ 반사적(反射的) 이익이라는 표현은, 법이 의도적으로 보호하고 있는 이익이 아니라, 법적 규율에 공백이 존재함으로써 국민이 반사적으로 누리게 되는 이익이라는 데서 비롯된 것이다.

재량의 영역에서 행정개입청구권의 인정	행정개입청구권	[개념] 특정한 행정작용을 다른 제3자인 국민에 대하여 발급해 줄 것을 요구할 수 있는 권리

문제점 – 강행규정성

① [문제점] 재량행위에 대해서도 해석을 통해 행정개입청구권을 인정할 수 있는지가 문제됨

② [사례] 법령상 "건축허가권자는 위법건축물의 건축주에 대하여 수선명령 또는 철거명령을 할 수 있다."고 규정되어 있는 상황에서, 위법건축물의 이웃주민인 甲이 건축허가권자를 상대로, 위법건축물의 건축주 乙에 대하여 수선명령을 내려줄 것을 요구할 수 있는 권리가 인정될 수 있는지가 문제됨

③ [문제의 원인 – 강행규정성] 해석상 행정개입청구권이 성립하려면 행정개입의무 즉, 특정한 방식으로 제3자에 대해 행정권한을 행사해야 하는 의무가 행정청에 먼저 부여되어야 하는데, 기속행위인 경우는 몰라도, 행정청에 재량권만 부여된 경우에는 이러한 의무가 부과된 것으로 볼 수 없기 때문

④ [인정의 실익] 재량의 영역에서 이 권리가 인정되면, 행정주체가 그에 따르지 않을 경우 위법성이 인정되어 ㉠ 취소소송의 본안에서 위법성이 인정되고, ㉡ 국가배상청구와 관련해서도 위법성이 인정됨 ➜ 자세한 내용은 행정구제 부분에서 다룸

강행규정성 문제의 해결 – 재량의 영으로의 수축이론

① [통설 – 재량의 영(0)으로의 수축이론] ㉠ 원칙적으로 재량의 영역에서 행정개입의무는 인정될 수 없지만, ㉡ 사람의 생명·신체 등 중요한 법익에 급박하고 현저한 위험이 존재하는 경우(⑩ 위법건축물인 이웃집 건물의 기둥 한 축에 이미 균열이 발생한 경우)라면, 예외적으로 행정주체가 부여받은 그 재량권이 영(0)으로 수축되어, 행정주체는 그 권한을 특정한 방식으로 행사해야 할 의무 즉, 행정개입의무(⑩ 수선명령을 내려야 할 의무)를 부담하게 된다고 봄

② [대법원의 수용 – 현저한 불합리론] ㉠ 원칙적으로 재량의 영역에서 행정개입의무는 인정될 수 없지만, ㉡ 행정주체에게 재량권이 부여된 취지와 목적에 비추어 볼 때, 구체적인 사정에 따라 그 재량권한을 행사하여 필요한 조치를 취하지 않는 것이 현저하게 불합리하다고 인정되는 경우에는, 예외적으로 행정주체에게도 특정한 방식으로 행동해야 할 의무 즉, 행정개입의무가 있다고 봄

③ 현저한 불합리론 「경찰관 직무집행법」 규정은 경찰관에게 재량에 의한 직무수행권한만을 부여한 것처럼 되어 있으나, 경찰관에게 권한을 부여한 취지와 목적에 비추어 볼 때, 구체적인 사정에 따라 경찰관이 그 권한을 행사하여 필요한 조치를 취하지 않는 것이 현저하게 불합리하다고 인정되는 경우에는 권한의 불행사는 직무상 의무를 위반한 것으로서 위법함(98다16890)

④ 원칙적 행정개입의무 부정 시정명령 발동권한 행사에 관해 행정청의 재량을 인정하는 「건축법」의 규정은, 소정의 사유가 있는 경우 행정청에 건축물의 철거 등을 명할 수 있는 권한을 부여한 것일 뿐 행정청에 그러한 의무가 있음을 규정한 것×(97누17568)

⑤ 원칙적 행정개입의무 부정 국민은 행정청에 대하여, 제3자에 대한 건축허가 취소와 준공검사의 취소 및 제3자 소유의 건축물에 대한 철거명령을 하도록 요구할 수 있는 법규상 또는 조리상의 권리가 없음(97누17568) ➜ 「건축법」에 건축허가취소와 준공검사취소, 철거명령이 행정청의 권능으로만 규정되어 있었기 때문에, 원칙적으로 행정청이 국민에 대하여 건축허가취소나 준공검사취소를 해야할 의무가 없다고 본 것(원칙적 강행규정성 부정)

⑥ 예외적 행정개입의무 인정 무장공비에 의해 생명의 위협을 받고 있는 청년의 가족이 인근 파출소에 구조요청을 했음에도 경찰이 출동하지 않아 그 청년이 희생된 경우, 국가의 배상책임이 인정됨(71다124)

행정개입청구권의 인정영역

개념의 성질상 ㉠ 원칙적으로는 기속행위에 대해서만 성립할 수 있는 것이지만, ㉡ 재량행위라 하더라도 예외적으로 그 재량이 영(0)으로 수축하는 경우에는, 사익보호성이 갖추어질 경우, 무하자재량행사청구권의 형태로 존재하던 공권이 행정개입청구권으로 전환되어 성립 가능○

행정개입청구권의 성질

① 실체적(실질적) 권리 ➜ 특정한 방식으로 행정작용을 해줄 것을 요구할 수 있는 권리의 일종이라는 말

② 적극적 권리

③ 행정개입청구권은 사전예방적으로도 활용될 수 있고, 사후구제적으로도 활용될 수 있음

④ 행정개입청구권이 인정된다고 해서 특정한 제도의 개설까지 요구할 수 있는 것은 아님

구분	무하자재량행사청구권	행정개입청구권
인정영역	재량행위에 대해서만 인정	원칙적으로 기속행위에 대해서만 인정 But 재량이 0으로 수축하는 경우에는 재량행위에 대해서도 인정
권리의 성질	형식적 권리	실체적 권리

**반사적 이익의
공권화 경향** —— 우리 대법원은 종래 사익보호성이 없다고 해석하여 과거에는 <u>반사적 이익</u>에 불과하다고 보았던 이익들을, 최근에는 개인적 공권 즉, <u>법률상 이익</u>으로 인정하는 경우가 증가하고 있음

관련법령까지 고려 —— 대법원은 원고가 다투고 있는 처분의 근거법규뿐만 아니라 그와 <u>관련된 법규</u>에서라도 사익보호의 취지를 발견할 수 있다면 사익보호성이 있는 것으로 보아, 그 행정작용에 대해 다툴 수 있는 원고적격의 인정범위를 넓히고 있음 ➜ 행정쟁송법 부분에서 자세히 다룸

영향권 설정의 법리 —— 행정처분(예 원자력발전소 건설허가)으로 인한 영향권의 범위(예 원자력발전소 건설부지 경계로부터 반경 5km 이내)가 근거법규나 관련법규에 구체적으로 규정되어 있다면, 그 규정에는 <u>그 영향권 범위 내의</u> <u>주민들의 생활 환경상의 이익을 법률상의 이익으로서 보호하려는 취지(사익보호성)가 있는 것</u>이라 해석하고 있음 ➜ 행정쟁송법 부분에서 자세히 다룸

▶ 행정법관계의 내용 - 공의무

개념 —— 공의무(公義務)란 공권(公權)에 대응하는 관념으로서, 공법관계에서 부담하는 의무를 말함

승계가능성 —— 공의무도 ㉠ 일신전속성이 있는 의무는 이전 가능×, ㉡ 대물적 하명에 의해 부과된 의무나 타인에 의하여 이행될 수 있는 의무와 같이 일신전속성이 없는 의무는 이전 가능○

사례
① 산림원상복구의무 – 상속에 의해 승계○ 구 「산림법」상 형질변경허가를 받지 아니하고 <u>산림을 무단형질변경한 자가 사망한 경우</u>, 당해 토지의 소유권 또는 점유권을 승계한 <u>상속인은 그 복구의무를 부담</u>한다고 봄이 상당하고, 따라서 관할 행정청은 그 상속인에 대하여 복구명령을 할 수 있다고 보아야 함(2003두9817) ➜ 산림복구의무가 상속에 의해 승계될 수 있다고 보는 것
② 국세 납부의무 – 합병에 의해 승계○ 법인합병의 경우 합병 후 존속하는 법인은 합병으로 인하여 소멸하는 법인에게 부과되거나 그 법인이 납부할 <u>국세의 납세의무를 승계</u>함(77누265) ➜ ∵ 합병이 있으면 종전의 모든 권리와 의무를 당연히 포괄적으로 승계하는 것이기 때문(민법학의 영역)
③ **(변)** 이행강제금 납부의무 – 합병에 의해 승계○ 회사합병이 있는 경우, 합병회사의 이행강제금 납부의무도 합병으로 인하여 존속하는 회사에 승계됨(2018두63563)
④ 이행강제금 납부의무 – 상속에 의해 승계× 「건축법」상 <u>이행강제금 납부의무는 일신전속적인 성질</u>의 것으로 이행강제금을 부과받은 자가 사망한 경우 이행강제금 납부의무는 상속인에게 승계×(2006마470)
⑤ **(변)** 손해배상공동기금 추가적립의무 – 합병에 의해 승계○ 합병 이전의 회사에 대한 분식회계를 이유로 감사인 지정제외 처분과 손해배상공동기금의 추가적립의무를 명한 조치의 효력은 합병 후 존속하는 법인에게 승계될 수 있음(2002두1946)
⑥ 영업장 면적 변경 신고의무 – 양도로 승계○ 영업장 면적이 변경되었음에도 그에 관한 <u>신고의무를 이행하지 않은 양도인으로부터 음식점 영업을 양수한 자</u>가, 그와 같은 신고의무를 이행하지 않은 채 영업을 계속한다면 「식품위생법」에 의한 영업허가취소나 영업정지의 대상이 될 수 있음(2019두38830)
⑦ 사무원채용시 지방법무사회로부터 승인을 받아야 할 의무 법무사가 사무원을 채용할 때 소속 지방법무사회로부터 승인을 받아야 할 의무는 공법상 의무임(2015다34444) ➜ ∵ 법무사가 사무원 채용에 관하여 법무사법이나 법무사규칙을 위반하는 경우에는 소관 지방법원장으로부터 징계를 받을 수 있기 때문

제재효과의 승계문제 —— 제재효과의 승계 문제는 공의무 승계 문제의 일종 ➜ 뒤에서 다룸

제4절　공법관계에 대한 사법규정의 유추적용

▶ 공법관계에 대한 사법(私法)규정의 유추적용 ◀

문제가 되는 이유
① 여기서 말하는 사법(私法)은 보통 민법(民法), 상법(商法)을 뜻함
② 행정법(공법)은 역사가 짧은 발전 중인 법 ➡ 흠결이 많음
③ 반면 사법(특히, 민법)은 역사가 매우 길기 때문에, 행정법보다 훨씬 더 정교하게 발전되어 있는 상태
④ 공법관계에 적용할 마땅한 공법규정이 존재하지 않는 경우, 이미 발전을 이룬 사법규정들을 공법관계에 유추적용하는 것이 가능한지가 문제됨
⑤ [전제] 사법규정의 유추적용 가부(可否)는 공법과 사법을 구별하는 이원론 체계 국가(대륙법계 국가)에서만 문제됨

준용 여부
① 공법의 흠결 시 사법을 준용하도록 하는 명문의 규정을 두고 있는 경우(例 국가배상법 제8조)에는 문제 안 됨
② 준용에 대한 명문의 규정이 없는 경우 ➡ 학설이 대립 ➡ 통설과 판례는 공법관계의 특수성을 인정하는 한도에서 사법규정을 유추적용할 수 있다고 보는 견해(제한적 적용설, 유추적용설)

유추적용설에 따른 공법관계에의 법규 적용순서
① 명문의 공법규정 적용 시도 ➡ ② 명문의 공법규정이 없으면 유사한 다른 공법(公法)규정 유추적용 시도 ➡ ③ 유추적용할 공법규정도 없으면 사법(私法)규정 유추적용

유추적용설의 구체적 내용

법의 일반원리적 규정
① [개념] 정의와 공평의 관념상 어디에나 적용되어야 하는 당연한 원리를 담고 있는 규정
② 例 신의성실의 원칙, 법인과 자연인, 의사표시의 효력발생시기, 대리행위의 효력, 부당이득, 불법행위에 관한 규정 등

법기술적 규정
① [개념] 어떤 법원리나 가치판단과 무관한 규정
② 例 기간의 계산, 소멸시효의 중단이나 정지, 주소에 관한 규정 등

→ 공법관계(권력 + 비권력관계)에 일반적으로 적용 가능

이해조절적 규정
① [개념] 대등한 개인 사이에 거래를 하는 과정에서 발생하는 이익과 손해를 조정하기 위한 규정
② 例 수임인의 비용상환청구권, 영업양도시 경업금지 제한에 관한 규정 등
③ 판례 중학교 의무교육의 위탁관계는 초·중등교육법 등 관련법령에 의하여 정해지는 공법적 관계로서, 대등한 당사자 사이의 자유로운 의사를 전제로 사익 상호간의 조정을 목적으로 하는 민법 제688조의 수임인의 비용상환청구권에 관한 규정이 그대로 준용된다고 보기 어려움(2012두7387) ➡ 중학교 의무교육 위탁관계가 권력관계임을 전제로 한 판시

→ 공법관계 중 관리관계(비권력관계)에만 적용 가능 ➡ 권력관계에는 사법규정의 적용범위가 축소

[특수논점] 사무관리의 유추적용 여부
① [배경지식 – 민법(출제×)] 사무관리란 법적인 의무가 없음에도 불구하고 타인(개인)의 사무를 처리해주는 행위(例 甲이 장기간 해외여행을 간 사이에 한파가 몰아쳐 이웃주민인 乙이 동파방지 목적으로 甲의 집 창문에 비닐을 씌워 주는 행위, 자연재해시 행정청에 의한 빈 상점의 물건 처분행위 등)를 말함
② [배경지식 – 민법(출제×)] 사무관리가 그 타인('본인')의 의사에 반하거나 불리하다는 것이 명백하지 않았던 한, 사무를 처리한 자는 본인에 대하여 사무를 처리하는 데 소요된 비용을 청구할 수 있음(비용상환청구권 발생) ➡ 민법상의 제도(민법 제734조~제740조)
③ 사인이 의무없이 국가의 사무를 처리한 경우에 유추적용 가능? ➡ [대법원] 사인이 처리한 국가의 사무가 사인이 국가를 대신하여 처리할 수 있는 성질의 것으로서, 사무 처리의 긴급성 등 국가의 사무에 대한 사인의 개입이 정당화되는 경우에 한하여 사무관리 유추적용○ ➡ 사인은 그 범위 내에서 민사소송으로(당사자소송×)❶ 국가에 대하여 국가의 사무를 처리하면서 지출된 필요비 내지 유익비의 상환을 청구할 수 있음(2012다15602)
④ 판례 사무처리의 긴급성으로 인하여 해양경찰의 직접적인 지휘를 받아 보조로 방제작업을 한 경우, 사인은 그 사무를 처리하며 지출한 필요비 내지 유익비의 상환을 국가에 대하여 민사소송으로 청구할 수 있음(2012다15602) ➡ 태안유조선 기름유출시 해양경찰을 도와준 주원환경 주식회사의 국가에 대한 비용상환청구권을 인정한 사건

❶ [더 들어가기] 사무관리의 유추적용이 일정한 요건하에 허용된다고 하면서도, 대법원은 그에 따른 법률관계를 사법관계로 취급하고 있는 것으로 보인다.

법률요건과 법률사실

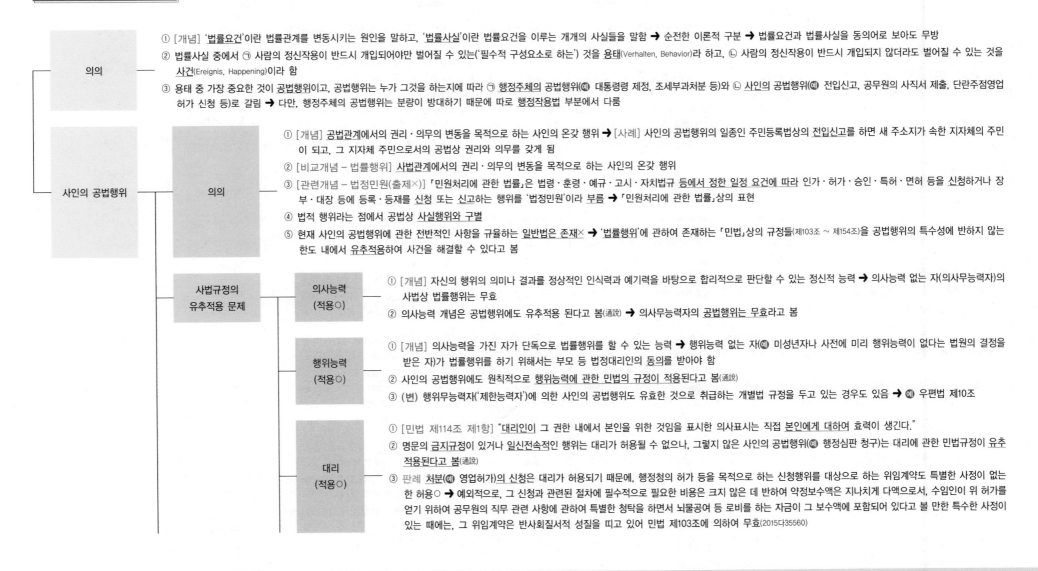

의의

① [개념] '법률요건'이란 법률관계를 변동시키는 원인을 말하고, '법률사실'이란 법률요건을 이루는 개개의 사실들을 말함 ➔ 순전한 이론적 구분 ➔ 법률요건과 법률사실을 동의어로 보아도 무방

② 법률사실 중에서 ㉠ 사람의 정신작용이 반드시 개입되어야만 벌어질 수 있는('필수적 구성요소로 하는') 것을 **용태**(Verhalten, Behavior)라 하고, ㉡ 사람의 정신작용이 반드시 개입되지 않더라도 벌어질 수 있는 것을 **사건**(Ereignis, Happening)이라 함

③ 용태 중 가장 중요한 것이 공법행위이고, 공법행위는 누가 그것을 하는지에 따라 ㉠ 행정주체의 공법행위(에 대통령령 제정, 조세부과처분 등)와 ㉡ 사인의 공법행위(에 전입신고, 공무원의 사직서 제출, 단란주점영업 허가 신청 등)로 갈림 ➔ 다만, 행정주체의 공법행위는 분량이 방대하기 때문에 따로 행정작용법 부분에서 다룸

사인의 공법행위

의의

① [개념] 공법관계에서의 권리·의무의 변동을 목적으로 하는 사인의 온갖 행위 ➔ [사례] 사인의 공법행위의 일종인 주민등록법상의 전입신고를 하면 새 주소지가 속한 지자체의 주민이 되고, 그 지자체 주민으로서의 공법상 권리와 의무를 갖게 됨

② [비교개념 – 법률행위] 사법관계에서의 권리·의무의 변동을 목적으로 하는 사인의 온갖 행위

③ [관련개념 – 법정민원(출제×)] 「민원처리에 관한 법률」은 법령·훈령·예규·고시·자치법규 등에서 정한 일정 요건에 따라 인가·허가·승인·특허·면허 등을 신청하거나 장부·대장 등에 등록·등재를 신청 또는 신고하는 행위를 '법정민원'이라 부름 ➔ 「민원처리에 관한 법률」상의 표현

④ 법적 행위라는 점에서 공법상 사실행위와 구별

⑤ 현재 사인의 공법행위에 관한 전반적인 사항을 규율하는 일반법은 존재× ➔ '법률행위'에 관하여 존재하는 「민법」상의 규정들(제103조 ~ 제154조)을 공법행위의 특수성에 반하지 않는 한도 내에서 유추적용하여 사건을 해결할 수 있다고 봄

사법규정의 유추적용 문제

의사능력 (적용○)

① [개념] 자신의 행위의 의미나 결과를 정상적인 인식력과 예기력을 바탕으로 합리적으로 판단할 수 있는 정신적 능력 ➔ 의사능력 없는 자(의사무능력자)의 사법상 법률행위는 무효

② 의사능력 개념은 공법행위에도 유추적용 된다고 봄(通說) ➔ 의사무능력자의 공법행위는 무효라고 봄

행위능력 (적용○)

① [개념] 의사능력을 가진 자가 단독으로 법률행위를 할 수 있는 능력 ➔ 행위능력 없는 자(에 미성년자나 사전에 미리 행위능력이 없다는 법원의 결정을 받은 자)가 법률행위를 하기 위해서는 부모 등 법정대리인의 동의를 받아야 함

② 사인의 공법행위에도 원칙적으로 행위능력에 관한 민법의 규정이 적용된다고 봄(通說)

③ (변) 행위무능력자('제한능력자')에 의한 사인의 공법행위도 유효한 것으로 취급하는 개별법 규정을 두고 있는 경우도 있음 ➔ 에 우편법 제10조

대리 (적용○)

① [민법 제114조 제1항] "대리인이 그 권한 내에서 본인을 위한 것임을 표시한 의사표시는 직접 본인에게 대하여 효력이 생긴다."

② 명문의 금지규정이 있거나 일신전속적인 행위는 대리가 허용될 수 없으나, 그렇지 않은 사인의 공법행위(에 행정심판 청구)는 대리에 관한 민법규정이 유추적용된다고 봄(通說)

③ 판례 처분(에 영업허가)의 신청은 대리가 허용되기 때문에, 행정청의 허가 등을 목적으로 하는 신청행위를 대상으로 하는 위임계약도 특별한 사정이 없는 한 허용○ ➔ 예외적으로, 그 신청과 관련된 절차에 필수적으로 필요한 비용은 크지 않은 데 반하여 약정보수액은 지나치게 다액으로서, 수임인이 위 허가를 얻기 위하여 공무원의 직무 관련 사항에 관하여 특별한 청탁을 하면서 뇌물공여 등 로비를 하는 자금이 그 보수액에 포함되어 있다고 볼 만한 특수한 사정이 있는 때에는, 그 위임계약은 반사회질서적 성질을 띠고 있어 민법 제103조에 의하여 무효(2015다35560)

비진의 의사표시 (적용×)	① [민법 제107조 제1항] "의사표시는 표의자가 진의 아님을 알고 한 것이라도 그 효력이 있다. 그러나 상대방이 표의자의 진의아님을 알았거나 이를 알 수 있었을 경우에는 무효로 한다." ② 진의 아닌 의사표시(자신이 겉으로 표명한 대로 법적 효과가 발생하게 할 의사가 없이 행한 의사표시)는 상대방도 그것이 진의가 아니라는 것을 알았거나 알 수 있었다면 법적 효력이 없는데(민법 제107조 제1항 단서), 이 규정은 공법행위에는 유추적용× → 진의가 아님을 상대방이 알고 있었다 하더라도 공법행위는 유효 ○ ③ 판례 사직원 제출자의 내심의 의사가 사직할 뜻이 없었더라도 민법상 비진의 의사표시의 무효에 관한 규정이 적용되지 않으므로, 그 사직원을 받아들인 의원면직처분은 당연무효×(93 누10057) → 장기복무를 원하는 단기복무하사관이 관례에 따라 복무연장지원서와 전역지원서를 동시에 제출했는데, 행정청에서 전역지원서에 근거해 의원면직처분을 하자, 그것이 비진의 의사표시였다면서 다투었으나 받아들여지지 않은 사안 → 전역지원의 의사표시가 유효한 것으로 보았음 ④ 판례 1980년의 공직자숙정계획의 일환으로 일괄사표의 제출과 선별수리의 형식으로 공무원에 대한 의원면직처분이 이루어진 경우, 비진의 의사표시의 무효에 관한 민법 제107조 제1항 단서 규정을 적용하여 그 의원면직처분을 당연무효라고 주장×(99두9971)
사기·강박 (적용○)	① [민법 제110조 제1항] "사기나 강박에 의한 의사표시는 취소할 수 있다." ② 사기나 강박에 의하여 의사결정의 자유를 제한 당한 상태에서 이루어진 사인의 공법행위에는 그 성질에 반하지 아니하는 한 이 규정을 유추적용하여 그 취소 가부를 따져보아야 함○ → 다만, 사기나 강박의 정도가 너무 심해서 특정 공법행위를 하는 것 이외에는 다른 의사결정을 할 여지가 전혀 없었던 경우('의사결정의 자유를 박탈당한 경우')에는, 의사표시라는 것 자체가 이루어진 것으로 볼 수 없으므로 민법 제110조를 유추적용할 것이 아니라, 곧바로 무효가 된다고 봄(97다13962) ③ [권고사직 사건] 비리를 저지른 공무원 甲에게 감사담당 공무원이, '자진 사직하지 않으면 징계파면 돼서 퇴직금도 받지 못하게 될 것'이라고 하자, 甲이 퇴직금을 고려하여 자발적으 로 사직서를 제출했던 사건 → 의사결정의 자유를 제한 당한 경우에 조차 해당하지 않는다고 봄 → 그 사직서 제출에 기한 의원면직처분은 유효함(97다13962)
철회·보정 (변경)	① 사인의 공법상 행위는 명문으로 금지되거나 성질상 불가능한 경우가 아닌 한, 그에 의거한 행정행위가 행하여질 때(도달할 때×)까지는 자유로이 철회나 보정(변경)이 가능(99두5566) ② 판례 공무원이 한 사직의 의사표시는 그에 터잡은 의원면직처분이 있을 때까지는 사직의 의사표시를 철회하는 것이 신의칙에 반한다고 인정되는 특별한 사정이 없는 한, 원칙적으로 이를 철회할 수 있음(92누16942) ③ 판례 공무원이 한 사직 의사표시의 철회나 취소는 그에 터잡은 의원면직처분이 있을 때까지 할 수 있는 것이고, 일단 면직처분이 있고 난 이후에는 철회나 취소할 여지가 없음(99두9971) ④ [행정절차법 제17조 제8항] 처분 "신청인은 처분이 있기 전에는 그 신청의 내용을 보완·변경하거나 취하(取下)할 수 있다."
효력발생시기	① [민법 제111조 제1항] "상대방이 있는 의사표시는 상대방에게 도달한 때(발신한 때×)에 그 효력이 생긴다." → 도달주의 ② 도달주의를 규정하고 있는 민법 제111조 제1항은 사인의 공법행위에도 적용된다고 봄 ③ [사례] 자영업에 종사하는 甲이 일정요건의 자영업자에게는 보조금을 지급하도록 한 법령에 근거하여, 우편으로 보조금을 신청한 경우 특별한 규정이 없다면 신청서가 도달한 때(발송 한 때×)에 신청의 효력이 발생○
행정행위의 각종 효력 (인정×)	① 사인의 공법행위에는 행정행위에 인정되는 공정력, 존속력, 집행력 등 행정행위의 특수한 효력 인정× ② 판례 신고납부방식의 조세에 있어서 납세의무자의 신고행위에 중대명백한 하자가 있어 당연무효로 되지 않는 한, 납세의무자가 납세의무가 있는 것으로 오인하고 신고 후 조세납부행 위를 하였다 하더라도 그것이 곧 부당이득에 해당×(96다3807) → 납세신고에 대해서는 공정력이 있는 것처럼 해석하고 있어 비판有 ③ 판례 신고행위의 하자가 중대·명백하여 당연무효에 해당하는지에 대하여는 신고행위의 근거가 되는 법규의 목적, 의미, 기능 및 하자 있는 신고행위에 대한 법적 구제수단 등을 목적론적으로 고찰함과 동시에 신고행위에 이르게 된 구체적 사정을 개별적으로 파악하여 합리적으로 판단(2001다13075) → 신고납부방식의 산재보험료 신고에 대한 판례 → 역시 공정력이 있는 것처럼 해석하고 있어 비판有
부관(허용×)	행정법관계의 안정성과 정형성을 위해, 사인의 공법행위에는 원칙적으로 부관을 붙이는 것은 허용×

**사인의 공법행위의 하자가
행정행위에 미치는 영향**

① 사인의 공법행위가 행정행위의 단순한 동기에 불과한 경우(예 통행금지해제 신청, 입산금지해제 신청 등)에는 그 하자는 행정행위의 효력에 아무런 영향×(通説)
② 사인의 공법행위가 행정행위의 전제요건인 경우(예 여객자동차운송사업면허 발급신청, 건축허가신청 등)에는 ㉠ 사인의 공법행위가 무효이면 행정행위도 무효가 되고, ㉡ 단순위법한 경우에는 행정행위에는
취소사유에 불과한 위법이 있게 됨(通説)

의의	① [개념] 사인이 행정청에 대하여 일정한 조치를 취하여 줄 것을 요구하는 사인의 공법행위 ② **예** 건축허가 신청, 택시운송사업면허 발급 신청
종류	① 대법원은 ⊙ 행정청이 응답의무를 부담하는 신청(**예** 건축허가 발급신청)과 ⓛ 응답의무를 부담하지 않는 신청(**예** 일반국민 甲이 자신을 국무총리로 임명해 달라는 신청)으로 구분하고 있음 ② [신청권] 대법원은 행정청이 응답의무를 부담하는 경우를 두고, 국민에게 '신청권이 있다'라고 표현함 ➜ 신청권이 인정되기 위해 행정청에 신청한 행정작용을 발급해 줄 의무가 있을 필요까지는 없음 ③ [기출지문] '신청권'이란 행정청에 대하여 특정한 행정작용(**예** 건축허가)의 발급을 정당하게 요구할 수 있는 권리가 아니라(물론 이러한 권리가 있다면 당연히 신청권도 인정됨), 신청한 행정작용을 발급해줄 것인지 여부에 대한 응답을 요구할 수 있는 권리임 ④ [신청권이 인정되는 경우] 대법원은 ⊙ 법령의 해석상, 요구했던 행정작용이 신청을 받아서 이루어지는 작용으로 규정되어 있거나❶(법규상 신청권), ⓛ 명문의 규정이 없더라도 공평과 정의의 관념상 처분 발급 거부에 대하여 다툴 수 있게 하여 국민의 권익구제를 해주어야 할 필요성이 인정되는 경우(조리상 신청권)에는 신청권의 존재를 인정 ⑤ 검사임용신청권 - 인정◯ 임용권자가 동일한 검사신규임용의 기회에 甲을 비롯한 다수의 검사지원자들로부터 임용신청을 받아 전형을 거쳐 자체에서 정한 임용기준에 따라 이들 중 일부만을 선정하여 검사로 임용하는 경우에 있어서, ⊙ 검사의 임용 여부는 임용권자의 자유재량에 속하는 사항이지만, ⓛ 임용신청자들에게 전형의 결과인 임용여부의 응답을 할 것인지까지 임용권자의 편의재량사항이라고 할 수는 없음 ➜ 법령상 검사임용 신청 및 그 처리의 제도에 관한 명문의 규정은 없다 하더라도, 임용권자에게는 임용신청자들에게 전형의 결과인 임용여부에 대해 응답을 해주어야 할 조리상의 의무가 있음(90누5825) ➜ ※ 조리상의 신청권을 최초로 인정한 판례임
신청권 있는 신청에 따른 행정청의 의무	① [응답의무] 신청의 대상이 기속행위인지 재량행위인지를 불문하고 그 발급여부에 대하여 상당한 기간 내에 가부간 응답하여야 할 의무를 부담 ② [보완요구의무] 신청에 보완이 가능한 사항에 대한 흠결이 있는 경우 보완을 요구하여야 함 ➜ ⊙ 형식적 요건이나 절차적 요건에 흠이 있는 경우, ⓛ 혹은 실질적 요건에 관한 흠이 있더라도 그것이 민원인의 단순한 착오나 일시적인 사정 등에 기한 경우에는 곧바로 수리를 거부(반려)해서는 안 되고, 상당한 기간을 정하여 신청인에게 보완을 요구하여야 함(2003두6573)
인용의제 제도	(변) 신청을 받은 날로부터 일정한 처리기간 내에 인용여부를 알리지 않은 경우에는 그 처리기간이 지난 날의 다음 날, 해당 인용처분이 이루어진 것으로 의제한다는 규정을 두고 있는 경우가 있음 ➜ 행정청이 이 기간을 임의로 연장할 수는 없고, 연장하였다 하더라도 본래의 처리기간이 지난 날의 다음 날에 인용처분이 이루어진 것으로 의제됨(2020두42569)
신청기간의 제한이 있는 경우	신청기간이 제척기간이고 강행규정인 경우, 그 신청기간을 준수하지 못하였음을 이유로 하는 거부처분은 적법(2018두47264) ➜ 고용보험법상 신청기간을 도과한 육아휴직급여신청을 거부한 것은 적법하다고 본 사건
행정절차법	처분 신청의 경우에는 「행정절차법」에 이에 대한 규정들이 존재함 ➜ 행정절차법 부분에서 다룸
민원처리에 관한 법률	민원 신청의 경우에는 「민원처리에 관한 법률」에 이에 대한 규정들이 존재함

---

❶ 예컨대, 「도로교통법」에 따르면 "자동차등을 운전하려는 사람은 지방경찰청장으로부터 운전면허를 받아야 한다."라고 규정이 되어 있는데, 이 경우 「도로교통법」이 지방경찰청장에 대한 운전면허 발급신청권을 인정하고 있는 것이라 본다.

사인의 공법행위 - 신고

| 의의 | 국민이 행정기관에 일정한 사항을 알리는 행위 |

종류

정보제공적 신고
① 단순히 무언가를 알려주는 신고 ➡ 예 화재 신고, 범죄 신고, 사업자등록
② 판례 사업자등록은 과세관청으로 하여금 부가가치세의 납세의무자를 파악하고 그 과세자료를 확보케 하는 단순한 사업사실의 신고로서, 사업자가 관할세무서장에게 소정의 사업자 등록신청서를 제출함으로써 성립함(2008두2200, 99두6903) ➡ 이로 인하여 사업자로서의 지위가 형성되는 것×

금지해제적 신고
① 신고를 하면 그 효과로 금지되어 있던 행위를 할 수 있게 법률에서 규정하고 있는 신고(예 건축신고) ➡ 행정법의 관심사
② 금지해제적 신고는 그 법적 효과 발생 요건에 따라 '수리(受理)❶를 요하는 신고'(행정요건적 신고)와 '수리를 요하지 않는 신고'(자기완결적 신고)로 구분

자완신과 수요신의 구분

구분	수리를 요하지 않는 신고(자기완결적 신고)	수리를 요하는 신고(행정요건적 신고)
의의	① 신고 자체만으로도 금지해제의 효과가 발생하는 신고 ② '본래적 의미의 신고' ③ 「행정절차법」 제40조에 이에 대한 규정이 존재 ○ ④ 판례 행정관청에 대한 신고는 일정한 법률사실 또는 법률관계에 관하여 관계 행정관청에 일방적인 통고를 하는 것을 뜻하는 것으로서, 법에 별도의 규정이 있거나 다른 특별한 사정이 없는 한, 행정관청에 대한 통고로서 그치는 것이고 그에 대한 행정관청의 반사적 결정을 기다릴 필요가 없음(98다57419, 93마635) ➡ 자기완결적 신고가 신고의 원칙적인 형태이기 때문에 이러한 판시가 가능	① 행정청이 신고를 수리까지 해야 금지해제의 효과가 발생하는 신고 ② '변형된 의미의 신고' ③ 「행정절차법」상 이에 대한 규정이 존재× ④ 「행정기본법」 제34조에 이에 대한 규정이 존재○
예	① 건축신고(건축법 제14조 제1항의 신고), 골프장이용료 변경신고, 수산제조업 신고, 의원·치과의원 개설 신고, 신고체육시설업(예 당구장, 골프연습장업) 신고, 원격평생교육신고, 착공신고, 일반음식점 영업신고, 축산물판매업 신고 ② 판례 수산제조업을 하고자 하는 사람이 형식적 요건을 모두 갖춘 수산제조업 신고서를 제출한 경우에는 담당 공무원이 관계법령에 규정되지 아니한 사유를 들어 그 신고를 수리하지 아니하고 반려하였다고 하더라도 그 신고서가 제출된 때(반려한 때×)에 신고가 있었다고 봄(2000다73612)	① 주민등록신고, 골프장 회원모집계획서 제출, 어업신고, 정신과의원 개설신고, 등록체육시설업(예 골프장업, 스키장업) 신고, 대규모점포개설 등록신청, 노동조합 설립신고, 납골당(봉안시설) 설치신고, 각종 인·허가자 지위승계 신고, 유료노인복지주택의 설치신고, 노인의료복지시설 폐지신고, 장기요양기관의 폐업신고, 자본거래신고, 악취배출시설 설치·운영신고 ② 판례 납골당설치 신고는 이른바 '수리를 요하는 신고'이므로, 납골당설치 신고가 관련 법령 규정의 모든 요건을 충족하는 신고라 하더라도, 신고인은 곧바로 납골당을 설치할 수는 없고, 행정청의 수리처분이 있어야만 그 신고한 대로 납골당을 설치할 수 있음(2009두6766)

❶ 수리(受理)란 신고를 문제없는 것으로서 받아들이는 행정청의 행위를 말한다.

구분	수리를 요하지 않는 신고(자기완결적 신고)	수리를 요하는 신고(행정요건적 신고)
분류방법	① 수리를 요하는 신고와 수리를 요하지 않는 신고 모두 <u>이론상의 개념임</u> ➡ 실정법상으로는 단순히 '신고', '등록신청', '제출' 등의 명칭으로만 제도가 설정되어 있는데, 구체적으로 문제가 된 제도들이 이론상으로 둘 중 어디에 해당하는지를 분류하는 것은 판사의 몫임 ➡ 양자는 <u>법적 취급이 다르므로</u> 이를 분류하는 것은 중요 ② [행정기본법 제34조] "법령등으로 정하는 바에 따라 행정청에 일정한 사항을 통지하여야 하는 신고로서 법률에 신고의 수리가 필요하다고 명시되어 있는 경우(행정기관의 내부 업무 처리 절차로서 수리를 규정한 경우는 제외한다)에는 행정청이 수리하여야 효력이 발생한다." ➡ 법률에서 신고에 수리가 필요하다고 명시하고 있는 경우가 아닌 한, 원칙적으로 자기완결적 신고로 봄 ③ 금지가 해제되더라도 제3자의 이익이나 공익을 해할 우려가 없는 경우에는 자기완결적 신고로 해석함 ④ 어떤 신고가 본래 그 자체만으로는 자기완결적 신고라 하더라도, 법령에서 <u>그로 인하여 타법상의 인가나 허가가 있는 것과 같은 법적 효과 발생을 인정하고 있는 경우</u>(인·허가 의제)에는 수리를 요하는 신고로 봄 ➡ ⑩ 인·허가가 의제되는 건축신고 ⑤ 개별법령에서 '신고'와 '등록'을 구분하여 규정하고 있는 경우 ➡ '신고'는 수리를 요하지 않는 신고로, '등록신청'은 수리를 요하는 신고로 봄	
적법요건	① 형식적 요건❶만 요구됨 ② 다만, 자기완결적 신고를 규정한 법률에서 관련법의 요건도 충족하여야 하는 것으로 규정하고 있는 경우, 관련법의 요건도 충족해야 적법한 신고가 됨 ③ [적법요건을 갖춘 신고가 있는 경우] 행정청이 수리를 거부하였다 하더라도 <u>신고의 효과가 발생함</u>(물론 거부행위는 위법함) ④ 판례 「식품위생법」에 따른 식품접객업(일반음식점영업)의 영업신고가 동법상의 요건을 갖춘 경우라 하더라도, 그 영업신고를 한 해당 건축물이 「건축법」 소정의 허가를 받지 아니한 무허가건물이라면 그 신고는 <u>적법한 영업신고에 해당</u>×(2008도6829) ⑤ 판례 체육시설의 설치·이용에 관한 법률에 따른 당구장의 신고요건을 갖춘 자 할지라도, 「학교보건법」 제5조 소정의 학교환경 위생정화구역 내에서는 같은 법 제6조에 의한 별도의 <u>요건을 충족하지 아니하는 한 적법한 신고</u>×(90누8350) ⑥ 판례 적법한 요건을 갖춘 자기완결적 신고(⑩ 당구장업 영업신고)의 경우에는 행정청의 수리처분등 별단의 조처를 기다릴 필요 없이 그 접수(도달)시에 신고로서의 효력이 발생하는 것이므로 그 수리가 거부되었다고 하여 영업행위가 무신고 영업이 되는 것×(97도3121)	① 형식적 요건만 요구되는 경우도 있고, 실질적 요건까지 요구되는 경우도 있음❷ ② 다만, 수리를 요하는 신고를 규정한 법률에서 관련법의 요건도 충족하여야 하는 것으로 규정하고 있는 경우, 관련법의 요건도 충족해야 적법한 신고가 됨 ③ [적법요건을 갖춘 신고가 있는 경우] 행정청이 수리를 거부한 경우에는 <u>신고의 효과가 발생하지 않음</u>(물론 거부행위는 위법함) ④ 판례 건축법에서 인·허가의제 제도를 둔 취지는, 인·허가 의제사항과 관련하여 건축허가의 관할 행정청으로 창구를 단일화하고 절차를 간소화하며 비용과 시간을 절감함으로써 국민의 권익을 보호하려는 것이지, 인·허가의제사항 관련 법률에 따른 <u>각각의 인·허가 요건에 관한 일체의 심사를 배제</u>하려는 것으로 보기는 어려움 ➡ 건축법상 인·허가 의제 효과를 수반하는 건축신고(건축법 제14조 제2항의 신고)는, 일반적인 건축신고와는 달리, ㉠ 이른바 '<u>수리를 요하는 신고</u>'이고 ㉡ 특별한 사정이 없는 한 행정청은 그 <u>실체적 요건에 관한 심사를 한 후 수리하여야 함</u>(2010두14954)❸
신고필증교부	① 법적 의미×, 수리가 이루어졌음을 증명하는 서면에 불과 ② 판례 의료법에 따른 의원·치과의원 개설신고의 경우 그에 대한 신고필증의 교부는 신고 사실 확인행위에 불과하므로, 신고필증의 교부가 없더라도 신고의 효력을 부정할 수는 없음(84도2953)	① 법적 의미×, 수리가 이루어졌음을 증명하는 서면에 불과(학설은 반대) ② 판례 납골당설치 신고에 대한 수리행위에 신고필증 교부 등 행위가 꼭 필요한 것은×(2009두6766)

❶ 형식적 요건이란 서류상만으로도 구비여부 판단이 가능한 요건을 말하고, 실질적 요건이란 서류상만으로는 구비여부를 판단할 수 없어 신고서에 기재된 사항이 진실한지 여부를 따로 심사해 보아야 할 필요가 있는 요건을 말한다.

❷ [더 들어가기] 학자들 중에는 수리를 요하는 신고의 경우 언제나 실질적 요건까지 요구된다고 서술하는 경우가 있으나, 대법원은 실질적 요건이 요구되지 않는 신고를 수리를 요하는 신고로 본 경우도 많다.

❸ [더 들어가기] 건축신고가 있으면 언제나 「국토의 계획 및 이용에 관한 법률」 따른 개발행위허가가 의제되기 때문에, 인·허가가 의제되지 않는 건축신고는 관념적으로만 존재한다. 이러한 내용은 시험에는 출제되지 않는다.

구분	수리를 요하지 않는 신고(자기완결적 신고)	수리를 요하는 신고(행정요건적 신고)
신고수리	① 법적 효력× ➡ 처분❶× ② [기속행위] 자기완결적 신고에 있어서 적법한 신고가 있는 경우, 행정청은 법 규정에 정하지 아니한 사유를 심사하여 이를 이유로 신고의 수리를 거부할 수 없음 ③ 판례 정보통신매체를 이용하여 학습비를 받고 불특정 다수인에게 원격평생교육을 실시하기 위해 인터넷침·뜸 학습센터를 '시민사회단체 부설 평생교육시설'로 신고한 경우 ➡ 관할 행정청은 신고서 기재사항에 흠결이 없고 「평생교육법」에서 정한 형식적 요건을 모두 갖추었다면, 신고대상이 된 교육이나 학습이 공익적 기준에 적합하지 않는다는 등의 실체적 사유를 들어 신고수리를 거부할 수 없음(2005두11784) ④ 판례 가설건축물 존치기간을 연장하려는 건축주 등이 법령에 규정되어 있는 제반 서류와 요건을 갖추어 행정청에 연장신고를 한 경우 ➡ 행정청이 법령에서 요구하지 않은 '대지사용승낙서' 등의 서류가 제출되지 아니하였거나, 대지소유권자의 사용승낙이 없다는 등의 사유를 들어 연장신고의 수리를 거부할 수 없음 (2015두35116) ⑤ [비교판례] 담당 공무원이 관계 법령에 규정되지 아니한 서류를 요구하여 신고서를 제출하지 못하였다는 사정만으로는 신고가 있었던 것으로 볼 수 없음(2000다73612) ➡ ∵ 어쨌든 신고서를 제출조차 하지 않은 경우에 해당하기 때문	① 법적 효력○ ➡ 처분○ ② [기속행위] 수리를 요하는 신고라 하더라도, 그것이 적법하게 이루어졌다면 관할 행정청은 그 신고의 수리여부에 대하여 재량을 갖지 못함 ➡ 그럼에도 불구하고 수리를 거부한 경우 그 수리거부는 위법 ③ [예외적 거부가능] 건축물의 소유권을 둘러싸고 소송이 계속 중인 경우, 판결로 그 소유권 귀속이 확정될 때까지 행정청이 건축주 명의변경신고의 수리를 거부할 수 있음(93누883) ➡ ∵ 법률관계가 불분명한 건축물에 대해 명의변경신고를 수리해 줄 경우, 소송이 끝난 후에 어차피 다시 신고를 정정하여야 하기 때문 ④ 판례 「유통산업발전법」은 기존의 대규모점포의 등록된 유형 구분을 전제로 '대형마트로 등록된 대규모점포' 일체를 규제 대상으로 삼고자 하는 것이 그 입법 취지이므로, 대규모점포의 개설 등록은 실체적 요건에 관한 심사를 한 후 수리하여야 하는 이른 바 '수리를 요하는 신고'로서 행정처분에 해당함(2019다208953, 2015다295) ⑤ 판례 숙박업을 하고자 하는 자가 법령이 정하는 시설과 설비를 갖추고 행정청에 신고를 하면 행정청은 공중위생관리법령의 규정에 따라 원칙적으로 이를 수리해야 함 ➡ 새로 숙박업을 하려는 자가 기존에 다른 사람이 숙박업신고를 한 적이 있는 시설에 대해 신고를 하였다 하더라도, 소유권 등 정당한 사용권한을 취득하여 법령에서 정한 요건을 갖추어 신고하였다면, 행정청으로서는 특별한 사정이 없는 한 이를 수리하여야 하고, 기존의 숙박업 신고가 외관상 남아있다는 이유로 이를 거부할 수 없음(2017두34087) ⑥ 판례 「의료법」에 따라 정신과의원을 개설하려는 자가 법령에 규정되어 있는 요건을 갖추어 개설신고를 한 경우 ➡ 관할 시장·군수·구청장은 법령에서 정한 요건 이외의 사유를 들어 의원급 의료기관 개설신고의 수리를 거부할 수 없음(2018두44302) ⑦ 판례 구 장사등에 관한 법률에 의한 사설납골당시설의 설치신고가 법이 정한 요건을 모두 갖추고 있는 경우 ➡ 행정청은 수리의무가 있으나, 예외적으로 보건위생상의 위해방지나 국토의 효율적 이용 등과 같은 중대한 공익상 필요가 있는 경우에는 그 수리를 거부할 수 있음(2008두22631) ⑧ 판례 허가대상 건축물의 양수인이 구 건축법 시행규칙에 규정되어 있는 형식적 요건을 갖추어 건축주 명의변경을 신고한 경우 ➡ 허가권자는 양수인에게 '건축할 대지의 소유 또는 사용에 관한 권리'가 없다는 등의 실체적인 이유를 들어 신고의 수리를 거부할 수 없음(2013두11475, 93누883)
신고수리거부	① 처분× ➡ (건축신고 사건에서 판례 변경❷) ➡ 처분○ ② 판례 건축법상 착공(着工)신고 반려행위에도 처분성이 인정됨(2010두7321) ③ 판례 건축법에 따른 건축신고를 반려하는 행위는 장차 있을지도 모르는 위험(예 공사 중지·철거·사용금지 등의 시정명령 및 그 불이행에 따른 이행강제금이나 벌금 등의 부과)에서 미리 벗어날 수 있도록 길을 열어주고 위법한 건축물의 양산과 그 철거를 둘러싼 분쟁을 조기에 근본적으로 해결할 수 있게 하여야 한다는 점에서 항고소송의 대상○(2008두167)	처분○

❶ 처분이란 항고소송의 대상이 되는 행정작용을 말한다. 처분에 해당하는지 여부는 대법원이 정책적으로 판단하는데, 대법원은 그 자체로 인하여 곧바로 권리의무의 변동이 생기는지를 가장 중요한 기준으로 활용한다. 뒤에서 다룬다.

❷ [더 들어가기] 대법원은 2010년 전원합의체 판결로 자기완결적 신고인 건축신고 수리 거부의 처분성을 인정했는데, 이를 두고 대법원이 ㉠ 이제는 자기완결적 신고의 수리 거부에 대해서도 처분성을 인정한 것이라고 해석하는 견해와, ㉡ 여전히 원칙적으로 자기완결적 신고의 수리 거부에 대해서는 처분성을 부정하고 있지만, (건축신고 수리 거부와 같이) 반려될 경우 당해 신고의 대상이 되는 행위를 하면 시정명령, 이행강제금, 벌금의 대상이 되는 등 신고인이 법적 불이익을 받을 위험이 있는 경우에만 수리 거부의 처분성을 인정했다고 해석하는 견해로 갈린다. 이 책에서는 전자의 견해를 따른 것이다.

구분	수리를 요하지 않는 신고(자기완결적 신고)	수리를 요하는 신고(행정요건적 신고)
부적법한 신고에 대해 이루어진 수리의 효과	① 금지해제의 효과 발생× ➡ 보정되기까지는 신고의 효과 발생× ② 판례 자기완결적 신고에서 부적법한 신고에 대하여 행정청이 일단 수리를 하였다 하더라도, 그 후의 영업행위는 무신고영업행위에 해당○(97도3121) ③ 판례 축산물위생관리법상 축산물판매업에 대한 부적법한 신고가 있었으나, 관할행정청이 이를 수리한 경우라 하더라도 신고의 효과가 발생×(2009다97925)	① 이 경우 수리는 위법 ➡ 　㉠ [수리의 위법성이 중대하고 명백하여 수리가 무효인 경우] 금지해제의 효과 발생× 　㉡ [수리의 위법성이 취소사유에 불과한 경우] 취소되지 않는 한 금지해제의 효과 발생○ ② 무효로 본 판례 노동조합의 설립신고가 행정관청에 의하여 형식상 수리되었으나, 헌법 제33조 제1항 및 노동조합 및 노동관계조정법 제2조 제4호가 규정한 실질적 요건을 갖추지 못한 경우, 설립이 무효로서 노동조합으로서의 지위를 가지지 않음(2017다51610)

신고서 보완요구의무

① 법령 등에서 행정청에 일정한 사항을 통지함으로써 의무가 끝나는 신고를 규정하고 있는 경우에 ㉠ 신고서의 기재사항에 흠이 있거나 ㉡ 필요한 구비서류가 첨부되어 있지 않거나 ㉢ 그 밖에 법령 등에 규정된 형식상의 요건에 부합하지 않은 경우(신고의 내용이 현저히 공익을 해치는 경우×) ➡ 행정청이 신고인에게 일단 보완을 요구하고, 그럼에도 불구하고 그 상당한 기간 내에도 보완을 하지 않았을 경우에는 이를 되돌려 보낼 수 있음(행정절차법 제40조 제3항)

② [수리를 요하는 신고의 경우] 「행정절차법」은 자기완결적 신고에 대해서만 보완요구의무를 규정하고 있지만, 수리를 요하는 신고의 경우에도 유추적용될 수 있다고 봄(通說)

수리를 요하는 신고의 실질적 심사범위

① 수리를 요하는 신고가 실질적 요건의 구비까지 요구하고 있는 경우 ➡ 실질적 요건에 대한 심사가 이루어짐 ➡ 개별 신고별로 실질적 심사의 범위에 대해 암기할 것을 요구하는 경우가 있음

② [주민등록전입신고] 주민등록전입신고에 대한 수리는 「주민등록법」의 입법 목적에 따라 ㉠ 30일 이상 거주할 목적이 있는지 여부만을 심사하여 이를 기준으로 수리여부를 판단하여야 하지, ㉡ 「지방자치법」이나 지방자치의 이념을 고려하여, 전입신고자가 투기 등 거주 목적 외에 다른 이해관계에 관한 의도를 가지고 있는지 여부나, 무허가건축물의 관리 등 전입신고를 수리함으로써 당해 지방자치단체에 미치는 영향을 심사 기준으로 하여 수리를 거부할 수 없음(2008두10997 전원합의체) ➡ 서울시 소유의 대지에 무허가로 건물을 짓고 그 건축물을 실제 생활의 근거지로 삼아 10년 이상 거주해 온 자의 주민등록 전입신고를, 부동산투기나 이주대책 요구 등을 방지할 목적으로 거부하는 것은 주민등록의 입법 목적과 취지 등에 비추어 허용될 수 없음

③ [유료노인복지주택 설치신고] 유료노인복지주택의 설치신고를 받은 행정관청은 그 유료노인복지주택의 시설 및 운용기준이 법령에 부합하는지와 설치신고 당시 부적격자들이 입소하고 있는지 여부를 심사할 수 있음(2006두14537)

④ [노동조합설립신고] 이 신고는 실질적 요건을 갖추지 못한 노동조합의 난립을 방지함으로써, 근로자의 자주적이고 민주적인 단결권 행사를 보장하는 것에 취지가 있으므로, 행정관청은 해당 단체가 노동조합법 제2조 제4호 각 목에 해당하는지 여부를 실질적으로 심사할 수 있음 ➡ 다만, 설립신고서를 접수할 당시 그 해당 여부가 문제된다고 볼 만한 객관적인 사정이 있는 경우에 한하여 설립신고서와 규약 내용 외의 사항에 대하여 실질적인 심사를 거쳐 반려 여부를 결정할 수 있음(2011두6998)

(변) 통지의무, 수리간주, 신고간주 규정의 신설

① 신고 민원의 투명하고 신속한 처리와 일선 행정기관의 적극행정을 유도하기 위하여 2017년경부터 신고와 관련하여 ㉠ 수리통지의무를 부과하거나 ㉡ 신고에 대한 수리를 간주하거나, ㉢ 신고가 적법하게 이루어졌음을 간주하는 규정들이 개별법령에서 제정됨

② [착공신고] 행정청은 건축 착공신고를 받은 날부터 3일 이내에 신고수리 여부 또는 민원 처리 관련 법령에 따른 처리기간의 연장 여부를 신고인에게 통지하여야 하고(수리통지의무), 그 기간 내에 통지하지 아니하면 그 기간이 끝난 날의 다음 날에 신고를 수리한 것으로 간주함(건축법 제21조 제3, 4항)

③ [건축신고] 시장·군수·구청장은 건축신고를 받은 날부터 5일 이내에 신고수리 여부 또는 민원 처리 관련 법령에 따른 처리기간의 연장 여부를 신고인에게 통지하여야 함(건축법 제14조 제3항) ➡ 건축신고와 관련해서는 수리간주 규정은 없음

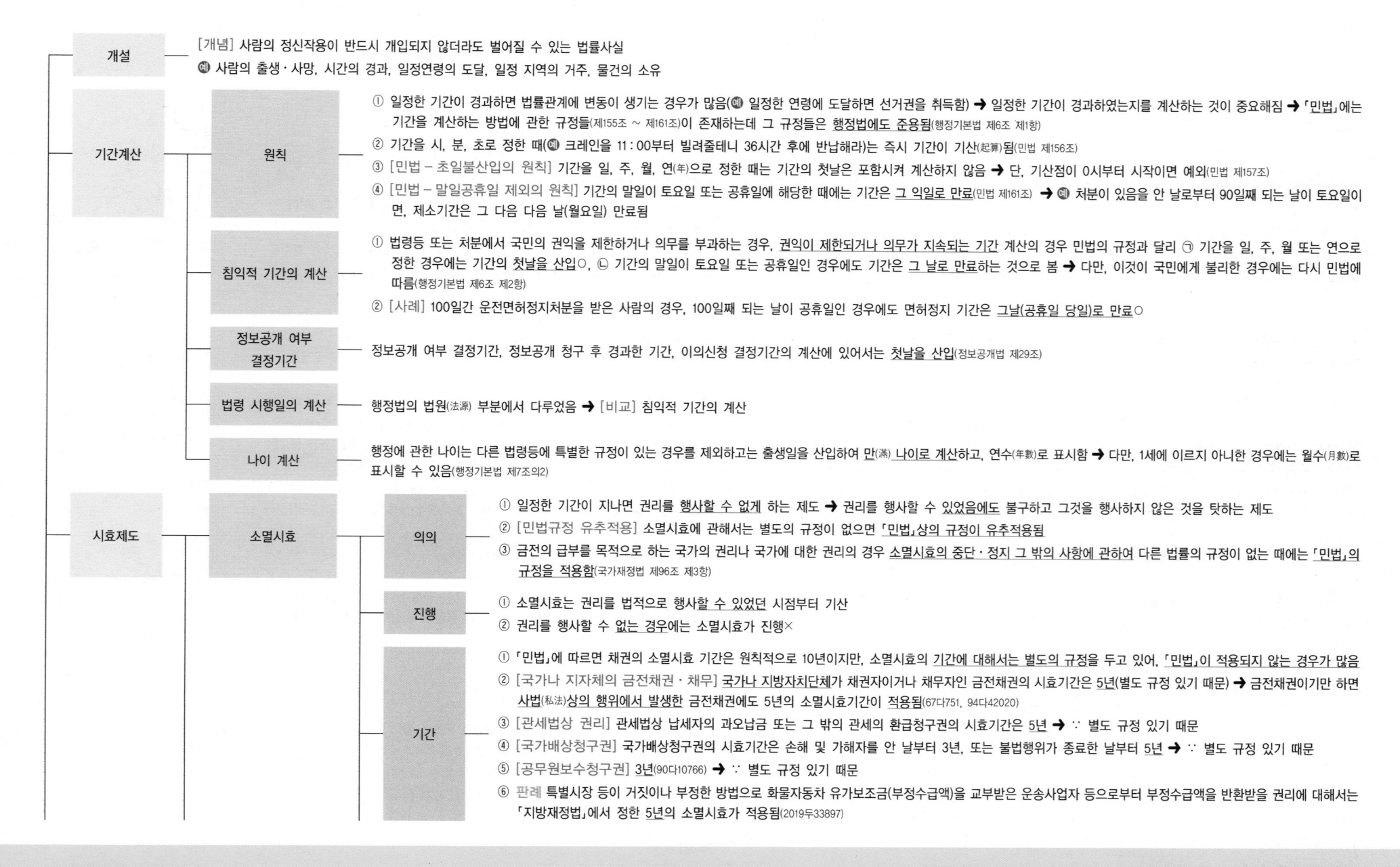

개설			[개념] 사람의 정신작용이 반드시 개입되지 않더라도 벌어질 수 있는 법률사실 ⓔ 사람의 출생·사망, 시간의 경과, 일정연령의 도달, 일정 지역의 거주, 물건의 소유

기간계산

원칙
① 일정한 기간이 경과하면 법률관계에 변동이 생기는 경우가 많음(ⓔ 일정한 연령에 도달하면 선거권을 취득함) ➔ 일정한 기간이 경과하였는지를 계산하는 것이 중요해짐 ➔ 「민법」에는 기간을 계산하는 방법에 관한 규정들(제155조 ~ 제161조)이 존재하는데 그 규정들은 행정법에도 준용됨(행정기본법 제6조 제1항)
② 기간을 시, 분, 초로 정한 때(ⓔ 크레인을 11 : 00부터 빌려줄테니 36시간 후에 반납해라)는 즉시 기간이 기산(起算)됨(민법 제156조)
③ [민법 – 초일불산입의 원칙] 기간을 일, 주, 월, 연(年)으로 정한 때는 기간의 첫날은 포함시켜 계산하지 않음 ➔ 단, 기산점이 0시부터 시작되면 예외(민법 제157조)
④ [민법 – 말일공휴일 제외의 원칙] 기간의 말일이 토요일 또는 공휴일에 해당한 때에는 기간은 그 익일로 만료(민법 제161조) ➔ ⓔ 처분이 있음을 안 날로부터 90일째 되는 날이 토요일이면, 제소기간은 그 다음 다음 날(월요일) 만료됨

침익적 기간의 계산
① 법령등 또는 처분에서 국민의 권익을 제한하거나 의무를 부과하는 경우, 권익이 제한되거나 의무가 지속되는 기간 계산의 경우 민법의 규정과 달리 ㉠ 기간을 일, 주, 월 또는 연으로 정한 경우에는 기간의 첫날을 산입○, ㉡ 기간의 말일이 토요일 또는 공휴일인 경우에도 기간은 그 날로 만료하는 것으로 봄 ➔ 다만, 이것이 국민에게 불리한 경우에는 다시 민법에 따름(행정기본법 제6조 제2항)
② [사례] 100일간 운전면허정지처분을 받은 사람의 경우, 100일째 되는 날이 공휴일인 경우에도 면허정지 기간은 그날(공휴일 당일)로 만료○

정보공개 여부 결정기간
정보공개 여부 결정기간, 정보공개 청구 후 경과한 기간, 이의신청 결정기간의 계산에 있어서는 첫날을 산입(정보공개법 제29조)

법령 시행일의 계산
행정법의 법원(法源) 부분에서 다루었음 ➔ [비교] 침익적 기간의 계산

나이 계산
행정에 관한 나이는 다른 법령등에 특별한 규정이 있는 경우를 제외하고는 출생일을 산입하여 만(滿) 나이로 계산하고, 연수(年數)로 표시함 ➔ 다만, 1세에 이르지 아니한 경우에는 월수(月數)로 표시할 수 있음(행정기본법 제7조의2)

시효제도

소멸시효

의의
① 일정한 기간이 지나면 권리를 행사할 수 없게 하는 제도 ➔ 권리를 행사할 수 있었음에도 불구하고 그것을 행사하지 않은 것을 탓하는 제도
② [민법규정 유추적용] 소멸시효에 관해서는 별도의 규정이 없으면 「민법」상의 규정이 유추적용됨
③ 금전의 급부를 목적으로 하는 국가의 권리나 국가에 대한 권리의 경우 소멸시효의 중단·정지 그 밖의 사항에 관하여 다른 법률의 규정이 없는 때에는 「민법」의 규정을 적용함(국가재정법 제96조 제3항)

진행
① 소멸시효는 권리를 법적으로 행사할 수 있었던 시점부터 기산
② 권리를 행사할 수 없는 경우에는 소멸시효가 진행×

기간
① 「민법」에 따르면 채권의 소멸시효 기간은 원칙적으로 10년이지만, 소멸시효의 기간에 대해서는 별도의 규정을 두고 있어, 「민법」이 적용되지 않는 경우가 많음
② [국가나 지자체의 금전채권·채무] 국가나 지방자치단체가 채권자이거나 채무자인 금전채권의 시효기간은 5년(별도 규정 있기 때문) ➔ 금전채권이기만 하면 사법(私法)상의 행위에서 발생한 금전채권에도 5년의 소멸시효기간이 적용됨(67다751, 94다42020)
③ [관세법상 권리] 관세법상 납세자의 과오납금 또는 그 밖의 관세의 환급청구권의 시효기간은 5년 ➔ ∵ 별도 규정 있기 때문
④ [국가배상청구권] 국가배상청구권의 시효기간은 손해 및 가해자를 안 날부터 3년, 또는 불법행위가 종료한 날부터 5년 ➔ ∵ 별도 규정 있기 때문
⑤ [공무원보수청구권] 3년(90다10766) ➔ ∵ 별도 규정 있기 때문
⑥ 판례 특별시장 등이 거짓이나 부정한 방법으로 화물자동차 유가보조금(부정수급액)을 교부받은 운송사업자 등으로부터 부정수급액을 반환받을 권리에 대해서는 「지방재정법」에서 정한 5년의 소멸시효가 적용됨(2019두33897)

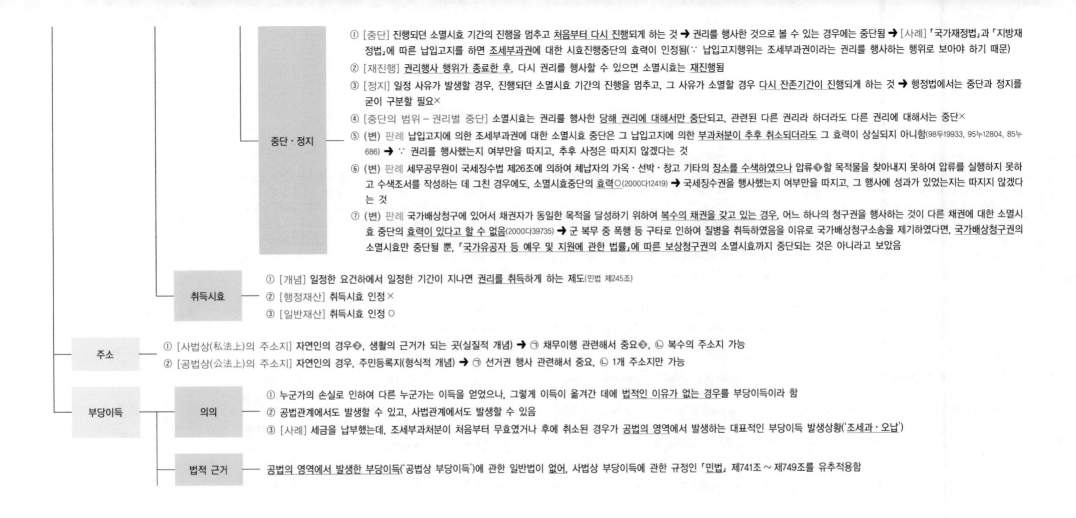

중단·정지

① [중단] 진행되던 소멸시효 기간의 진행을 멈추고 처음부터 다시 진행되게 하는 것 → 권리를 행사한 것으로 볼 수 있는 경우에는 중단됨 → [사례] 「국가재정법」과 「지방재정법」에 따른 납입고지를 하면 조세부과권에 대한 시효진행중단의 효력이 인정됨(∵ 납입고지행위는 조세부과권이라는 권리를 행사하는 행위로 보아야 하기 때문)

② [재진행] 권리행사 행위가 종료한 후, 다시 권리를 행사할 수 있으면 소멸시효는 재진행됨

③ [정지] 일정 사유가 발생할 경우, 진행되던 소멸시효 기간의 진행을 멈추고, 그 사유가 소멸할 경우 다시 잔존기간이 진행되게 하는 것 → 행정법에서는 중단과 정지를 굳이 구분할 필요×

④ [중단의 범위 – 권리별 중단] 소멸시효는 권리를 행사한 당해 권리에 대해서만 중단되고, 관련된 다른 권리라 하더라도 다른 권리에 대해서는 중단×

⑤ (변) 판례 납입고지에 의한 조세부과권에 대한 소멸시효 중단은 그 납입고지에 의한 부과처분이 추후 취소되더라도 그 효력이 상실되지 아니함(98두19933, 95누12804, 85누686) → ∵ 권리를 행사했는지 여부만을 따지고, 추후 사정은 따지지 않겠다는 것

⑥ (변) 판례 세무공무원이 국세징수법 제26조에 의하여 체납자의 가옥·선박·창고 기타의 장소를 수색하였으나 압류❶할 목적물을 찾아내지 못하여 압류를 실행하지 못하고 수색조서를 작성하는 데 그친 경우에도, 소멸시효중단의 효력○(2000다12419) → 국세징수권을 행사했는지 여부만을 따지고, 그 행사에 성과가 있었는지는 따지지 않겠다는 것

⑦ (변) 판례 국가배상청구에 있어서 채권자가 동일한 목적을 달성하기 위하여 복수의 채권을 갖고 있는 경우, 어느 하나의 청구권을 행사하는 것이 다른 채권에 대한 소멸시효 중단의 효력이 있다고 할 수 없음(2000다39735) → 군 복무 중 폭행 등 구타로 인하여 질병을 취득하였음을 이유로 국가배상청구소송을 제기하였다면, 국가배상청구권의 소멸시효만 중단될 뿐, 「국가유공자 등 예우 및 지원에 관한 법률」에 따른 보상청구권의 소멸시효까지 중단되는 것은 아니라고 보았음

취득시효

① [개념] 일정한 요건하에서 일정한 기간이 지나면 권리를 취득하게 하는 제도(민법 제245조)
② [행정재산] 취득시효 인정×
③ [일반재산] 취득시효 인정○

주소

① [사법상(私法上)의 주소지] 자연인의 경우❷, 생활의 근거가 되는 곳(실질적 개념) → ㉠ 채무이행 관련해서 중요❸, ㉡ 복수의 주소지 가능
② [공법상(公法上)의 주소지] 자연인의 경우, 주민등록지(형식적 개념) → ㉠ 선거권 행사 관련해서 중요, ㉡ 1개 주소지만 가능

부당이득

의의

① 누군가의 손실로 인하여 다른 누군가는 이득을 얻었으나, 그렇게 이득이 옮겨간 데에 법적인 이유가 없는 경우를 부당이득이라 함
② 공법관계에서도 발생할 수 있고, 사법관계에서도 발생할 수 있음
③ [사례] 세금을 납부했는데, 조세부과처분이 처음부터 무효였거나 후에 취소된 경우가 공법의 영역에서 발생하는 대표적인 부당이득 발생상황('조세과·오납')

법적 근거

공법의 영역에서 발생한 부당이득('공법상 부당이득')에 관한 일반법이 없어, 사법상 부당이득에 관한 규정인 「민법」 제741조 ~ 제749조를 유추적용함

---

❶ [민사집행법] 압류(押留, Seizure)란, 금전채무를 이행하고 있지 않은 채무자 소유의 물건을 돈으로 현금화하기 위하여, 그 전에 채무자가 그 물건을 다른 곳에 처분하지 못하도록 금지를 걸어두는 행위를 말한다.

❷ [민법] 법인의 경우에는 주된 사무소의 소재지가 주소가 되는데(민법 제36조), 공무원 수험의 범위를 벗어난다.

❸ [민법] 금전채무의 이행은 원칙적으로 채권자의 사법상 현주소지에서 하여야 한다. 역시 공무원 수험의 범위를 벗어난다.

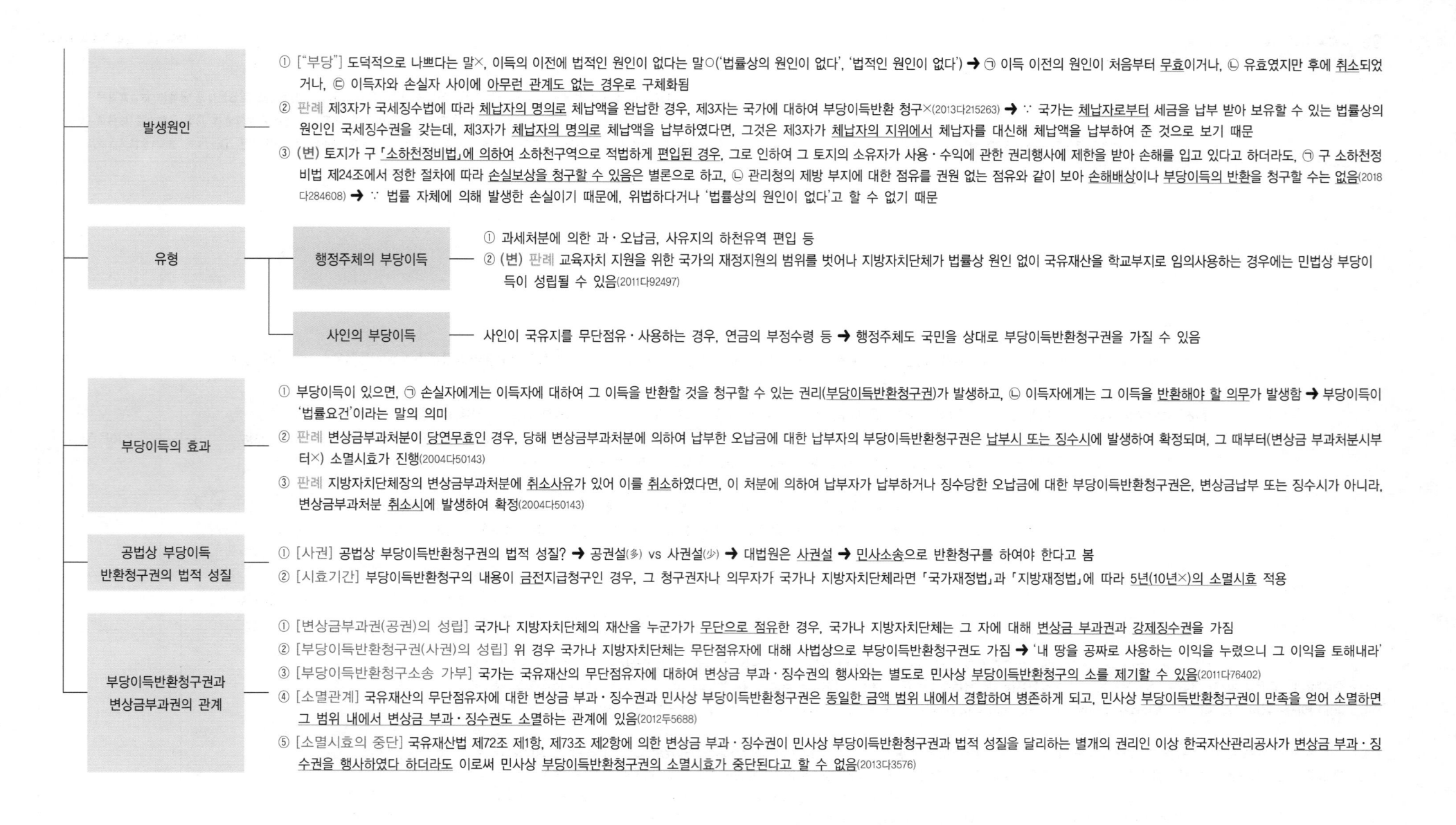

| 발생원인 | ① ["부당"] 도덕적으로 나쁘다는 말×, 이득의 이전에 법적인 원인이 없다는 말○('법률상의 원인이 없다', '법적인 원인이 없다') → ㉠ 이득 이전의 원인이 처음부터 무효이거나, ㉡ 유효였지만 후에 취소되었거나, ㉢ 이득자와 손실자 사이에 아무런 관계도 없는 경우로 구체화됨 ② 판례 제3자가 국세징수법에 따라 체납자의 명의로 체납액을 완납한 경우, 제3자는 국가에 대하여 부당이득반환 청구×(2013다215263) → ∵ 국가는 체납자로부터 세금을 납부 받아 보유할 수 있는 법률상의 원인인 국세징수권을 갖는데, 제3자가 체납자의 명의로 체납액을 납부하였다면, 그것은 제3자가 체납자의 지위에서 체납자를 대신해 체납액을 납부하여 준 것으로 보기 때문 ③ (변) 토지가 구「소하천정비법」에 의하여 소하천구역으로 적법하게 편입된 경우, 그로 인하여 그 토지의 소유자가 사용·수익에 관한 권리행사에 제한을 받아 손해를 입고 있다고 하더라도, ㉠ 구 소하천정비법 제24조에서 정한 절차에 따라 손실보상을 청구할 수 있음은 별론으로 하고, ㉡ 관리청의 제방 부지에 대한 점유를 권원 없는 점유와 같이 보아 손해배상이나 부당이득의 반환을 청구할 수는 없음(2018다284608) → ∵ 법률 자체에 의해 발생한 손실이기 때문에, 위법하다거나 '법률상의 원인이 없다'고 할 수 없기 때문 |

유형

| 행정주체의 부당이득 | ① 과세처분에 의한 과·오납금, 사유지의 하천유역 편입 등 ② (변) 판례 교육자치 지원을 위한 국가의 재정지원의 범위를 벗어나 지방자치단체가 법률상 원인 없이 국유재산을 학교부지로 임의사용하는 경우에는 민법상 부당이득이 성립될 수 있음(2011다92497) |
| 사인의 부당이득 | 사인이 국유지를 무단점유·사용하는 경우, 연금의 부정수령 등 → 행정주체도 국민을 상대로 부당이득반환청구권을 가질 수 있음 |

| 부당이득의 효과 | ① 부당이득이 있으면, ㉠ 손실자에게는 이득자에 대하여 그 이득을 반환할 것을 청구할 수 있는 권리(부당이득반환청구권)가 발생하고, ㉡ 이득자에게는 그 이득을 반환해야 할 의무가 발생함 → 부당이득이 '법률요건'이라는 말의 의미 ② 판례 변상금부과처분이 당연무효인 경우, 당해 변상금부과처분에 의하여 납부한 오납금에 대한 납부자의 부당이득반환청구권은 납부시 또는 징수시에 발생하여 확정되며, 그 때부터(변상금 부과처분시부터×) 소멸시효가 진행(2004다50143) ③ 판례 지방자치단체장의 변상금부과처분에 취소사유가 있어 이를 취소하였다면, 이 처분에 의하여 납부자가 납부하거나 징수당한 오납금에 대한 부당이득반환청구권은, 변상금납부 또는 징수시가 아니라, 변상금부과처분 취소시에 발생하여 확정(2004다50143) |

| 공법상 부당이득 반환청구권의 법적 성질 | ① [사권] 공법상 부당이득반환청구권의 법적 성질? → 공권설(多) vs 사권설(少) → 대법원은 사권설 → 민사소송으로 반환청구를 하여야 한다고 봄 ② [시효기간] 부당이득반환청구의 내용이 금전지급청구인 경우, 그 청구권자나 의무자가 국가나 지방자치단체라면 「국가재정법」과 「지방재정법」에 따라 5년(10년×)의 소멸시효 적용 |

| 부당이득반환청구권과 변상금부과권의 관계 | ① [변상금부과권(공권)의 성립] 국가나 지방자치단체의 재산을 누군가가 무단으로 점유한 경우, 국가나 지방자치단체는 그 자에 대해 변상금 부과권과 강제징수권을 가짐 ② [부당이득반환청구권(사권)의 성립] 위 경우 국가나 지방자치단체는 무단점유자에 대해 사법상으로 부당이득반환청구권도 가짐 → '내 땅을 공짜로 사용하는 이익을 누렸으니 그 이익을 토해내라' ③ [부당이득반환청구소송 가부] 국가는 국유재산의 무단점유자에 대하여 변상금 부과·징수권의 행사와는 별도로 민사상 부당이득반환청구의 소를 제기할 수 있음(2011다76402) ④ [소멸관계] 국유재산의 무단점유자에 대한 변상금 부과·징수권과 민사상 부당이득반환청구권은 동일한 금액 범위 내에서 경합하여 병존하게 되고, 민사상 부당이득반환청구권이 만족을 얻어 소멸하면 그 범위 내에서 변상금 부과·징수권도 소멸하는 관계에 있음(2012두5688) ⑤ [소멸시효의 중단] 국유재산법 제72조 제1항, 제73조 제2항에 의한 변상금 부과·징수권이 민사상 부당이득반환청구권과 법적 성질을 달리하는 별개의 권리인 이상 한국자산관리공사가 변상금 부과·징수권을 행사하였다 하더라도 이로써 민사상 부당이득반환청구권의 소멸시효가 중단된다고 할 수 없음(2013다3576) |

해피엔딩#N

해피엔딩을 꿈꾸며

유대용

PART

02

행정작용법

제1장 서론 | 제2장 행정입법 | 제3장 행정행위 | 제4장 행정계약 | 제5장 행정상 사실행위 | 제6장 그 밖의 행정작용 형식

제1장 서론

행정작용 형식론[1] - 100년 전 독일 이론

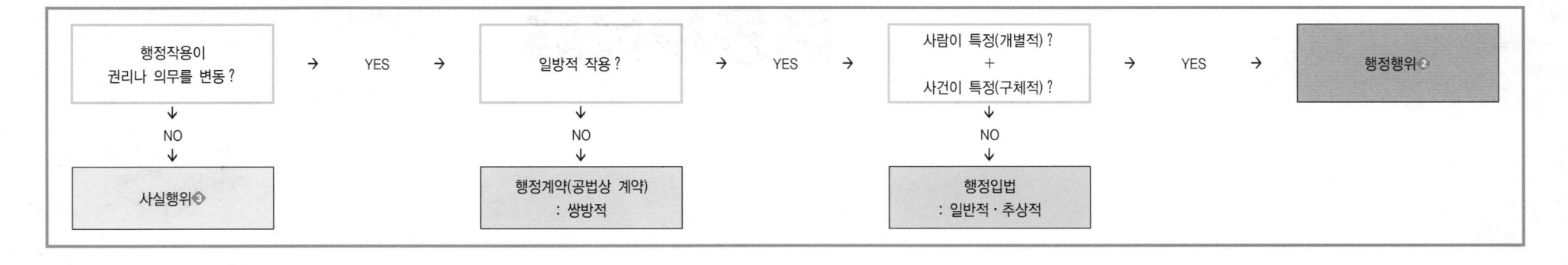

		행정작용이 권리나 의무를 변동?	→	YES	→	일방적 작용?	→	YES	→	사람이 특정(개별적)? + 사건이 특정(구체적)?	→	YES	→	행정행위[2]
NO		NO		NO			
사실행위[3]		행정계약(공법상 계약) : 쌍방적		행정입법 : 일반적·추상적			

(변) 특수논점 - 한계작용들의 처리

| 구분 | | 사건의 특정 여부 | |
		"추상적"(불특정)	"구체적"(특정)
사람의 특정 여부	"일반적"(불특정)	행정입법	㉠ → 행정행위로 처리("일반처분")
	"개별적"(특정)	㉡ → 행정행위로 처리	전형적 행정행위

㉠ [일반적·구체적 작용의 예] 횡단보도의 설치, 주차금지 구역 설정

㉡ [개별적·추상적 작용의 예] 甲에게 눈이 올 때마다 집 앞 도로에 쌓인 눈을 치우라는 제설작업 명령

→ 위의 두 작용도 행정행위의 일종으로 취급되어 취소소송의 대상(=처분)이 된다는 점이 중요

---

[1] 행정작용 형식론이란, 매우 다양한 형태로 이루어지는 행정작용을 일정한 기준과 형식에 따라 사건에 그에 대한 원칙을 마련할 수 있는 정도의 가짓수로 분류하고, 그것들이 각각 법적으로 어떻게 취급되어야 하는지에 대해 탐구하는 이론이다. 사법부가 행정작용을 통제하는 데 사용할 틀을 제공해주기 위해 100여 년 전 독일에서 고안되었는데, 오늘날 우리나라에서도 중요한 틀로써 사용되고 있다.

[2] ① 과거 독일에서는 행정작용 중 이와 같은 특징을 갖는 행정작용만이 소송의 대상이 될 수 있다고 보았고, 그러면서 이를 '행정행위'라 이름하였다. ② 행정법은 행정행위 개념을 중심으로 발전해 왔다(행정법의 꽃).

[3] 예컨대, 구(區)에서 환경미화원을 통해 도로를 청소하는 행위가 이에 해당한다.

제2장 행정입법

제1절 서론

행정입법(Administration Legislation)

의의
- ① [개념] 행정기관이 제정한 규범 → [교과서상 정의] '행정기관이 일반적·추상적 규범을 정립하는 작용 또는 그에 따라 정립된 규범'
- ② [행정작용 형식론에 따른 정의] 권리나 의무에 변동을 가져오면서 일방적 작용인 것들 중 일반적·추상적인 행정작용
- ③ 입법부나 사법부에도 행정기관이 존재 → 입법부나 사법부에서 제정한 행정입법도 존재(예 국회규칙, 대법원규칙) → 다만, 행정법의 관심은 주로 행정부에 있는 행정기관에서 제정한 행정입법(예 대통령령, 총리령)

위헌성 문제
- ① [문제점] 권력분립원칙(국회입법의 원칙)과의 갈등 → 행정입법은 위헌인가?(∵ 행정부에서 입법작용을 하는 것이기 때문)
- ② [해결] 헌법 자체에 명문의 규정을 두어 행정입법을 허용(제75조, 제95조 등) → 위헌성 해소

필요성
- ① [입법분야의 전문화] 국회의원은 선출직이기 때문에 전문성이 담보×
- ② [사회변화의 신속성] 국회에서 법률이 통과되려면 복잡한 절차와 논의를 거쳐야 함

법제업무 운영규정
- 행정의 입법활동의 절차 및 정부입법계획의 수립에 관하여 필요한 사항은 정부의 법제업무에 관한 사항을 규율하는 대통령령인 「법제업무 운영규정」으로 정함(행정기본법 제38조 제4항)

종류

구분

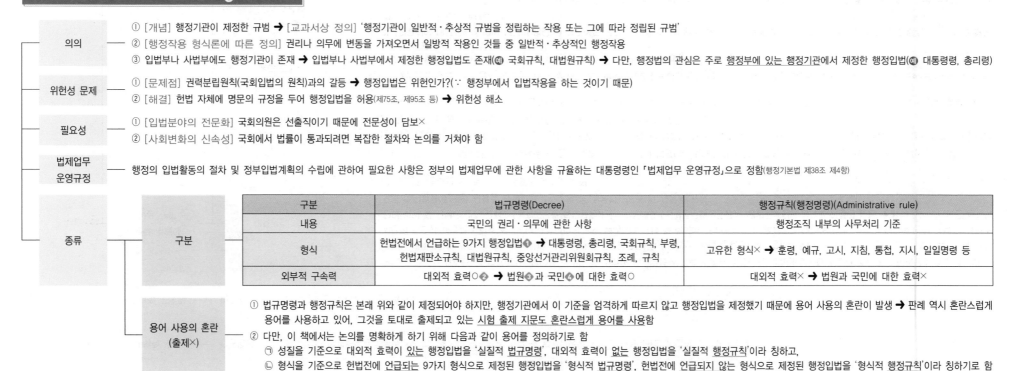

구분	법규명령(Decree)	행정규칙(행정명령)(Administrative rule)
내용	국민의 권리·의무에 관한 사항	행정조직 내부의 사무처리 기준
형식	헌법전에서 언급하는 9가지 행정입법❶ → 대통령령, 총리령, 국회규칙, 부령, 헌법재판소규칙, 대법원규칙, 중앙선거관리위원회규칙, 조례, 규칙	고유한 형식× → 훈령, 예규, 고시, 지침, 통첩, 지시, 일일명령 등
외부적 구속력	대외적 효력○❷ → 법원❸과 국민❹에 대한 효력○	대외적 효력× → 법원과 국민에 대한 효력×

용어 사용의 혼란 (출제×)
- ① 법규명령과 행정규칙은 본래 위와 같이 제정되어야 하지만, 행정기관에서 이 기준을 엄격하게 따르지 않고 행정입법을 제정했기 때문에 용어 사용의 혼란이 발생 → 판례 역시 혼란스럽게 용어를 사용하고 있어, 그것을 토대로 출제되고 있는 시험 출제 지문도 혼란스럽게 용어를 사용함
- ② 다만, 이 책에서는 논의를 명확하게 하기 위해 다음과 같이 용어를 정의하기로 함
  - ㉠ 성질을 기준으로 대외적 효력이 있는 행정입법을 '실질적 법규명령', 대외적 효력이 없는 행정입법을 '실질적 행정규칙'이라 칭하고,
  - ㉡ 형식을 기준으로 헌법전에 언급되는 9가지 형식으로 제정된 행정입법을 '형식적 법규명령', 헌법전에 언급되지 않는 형식으로 제정된 행정입법을 '형식적 행정규칙'이라 칭하기로 함

---

❶ [더 들어가기] 법규명령의 형식을 헌법전에 등장하는 형식으로 한정하는 이유는, 법규명령은 국민의 권리나 의무에 관한 사항을 담고 있는 규범이므로, 국민이 알고 있는 헌법전에 쓰여진 형식으로 제정되어야 한다고 보기 때문이다.

❷ 대외적 효력이 있다는 말을 '법규성(enforcement)이 있다'고도 표현한다.

❸ 법규명령은 법원에 대해서도 효력이 있기 때문에, 법원은 재판을 할 때 법규명령에 구속되어 이를 재판의 기준으로 삼아야 한다.

❹ 법규명령은 국민에 대해서도 효력이 있기 때문에, 법규명령으로 국민의 권리나 의무에 관한 사항을 규율한 경우 그에 따라 국민의 권리나 의무가 변동된다. 예를 들어, 의료기관의 명칭표시판에 진료과목을 함께 표시하는 경우에 그 글자크기를 일정 정도 이하로 하도록 하는 의료법 시행규칙이 제정되어 있기 때문에, 의료기관은 그에 부합하게 글자크기를 제한해야 하는 의무를 부담하고 있다.

법규명령의 의의 및 종류

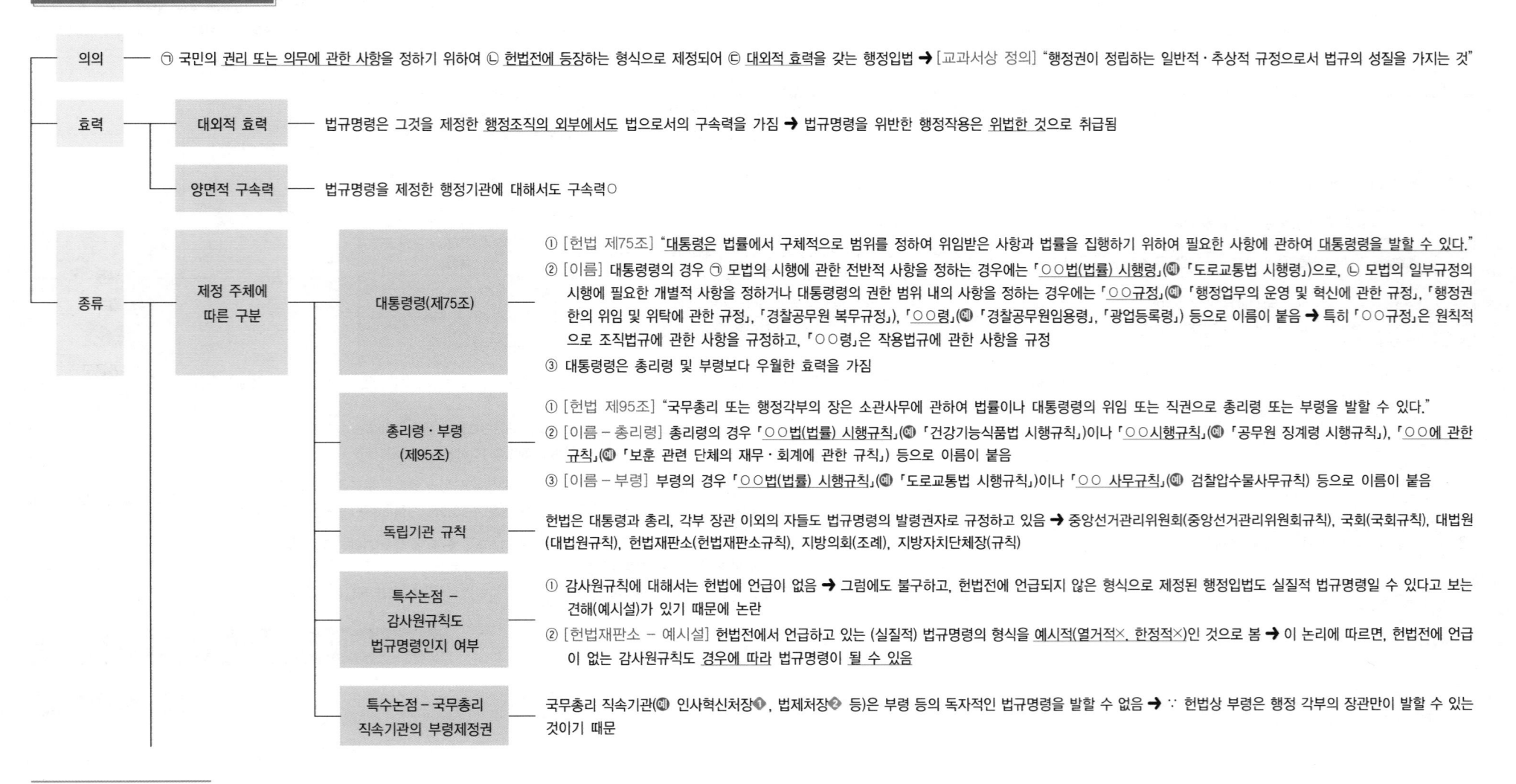

의의 — ㉠ 국민의 권리 또는 의무에 관한 사항을 정하기 위하여 ㉡ 헌법전에 등장하는 형식으로 제정되어 ㉢ 대외적 효력을 갖는 행정입법 ➔ [교과서상 정의] "행정권이 정립하는 일반적·추상적 규정으로서 법규의 성질을 가지는 것"

효력

- **대외적 효력** — 법규명령은 그것을 제정한 <u>행정조직의 외부에서도</u> 법으로서의 구속력을 가짐 ➔ 법규명령을 위반한 행정작용은 <u>위법한</u> 것으로 취급됨
- **양면적 구속력** — 법규명령을 제정한 행정기관에 대해서도 구속력○

종류 — **제정 주체에 따른 구분**

대통령령(제75조)
① [헌법 제75조] "대통령은 법률에서 구체적으로 범위를 정하여 위임받은 사항과 법률을 집행하기 위하여 필요한 사항에 관하여 <u>대통령령을 발할 수 있다.</u>"
② [이름] 대통령령의 경우 ㉠ 모법의 시행에 관한 전반적 사항을 정하는 경우에는 「○○법(법률) 시행령」(예 「도로교통법 시행령」)으로, ㉡ 모법의 일부규정의 시행에 필요한 개별적 사항을 정하거나 대통령령의 권한 범위 내의 사항을 정하는 경우에는 「○○규정」(예 「행정업무의 운영 및 혁신에 관한 규정」, 「행정권한의 위임 및 위탁에 관한 규정」, 「경찰공무원 복무규정」), 「○○령」(예 「경찰공무원임용령」, 「광업등록령」) 등으로 이름이 붙음 ➔ 특히 「○○규정」은 원칙적으로 조직법규에 관한 사항을 규정하고, 「○○령」은 작용법규에 관한 사항을 규정
③ 대통령령은 총리령 및 부령보다 우월한 효력을 가짐

총리령·부령 (제95조)
① [헌법 제95조] "국무총리 또는 행정각부의 장은 소관사무에 관하여 법률이나 대통령령의 위임 또는 직권으로 총리령 또는 부령을 발할 수 있다."
② [이름 – 총리령] 총리령의 경우 「○○법(법률) 시행규칙」(예 「건강기능식품법 시행규칙」)이나 「○○시행규칙」(예 「공무원 징계령 시행규칙」), 「○○에 관한 규칙」(예 「보훈 관련 단체의 재무·회계에 관한 규칙」) 등으로 이름이 붙음
③ [이름 – 부령] 부령의 경우 「○○법(법률) 시행규칙」(예 「도로교통법 시행규칙」)이나 「○○ 사무규칙」(예 검찰압수물사무규칙) 등으로 이름이 붙음

독립기관 규칙
헌법은 대통령과 총리, 각부 장관 이외의 자들도 법규명령의 발령권자로 규정하고 있음 ➔ 중앙선거관리위원회(중앙선거관리위원회규칙), 국회(국회규칙), 대법원(대법원규칙), 헌법재판소(헌법재판소규칙), 지방의회(조례), 지방자치단체장(규칙)

특수논점 – 감사원규칙도 법규명령인지 여부
① 감사원규칙에 대해서는 헌법에 언급이 없음 ➔ 그럼에도 불구하고, 헌법전에 언급되지 않은 형식으로 제정된 행정입법도 실질적 법규명령일 수 있다고 보는 견해(예시설)가 있기 때문에 논란
② [헌법재판소 – 예시설] 헌법전에서 언급하고 있는 (실질적) 법규명령의 형식을 예시적(열거적×, 한정적×)인 것으로 봄 ➔ 이 논리에 따르면, 헌법전에 언급이 없는 감사원규칙도 경우에 따라 법규명령이 될 수 있음

특수논점 – 국무총리 직속기관의 부령제정권
국무총리 직속기관(예 인사혁신처장❶, 법제처장❷ 등)은 부령 등의 독자적인 법규명령을 발할 수 없음 ➔ ∵ 헌법상 부령은 행정 각부의 장관만이 발할 수 있는 것이기 때문

---

❶ [행정학] 인사혁신처는 공무원의 인사·윤리·복무 및 연금에 관한 사무를 관장하기 위하여 국무총리 소속으로 두는 행정기관이다.

❷ [행정학] 법제처는 법령안의 심사 등 법제에 관한 사무를 전문적으로 관장하기 위하여 국무총리 소속으로 둔 행정기관이다.

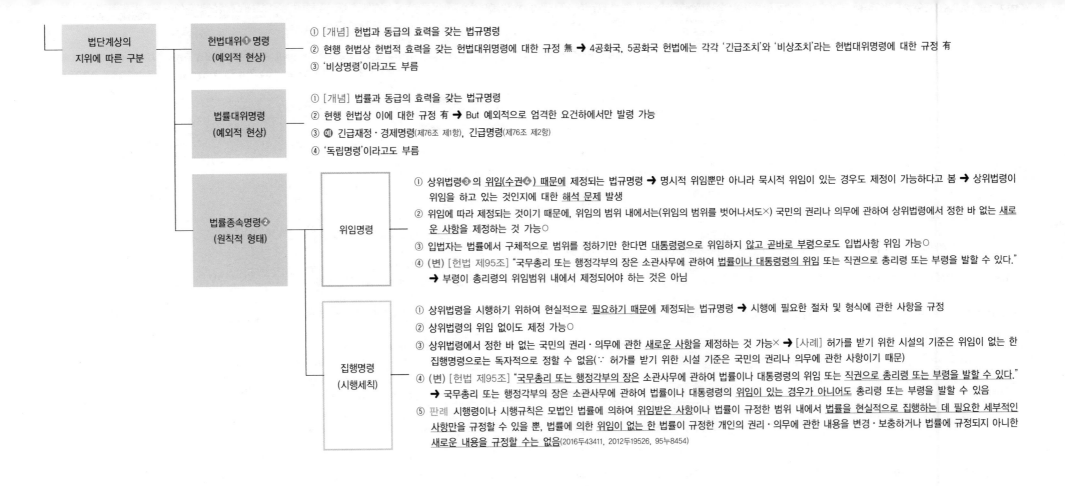

법단계상의 지위에 따른 구분

헌법대위❶ 명령 (예외적 현상)
① [개념] 헌법과 동급의 효력을 갖는 법규명령
② 현행 헌법상 헌법적 효력을 갖는 헌법대위명령에 대한 규정 無 ➜ 4공화국, 5공화국 헌법에는 각각 '긴급조치'와 '비상조치'라는 헌법대위명령에 대한 규정 有
③ '비상명령'이라고도 부름

법률대위명령 (예외적 현상)
① [개념] 법률과 동급의 효력을 갖는 법규명령
② 현행 헌법상 이에 대한 규정 有 ➜ But 예외적으로 엄격한 요건하에서만 발령 가능
③ 📖 긴급재정 · 경제명령(제76조 제1항), 긴급명령(제76조 제2항)
④ '독립명령'이라고도 부름

법률종속명령❷ (원칙적 형태)

위임명령
① 상위법령❸의 위임(수권❹) 때문에 제정되는 법규명령 ➜ 명시적 위임뿐만 아니라 묵시적 위임이 있는 경우도 제정이 가능하다고 봄 ➜ 상위법령이 위임을 하고 있는 것인지에 대한 해석 문제 발생
② 위임에 따라 제정되는 것이기 때문에, 위임의 범위 내에서는(위임의 범위를 벗어나서도×) 국민의 권리나 의무에 관하여 상위법령에서 정한 바 없는 새로운 사항을 제정하는 것 가능○
③ 입법자는 법률에서 구체적으로 범위를 정하기만 한다면 대통령령으로 위임하지 않고 곧바로 부령으로도 입법사항 위임 가능○
④ (변) [헌법 제95조] "국무총리 또는 행정각부의 장은 소관사무에 관하여 법률이나 대통령령의 위임 또는 직권으로 총리령 또는 부령을 발할 수 있다." ➜ 부령이 총리령의 위임범위 내에서 제정되어야 하는 것은 아님

집행명령 (시행세칙)
① 상위법령을 시행하기 위하여 현실적으로 필요하기 때문에 제정되는 법규명령 ➜ 시행에 필요한 절차 및 형식에 관한 사항을 규정
② 상위법령의 위임 없이도 제정 가능○
③ 상위법령에서 정한 바 없는 국민의 권리 · 의무에 관한 새로운 사항을 제정하는 것 가능× ➜ [사례] 허가를 받기 위한 시설의 기준은 위임이 없는 한 집행명령으로는 독자적으로 정할 수 없음(∵ 허가를 받기 위한 시설 기준은 국민의 권리나 의무에 관한 사항이기 때문)
④ (변) [헌법 제95조] "국무총리 또는 행정각부의 장은 소관사무에 관하여 법률이나 대통령령의 위임 또는 직권으로 총리령 또는 부령을 발할 수 있다." ➜ 국무총리 또는 행정각부의 장은 소관사무에 관하여 법률이나 대통령령의 위임이 있는 경우가 아니어도 총리령 또는 부령을 발할 수 있음
⑤ 판례 시행령이나 시행규칙은 모법인 법률에 의하여 위임받은 사항이나 법률이 규정한 범위 내에서 법률을 현실적으로 집행하는 데 필요한 세부적인 사항만을 규정할 수 있을 뿐, 법률에 의한 위임이 없는 한 법률이 규정한 개인의 권리 · 의무에 관한 내용을 변경 · 보충하거나 법률에 규정되지 아니한 새로운 내용을 규정할 수는 없음(2016두43411, 2012두19526, 95누8454)

---

❶ 대위(代位)란 '대체할 수 있는 지위에 있는'이라는 의미이다. 여기서는 결국 '동급'이라는 의미이다.
❷ 법규명령 별로 위임명령과 집행명령으로 갈리는 것이 아니라, 하나의 법규명령 내에서도 위임명령에 해당하는 규정(📖 식품위생법 시행령 제14조)이 있는가 하면, 집행명령에 해당하는 규정(📖 식품위생법 시행령 제23조)이 존재하는 것이다.
❸ 행정법에서 법령(法令)이라고 하면 보통 ㉠ '형식적 법률'과 ㉡ 대외적 효력이 있는 행정입법, 즉 '실질적 법규명령'을 뜻한다.
❹ 수권(授權)이란 권한을 부여하는 것을 말하는데, 여기서는 당해 행정입법을 제정하도록 권한을 부여한다는 의미이다. '위임'과 같은 의미로 사용된다.

법규명령의 한계 [1]

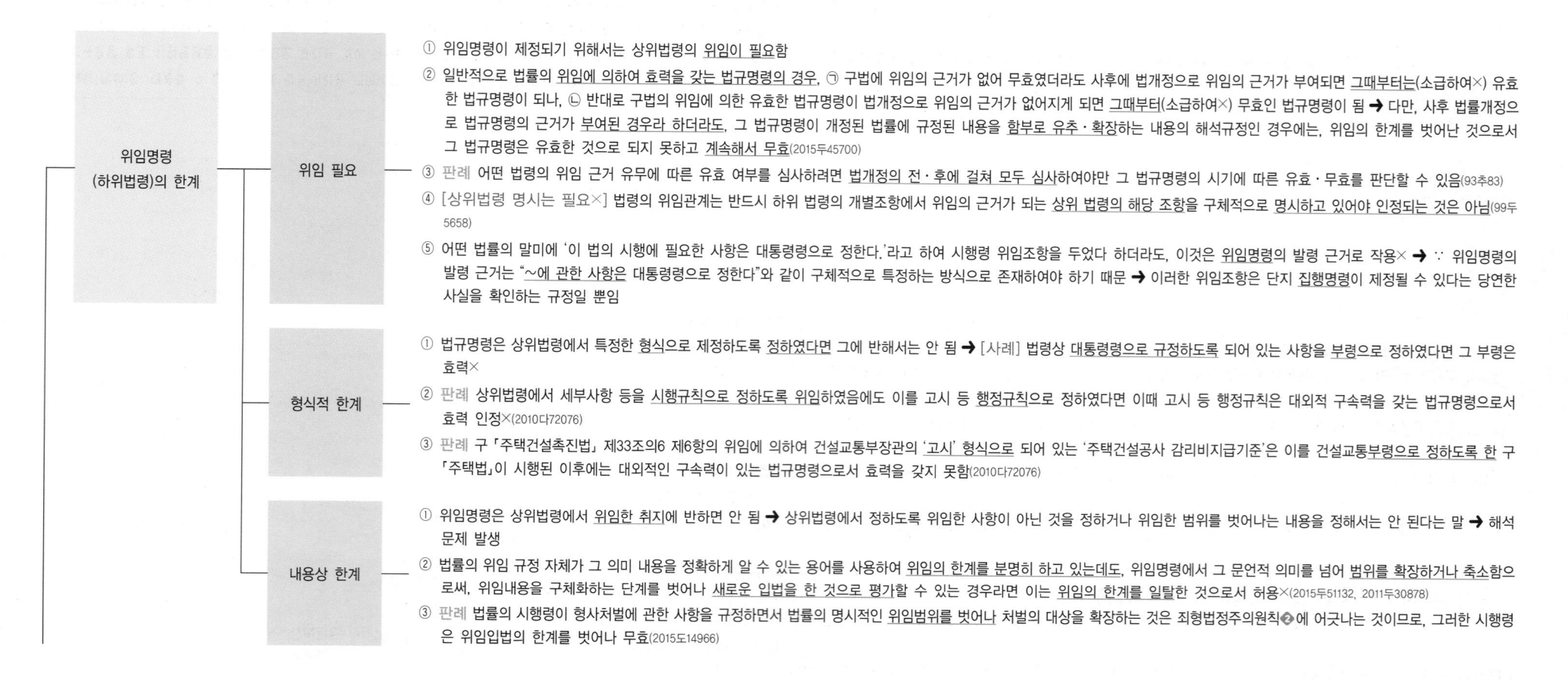

위임명령 (하위법령)의 한계

위임 필요

① 위임명령이 제정되기 위해서는 상위법령의 <u>위임이</u> 필요함

② 일반적으로 법률의 <u>위임에 의하여</u> 효력을 갖는 법규명령의 경우, ㉠ 구법에 위임의 근거가 없어 무효였더라도 사후에 법개정으로 위임의 근거가 부여되면 그때부터는(소급하여×) 유효한 법규명령이 되나, ㉡ 반대로 구법의 위임에 의한 유효한 법규명령이 법개정으로 위임의 근거가 없어지게 되면 그때부터(소급하여×) 무효인 법규명령이 됨 ➜ 다만, 사후 법률개정으로 법규명령의 근거가 부여된 경우라 하더라도, 그 법규명령이 개정된 법률에 규정된 내용을 함부로 <u>유추·확장</u>하는 내용의 해석규정인 경우에는, 위임의 한계를 벗어난 것으로서 그 법규명령은 유효한 것으로 되지 못하고 계속해서 <u>무효</u>(2015두45700)

③ **판례** 어떤 법령의 위임 근거 유무에 따른 유효 여부를 심사하려면 법개정의 전·후에 걸쳐 모두 심사하여야만 그 법규명령의 시기에 따른 유효·무효를 판단할 수 있음(93추83)

④ [상위법령 명시는 필요×] 법령의 위임관계는 반드시 하위 법령의 개별조항에서 위임의 근거가 되는 <u>상위 법령의 해당 조항</u>을 구체적으로 명시하고 있어야 인정되는 것은 아님(99두5658)

⑤ 어떤 법률의 말미에 '이 법의 시행에 필요한 사항은 대통령령으로 정한다.'라고 하여 시행령 위임조항을 두었다 하더라도, 이것은 <u>위임명령의 발령 근거로 작용×</u> ➜ ∵ 위임명령의 발령 근거는 "~에 관한 사항은 대통령령으로 정한다"와 같이 구체적으로 특정하는 방식으로 존재하여야 하기 때문 ➜ 이러한 위임조항은 단지 <u>집행명령</u>이 제정될 수 있다는 당연한 사실을 확인하는 규정일 뿐임

형식적 한계

① 법규명령은 상위법령에서 특정한 형식으로 제정하도록 정하였다면 그에 반해서는 안 됨 ➜ [사례] 법령상 <u>대통령령으로 규정하도록</u> 되어 있는 사항을 <u>부령</u>으로 정하였다면 그 부령은 효력×

② **판례** 상위법령에서 세부사항 등을 <u>시행규칙으로 정하도록 위임</u>하였음에도 이를 고시 등 <u>행정규칙으로</u> 정하였다면 이때 고시 등 행정규칙은 대외적 구속력을 갖는 법규명령으로서 효력 인정×(2010다72076)

③ **판례** 구 「주택건설촉진법」 제33조의6 제6항의 위임에 의하여 건설교통부장관의 '<u>고시</u>' 형식으로 되어 있는 '주택건설공사 감리비지급기준'은 이를 건설교통부령으로 정하도록 한 구 「주택법」이 시행된 이후에는 대외적인 구속력이 있는 법규명령으로서 효력을 갖지 못함(2010다72076)

내용상 한계

① 위임명령은 상위법령에서 <u>위임한 취지</u>에 반하면 안 됨 ➜ 상위법령에서 정하도록 위임한 사항이 아닌 것을 정하거나 위임한 범위를 벗어나는 내용을 정해서는 안 된다는 말 ➜ 해석문제 발생

② 법률의 위임 규정 자체가 그 의미 내용을 정확하게 알 수 있는 용어를 사용하여 <u>위임의 한계를 분명히</u> 하고 있는데도, 위임명령에서 그 문언적 의미를 넘어 <u>범위를 확장하거나 축소함</u>으로써, 위임내용을 구체화하는 단계를 벗어나 <u>새로운 입법을 한 것으로 평가</u>할 수 있는 경우라면 이는 <u>위임의 한계를 일탈</u>한 것으로서 허용×(2015두51132, 2011두30878)

③ **판례** 법률의 시행령이 형사처벌에 관한 사항을 규정하면서 법률의 명시적인 <u>위임범위를 벗어나</u> 처벌의 대상을 확장하는 것은 죄형법정주의원칙[2]에 어긋나는 것이므로, 그러한 시행령은 위임입법의 한계를 벗어나 무효(2015도14966)

---

❶ 행정입법은 국회입법의 원칙에 대한 예외에 해당하는 것이기 때문에 일정한 한계를 갖는다.

❷ [형법] 범죄(형사처벌의 대상이 되는 행위)와 그에 따르는 형벌은 <u>사전에 법률로</u> 정해둔 경우에만, 적법하게 정죄(condemn)되고 부과될 수 있다는 원칙을 말한다.

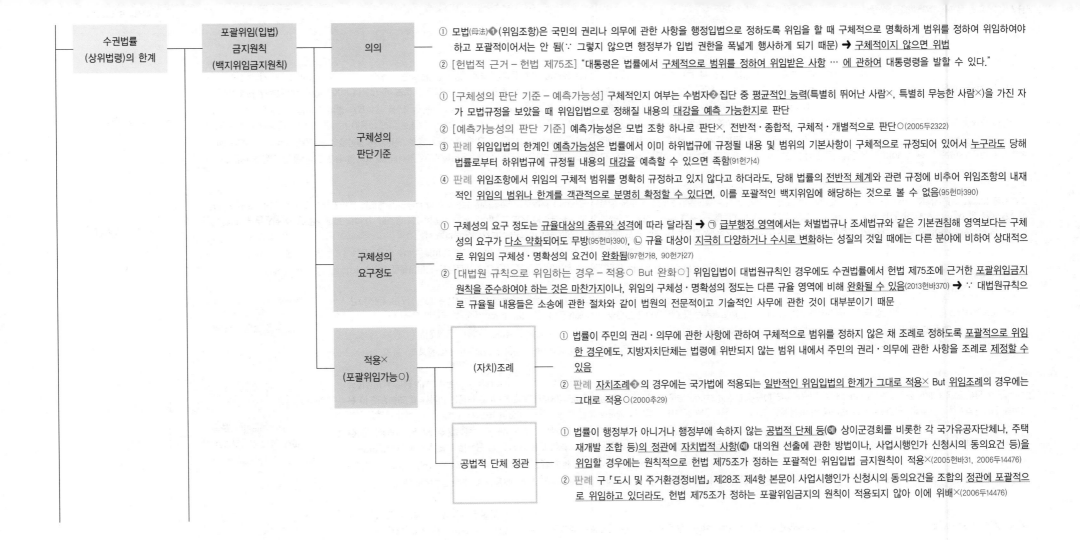

수권법률 (상위법령)의 한계	포괄위임(입법) 금지원칙 (백지위임금지원칙)	의의	① 모법(母法)❶(위임조항)은 국민의 권리나 의무에 관한 사항을 행정입법으로 정하도록 위임을 할 때 구체적으로 명확하게 범위를 정하여 위임하여야 하고 포괄적이어서는 안 됨(∵ 그렇지 않으면 행정부가 입법 권한을 폭넓게 행사하게 되기 때문) ➡ 구체적이지 않으면 위법 ② [헌법적 근거 – 헌법 제75조] "대통령은 법률에서 구체적으로 범위를 정하여 위임받은 사항 … 에 관하여 대통령령을 발할 수 있다."

구체성의 판단기준

① [구체성의 판단 기준 – 예측가능성] 구체적인지 여부는 수범자❷집단 중 평균적인 능력(특별히 뛰어난 사람×, 특별히 무능한 사람×)을 가진 자가 모법규정을 보았을 때 위임입법으로 정해질 내용의 대강을 예측 가능한지로 판단
② [예측가능성의 판단 기준] 예측가능성은 모법 조항 하나로 판단×, 전반적·종합적, 구체적·개별적으로 판단○(2005두2322)
③ 판례 위임입법의 한계인 예측가능성은 법률에서 이미 하위법규에 규정될 내용 및 범위의 기본사항이 구체적으로 규정되어 있어서 누구라도 당해 법률로부터 하위법규에 규정될 내용의 대강을 예측할 수 있으면 족함(91헌가4)
④ 판례 위임조항에서 위임의 구체적 범위를 명확히 규정하고 있지 않다고 하더라도, 당해 법률의 전반적 체계와 관련 규정에 비추어 위임조항의 내재적인 위임의 범위나 한계를 객관적으로 분명히 확정할 수 있다면, 이를 포괄적인 백지위임에 해당하는 것으로 볼 수 없음(95헌마390)

구체성의 요구정도

① 구체성의 요구 정도는 규율대상의 종류와 성격에 따라 달라짐 ➡ ㉠ 급부행정 영역에서는 처벌법규나 조세법규와 같은 기본권침해 영역보다는 구체성의 요구가 다소 약화되어도 무방(95헌마390), ㉡ 규율 대상이 지극히 다양하거나 수시로 변화하는 성질의 것일 때에는 다른 분야에 비하여 상대적으로 위임의 구체성·명확성의 요건이 완화됨(97헌가8, 90헌가27)
② [대법원 규칙으로 위임하는 경우 – 적용○ But 완화] 위임입법이 대법원규칙인 경우에도 수권법률에서 헌법 제75조에 근거한 포괄위임금지원칙을 준수하여야 하는 것은 마찬가지이나, 위임의 구체성·명확성의 정도는 다른 규율 영역에 비해 완화될 수 있음(2013헌바370) ➡ ∵ 대법원규칙으로 규율될 내용들은 소송에 관한 절차와 같이 법원의 전문적이고 기술적인 사무에 관한 것이 대부분이기 때문

**적용×
(포괄위임가능○)**

(자치)조례
① 법률이 주민의 권리·의무에 관한 사항에 관하여 구체적으로 범위를 정하지 않은 채 조례로 정하도록 포괄적으로 위임한 경우에도, 지방자치단체는 법령에 위반되지 않는 범위 내에서 주민의 권리·의무에 관한 사항을 조례로 제정할 수 있음
② 판례 자치조례❸의 경우에는 국가법에 적용되는 일반적인 위임입법의 한계가 그대로 적용× But 위임조례의 경우에는 그대로 적용○(2000추29)

공법적 단체 정관
① 법률이 행정부가 아니거나 행정부에 속하지 않는 공법적 단체 등(예) 상이군경회를 비롯한 각 국가유공자단체나, 주택재개발 조합 등)의 정관에 자치법적 사항(예) 대의원 선출에 관한 방법이나, 사업시행인가 신청시의 동의요건 등)을 위임할 경우에는 원칙적으로 헌법 제75조가 정하는 포괄적인 위임입법 금지원칙이 적용×(2005헌바31, 2006두14476)
② 판례 구 「도시 및 주거환경정비법」 제28조 제4항 본문이 사업시행인가 신청시의 동의요건을 조합의 정관에 포괄적으로 위임하고 있더라도, 헌법 제75조가 정하는 포괄위임금지의 원칙이 적용되지 않아 이에 위배×(2006두14476)

---

❶ 모법(母法)이란 다른 법령의 근거가 되는 법을 말한다.

❷ 수범자(受範者)란 그 규범의 적용을 받는 자를 말한다. 보통은 모든 국민이 수범자가 되지만, 언제나 모든 국민이 수범자가 되는 것은 아니다.

❸ [각론] 자치조례란 지방자치단체의 사무 중 자치(고유)사무 또는 단체위임사무에 관하여 제정되는 조례를 말하고, 위임조례란 기관위임사무에 관하여 제정되는 조례를 말한다. 위임조례는 그 제정을 허용하는 별도의 규정이 있는 경우에만 제정이 가능하기 때문에, 별도의 언급이 없이 '조례'라고만 할 경우에는 자치조례를 뜻한다.

법률전속적 입법사항에 대한 위임 제한	① [배경지식] 헌법은 일정한 입법사항은 반드시 **법률**로 정할 것을 요구하고 있음 ➜ **예** 대한민국의 국민이 되는 요건(헌법 제2조), 조세의 종목과 세율(헌법 제59조), 형사처벌의 대상이 되는 행위와 그에 따르는 형벌(헌법 제13조) ➜ 이들을 '**법률전속적 입법사항**'이라 함
	② 법률전속적 입법사항을 행정입법으로 제정하면 위헌 ➜ 다만, ㉠ 법률전속적 입법사항의 핵심적 사항만 '법률'로 정하면 되고 ㉡ 세부적 사항은 행정입법으로 위임 가능○(∵ 입법자가 모든 사항을 법률로 규정할 수는 없기 때문)
	③ 판례 처벌법규가 그 내용을 행정입법으로 위임하는 것은 ㉠ 특히 긴급한 필요가 있거나 미리 법률로써 자세히 정할 수 없는 부득이한 사정이 있는 경우에 한정되어야 하고, 이 경우에도 ㉡ 범죄의 구성요건과 관련해서는 처벌대상인 행위가 어떠한 것일 거라고 이를 예측할 수 있을 정도로 법률로 구체적으로 정하여야 하며, ㉢ 형벌과 관련해서는 형벌의 종류 및 그 상한과 폭은 명백히 법률로 규정하여야 함(2002도2988, 94헌마213, 93헌바62, 91헌가4) ➜ 형벌의 종류와 상한, 폭은 위임 허용×
	④ 판례 헌법에서 조세법률주의를 천명하고 있지만, 법률로 조세의 종목과 세율을 정했다면, 조세부과에 관한 세부적인 사항은 법규명령에 위임할 수 있음 ➜ 다만, 개별적·구체적 위임만 허용○, 포괄적·백지위임은 허용×(94부18)
	⑤ 판례 ㉠ 법률의 위임 없이 명령 또는 규칙 등 행정입법으로 과세요건 등에 관한 사항을 규정하거나, ㉡ 법률에 규정된 내용을 함부로 유추·확장하는 내용의 해석규정을 마련하는 것은, 조세법률주의 원칙에 위배됨(2019두35695)
의회유보원칙에 따른 제한 (본질사항 위임금지)	① [의회유보원칙] 국가공동체와 그 구성원에게 기본적이고도 중요한 의미를 갖는 입법사항의 본질적인 내용은 반드시 법률에 의하여 규정되어야 한다는 원칙
	② 의회유보원칙이 적용되는 사항은 행정입법으로 정하도록 위임하는 것은 허용× ➜ 구체적으로 범위를 정하여 위임하더라도 허용×
	③ 판례 법률에서 하위 법령에 위임을 한 경우에 하위 법령이 위임의 한계를 준수하고 있는지 여부를 판단할 때에는 의회유보의 원칙을 준수하였는지도 고려해야 함(2012두23808) ➜ 의회유보의 원칙도 수권법률의 한계법리 중 하나라는 말
	④ 포괄위임금지원칙 ≠ 의회유보원칙 법률이 공법적 단체 등의 정관에 자치법적 사항을 위임하는 경우에도 포괄위임금지원칙의 적용 여부와는 별개로 의회유보원칙은 적용됨 ➜ 이 경우에도 그 사항이 국민의 권리·의무에 관련되는 것일 경우에는, 적어도 국민의 권리와 의무의 형성에 관한 사항을 비롯하여 국가의 통치조직과 작용에 관한 기본적이고 본질적인 사항은 반드시 국회가 정하여야 함(2005헌바31, 2006두14476)
재(복)위임의 경우	① [원칙적 허용×] 법률에서 위임받은 사항을 전혀 규정하지 아니하고 그대로 재위임하는 것은 허용×(94헌마313)
	② [예외적 허용○] 위임받은 사항의 대강을 정하고 + 그 중의 특정사항의 범위를 구체적으로 정해서 다시 하위법령으로 위임하는 경우에만 재위임 허용○
	③ [적용범위] 재위임 법리는 조례가 지방자치법 제22조 단서에 따라 주민의 권리제한 또는 의무부과에 관한 사항을 법률로부터 위임받은 후, 이를 다시 지방자치단체장이 정하는 '규칙'이나 '고시' 등에 재위임하는 경우에도 적용○(2013두14238)

집행명령의 한계	① [상위법령의 집행에 필요한 것이어야 함] 집행명령은 상위법령의 집행에 필요한 세칙을 정하는 범위 내에서만 제정이 가능함
	② [새로운 권리·의무사항 규정×] 집행명령은 상위법령이 정하고 있지 않은, 새로운 국민의 권리·의무를 정할 수 없음
	③ (변) 과락제도를 집행명령으로 정하는 것 가능○ 집행명령인 구 「사법시험령」이 과락제도를 규정하고 있는 것은 사법시험 제2차시험의 합격자를 결정하는 방법을 규정하고 있을 뿐이어서 사법시험의 실시를 집행하기 위한 시행과 절차에 관한 것이지, 새로운 법률사항을 정한 것이라고 보기 어려워 위법하지 않음(2004두10432) ➜ 법률인 「법원조직법」, 「검찰청법」, 「변호사법」에서 사법시험에 합격한 자 중 일정 요건을 갖춘 자에게 법관, 검사, 변호사로서의 자격을 부여한다고 규정하고 있었는데, 사법시험 합격자를 어떻게 정할 것인지에 대해서는 별도의 규정이 없어, 그 구체적인 집행을 위해서는 집행명령의 제정이 필요했던 상황

유형상 한계	① 법규명령의 제정은 위임명령으로서 제정이 정당화되든지, 집행명령으로서 제정이 정당화되는 경우에만 가능 ➜ 위임이 없었다면 집행명령으로서라도 제정이 정당화될 수 있어야 함 ➜ ∵ 국민의 권리나 의무에 관한 사항을 행정입법 즉, 법규명령으로 규정하는 것은 국회입법의 원칙에 대한 예외이기 때문에, 법규명령의 유형을 엄격히 제한하는 것
	② 판례 법률의 시행령이나 시행규칙의 내용이 모법 조항의 취지에 근거하여 이를 구체화하기 위한 것인 때에는 모법의 규율 범위를 벗어난 것으로 볼 수 없고, 이러한 경우에는 모법에 이에 관하여 직접 위임하는 규정을 두지 않았다고 하여도 이를 무효라고 볼 수 없음(2015두57277) ➜ ∵ 이 경우에는 위임명령이 아니라 집행명령으로서 제정이 정당화될 수 있기 때문
	③ 판례 법률의 시행령이나 시행규칙의 내용이 ㉠ 모법의 입법취지와 관련조항 전체를 유기적·체계적으로 살펴보아 모법의 해석상 가능한 것을 명시한 것에 지나지 아니하거나 ㉡ 모법 조항의 취지에 근거하여 이를 구체화하기 위한 것인 때에는, 모법에 이에 관하여 직접 위임하는 규정을 두지 아니하였다고 하더라도 이를 무효라고 볼 수는 없음(2014두8650, 2008두13637)

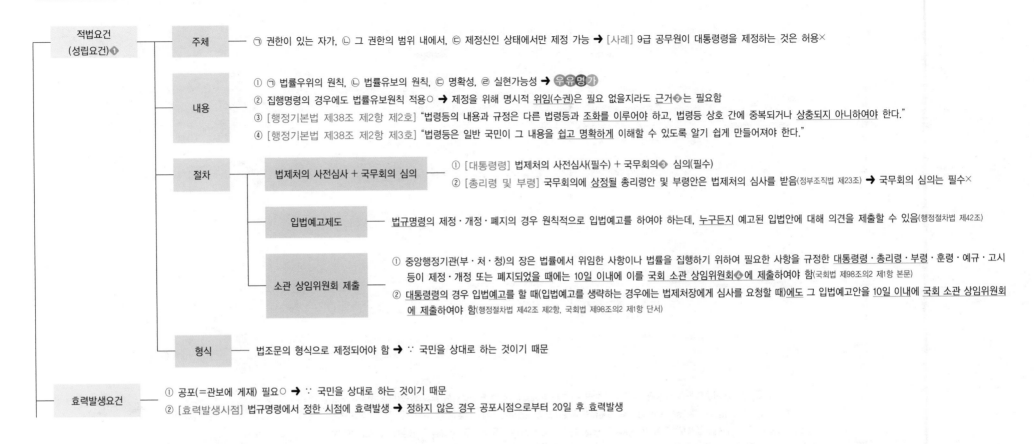

적법요건 (성립요건)❶

주체 — ㉠ 권한이 있는 자가, ㉡ 그 권한의 범위 내에서, ㉢ 제정신인 상태에서만 제정 가능 ➜ [사례] 9급 공무원이 대통령령을 제정하는 것은 허용×

내용
① ㉠ 법률우위의 원칙, ㉡ 법률유보의 원칙, ㉢ 명확성, ㉣ 실현가능성 ➜ **우유명가**
② 집행명령의 경우에도 법률유보원칙 적용○ ➜ 제정을 위해 명시적 위임(수권)은 필요 없을지라도 근거❷는 필요함
③ [행정기본법 제38조 제2항 제2호] "법령등의 내용과 규정은 다른 법령등과 조화를 이루어야 하고, 법령등 상호 간에 중복되거나 상충되지 아니하여야 한다."
④ [행정기본법 제38조 제2항 제3호] "법령등은 일반 국민이 그 내용을 쉽고 명확하게 이해할 수 있도록 알기 쉽게 만들어져야 한다."

절차

법제처의 사전심사 + 국무회의 심의
① [대통령령] 법제처의 사전심사(필수) + 국무회의❸ 심의(필수)
② [총리령 및 부령] 국무회의에 상정될 총리령안 및 부령안은 법제처의 심사를 받음(정부조직법 제23조) ➜ 국무회의 심의는 필수×

입법예고제도 — 법규명령의 제정·개정·폐지의 경우 원칙적으로 입법예고를 하여야 하는데, 누구든지 예고된 입법안에 대해 의견을 제출할 수 있음(행정절차법 제42조)

소관 상임위원회 제출
① 중앙행정기관(부·처·청)의 장은 법률에서 위임한 사항이나 법률을 집행하기 위하여 필요한 사항을 규정한 대통령령·총리령·부령·훈령·예규·고시 등이 제정·개정 또는 폐지되었을 때에는 10일 이내에 이를 국회 소관 상임위원회❹에 제출하여야 함(국회법 제98조의2 제1항 본문)
② 대통령령의 경우 입법예고를 할 때(입법예고를 생략하는 경우에는 법제처장에게 심사를 요청할 때)에도 그 입법예고안을 10일 이내에 국회 소관 상임위원회에 제출하여야 함(행정절차법 제42조 제2항, 국회법 제98조의2 제1항 단서)

형식 — 법조문의 형식으로 제정되어야 함 ➜ ∵ 국민을 상대로 하는 것이기 때문

효력발생요건
① 공포(=관보에 게재) 필요○ ➜ ∵ 국민을 상대로 하는 것이기 때문
② [효력발생시점] 법규명령에서 정한 시점에 효력발생 ➜ 정하지 않은 경우 공포시점으로부터 20일 후 효력발생

---

❶ 성립요건과 적법요건은 본래 다른 개념이지만, 행정입법에서는 양자를 동의어로 사용하는 학자들도 많다.
❷ 한편, 수권이나 위임이 '근거'와 같은 의미인지에 대해 학자마다 서술이 다르다. 구분하는 경우에는 ㉠ '근거'는 행정입법을 제정하게 만든 원인이 되는 상위법 규범이라는 의미로 사용되고, ㉡ '수권'이나 '위임'은 행정입법을 제정하라는 상위법 규범의 허락(명령)이라는 의미로 사용된다. 이 경우에는 '근거'가 '수권'이나 '위임'보다 넓은 의미를 갖는다. 출제가능성을 고려해 이 책에서는 '근거'와 '수권'('위임')을 구분하기로 한다.
❸ [헌법] 국무회의는 대통령과 국무총리를 각각 의장과 부의장으로 하는 우리나라 최고의 심의기관이다. 정부의 권한에 속하는 중요한 정책을 심의한다. 15인 이상 30인 이하의 국무위원으로 구성된다.
❹ [헌법] 상임위원회란 전문적 지식을 가진 소수의 의원들이 국회의 의안을 예비적으로 심의하는 회의체를 말한다. 상임위원회 별로 일정한 사항을 관할하여 담당한다. 교육위원회, 기획재정위원회, 국방위원회와 같은 형태로 존재한다.

| 하자와 소멸 | 하자 있는(위법한) 법규명령의 효력 | |

하자 있는(위법한) 법규명령의 효력

① 하자가 중대·명백하지 않더라도 무효 ➜ 다만, 대법원은 ㉠ 상위법령의 위임의 근거가 없어 위법하거나, ㉡ 위임의 한계를 벗어난 하자가 있어 위법한 법규명령에 대해서는 행정규칙의 효력은 인정○(∵ 그 내용 자체에 문제가 있는 것은 아니기 때문)('내부에서 쓰든 말든') ➜ 어쨌든 대외적 효력은 어떤 경우든 인정✕

② [비교] ㉠ 하자 있는 행정행위 ➜ 취소 or 무효, ㉡ 하자 있는 행정입법에 근거한 행정행위 ➜ 취소 or 무효

③ 판례 법령(A)에서 행정처분의 요건 중 일부 사항을 부령으로 정할 것을 위임한 데 따라 시행규칙 등 부령(B)에서 이를 정한 경우에 그 부령(B)의 규정은 국민에 대해서도 구속력이 있는 법규명령에 해당한다고 할 것이지만, 법령(A)의 위임이 없음에도 법령에 규정된 처분 요건에 해당하는 사항을 부령(B)에서 변경하여 규정한 경우에는 그 부령(B)의 규정은 행정청 내부의 사무처리 기준 등을 정한 것으로서 행정조직 내에서 적용되는 행정명령의 성격을 지닐 뿐 국민에 대한 대외적 구속력✕ ➜ 처분의 적법여부는 그러한 규칙(B) 등에서 정한 요건에 합치하는지 여부가 아니라, 일반 국민에 대하여 구속력을 가지는 법률 등 법규성이 있는 관계법령(A)의 규정을 기준으로 판단하여야 함(2011두10584) ➜ 대내적 효력을 인정한 부분에 대해서는 비판有

소멸

① 법규명령은 ㉠ 당해 법령의 폐지, ㉡ 한시법의 경우 소멸조건(해제조건)의 성취나 기한의 도래, ㉢ 근거 법령의 소멸로 소멸함

② 폐지는 명시적인 방법 외에도 묵시적으로도 가능○

③ [집행명령의 근거 법령이 개정된 경우] 상위법령의 시행을 위하여 제정한 집행명령은 그 상위법령이 개정되더라도 ㉠ 개정법령과 성질상 모순·저촉되지 않고 ㉡ 개정된 상위법령의 시행에 필요한 사항을 규정하고 있는 이상, 개정법령의 시행을 위한 집행명령이 제정·발효될 때까지는 그 효력을 유지함(88누6962)

④ 판례 법규명령의 위임근거가 되는 법률에 대해 위헌결정 선고 ➜ 법규명령도 별도의 폐지행위 없이 효력 상실(2000다18547, 98헌바30)

⑤ 판례 법률의 위임에 따라 제정된 법규명령에 대해 위헌결정 선고 ➜ 모법인 해당 수권(授權) 법률은 여전히 효력 유지(2002헌바13)

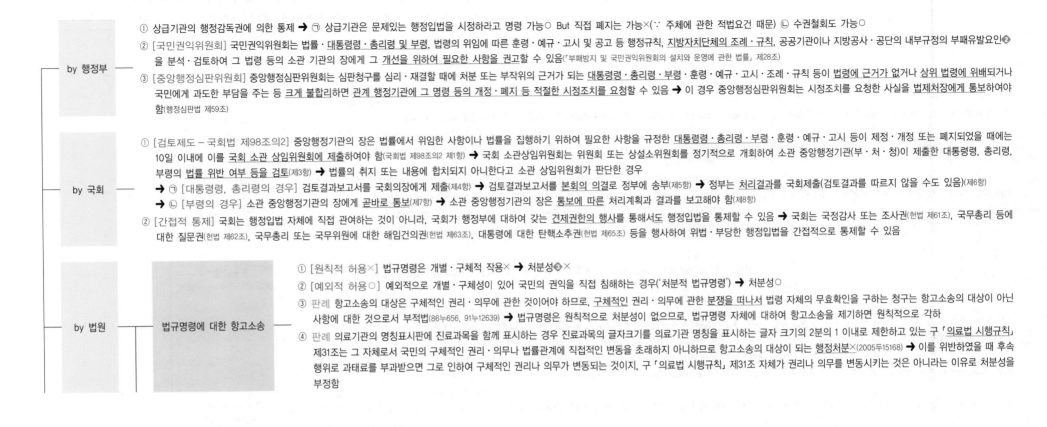

by 행정부

① 상급기관의 행정감독권에 의한 통제 → ㉠ 상급기관은 문제있는 행정입법을 시정하라고 명령 가능○ But 직접 폐지는 가능×(∵ 주체에 관한 적법요건 때문) ㉡ 수권철회도 가능○

② [국민권익위원회] 국민권익위원회는 법률·대통령령·총리령 및 부령, 법령의 위임에 따른 훈령·예규·고시 및 공고 등 행정규칙, 지방자치단체의 조례·규칙, 공공기관이나 지방공사·공단의 내부규정의 부패유발요인[2]을 분석·검토하여 그 법령 등의 소관 기관의 장에게 그 개선을 위하여 필요한 사항을 권고할 수 있음(「부패방지 및 국민권익위원회의 설치와 운영에 관한 법률」 제28조)

③ [중앙행정심판위원회] 중앙행정심판위원회는 심판청구를 심리·재결할 때에 처분 또는 부작위의 근거가 되는 대통령령·총리령·부령·훈령·예규·고시·조례·규칙 등이 법령에 근거가 없거나 상위 법령에 위배되거나 국민에게 과도한 부담을 주는 등 크게 불합리하면 관계 행정기관에 그 명령 등의 개정·폐지 등 적절한 시정조치를 요청할 수 있음 → 이 경우 중앙행정심판위원회는 시정조치를 요청한 사실을 법제처장에게 통보하여야 함(행정심판법 제59조)

by 국회

① [검토제도 – 국회법 제98조의2] 중앙행정기관의 장은 법률에서 위임한 사항이나 법률을 집행하기 위하여 필요한 사항을 규정한 대통령령·총리령·부령·훈령·예규·고시 등이 제정·개정 또는 폐지되었을 때에는 10일 이내에 이를 국회 소관 상임위원회에 제출하여야 함(국회법 제98조의2 제1항) → 국회 소관상임위원회는 위원회 또는 상설소위원회를 정기적으로 개회하여 소관 중앙행정기관(부·처·청)이 제출한 대통령령, 총리령, 부령의 법률 위반 여부 등을 검토(제3항) → 법률의 취지 또는 내용에 합치되지 아니한다고 소관 상임위원회가 판단한 경우
→ ㉠ [대통령령, 총리령의 경우] 검토결과보고서를 국회의장에게 제출(제4항) → 검토결과보고서를 본회의 의결로 정부에 송부(제5항) → 정부는 처리결과를 국회제출(검토결과를 따르지 않을 수도 있음)(제6항)
→ ㉡ [부령의 경우] 소관 중앙행정기관의 장에게 곧바로 통보(제7항) → 소관 중앙행정기관의 장은 통보에 따른 처리계획과 결과를 보고해야 함(제8항)

② [간접적 통제] 국회는 행정입법 자체에 직접 관여하는 것이 아니라, 국회가 행정부에 대하여 갖는 견제권한의 행사를 통해서도 행정입법을 통제할 수 있음 → 국회는 국정감사 또는 조사권(헌법 제61조), 국무총리 등에 대한 질문권(헌법 제62조), 국무총리 또는 국무위원에 대한 해임건의권(헌법 제63조), 대통령에 대한 탄핵소추권(헌법 제65조) 등을 행사하여 위법·부당한 행정입법을 간접적으로 통제할 수 있음

by 법원

법규명령에 대한 항고소송

① [원칙적 허용×] 법규명령은 개별·구체적 작용× → 처분성[3]×

② [예외적 허용○] 예외적으로 개별·구체성이 있어 국민의 권익을 직접 침해하는 경우('처분적 법규명령') → 처분성○

③ 판례 항고소송의 대상은 구체적인 권리·의무에 관한 것이어야 하므로, 구체적인 권리·의무에 관한 분쟁을 떠나서 법령 자체의 무효확인을 구하는 청구는 항고소송의 대상이 아닌 사항에 대한 것으로서 부적법(86누656, 91누12639) → 법규명령은 원칙적으로 처분성이 없으므로, 법규명령 자체에 대하여 항고소송을 제기하면 원칙적으로 각하

④ 판례 의료기관의 명칭표시판에 진료과목을 함께 표시하는 경우 진료과목의 글자크기를 의료기관 명칭을 표시하는 글자 크기의 2분의 1 이내로 제한하고 있는 구 「의료법 시행규칙」 제31조는 그 자체로서 국민의 구체적인 권리·의무나 법률관계에 직접적인 변동을 초래하지 아니하므로 항고소송의 대상이 되는 행정처분×(2005두15168) → 이를 위반하였을 때 후속 행위로 과태료를 부과받으면 그로 인하여 구체적인 권리나 의무가 변동되는 것이지, 구 「의료법 시행규칙」 제31조 자체가 권리나 의무를 변동시키는 것은 아니라는 이유로 처분성을 부정함

---

[1] 통제란 행정작용이 적법하게 이루어지도록 견제하는 여러 제도적 장치들을 말한다.

[2] 참고로, 「부패방지 및 국민권익위원회의 설치와 운영에 관한 법률」은 '부패행위'를 '㉠ 공직자가 직무와 관련하여 그 지위 또는 권한을 남용하거나 법령을 위반하여 자기 또는 제3자의 이익을 도모하는 행위, ㉡ 또는 공공기관의 예산사용, 공공기관 재산의 취득·관리·처분 또는 공공기관을 당사자로 하는 계약의 체결 및 그 이행에 있어서 법령에 위반하여 공공기관에 대하여 재산상 손해를 가하는 행위, ㉢ 앞의 행위들이나 그 은폐를 강요, 권고, 제의, 유인하는 행위'라 정의하고 있다.

[3] 우리 대법원은 기본적으로 행정행위와 처분을 동일한 개념으로 보기 때문인데, 이에 대해서는 뒤에서 다룬다.

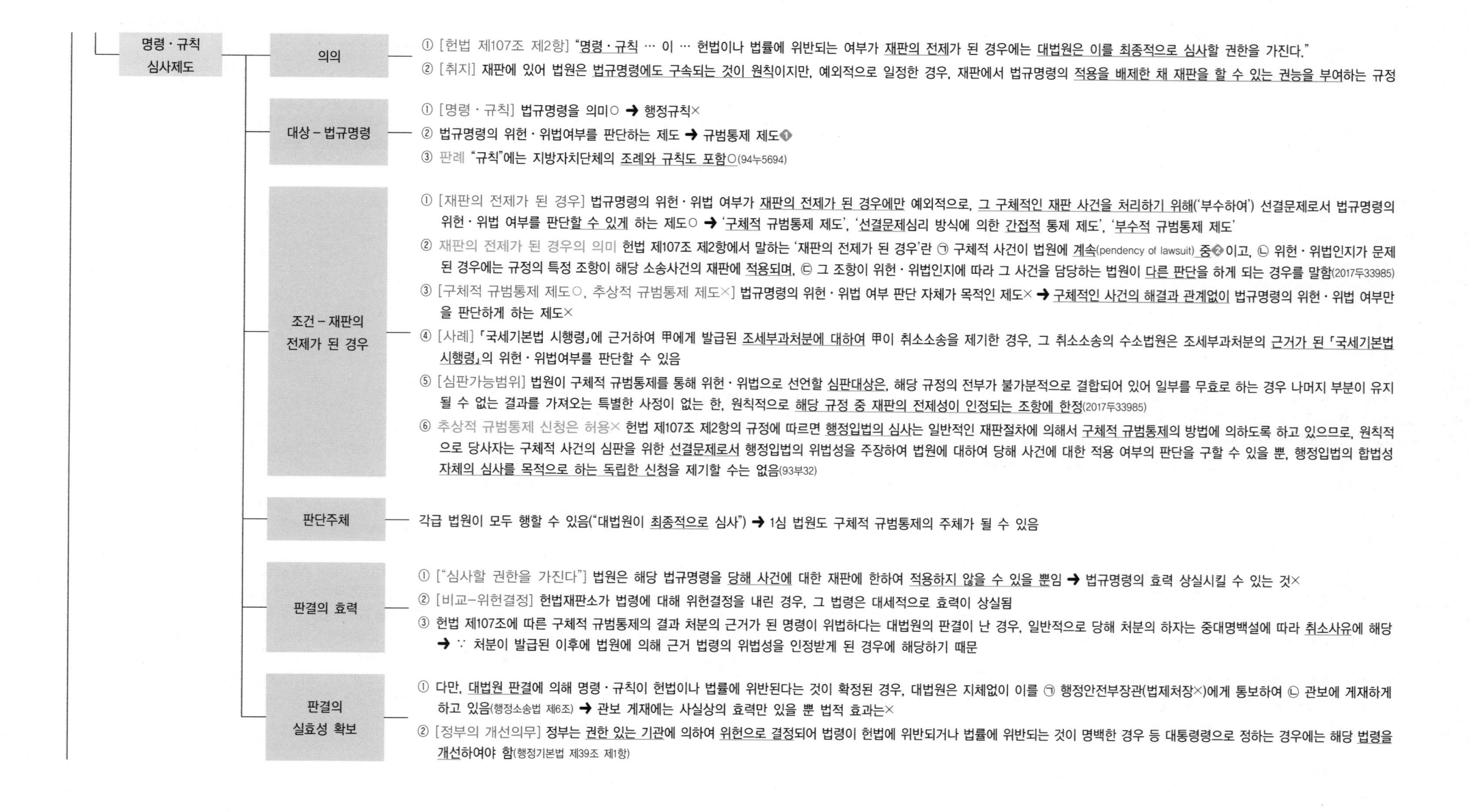

| 명령·규칙 심사제도 | 의의 | ① [헌법 제107조 제2항] "명령·규칙 … 이 … 헌법이나 법률에 위반되는 여부가 재판의 전제가 된 경우에는 대법원은 이를 최종적으로 심사할 권한을 가진다." |

명령·규칙 심사제도

의의
① [헌법 제107조 제2항] "명령·규칙 … 이 … 헌법이나 법률에 위반되는 여부가 재판의 전제가 된 경우에는 대법원은 이를 최종적으로 심사할 권한을 가진다."
② [취지] 재판에 있어 법원은 법규명령에도 구속되는 것이 원칙이지만, 예외적으로 일정한 경우, 재판에서 법규명령의 적용을 배제한 채 재판을 할 수 있는 권능을 부여하는 규정

대상 – 법규명령
① [명령·규칙] 법규명령을 의미○ → 행정규칙×
② 법규명령의 위헌·위법여부를 판단하는 제도 → 규범통제 제도❶
③ 판례 "규칙"에는 지방자치단체의 조례와 규칙도 포함○(94누5694)

조건 – 재판의 전제가 된 경우
① [재판의 전제가 된 경우] 법규명령의 위헌·위법 여부가 재판의 전제가 된 경우에만 예외적으로, 그 구체적인 재판 사건을 처리하기 위해('부수하여') 선결문제로서 법규명령의 위헌·위법 여부를 판단할 수 있게 하는 제도○ → '구체적 규범통제 제도', '선결문제심리 방식에 의한 간접적 통제 제도', '부수적 규범통제 제도'
② 재판의 전제가 된 경우의 의미 헌법 제107조 제2항에서 말하는 '재판의 전제가 된 경우'란 ㉠ 구체적 사건이 법원에 계속(pendency of lawsuit) 중❷이고, ㉡ 위헌·위법인지가 문제된 경우에는 규정의 특정 조항이 해당 소송사건의 재판에 적용되며, ㉢ 그 조항이 위헌·위법인지에 따라 그 사건을 담당하는 법원이 다른 판단을 하게 되는 경우를 말함(2017두33985)
③ [구체적 규범통제 제도○, 추상적 규범통제 제도×] 법규명령의 위헌·위법 여부 판단 자체가 목적인 제도× → 구체적인 사건의 해결과 관계없이 법규명령의 위헌·위법 여부만을 판단하게 하는 제도×
④ [사례] 「국세기본법 시행령」에 근거하여 甲에게 발급된 조세부과처분에 대하여 甲이 취소소송을 제기한 경우, 그 취소소송의 수소법원은 조세부과처분의 근거가 된 「국세기본법 시행령」의 위헌·위법여부를 판단할 수 있음
⑤ [심판가능범위] 법원이 구체적 규범통제를 통해 위헌·위법으로 선언할 심판대상은, 해당 규정의 전부가 불가분적으로 결합되어 있어 일부를 무효로 하는 경우 나머지 부분이 유지될 수 없는 결과를 가져오는 특별한 사정이 없는 한, 원칙적으로 해당 규정 중 재판의 전제성이 인정되는 조항에 한정(2017두33985)
⑥ 추상적 규범통제 신청은 허용× 헌법 제107조 제2항의 규정에 따르면 행정입법의 심사는 일반적인 재판절차에 의해서 구체적 규범통제의 방법에 의하도록 하고 있으므로, 원칙적으로 당사자는 구체적 사건의 심판을 위한 선결문제로서 행정입법의 위법성을 주장하여 법원에 대하여 당해 사건에 대한 적용 여부의 판단을 구할 수 있을 뿐, 행정입법의 합법성 자체의 심사를 목적으로 하는 독립한 신청을 제기할 수는 없음(93부32)

판단주체
각급 법원이 모두 행할 수 있음("대법원이 최종적으로 심사") → 1심 법원도 구체적 규범통제의 주체가 될 수 있음

판결의 효력
① ["심사할 권한을 가진다"] 법원은 해당 법규명령을 당해 사건에 대한 재판에 한하여 적용하지 않을 수 있을 뿐임 → 법규명령의 효력 상실시킬 수 있는 것×
② [비교–위헌결정] 헌법재판소가 법령에 대해 위헌결정을 내린 경우, 그 법령은 대세적으로 효력이 상실됨
③ 헌법 제107조에 따른 구체적 규범통제의 결과 처분의 근거가 된 명령이 위법하다는 대법원의 판결이 난 경우, 일반적으로 당해 처분의 하자는 중대명백설에 따라 취소사유에 해당 → ∵ 처분이 발급된 이후에 법원에 의해 근거 법령의 위법성을 인정받게 된 경우에 해당하기 때문

판결의 실효성 확보
① 다만, 대법원 판결에 의해 명령·규칙이 헌법이나 법률에 위반된다는 것이 확정된 경우, 대법원은 지체없이 이를 ㉠ 행정안전부장관(법제처장×)에게 통보하여 ㉡ 관보에 게재하게 하고 있음(행정소송법 제6조) → 관보 게재에는 사실상의 효력만 있을 뿐 법적 효과는×
② [정부의 개선의무] 정부는 권한 있는 기관에 의하여 위헌으로 결정되어 법령이 헌법에 위반되거나 법률에 위반되는 것이 명백한 경우 등 대통령령으로 정하는 경우에는 해당 법령을 개선하여야 함(행정기본법 제39조 제1항)

---

❶ 규범통제란 구체적인 행정작용의 위헌·위법 여부가 아니라, 법령의 위헌·위법 여부에 대하여 판단하는 제도를 말한다.

❷ [민사소송법] 계속(繫屬)이란, 원고가 법원에 제출한 소장의 복사본이 피고에게 전달되어, 피고도 자신을 상대로 한 소송이 제기되었다는 사실을 알게 된 상태를 말한다. 자주 등장하는 표현이지만, 행정법에서는 몰라도 되는 개념이다.

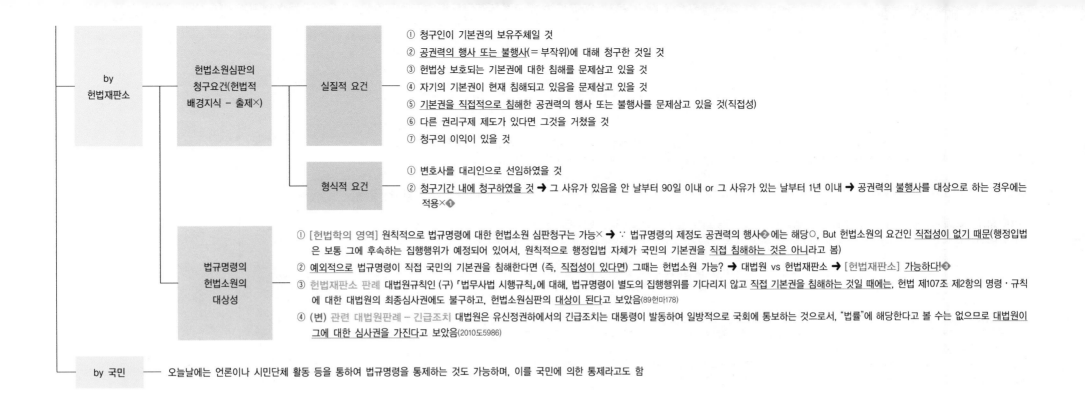

by 헌법재판소

헌법소원심판의 청구요건(헌법적 배경지식 – 출제×)

실질적 요건
① 청구인이 기본권의 보유주체일 것
② 공권력의 행사 또는 불행사(= 부작위)에 대해 청구한 것일 것
③ 헌법상 보호되는 기본권에 대한 침해를 문제삼고 있을 것
④ 자기의 기본권이 현재 침해되고 있음을 문제삼고 있을 것
⑤ 기본권을 직접적으로 침해한 공권력의 행사 또는 불행사를 문제삼고 있을 것(직접성)
⑥ 다른 권리구제 제도가 있다면 그것을 거쳤을 것
⑦ 청구의 이익이 있을 것

형식적 요건
① 변호사를 대리인으로 선임하였을 것
② 청구기간 내에 청구하였을 것 ➡ 그 사유가 있음을 안 날부터 90일 이내 or 그 사유가 있는 날부터 1년 이내 ➡ 공권력의 불행사를 대상으로 하는 경우에는 적용×❶

법규명령의 헌법소원의 대상성
① [헌법학의 영역] 원칙적으로 법규명령에 대한 헌법소원 심판청구는 가능× ➡ ∵ 법규명령의 제정도 공권력의 행사❷에는 해당○, But 헌법소원의 요건인 직접성이 없기 때문(행정입법은 보통 그에 후속하는 집행행위가 예정되어 있어서, 원칙적으로 행정입법 자체가 국민의 기본권을 직접 침해하는 것은 아니라고 봄)
② 예외적으로 법규명령이 직접 국민의 기본권을 침해한다면 (즉, 직접성이 있다면) 그때는 헌법소원 가능? ➡ 대법원 vs 헌법재판소 ➡ [헌법재판소] 가능하다!❸
③ 헌법재판소 판례 대법원규칙인 (구)「법무사법 시행규칙」에 대해, 법규명령이 별도의 집행행위를 기다리지 않고 직접 기본권을 침해하는 것일 때에는, 헌법 제107조 제2항의 명령·규칙에 대한 대법원의 최종심사권에도 불구하고, 헌법소원심판의 대상이 된다고 보았음(89헌마178)
④ (변) 관련 대법원판례 – 긴급조치 대법원은 유신정권하에서의 긴급조치는 대통령이 발동하여 일방적으로 국회에 통보하는 것으로서, "법률"에 해당한다고 볼 수는 없으므로 대법원이 그에 대한 심사권을 가진다고 보았음(2010도5986)

by 국민
오늘날에는 언론이나 시민단체 활동 등을 통하여 법규명령을 통제하는 것도 가능하며, 이를 국민에 의한 통제라고도 함

---

❶ [헌법] 헌법소원심판은 공권력의 행사나 불행사를 대상으로 삼아 청구할 수 있다(헌법소원의 청구적격). 그런데 ① 불행사에 대하여 헌법소원심판을 청구하는 경우에는 헌법소원 청구기간의 제한을 받지 않는 반면, ② 행사에 대하여 헌법소원심판을 청구하는 경우에는 청구기간의 제한을 받는다. 작위를 문제삼는 것과는 달리, 부작위를 문제삼는 것은 현재(소 제기시)에도 새롭게 계속되고 있는 사태를 문제삼는 것이므로 제소기간을 제한하는 것이 적절하지 않기 때문이다.

❷ [헌법] '처분'은 공권력의 행사 중 행정청이 구체적 사실에 대하여 법집행으로서 행하는 것만을 가리키는 것이므로 '공권력의 행사·불행사'는 처분이나 처분 부작위보다 넓은 개념이다. '공권력의 행사'는 행정작용뿐만 아니라, 입법작용이나 사법작용과 같은 모든 국가권력의 발동을 가리키는 개념이다.

❸ [헌법] ① 헌법소원심판을 허용할 것인지 여부를 판단하는 기관은 헌법재판소이기 때문에 중요한 것은 헌법재판소의 입장이다. ② 헌법소원심판에서 법규명령이 위헌임을 선언한 경우에는, 법원에 의한 헌법 제107조 제2항의 규범통제의 경우와 달리, 당해 법규명령은 무효가 된다.

행정입법부작위

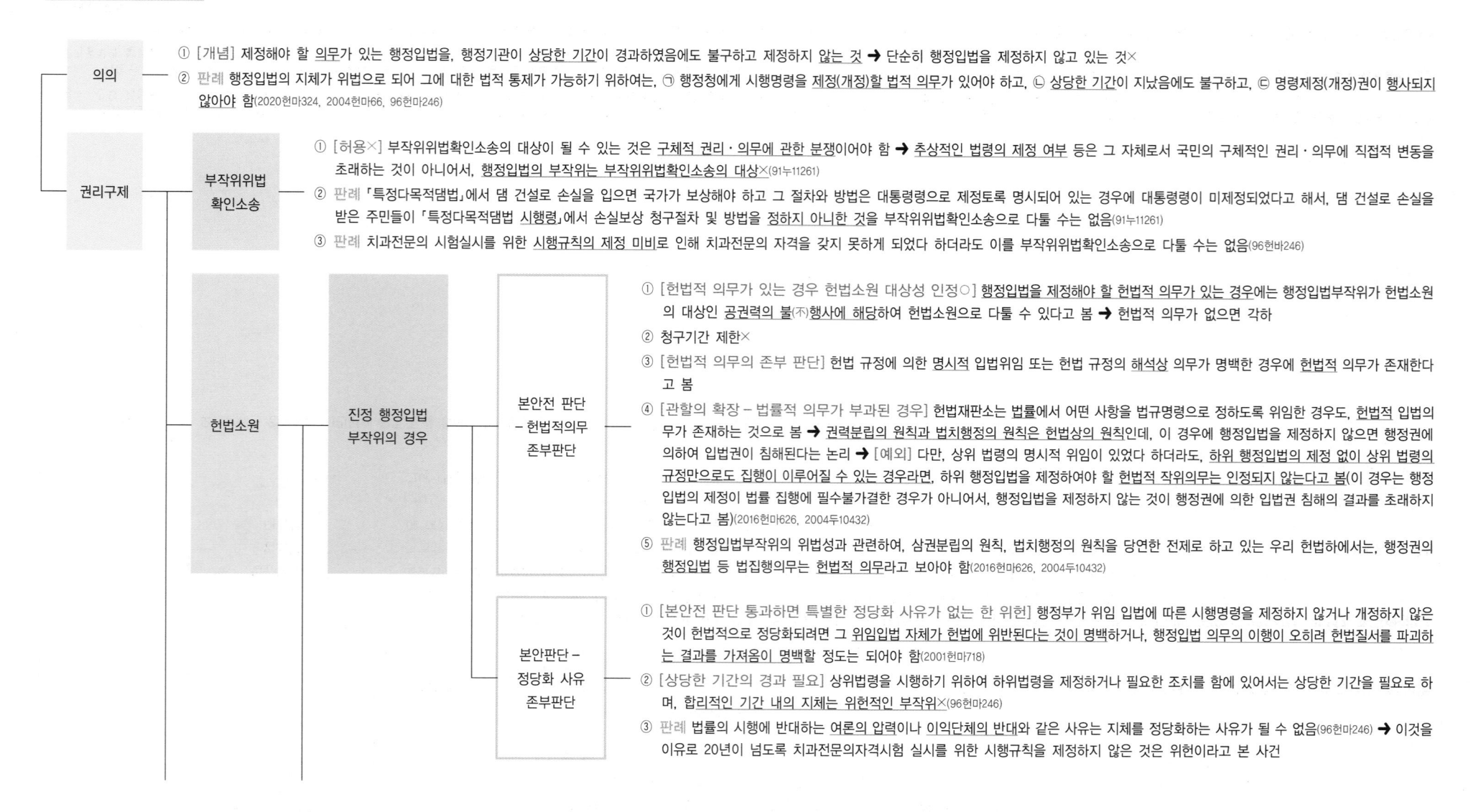

의의

① [개념] 제정해야 할 <u>의무</u>가 있는 행정입법을, 행정기관이 <u>상당한 기간</u>이 경과하였음에도 불구하고 제정하지 <u>않는 것</u> ➡ 단순히 행정입법을 제정하지 않고 있는 것×

② 판례 행정입법의 지체가 위법으로 되어 그에 대한 법적 통제가 가능하기 위하여는, ㉠ 행정청에게 시행명령을 제정(개정)할 법적 의무가 있어야 하고, ㉡ <u>상당한 기간</u>이 지났음에도 불구하고, ㉢ 명령제정(개정)권이 행사되지 않아야 함(2020헌마324, 2004헌마66, 96헌마246)

권리구제

부작위위법확인소송

① [허용×] 부작위위법확인소송의 대상이 될 수 있는 것은 <u>구체적 권리·의무에 관한 분쟁</u>이어야 함 ➡ 추상적인 법령의 제정 여부 등은 그 자체로서 국민의 구체적인 권리·의무에 직접적 변동을 초래하는 것이 아니어서, 행정입법의 부작위는 부작위위법확인소송의 대상×(91누11261)

② 판례 「특정다목적댐법」에서 댐 건설로 손실을 입으면 국가가 보상해야 하고 그 절차와 방법은 대통령령으로 제정토록 명시되어 있는 경우에 대통령령이 미제정되었다고 해서, 댐 건설로 손실을 받은 주민들이 「특정다목적댐법 시행령」에서 손실보상 청구절차 및 방법을 정하지 아니한 것을 부작위위법확인소송으로 다툴 수는 없음(91누11261)

③ 판례 치과전문의 시험실시를 위한 <u>시행규칙의 제정 미비</u>로 인해 치과전문의 자격을 갖지 못하게 되었다 하더라도 이를 부작위위법확인소송으로 다툴 수는 없음(96헌바246)

헌법소원

진정 행정입법부작위의 경우

본안전 판단 – 헌법적의무 존부판단

① [헌법적 의무가 있는 경우 헌법소원 대상성 인정○] 행정입법을 제정해야 할 헌법적 의무가 있는 경우에는 행정입법부작위가 헌법소원의 대상인 공권력의 불(不)행사에 해당하여 헌법소원으로 다툴 수 있다고 봄 ➡ 헌법적 의무가 없으면 각하

② 청구기간 제한×

③ [헌법적 의무의 존부 판단] 헌법 규정에 의한 명시적 입법위임 또는 헌법 규정의 해석상 의무가 명백한 경우에 헌법적 의무가 존재한다고 봄

④ [관할의 확장 – 법률적 의무가 부과된 경우] 헌법재판소는 법률에서 어떤 사항을 법규명령으로 정하도록 위임한 경우도, 헌법적 입법의무가 존재하는 것으로 봄 ➡ 권력분립의 원칙과 법치행정의 원칙은 헌법상의 원칙인데, 이 경우에 행정입법을 제정하지 않으면 행정권에 의하여 입법권이 침해된다는 논리 ➡ [예외] 다만, 상위 법령의 명시적 위임이 있었다 하더라도, <u>하위 행정입법의 제정 없이 상위 법령의 규정만으로도 집행이 이루어질 수 있는 경우</u>라면, 하위 행정입법을 제정하여야 할 헌법적 작위의무는 인정되지 않는다고 봄(이 경우는 행정입법의 제정이 법률 집행에 필수불가결한 경우가 아니어서, 행정입법을 제정하지 않는 것이 행정권에 의한 입법권 침해의 결과를 초래하지 않는다고 봄)(2016헌마626, 2004두10432)

⑤ 판례 행정입법부작위의 위법성과 관련하여, 삼권분립의 원칙, 법치행정의 원칙을 당연한 전제로 하고 있는 우리 헌법하에서는, 행정권의 행정입법 등 법집행의무는 헌법적 의무라고 보아야 함(2016헌마626, 2004두10432)

본안판단 – 정당화 사유 존부판단

① [본안전 판단 통과하면 특별한 정당화 사유가 없는 한 위헌] 행정부가 위임 입법에 따른 시행명령을 제정하지 않거나 개정하지 않은 것이 헌법적으로 정당화되려면 그 위임입법 자체가 헌법에 위반된다는 것이 명백하거나, 행정입법 의무의 이행이 오히려 헌법질서를 파괴하는 결과를 가져옴이 명백할 정도는 되어야 함(2001헌마718)

② [상당한 기간의 경과 필요] 상위법령을 시행하기 위하여 하위법령을 제정하거나 필요한 조치를 함에 있어서는 상당한 기간을 필요로 하며, 합리적인 기간 내의 지체는 위헌적인 부작위×(96헌마246)

③ 판례 법률의 시행에 반대하는 <u>여론의 압력</u>이나 <u>이익단체의 반대</u>와 같은 사유는 지체를 정당화하는 사유가 될 수 없음(96헌마246) ➡ 이것을 이유로 20년이 넘도록 치과전문의자격시험 실시를 위한 시행규칙을 제정하지 않은 것은 위헌이라고 본 사건

부진정 행정입법 부작위의 경우	① [개념] 부진정 행정입법부작위란 행정입법을 제정하기는 하였으나 그것에 미흡한(불완전한, 불충분한) 점이 있는 경우를 말함('법을 제대로 만들지 않은 경우')
	② 부진정 입법부작위는 행정입법부작위가 아님 ➡ 이에 대해서는 이를 '공권력의 불행사'로 보아 헌법소원의 대상으로 할 수 없음 ➡ '공권력의 행사'로서 문제삼아 헌법소원을 제기해야 함 ➡ 청구기간 제한○
	③ 이외에 다른 추가적인 헌법소원심판청구 요건도 갖춘 경우 헌법소원제기 가능○
	④ 판례 입법의 내용·범위·절차 등의 결함을 이유로 헌법소원을 제기하려면 입법부작위를 문제삼아 소극적인 헌법소원(공권력의 '불행사'에 대한 헌법소원)을 제기할 것은 아니며, 결함이 있는 당해 입법규정 그 자체를 대상으로 하여 그것이 평등의 원칙에 위배된다는 등 헌법 위반을 내세워 적극적인 헌법소원(공권력의 '행사'에 대한 헌법소원)을 제기하여야 하며, 이 경우에는 헌법재판소법 소정의 청구기간을 준수하여야 함(94헌마204)

국가배상	① 행정입법부작위로 인하여 손해가 발생한 경우에 국가배상청구도(헌법소원만×) 인정될 수 있음(2006다3561)
	② [위법성의 인정] 입법부가 법률로써 행정부에게 특정한 사항을 위임했음에도 불구하고 행정부가 정당한 이유 없이 상당한 기간 동안 이를 이행하지 않는다면 권력분립의 원칙과 법치국가 내지 법치행정의 원칙에 위배되는 것으로서 위법함과 동시에 위헌적인 것이 됨(2006다3561) ➡ 국가배상청구권 성립에 필요한 위법성이 인정된다는 말
	③ 38년째 군법무관의 보수에 관한 시행령 미제정 – 위법○ 입법부가 「군법무관임용법」과 「군법무관임용 등에 관한 법률」로써 행정부에게 군법무관의 보수에 관한 구체적 내용을 시행령으로 정하도록 위임했음에도 불구하고, 행정부가 정당한 이유 없이 38년째 법률에서 위임한 시행령을 제정하지 않은 것은 불법행위에 해당하므로 국가배상청구의 대상○(2006다3561)
	④ (변) 관련판례 – 전공의 수련과정을 수료한 치과의사들의 수련경력에 대한 기득권을 인정하는 경과조치의 미제정 – 위법× 법령의 위임에도 불구하고 보건복지부장관이 치과전문의제도의 실시를 위하여 필요한 시행규칙의 개정 등 절차를 마련하지 않은 입법부작위가 위헌이라는 헌법재판소 결정이 있었다 하더라도, 이것이 사실상 전공의 수련과정을 수료한 치과의사들에게 그 수련경력에 대한 기득권을 인정하는 경과조치를 마련하지 아니한 보건복지부장관의 행정입법부 작위가 위헌·위법하다고까지 판시한 것은 아님 ➡ 이러한 경과조치를 마련하지 않은 것에 대해 국가배상책임×(2017다249769)

행정규칙

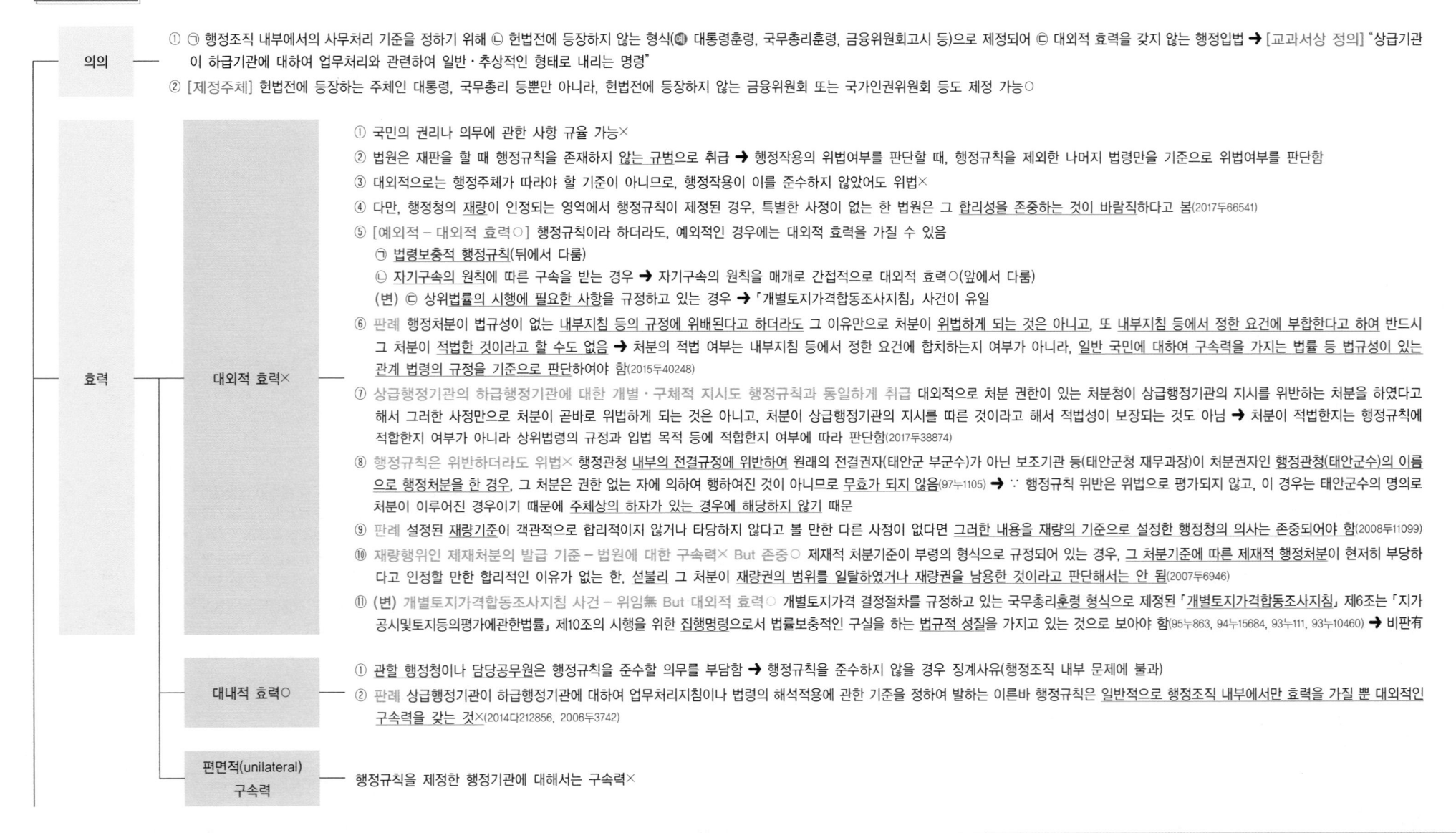

의의

① ⊙ 행정조직 내부에서의 사무처리 기준을 정하기 위해 ⓒ 헌법전에 등장하지 않는 형식(⑩ 대통령훈령, 국무총리훈령, 금융위원회고시 등)으로 제정되어 ⓒ 대외적 효력을 갖지 않는 행정입법 ➡ [교과서상 정의] "상급기관이 하급기관에 대하여 업무처리와 관련하여 일반·추상적인 형태로 내리는 명령"

② [제정주체] 헌법전에 등장하는 주체인 대통령, 국무총리 등뿐만 아니라, 헌법전에 등장하지 않는 금융위원회 또는 국가인권위원회 등도 제정 가능○

효력

대외적 효력×

① 국민의 권리나 의무에 관한 사항 규율 가능×

② 법원은 재판을 할 때 행정규칙을 존재하지 않는 규범으로 취급 ➡ 행정작용의 위법여부를 판단할 때, 행정규칙을 제외한 나머지 법령만을 기준으로 위법여부를 판단함

③ 대외적으로는 행정주체가 따라야 할 기준이 아니므로, 행정작용이 이를 준수하지 않았어도 위법×

④ 다만, 행정청의 재량이 인정되는 영역에서 행정규칙이 제정된 경우, 특별한 사정이 없는 한 법원은 그 합리성을 존중하는 것이 바람직하다고 봄(2017두66541)

⑤ [예외적 - 대외적 효력○] 행정규칙이라 하더라도, 예외적인 경우에는 대외적 효력을 가질 수 있음
　⊙ 법령보충적 행정규칙(뒤에서 다룸)
　ⓒ 자기구속의 원칙에 따른 구속을 받는 경우 ➡ 자기구속의 원칙을 매개로 간접적으로 대외적 효력○(앞에서 다룸)
　(변) ⓒ 상위법률의 시행에 필요한 사항을 규정하고 있는 경우 ➡ 「개별토지가격합동조사지침」 사건이 유일

⑥ 판례 행정처분이 법규성이 없는 내부지침 등의 규정에 위배된다고 하더라도 그 이유만으로 처분이 위법하게 되는 것은 아니고, 또 내부지침 등에서 정한 요건에 부합한다고 하여 반드시 그 처분이 적법한 것이라고 할 수도 없음 ➡ 처분의 적법 여부는 내부지침 등에서 정한 요건에 합치하는지 여부가 아니라, 일반 국민에 대하여 구속을 가지는 법률 등 법규성이 있는 관계 법령의 규정을 기준으로 판단하여야 함(2015두40248)

⑦ 상급행정기관의 하급행정기관에 대한 개별·구체적 지시도 행정규칙과 동일하게 취급 대외적으로 처분 권한이 있는 처분청이 상급행정기관의 지시를 위반하는 처분을 하였다고 해서 그러한 사정만으로 처분이 곧바로 위법하게 되는 것은 아니고, 처분이 상급행정기관의 지시를 따른 것이라고 해서 적법성이 보장되는 것도 아님 ➡ 처분이 적법한지는 행정규칙에 적합한지 여부가 아니라 상위법령의 규정과 입법 목적 등에 적합한지 여부에 따라 판단함(2017두38874)

⑧ 행정규칙은 위반하더라도 위법× 행정관청 내부의 전결규정에 위반하여 원래의 전결권자(태안군 부군수)가 아닌 보조기관 등(태안군청 재무과장)이 처분권자인 행정관청(태안군수)의 이름으로 행정처분을 한 경우, 그 처분은 권한 없는 자에 의하여 행하여진 것이 아니므로 무효가 되지 않음(97누1105) ➡ ∵ 행정규칙 위반은 위법으로 평가되지 않고, 이 경우는 태안군수의 명의로 처분이 이루어진 경우이기 때문에 주체상의 하자가 있는 경우에 해당하지 않기 때문

⑨ 판례 설정된 재량기준이 객관적으로 합리적이지 않거나 타당하지 않다고 볼 만한 다른 사정이 없다면 그러한 내용을 재량의 기준으로 설정한 행정청의 의사는 존중되어야 함(2008두11099)

⑩ 재량행위인 제재처분의 발급 기준 - 법원에 대한 구속력× But 존중○ 제재적 처분기준이 부령의 형식으로 규정되어 있는 경우, 그 처분기준에 따른 제재적 행정처분이 현저히 부당하다고 인정할 만한 합리적인 이유가 없는 한, 섣불리 그 처분이 재량권의 범위를 일탈하였거나 재량권을 남용한 것이라고 판단해서는 안 됨(2007두6946)

⑪ (변) 개별토지가격합동조사지침 사건 - 위임無 But 대외적 효력○ 개별토지가격 결정절차를 규정하고 있는 국무총리훈령 형식으로 제정된 「개별토지가격합동조사지침」 제6조는 「지가공시및토지등의평가에관한법률」 제10조의 시행을 위한 집행명령으로서 법률보충적인 구실을 하는 법규적 성질을 가지고 있는 것으로 보아야 함(95누863, 94누15684, 93누111, 93누10460) ➡ 비판有

대내적 효력○

① 관할 행정청이나 담당공무원은 행정규칙을 준수할 의무를 부담함 ➡ 행정규칙을 준수하지 않을 경우 징계사유(행정조직 내부 문제에 불과)

② 판례 상급행정기관이 하급행정기관에 대하여 업무처리지침이나 법령의 해석적용에 관한 기준을 정하여 발하는 이른바 행정규칙은 일반적으로 행정조직 내부에서만 효력을 가질 뿐 대외적인 구속력을 갖는 것×(2014다212856, 2006두3742)

편면적(unilateral) 구속력

행정규칙을 제정한 행정기관에 대해서는 구속력×

근거	상위법의 법적 근거 필요×, 상위법의 위임(수권) 필요×

행정규칙 사례

① 판례 법령의 위임 없이 제정한 '2006년 교육공무원 보수업무 등 편람'은 행정규칙에 해당(2010두16349)

② 판례 공정거래위원회의 '부당한 지원행위의 심사지침'은 공정거래위원회 내부의 사무처리준칙에 불과(2004두7153)

③ 판례 한국감정평가업협회가 제정한 '토지보상평가지침'은 단지 한국감정평가업협회가 내부적으로 기준을 정한 것에 불과하여 일반 국민이나 법원을 기속하는 효력을 갖지 못함(2006두11507)

④ 판례 '학교장·교사 초빙제 실시'는 행정조직 내부에서만 효력을 가지는 행정상의 운영지침을 정한 것으로서 국민이나 법원을 구속하는 효력이 없는 행정규칙에 해당(99헌마413)

⑤ 판례 구 「학원의 설립·운영에 관한 법률 시행령」에서 수강료에 관한 기준을 조례 등에 위임한다는 규정이 없었다면 「제주도 학원의 설립·운영에 관한 조례」나 이에 근거한 「제주도 학원업무지침」상의 관련 규정은 법령의 위임에 따라 법령의 구체적인 내용을 보충하는 기능을 가진 것이라고 보기 어려우므로, 법규명령이라고는 볼 수 없고, 행정기관 내부의 업무처리지침에 불과(94도2502)

⑥ 판례 한국수력원자력 주식회사가 조달하는 기자재, 용역 및 정비공사, 기기수리의 공급자에 대한 관리업무 절차를 규정함을 목적으로 제정 운용하고 있는 '공급자관리지침' 중 등록취소 및 그에 따른 일정 기간의 거래제한조치에 관한 규정들은 상위 법령의 구체적 위임 없이 정한 것이어서 대외적 구속력이 없는 행정규칙임(2017두66541)

⑦ 판례 건강보험심사평가원이, 보건복지가족부 고시인 '요양급여비용 심사·지급업무 처리기준'에 근거하여 제정한 심사지침인 '방광내압 및 요누출압 측정시 검사방법'은 내부적 업무처리 기준으로서 행정규칙에 불과(2015두2864)

⑧ 판례 서울특별시가 정한 「개인택시운송사업면허지침」은 재량권행사의 기준으로 설정된 행정청 내부사무처리 지침에 불과(97누8878)

⑨ 판례 서울특별시의 '철거민에 대한 시영아파트 특별분양개선지침'은 서울시 내부의 행정지침에 불과(93누2247)

행정규칙에 근거한 행정작용의 처분성

① 과거에는 행정규칙에 근거한 행정작용은 "법"집행행위가 아니기 때문에, 행정규칙의 집행작용은 처분에 해당할 수 없다고 보았음 ➜ 오늘날에는 양자를 분리시켜, 행정규칙에 따른 행정작용이라 하더라도 국민의 권리·의무에 직접 영향을 미치는 경우에는 처분에 해당한다고 보는 경향

② 다만, 최근까지만 해도 양자가 관련이 있다고 보았음 ➜ 대법원 판례 중에도 여전히 그 흔적이 남아 있는 경우 있음('근거법규가 법규명령이므로 처분성이 인정된다')

③ 판례 처분의 근거가 행정규칙에 규정되어 있다고 하더라도, 그 처분이 상대방에게 권리 설정 또는 의무 부담을 명하거나 기타 법적인 효과를 발생하게 하는 등으로 상대방의 권리·의무에 직접 영향을 미치는 행위인 경우에는 항고소송의 대상이 되는 행정처분에 해당○(2010두3541)

④ 대검찰청 내부규정에 근거한 검찰총장의 강고조치 – 처분○ 어떠한 처분의 근거나 법적인 효과가 행정규칙에 규정되어 있다고 하더라도, 그 처분이 행정규칙의 내부적 구속력에 의하여 상대방에게 권리의 설정 또는 의무의 부담을 명하거나 기타 법적인 효과를 발생하게 하는 등으로 그 상대방의 권리 의무에 직접 영향을 미치는 행위라면, 이 경우에도 항고소송의 대상이 되는 행정처분에 해당○ ➜ 대검찰청 내부규정에서 검찰총장의 경고조치를 받은 검사에 대하여 직무성과급 지급이나 승진·전보인사에서 불이익을 주도록 규정하고 있었다면, 그에 따라 경고조치를 받은 검사 甲은 검찰총장의 경고조치에 대하여 취소소송을 제기하는 방식으로 불복할 수 있음(2020두47564)

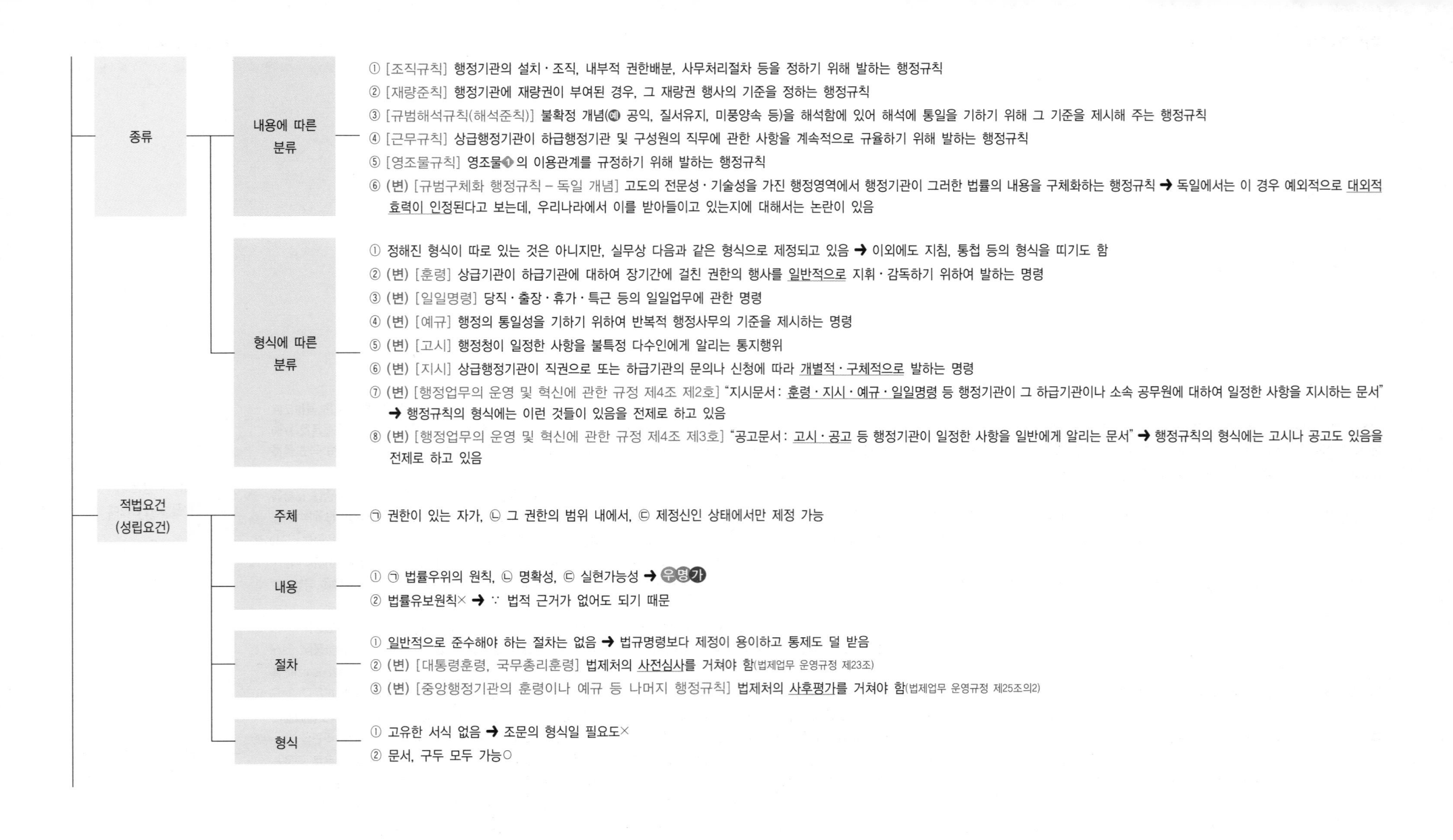

종류	내용에 따른 분류	① [조직규칙] 행정기관의 설치·조직, 내부적 권한배분, 사무처리절차 등을 정하기 위해 발하는 행정규칙
		② [재량준칙] 행정기관에 재량권이 부여된 경우, 그 재량권 행사의 기준을 정하는 행정규칙
		③ [규범해석규칙(해석준칙)] 불확정 개념(⑩ 공익, 질서유지, 미풍양속 등)을 해석함에 있어 해석에 통일을 기하기 위해 그 기준을 제시해 주는 행정규칙
		④ [근무규칙] 상급행정기관이 하급행정기관 및 구성원의 직무에 관한 사항을 계속적으로 규율하기 위해 발하는 행정규칙
		⑤ [영조물규칙] 영조물❶의 이용관계를 규정하기 위해 발하는 행정규칙
		⑥ (변) [규범구체화 행정규칙 – 독일 개념] 고도의 전문성·기술성을 가진 행정영역에서 행정기관이 그러한 법률의 내용을 구체화하는 행정규칙 ➜ 독일에서는 이 경우 예외적으로 <u>대외적 효력이 인정</u>된다고 보는데, 우리나라에서 이를 받아들이고 있는지에 대해서는 논란이 있음

①, ②, ③, ④, ⑤ 내용에 따른 분류 (위 표 항목들)

형식에 따른 분류
① 정해진 형식이 따로 있는 것은 아니지만, 실무상 다음과 같은 형식으로 제정되고 있음 ➜ 이외에도 지침, 통첩 등의 형식을 띠기도 함
② (변) [훈령] 상급기관이 하급기관에 대하여 장기간에 걸친 권한의 행사를 <u>일반적으로</u> 지휘·감독하기 위하여 발하는 명령
③ (변) [일일명령] 당직·출장·휴가·특근 등의 일일업무에 관한 명령
④ (변) [예규] 행정의 통일성을 기하기 위하여 반복적 행정사무의 기준을 제시하는 명령
⑤ (변) [고시] 행정청이 일정한 사항을 불특정 다수인에게 알리는 통지행위
⑥ (변) [지시] 상급행정기관이 직권으로 또는 하급기관의 문의나 신청에 따라 <u>개별적·구체적으로</u> 발하는 명령
⑦ (변) [행정업무의 운영 및 혁신에 관한 규정 제4조 제2호] "지시문서: <u>훈령·지시·예규·일일명령</u> 등 행정기관이 그 하급기관이나 소속 공무원에 대하여 일정한 사항을 지시하는 문서" ➜ 행정규칙의 형식에는 이런 것들이 있음을 전제로 하고 있음
⑧ (변) [행정업무의 운영 및 혁신에 관한 규정 제4조 제3호] "공고문서: <u>고시·공고</u> 등 행정기관이 일정한 사항을 일반에게 알리는 문서" ➜ 행정규칙의 형식에는 고시나 공고도 있음을 전제로 하고 있음

적법요건 (성립요건)
주체 — ㉠ 권한이 있는 자가, ㉡ 그 권한의 범위 내에서, ㉢ 제정신인 상태에서만 제정 가능

내용
① ㉠ 법률우위의 원칙, ㉡ 명확성, ㉢ 실현가능성 ➜ 우명가
② 법률유보원칙× ➜ ∵ 법적 근거가 없어도 되기 때문

절차
① 일반적으로 준수해야 하는 절차는 없음 ➜ 법규명령보다 제정이 용이하고 통제도 덜 받음
② (변) [대통령훈령, 국무총리훈령] 법제처의 <u>사전심사를</u> 거쳐야 함(법제업무 운영규정 제23조)
③ (변) [중앙행정기관의 훈령이나 예규 등 나머지 행정규칙] 법제처의 <u>사후평가를</u> 거쳐야 함(법제업무 운영규정 제25조의2)

형식
① 고유한 서식 없음 ➜ 조문의 형식일 필요도×
② 문서, 구두 모두 가능○

---

❶ [복습] 영조물(營造物)이란 "일정한 공적목적을 위해 제공된 인적·물적 결합체"를 말한다. 서울대학교나 한국은행, 국립병원 같은 것들이 그 예(例)다.

효력발생요건	① 행정규칙의 공포는 행정규칙의 적법요건×, 효력요건× ➡ 행정규칙은 그것을 지켜야 하는 <u>하급기관(수명기관)에 관보 게재나 복사본 교부 등 적당한 방법으로 도달하면 효력 발생</u>○
	② [처분 기준을 정하고 있는 행정규칙] 해당 처분의 성질에 비추어 <u>되도록 구체적으로</u> 정하여 공표하도록 「행정절차법」에서 의무를 부과하고 있음(제20조) ➡ 업무처리의 투명성 확보 목적○, 적법요건×, 효력요건×
	③ [법령보충적 행정규칙] 마찬가지로 효력이 발생하기 위해 공포 필요×
	④ 판례 일반적으로 행정각부의 장이 정하는 고시라도 그것이 특히 법령의 규정에서 특정 행정기관에 법령 내용의 구체적 사항을 정할 수 있는 권한을 부여함으로써 법령 내용을 보충하는 기능을 가질 경우에는 형식과 상관없이 근거 법령 규정과 결합하여 대외적으로 구속력이 있는 법규명령으로서의 효력○(2015두51132) ➡ But 그 고시 자체는 법령이 아니라 행정규칙에 지나지 않으므로, <u>적당한 방법으로 이를 일반인 또는 관계인에게 표시 또는 통보함으로써 그 효력이 발생</u>(93도662)
하자 있는(위법한) 행정규칙의 효력	① 무효(취소할 수 있으나 유효×)
	② [비교] ㉠ 하자 있는 행정행위는 취소 or 무효, ㉡ 하자 있는 행정입법에 근거한 행정행위는 취소 or 무효
	③ 판례 행정규칙의 <u>내용이</u> 상위법령이나 법의 일반원칙에 반하는 것이라면 법치국가원리에서 파생되는 법질서의 통일성과 모순금지 원칙에 따라 그것은 법질서상 당연무효이고, <u>행정내부적 효력도 인정×</u> ➡ 법원은 해당 행정규칙이 법질서상 부존재하는 것으로 취급하여 행정기관이 한 조치의 당부를 상위법령의 규정과 입법 목적 등에 따라서 판단하여야 함(2017두66541, 2013두20011)
소멸	① ㉠ 당해 행정규칙의 폐지, ㉡ 한시법의 경우 소멸조건(해제조건)의 성취나 기한의 도래로 행정규칙은 소멸
	② 근거 법령의 소멸은 행정규칙의 소멸사유× ➡ ∵ 원래 근거법이 없어도 제정될 수 있기 때문(법규명령과의 차이점)

행정규칙에 대한 통제

by 행정부

① 상급기관의 행정감독권에 의한 통제 ➔ 고치라고 명령 가능○, 직접 폐지는 가능×

② [국민권익위원회] 국민권익위원회는 법률·대통령령·총리령 및 부령, 법령의 위임에 따른 훈령·예규·고시 및 공고 등 행정규칙, 지방자치단체의 조례·규칙, 공공기관이나 지방공사·공단의 내부규정의 부패유발 요인을 분석·검토하여 그 법령 등의 소관 기관의 장에게 그 개선을 위하여 필요한 사항을 권고할 수 있음(「부패방지 및 국민권익위원회의 설치와 운영에 관한 법률」 제28조)

③ [중앙행정심판위원회] 중앙행정심판위원회는 심판청구를 심리·재결할 때에 처분 또는 부작위의 근거가 되는 대통령령·총리령·부령·훈령·예규·고시·조례·규칙 등이 법령에 근거가 없거나 상위 법령에 위배되거나 국민에게 과도한 부담을 주는 등 크게 불합리하면 관계 행정기관에 그 명령 등의 개정·폐지 등 적절한 시정조치를 요청할 수 있음 ➔ 이 경우 중앙행정심판위원회는 시정조치를 요청한 사실을 법제처장에게 통보하여야 함(행정심판법 제59조)

by 국회

① [국회소관상임위원회 제출] 중앙행정기관의 장은 법률에서 위임한 사항이나 법률을 집행하기 위하여 필요한 사항을 규정한 대통령령·총리령·부령·훈령·예규·고시 등이 제정·개정 또는 폐지되었을 때에는 10일 이내에 이를 국회 소관 상임위원회에 제출하여야 함(국회법 제98조의2 제1항 본문)

② (변) 다만, 법규명령의 경우와 달리 행정규칙에 대해서는 국회 소관 상임위원회의 검토·통보(심사)권한을 규정× ➔ 검토결과를 통보하더라도 중앙행정기관이 이에 따른 처리계획과 결과를 보고해야 할 필요×

by 법원

항고소송

① [원칙] 처분성 인정× ➔ ∵ 일반·추상적 작용이기 때문

② [예외] 국민의 권익을 직접 침해하는 경우 ➔ 처분성 인정○

③ 판례 어떠한 고시가 일반적·추상적 성격을 가질 때에는 법규명령 또는 행정규칙에 해당할 것이지만, 다른 집행행위의 매개 없이 그 자체로서 직접 국민의 구체적인 권리의무나 법률관계를 규율하는 성격을 가질 때에는 행정처분에 해당(2005두2506)

④ 판례 국립대학교의 학칙이 이에 기초한 별도의 집행행위의 개입 없이도 그 자체로 구성원의 구체적인 권리나 법적 이익에 영향을 미치는 등 법률상의 효과를 발생시키는 경우, 이는 항고소송의 대상이 됨(2008두19550) ➔ ※ 국립대학교 학칙은 영조물규칙의 일종

⑤ 판례 국립공주대학교 학칙의 별표 [2] '모집단위별 입학정원'을 개정한 학칙개정행위는 처분에 해당○(2008두19550) ➔ ∵ 별도의 추가적 조치가 없더라도 이 학칙개정으로 인하여 해당학과(외식상품학과) 교수들의 소속이 자연과학대학에서 산업과학대학 소속 교수로 변경되고 근무지도 변경되었기 때문

⑥ 판례 다른 집행행위의 매개 없이 그 자체로서 요양기관, 국민건강보험공단, 국민건강보험 가입자 등의 법률관계를 직접 규율하고 있는 보건복지부 고시인 '약제급여·비급여 목록 및 급여상한금액표'에는 처분성이 인정○(2005두2506) ➔ ※ 약제급여 목록 및 급여상한금액표에 포함되는 한도 내에서만 약제구입시 국민건강보험공단에 의한 급여지원을 받을 수 있고, 그 밖의 약제는 환자가 자부담으로 구매하여야 하기 때문

⑦ 판례 항정신병 치료제의 요양급여 인정기준에 관한 보건복지부 고시는 다른 집행행위의 매개 없이 그 자체로서 제약회사, 요양기관, 환자 및 국민건강보험공단 사이의 법률관계를 직접 규율하고 있으므로 항고소송의 대상이 되는 행정처분에 해당○(2003무23)

⑧ 판례 코로나바이러스감염증-19의 예방을 위해 음식점 및 PC방 운영자등에게 영업시간을 제한하거나 거리를 둘 의무를 부여하는 서울특별시고시는 처분에 해당함(2021헌마21) ➔ ∵ 의무를 직접 부과하는 것이기 때문

명령·규칙 심사제도

① 헌법 제107조 제2항에 의한 심사의 대상× ➔ ∵ 대상이 되지 않더라도 법원은 아예 존재하지 않는 규범으로 보고 재판할 수 있기 때문

② [법령보충적 행정규칙] 헌법 제107조 제2항에 의한 심사의 대상○

by 헌법재판소

① [대외적 효력과 헌법소원 대상성의 연동] 헌법재판소는 ㉠ 원칙적으로 행정규칙에는 직접성이 없어 그에 대한 헌법소원심판은 허용되지 않지만, ㉡ 대외적 효력이 인정되어 직접 국민의 기본권을 침해하는 경우(즉, 법령보충적 행정규칙이나, 재량준칙이 자기구속의 원칙을 매개로 간접적으로 대외적 구속력을 갖게 되는 경우)에는 예외적으로 헌법소원심판이 허용된다고 보는 입장

② 행정입법부작위에 관한 법리는 법규명령과 동일

③ 판례 고시가 상위법령과 결합하여 대외적 구속력을 갖고 국민의 기본권을 침해하는 법규명령으로 기능하는 경우 헌법소원의 대상○(2001헌마894)

④ (변) 판례 경찰청예규로 정해진 구 「채증규칙」은 행정규칙에 불과하고, 집회·시위 참가자들은 「채증규칙」에 따른 구체적인 촬영행위에 의해 비로소 기본권을 제한 받게 될뿐, 이 「채증규칙」으로 인하여 직접 기본권을 침해 받는 것이 아니어서, 이에 대한 헌법소원심판 청구는 부적법(2014헌마843)

구분	법규명령		행정규칙(행정명령)
공통점	① 원칙적으로 처분성 인정× ➡ 예외적으로 직접 국민의 권리나 의무의 변동을 가져오는 경우에는 처분성 인정○ ② 원칙적으로 헌법소원의 대상× ➡ 예외적으로 직접성이 있으면 헌법소원의 대상○(헌법재판소)		
효력발생을 위해 공포 요부(要否)	필요○		필요×
권력적 기초	일반권력관계(일반통치권)		특별권력관계(특별권력)
제정기관에 대한 구속력	제정기관도 구속○(양면적 효력)		제정기관은 구속×(편면적 효력)
위반의 효과	위법○		위법× (다만, 자기구속의 원칙에 의해 위법하게 될 수는 있음.)
법률우위의 원칙	적용○		적용○
법률유보의 원칙 (= 법적 근거 요부)	적용○		적용×
위임 요부	위임명령	집행명령(시행세칙)	위임 필요×
	위임 필요○	위임 필요×	
헌법 제107조 제2항의 심사	심사 대상○		심사 대상×
소멸	① 폐지나 실효로 소멸 ② 상위법령의 소멸로 소멸		① 폐지나 실효로 소멸 ② 상위법령의 소멸과 무관
소관 상임위원회에 제출 (국회법 제98조의2 제1항)	제출 대상○		제출 대상○
국회 소관 상임위원회의 심사(검토·통보) (국회법 제98조의2 제3항~제7항)	심사 대상○		심사 대상×

행정입법의 형식과 실질의 불일치

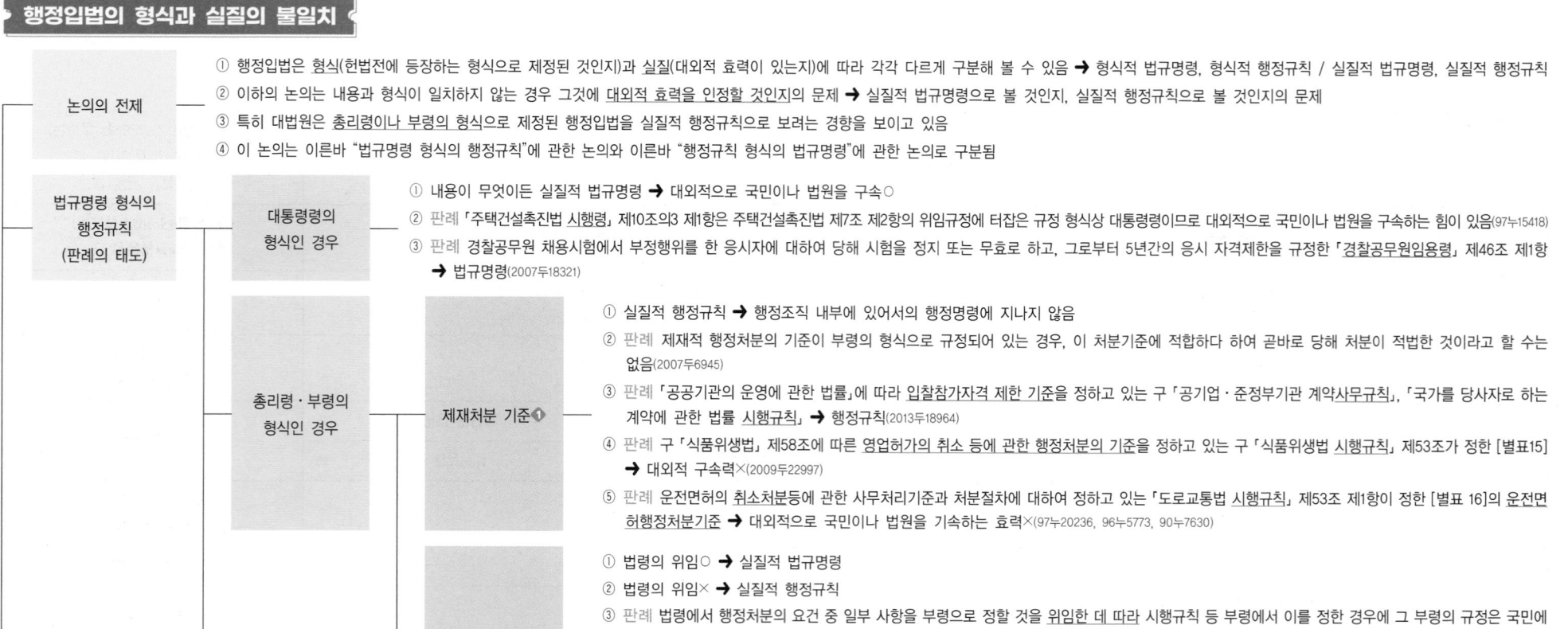

논의의 전제

① 행정입법은 형식(헌법전에 등장하는 형식으로 제정된 것인지)과 실질(대외적 효력이 있는지)에 따라 각각 다르게 구분해 볼 수 있음 ➡ 형식적 법규명령, 형식적 행정규칙 / 실질적 법규명령, 실질적 행정규칙

② 이하의 논의는 내용과 형식이 일치하지 않는 경우 그것에 대외적 효력을 인정할 것인지의 문제 ➡ 실질적 법규명령으로 볼 것인지, 실질적 행정규칙으로 볼 것인지의 문제

③ 특히 대법원은 총리령이나 부령의 형식으로 제정된 행정입법을 실질적 행정규칙으로 보려는 경향을 보이고 있음

④ 이 논의는 이른바 "법규명령 형식의 행정규칙"에 관한 논의와 이른바 "행정규칙 형식의 법규명령"에 관한 논의로 구분됨

법규명령 형식의 행정규칙 (판례의 태도)

대통령령의 형식인 경우

① 내용이 무엇이든 실질적 법규명령 ➡ 대외적으로 국민이나 법원을 구속○

② 판례 「주택건설촉진법 시행령」 제10조의3 제1항은 주택건설촉진법 제7조 제2항의 위임규정에 터잡은 규정 형식상 대통령령이므로 대외적으로 국민이나 법원을 구속하는 힘이 있음(97누15418)

③ 판례 경찰공무원 채용시험에서 부정행위를 한 응시자에 대하여 당해 시험을 정지 또는 무효로 하고, 그로부터 5년간의 응시 자격제한을 규정한 「경찰공무원임용령」 제46조 제1항 ➡ 법규명령(2007두18321)

총리령·부령의 형식인 경우

제재처분 기준❶

① 실질적 행정규칙 ➡ 행정조직 내부에 있어서의 행정명령에 지나지 않음

② 판례 제재적 행정처분의 기준이 부령의 형식으로 규정되어 있는 경우, 이 처분기준에 적합하다 하여 곧바로 당해 처분이 적법한 것이라고 할 수는 없음(2007두6945)

③ 판례 「공공기관의 운영에 관한 법률」에 따라 입찰참가자격 제한 기준을 정하고 있는 구 「공기업·준정부기관 계약사무규칙」, 「국가를 당사자로 하는 계약에 관한 법률 시행규칙」 ➡ 행정규칙(2013두18964)

④ 판례 구 「식품위생법」 제58조에 따른 영업허가의 취소 등에 관한 행정처분의 기준을 정하고 있는 구 「식품위생법 시행규칙」 제53조가 정한 [별표15] ➡ 대외적 구속력×(2009두22997)

⑤ 판례 운전면허의 취소처분등에 관한 사무처리기준과 처분절차에 대하여 정하고 있는 「도로교통법 시행규칙」 제53조 제1항이 정한 [별표 16]의 운전면허행정처분기준 ➡ 대외적으로 국민이나 법원을 기속하는 효력×(97누20236, 96누5773, 90누7630)

그 외의 사항

① 법령의 위임○ ➡ 실질적 법규명령

② 법령의 위임× ➡ 실질적 행정규칙

③ 판례 법령에서 행정처분의 요건 중 일부 사항을 부령으로 정할 것을 위임한 데 따라 시행규칙 등 부령에서 이를 정한 경우에 그 부령의 규정은 국민에 대해서도 구속력이 있는 법규명령에 해당함(2011두10584)

④ 판례 「검찰보존 사무규칙」이 「검찰청법」에 기하여 제정된 법무부령이기는 하지만, 그 사실만으로 그 규칙 내의 모든 규정이 법규적 효력을 가지는 것은× ➡ 법률의 위임 없이 수사기록(불기소사건기록)의 열람·등사를 제한하고 있는 법무부령인 검찰보존사무규칙 제22조 ➡ 행정규칙(2006두3049)

⑤ 판례 (구)여객자동차 운수사업법 시행규칙 제31조 제2항 제1호, 제2호, 제6호는 (구)여객자동차 운수사업법 제11조 제4항의 위임에 따라 시외버스 운송사업의 사업계획변경에 관한 절차, 인가기준 등을 구체적으로 규정한 것으로서 행정청 내부의 사무처리준칙을 규정한 행정규칙에 불과×(2003두4355)

⑥ 판례 공익사업을 위한 토지 등의 취득 및 보상에 관한 법률 제68조 제3항에서, 협의취득의 보상액산정에 관한 구체적 기준을 시행규칙으로 위임함에 따라 위임의 범위 내에서 제정된, 토지에 건축물 등이 있는 경우에는 건축물 등이 없는 상태를 상정하여 토지를 평가하도록 규정하고 있는 동법 시행규칙 제22조 ➡ 대외적 구속력○(2011다104253)

---

❶ ㉠ 국민이 법 위반행위를 한 경우에 그에 대하여 불이익을 가하는 기준을 정한 재량준칙을 '제재처분 기준'이라 한다. 예컨대, 식당에서 청소년에게 술을 판매한 경우, 영업정지기간을 얼마로 할 것인지를 정한 기준이 이에 해당한다. 재량준칙의 일종이므로 본래 행정규칙의 형식으로 제정되어야 한다. ㉡ 기존에 행정규칙의 형식으로 제재처분 기준을 규정하고 있던 것들을 한때 총리령과 부령으로 개정하는 일이 있었는데, 대법원은 내용이 완전히 동일한데도 단지 형식이 바뀌었다고 해서 그 법적 성질을 달리 판단하는 것은 불합리하다는 이유로, 총리령과 부령의 형식으로 규정된 제재처분 기준들도 행정규칙이라 보았다. 그 이후로 위와 같은 법리가 확립된 것이다.

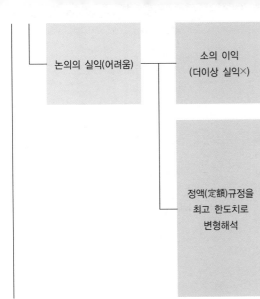

논의의 실익(어려움)

소의 이익
(더이상 실익×)

① [문제상황] ㉠ 과거에 제재처분을 받았다가, ㉡ 그 제재처분의 효력이 소멸되었으나, ㉢ 행정입법에서 가중적 제재처분 기준을 정하고 있어 ㉣ 아직 가중적 제재처분을 받을 가능성이 있다는 이유로, ㉤ 효력이 소멸된 제재처분에 대하여 취소소송을 제기한 상황의 문제

② 종래 대법원은 이러한 처분기준을 대통령령으로 정한 경우(즉, 실질적 법규명령)와 시행규칙으로 정한 경우(즉, 실질적 행정규칙)로 구분하여 양자를 달리 취급 ➜ 전자의 경우 취소를 구할 소의 이익이 있으나, 후자의 경우 소의 이익이 없다고 보았었음

③ 2006년 전원합의체 판결로 태도를 변경하여 두 경우 모두에 취소를 구할 소의 이익이 있다고 봄 ➜ 소의 이익과 관련해서는 더 이상 논의의 실익이 없어짐

정액(定額)규정을
최고 한도치로
변형해석

① [문제상황] 법률에서 구체적 타당성을 도모하여 제재처분을 할 수 있도록 행정청에 재량권을 부여하면서, 구체적인 기준은 행정입법으로 정하도록 위임하였음에도 불구하고, 행정입법으로 그 제재처분 기준을 일률적으로 정액(定額)으로 정해버린 경우의 문제 ➜ 제재처분의 위법성을 법원이 판단할 때 그 행정입법이 실질적 법규명령이면 법원도 그에 구속되어 재판을 하여야 하기 때문에 문제발생

② [대법원의 해법 – 변형해석] 그 행정입법이 대통령령이면 법원은 정액으로 규정되어 있는 그 기준이 최고 한도치를 정하고 있는 것이라 변형해석 ➜ 행정청은 그 최고한도치 내에서 재량을 가졌던 것으로 사건을 재구성 ➜ 법원은 행정청이 그 행정입법에 따라 제재처분을 한 것이었다 하더라도, 그 처분을 반드시 적법한 것으로 보아야 하는 구속에서 벗어남 ➜ 구체적 타당성의 도모(단, 사법권의 범위를 넘어선 것이라는 비판有)

③ 한편, 그 행정입법이 시행규칙인 경우는 변형해석을 할 필요×(∵ 대외적 효력이 없어, 법원이 재판을 할 때 처음부터 그 시행규칙이 존재하지 않았던 것으로 취급할 수 있기 때문)

④ 청소년 보호법 시행령 사건 구「청소년 보호법」의 위임에 따라 과징금부과처분의 기준을 일률적으로 규정하고 있는 「청소년 보호법 시행령」 제40조 [별표 6]의 위반행위 종별에 따른 과징금처분기준 ➜ 법규명령 ➜ 그 과징금 수액은 정액(定額)이 아니라 최고(최소×)한도액(99두5207)

⑤ (변) 국토의 계획 및 이용에 관한 법률 시행령 사건 토지이용의무 위반행위의 유형을 4가지로 구분하여 각 유형별로 이행강제금액을 차별적으로 규정하고 있는「국토의 계획 및 이용에 관한 법률 시행령」 ➜ 상한(上限)을 정한 것×, 특정 금액을 규정한 것○ ➜ 행정청은 이와 다른 이행강제금액을 결정할 재량×(2013두8653)

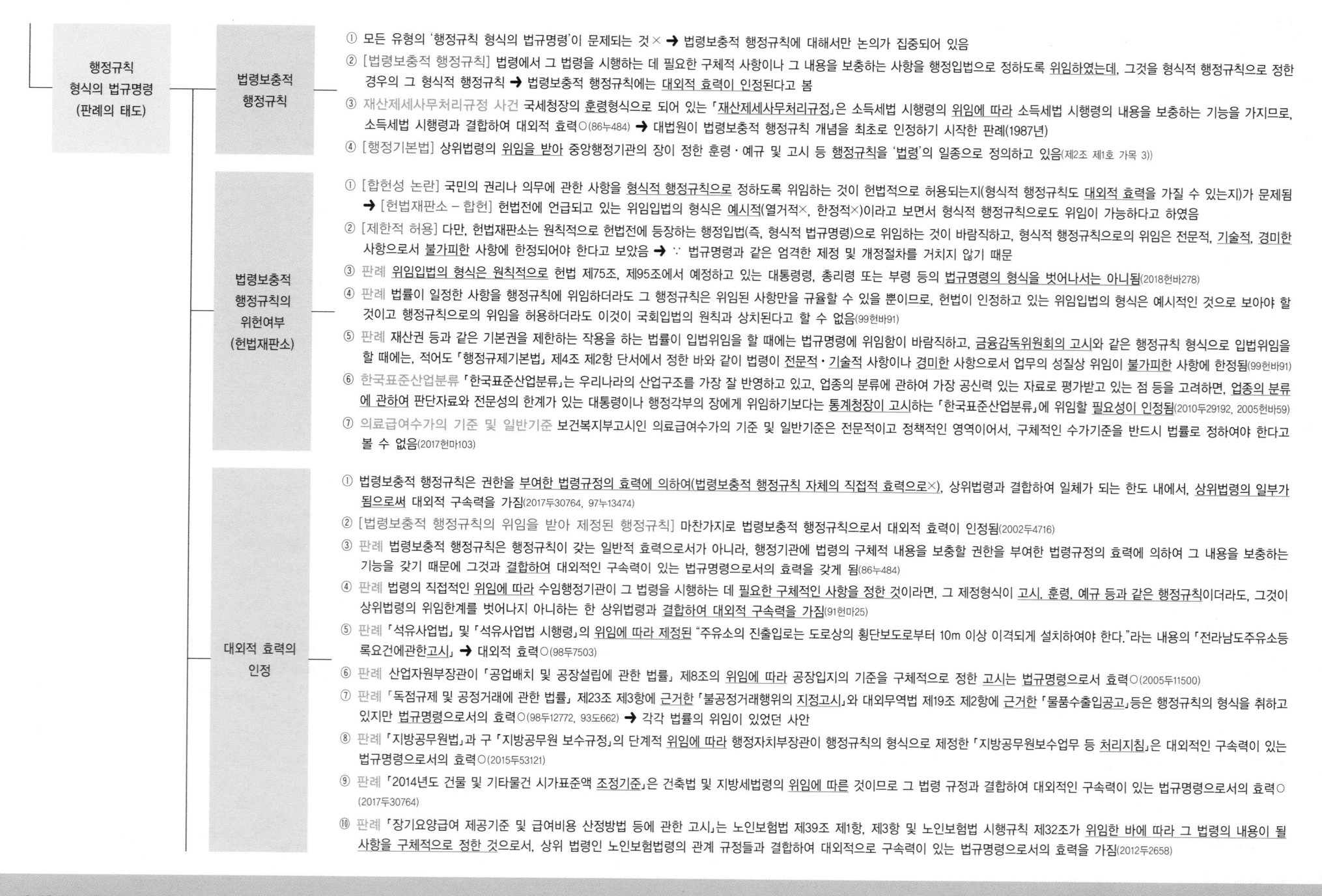

| 행정규칙 형식의 법규명령 (판례의 태도) | 법령보충적 행정규칙 | ① 모든 유형의 '행정규칙 형식의 법규명령'이 문제되는 것× ➡ 법령보충적 행정규칙에 대해서만 논의가 집중되어 있음 |

법령보충적 행정규칙

① 모든 유형의 '행정규칙 형식의 법규명령'이 문제되는 것× ➡ 법령보충적 행정규칙에 대해서만 논의가 집중되어 있음
② [법령보충적 행정규칙] 법령에서 그 법령을 시행하는 데 필요한 구체적 사항이나 그 내용을 보충하는 사항을 행정입법으로 정하도록 위임하였는데, 그것을 형식적 행정규칙으로 정한 경우의 그 형식적 행정규칙 ➡ 법령보충적 행정규칙에는 대외적 효력이 인정된다고 봄
③ 재산제세사무처리규정 사건 국세청장의 훈령형식으로 되어 있는 「재산제세사무처리규정」은 소득세법 시행령의 위임에 따라 소득세법 시행령의 내용을 보충하는 기능을 가지므로, 소득세법 시행령과 결합하여 대외적 효력○(86누484) ➡ 대법원이 법령보충적 행정규칙 개념을 최초로 인정하기 시작한 판례(1987년)
④ [행정기본법] 상위법령의 위임을 받아 중앙행정기관의 장이 정한 훈령·예규 및 고시 등 행정규칙을 '법령'의 일종으로 정의하고 있음(제2조 제1호 가목 3))

법령보충적 행정규칙의 위헌여부 (헌법재판소)

① [합헌성 논란] 국민의 권리나 의무에 관한 사항을 형식적 행정규칙으로 정하도록 위임하는 것이 헌법적으로 허용되는지(형식적 행정규칙도 대외적 효력을 가질 수 있는지)가 문제됨 ➡ [헌법재판소 − 합헌] 헌법전에 언급되고 있는 위임입법의 형식은 예시적(열거적×, 한정적×)이라고 보면서 형식적 행정규칙으로도 위임이 가능하다고 하였음
② [제한적 허용] 다만, 헌법재판소는 원칙적으로 헌법전에 등장하는 행정입법(즉, 형식적 법규명령)으로 위임하는 것이 바람직하고, 형식적 행정규칙으로의 위임은 전문적, 기술적, 경미한 사항으로서 불가피한 사항에 한정되어야 한다고 보았음 ➡ ∵ 법규명령과 같은 엄격한 제정 및 개정절차를 거치지 않기 때문
③ 판례 위임입법의 형식은 원칙적으로 헌법 제75조, 제95조에서 예정하고 있는 대통령령, 총리령 또는 부령 등의 법규명령의 형식을 벗어나서는 아니됨(2018헌바278)
④ 판례 법률이 일정한 사항을 행정규칙에 위임하더라도 그 행정규칙은 위임된 사항만을 규율할 수 있을 뿐이므로, 헌법이 인정하고 있는 위임입법의 형식은 예시적인 것으로 보아야 할 것이고 행정규칙으로의 위임을 허용하더라도 이것이 국회입법의 원칙과 상치된다고 할 수 없음(99헌바91)
⑤ 판례 재산권 등과 같은 기본권을 제한하는 작용을 하는 법률이 입법위임을 할 때에는 법규명령에 위임함이 바람직하고, 금융감독위원회의 고시와 같은 행정규칙 형식으로 입법위임을 할 때에는, 적어도 「행정규제기본법」 제4조 제2항 단서에서 정한 바와 같이 법령이 전문적·기술적 사항이나 경미한 사항으로서 업무의 성질상 위임이 불가피한 사항에 한정됨(99헌바91)
⑥ 한국표준산업분류 「한국표준산업분류」는 우리나라의 산업구조를 가장 잘 반영하고 있고, 업종의 분류에 관하여 가장 공신력 있는 자료로 평가받고 있는 점 등을 고려하면, 업종의 분류에 관하여 판단자료와 전문성의 한계가 있는 대통령이나 행정각부의 장에게 위임하기보다는 통계청장이 고시하는 「한국표준산업분류」에 위임할 필요성이 인정됨(2010두29192, 2005헌바59)
⑦ 의료급여수가의 기준 및 일반기준 보건복지부고시인 의료급여수가의 기준 및 일반기준은 전문적이고 정책적인 영역이어서, 구체적인 수가기준을 반드시 법률로 정하여야 한다고 볼 수 없음(2017헌마103)

대외적 효력의 인정

① 법령보충적 행정규칙은 권한을 부여한 법령규정의 효력에 의하여(법령보충적 행정규칙 자체의 직접적 효력으로×), 상위법령과 결합하여 일체가 되는 한도 내에서, 상위법령의 일부가 됨으로써 대외적 구속력을 가짐(2017두30764, 97누13474)
② [법령보충적 행정규칙의 위임을 받아 제정된 행정규칙] 마찬가지로 법령보충적 행정규칙으로서 대외적 효력이 인정됨(2002두4716)
③ 판례 법령보충적 행정규칙은 행정규칙이 갖는 일반적 효력으로서가 아니라, 행정기관에 법령의 구체적 내용을 보충할 권한을 부여한 법령규정의 효력에 의하여 그 내용을 보충하는 기능을 갖기 때문에 그것과 결합하여 대외적인 구속력이 있는 법규명령으로서의 효력을 갖게 됨(86누484)
④ 판례 법령의 직접적인 위임에 따라 수임행정기관이 그 법령을 시행하는 데 필요한 구체적인 사항을 정한 것이라면, 그 제정형식이 고시, 훈령, 예규 등과 같은 행정규칙이더라도, 그것이 상위법령의 위임한계를 벗어나지 아니하는 한 상위법령과 결합하여 대외적 구속력을 가짐(91헌마25)
⑤ 판례 「석유사업법」 및 「석유사업법 시행령」의 위임에 따라 제정된 "주유소의 진출입로는 도로상의 횡단보도로부터 10m 이상 이격되게 설치하여야 한다."라는 내용의 「전라남도주유소등록요건에관한고시」 ➡ 대외적 효력○(98두7503)
⑥ 판례 산업자원부장관이 「공업배치 및 공장설립에 관한 법률」 제8조의 위임에 따라 공장입지의 기준을 구체적으로 정한 고시는 법규명령으로서 효력○(2005두11500)
⑦ 판례 「독점규제 및 공정거래에 관한 법률」 제23조 제3항에 근거한 「불공정거래행위의 지정고시」와 대외무역법 제19조 제2항에 근거한 「물품수출입공고」 등은 행정규칙의 형식을 취하고 있지만 법규명령으로서의 효력○(98두12772, 93도662) ➡ 각각 법률의 위임이 있었던 사안
⑧ 판례 「지방공무원법」과 구 「지방공무원 보수규정」의 단계적 위임에 따라 행정자치부장관이 행정규칙의 형식으로 제정한 「지방공무원보수업무 등 처리지침」은 대외적인 구속력이 있는 법규명령으로서의 효력○(2015두53121)
⑨ 판례 「2014년도 건물 및 기타물건 시가표준액 조정기준」은 건축법 및 지방세법령의 위임에 따른 것이므로 그 법령 규정과 결합하여 대외적인 구속력이 있는 법규명령으로서의 효력○(2017두30764)
⑩ 판례 「장기요양급여 제공기준 및 급여비용 산정방법 등에 관한 고시」는 노인보험법 제39조 제1항, 제3항 및 노인보험법 시행규칙 제32조가 위임한 바에 따라 그 법령의 내용이 될 사항을 구체적으로 정한 것으로서, 상위 법령인 노인보험법령의 관계 규정들과 결합하여 대외적으로 구속력이 있는 법규명령으로서의 효력을 가짐(2012두2658)

예외1 - 행정 편의도모 목적의 절차적 규정인 경우	① 위임에 따라 제정된 형식적 행정규칙이라 하더라도, 행정적 편의를 도모하기 위한 절차적 규정에 불과한 경우 ➡ 법령보충적 행정규칙× ➡ 대외적 효력×

① 위임에 따라 제정된 형식적 행정규칙이라 하더라도, 행정적 편의를 도모하기 위한 절차적 규정에 불과한 경우 ➡ 법령보충적 행정규칙× ➡ 대외적 효력×

② 소득금액조정합계표 작성요령 사건 총리령인 법인세법 시행규칙의 위임을 받아, 법인세 신고 시 세무조정사항을 기입한 소득금액조정합계표와 유보소득 계산서류인 적정유보초과소득조정명세서 등을 신고서에 첨부하여 제출하도록 정하고 있는 「소득금액조정합계표 작성요령」 ➡ 법인세의 부과징수라는 순전히 행정적 편의를 도모하기 위한 절차적 규정 ➡ 행정규칙 ➡ 과세관청이나 일반국민을 기속× (2001두403)

예외2 – 위임의 근거가 예시적인 경우

① 위임근거인 법령이 예시적 규정인 경우에는, 그 위임규정에 따라 제정된 형식적 행정규칙에는 대외적 효력이 없다고 봄

② 업무상 질병에 대한 구체적인 인정기준 사건 「산업재해보상보험법 시행령」 [별표3] '업무상 질병에 대한 구체적인 인정 기준'은 그 기준에서 정한 것 외에 업무와 관련하여 발생한 질병을 모두 '업무상 질병'에서 배제하는 규정이 아니라 예시적 규정에 불과한 이상, 그 위임에 따른 고용노동부 고시가 대외적으로 국민과 법원을 구속하는 효력이 있는 규범이라고 볼 수 없음(2020두39297)

행정입법의 형식을 정하지 않고 수권한 경우

① 법령의 규정이 행정기관(예 보건복지부장관, 지방자치단체장)에게 그 법령 내용의 구체적인 사항을 정할 수 있는 권한을 부여하면서 그 권한행사의 절차나 방법을 정하지 아니한 경우에는 수임행정기관이 행정규칙(예 고시)의 형식으로 그 법령 내용을 구체적으로 정하는 것이 허용됨(2000두7933, 97누19915, 86누484) ➡ 이 행정규칙도 처음부터 행정규칙의 형식으로 위임이 있었던 경우와 동일하게, 법령보충적 행정규칙으로서 효력을 가짐

② 판례 「소득세법」과 「소득세법 시행령」에서 국세청장으로 하여금 양도소득세의 실지거래가액이 적용될 부동산투기억제를 위하여 필요하다고 인정되는 거래를 지정하게 하도록 위임하면서, 그 지정의 절차나 방법에 관하여 아무런 제한을 두지 않았는데, 국세청장이 훈령인 「재산제세사무처리규정」으로 위 사항을 정하고 있는 경우 ➡ 적법한 법령보충적 행정규칙 ➡ 대외적 효력 ○(86누484)

법령보충적 행정규칙의 한계

위임명령에 관한 법리의 준용

① 법규명령인 위임명령에 적용되는 각종 법리들이 법령보충적 행정규칙에도 적용된다고 봄 ➡ 둘 다 위임에 의해 제정되는 경우이어서 유사한 점이 많다고 보는 것

② 법령보충적 행정규칙도 상위법령의 위임범위를 벗어나서는 안 됨

③ 법령보충적 행정규칙도 상위법령의 위임규정에서 특정하여 정한 권한행사의 절차나 방식에 위배되서는 안 됨 ➡ 예 상위법령에서 세부사항을 보건복지부령으로 정하도록 위임한 경우 이를 보건복지부훈령으로 정하면 안 됨

④ [행정규제기본법 제4조 제2항] "규제는 법률에 직접 규정하되, 규제의 세부적인 내용은 법률 또는 상위법령(上位法令)에서 구체적으로 범위를 정하여 위임한 바에 따라 대통령령·총리령·부령 또는 조례·규칙으로 정할 수 있다. 다만, 법령에서 전문적·기술적 사항이나 경미한 사항으로서 업무의 성질상 위임이 불가피한 사항에 관하여, 구체적으로 범위를 정하여 위임한 경우에는 고시 등으로 정할 수 있다." ➡ 형식적 행정규칙으로의 위임은 전문적·기술적 사항이나 경미한 사항으로서 업무의 성질상 위임이 불가피한 사항에 대해서만 허용되고, 포괄위임금지의 원칙도 준수하여야 함을 선언

⑤ 판례 법률이 행정규칙의 형식으로 입법위임을 하는 경우에도 포괄위임금지의 원칙은 인정됨(99헌바91)

⑥ 판례 법령보충적 행정규칙은 법령의 수권에 의하여 인정되고, 그 수권은 포괄위임금지의 원칙상 구체적·개별적으로 한정된 사항에 대하여 행해져야 함(2001헌마605)

한계를 벗어난 법령보충적 행정규칙의 효력

① 위임의 한계를 벗어난 법령보충적 행정규칙에는 대외적 구속력 인정×

② 판례 고시가 비록 법령에 근거를 둔 것이라고 하더라도, 그 규정 내용이 법령의 위임 범위를 벗어난 것일 경우에는 법규명령으로서의 대외적 구속력을 인정할 여지 없음(2015두58324)

한계를 벗어나지 않은 것으로 본 판례

판례 하위규범인 행정규칙에서 사용하는 개념이 달리 해석될 여지가 있다 하더라도, 행정청이 수권의 범위 내에서 법령이 위임한 취지 및 형평과 비례의 원칙에 기초하여 합목적적으로 기준을 설정하여 그 개념을 해석 적용하고 있다면 개념이 달리 해석될 여지가 있다는 것만으로 이를 사용한 행정규칙이 법령의 위임 한계를 벗어났다고는 할 수 없음(2007두4841) ➡ 법령에서 산지의 '표고'가 높을 경우에는 산지전용허가를 해서는 안 된다는 기준을 제시하였고, 이에 하위규범인 행정규칙에서 업무집행의 명확화를 위해, '표고'라는 개념을 일반적으로 통용되는 의미('일정한 지대의 높이')와는 약간 다르게, '산자락 하단부를 기준으로 한 산정부의 높이로서 지반고'라고 조작적으로 정의하고 있었던 사안

① 판례 「노인복지법」 및 「노인복지법 시행령」에서 노령수당의 지급대상자의 연령범위에 관하여 '65세 이상의 자'로 반복하여 규정한 다음, 지급대상자의 선정기준과 그 지급대상자에 대한 구체적인 지급수준(지급액) 등의 결정을 보건사회부장관에게 위임하였는데, 보건사회부장관이 '1994년도 노인복지사업지침'으로 노령수당의 지급대상자를 '70세 이상'의 생활보호대상자로 규정한 경우 ➔ 위 지침 가운데 노령수당의 지급대상자를 '70세 이상'으로 규정한 부분은 노령수당의 지급대상자를 부당하게 축소·조정한 것이므로 법령의 위임한계를 벗어난 것이어서 효력×(95누7727)

② 판례 「농수산물 품질관리법 시행규칙」(농림부령)이 "가공품의 원산지표시에 있어서 그 표시의 위치, 글자의 크기·색도 등 표시방법에 관하여 필요한 사항은 농림부장관 또는 해양수산부장관이 정하여 고시한다."고 정하고 있었는데, 농림부고시인 「농산물원산지 표시요령」에서 "가공품의 원료로 가공품이 사용될 경우 원산지표시는 원료로 사용된 가공품의 원료 농산물의 원산지를 표시하여야 한다."고 규정한 경우 ➔ 원산지표시 방법에 관한 기술적인 사항이 아닌 원산지표시를 하여야 할 대상을 정한 것 ➔ 대외적 구속력×(2003마715)

경우				성질
형식적 법규명령	대통령령의 형식			실질적 법규명령
	총리령·부령의 형식	제재처분의 기준을 정한 경우		실질적 행정규칙
		나머지 사항을 정한 경우	법령의 위임○	실질적 법규명령
			법령의 위임×	실질적 행정규칙
형식적 행정규칙	원칙			실질적 행정규칙
	법령의 위임을 받아 제정된 경우(법령보충적 행정규칙)			실질적 법규명령
	법령의 위임을 받았어도, 순전히 행정 편의를 도모하기 위한 절차적 규정에 불과한 경우			실질적 행정규칙
	법령의 위임을 받았어도, 위임의 근거가 예시적인 경우			실질적 행정규칙

자치법규(자치규정)

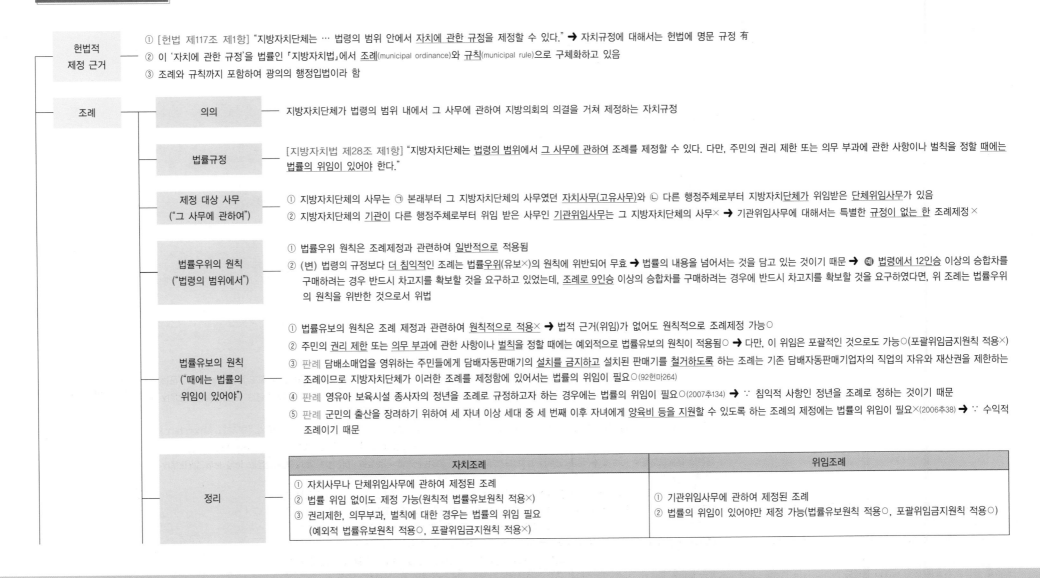

헌법적 제정 근거

① [헌법 제117조 제1항] "지방자치단체는 … 법령의 범위 안에서 <u>자치에 관한 규정</u>을 제정할 수 있다." → 자치규정에 대해서는 헌법에 명문 규정 有

② 이 '자치에 관한 규정'을 법률인 「지방자치법」에서 <u>조례</u>(municipal ordinance)와 <u>규칙</u>(municipal rule)으로 구체화하고 있음

③ 조례와 규칙까지 포함하여 광의의 행정입법이라 함

조례

의의
지방자치단체가 법령의 범위 내에서 그 사무에 관하여 지방의회의 의결을 거쳐 제정하는 자치규정

법률규정
[지방자치법 제28조 제1항] "지방자치단체는 법령의 범위에서 <u>그 사무에 관하여</u> 조례를 제정할 수 있다. 다만, 주민의 권리 제한 또는 의무 부과에 관한 사항이나 벌칙을 정할 때에는 <u>법률의 위임이 있어야</u> 한다."

제정 대상 사무 ("그 사무에 관하여")
① 지방자치단체의 사무는 ㉠ 본래부터 그 지방자치단체의 사무였던 <u>자치사무(고유사무)</u>와 ㉡ 다른 행정주체로부터 지방자치단체가 위임받은 <u>단체위임사무</u>가 있음

② 지방자치단체의 <u>기관</u>이 다른 행정주체로부터 위임 받은 사무인 <u>기관위임사무</u>는 그 지방자치단체의 사무× → 기관위임사무에 대해서는 특별한 <u>규정이 없는 한</u> 조례제정×

법률우위의 원칙 ("법령의 범위에서")
① 법률우위 원칙은 조례제정과 관련하여 <u>일반적으로</u> 적용됨

② (변) 법령의 규정보다 더 침익적인 조례는 법률우위(유보×)의 원칙에 위반되어 무효 → 법률의 내용을 넘어서는 것을 담고 있는 것이기 때문 → ⓔⓘ 법령에서 12인승 이상의 승합차를 구매하려는 경우 반드시 차고지를 확보할 것을 요구하고 있었는데, <u>조례로 9인승 이상의 승합차를 구매하려는 경우에 반드시 차고지를 확보할 것을 요구하였다면</u>, 위 조례는 법률우위의 원칙을 위반한 것으로서 위법

법률유보의 원칙 ("때에는 법률의 위임이 있어야")
① 법률유보의 원칙은 조례 제정과 관련하여 <u>원칙적으로 적용×</u> → 법적 근거(위임)가 없어도 원칙적으로 조례제정 가능○

② <u>주민의 권리 제한 또는 의무 부과에 관한 사항이나 벌칙을 정할 때</u>에는 예외적으로 법률유보의 원칙이 적용됨○ → 다만, 이 위임은 포괄적인 것으로도 가능○(포괄위임금지원칙 적용×)

③ 판례 담배소매업을 영위하는 주민들에게 담배자동판매기의 설치를 금지하고 설치된 판매기를 철거하도록 하는 조례는 기존 담배자동판매기업자의 직업의 자유와 재산권을 제한하는 조례이므로 지방자치단체가 이러한 조례를 제정함에 있어서는 법률의 위임이 필요○(92헌마264)

④ 판례 영유아 보육시설 종사자의 정년을 조례로 규정하고자 하는 경우에는 법률의 위임이 필요○(2007추134) → ∵ 침익적 사항인 정년을 조례로 정하는 것이기 때문

⑤ 판례 군민의 출산을 장려하기 위하여 세 자녀 이상 세대 중 세 번째 이후 자녀에게 양육비 등을 지원할 수 있도록 하는 조례의 제정에는 법률의 위임이 필요×(2006추38) → ∵ 수익적 조례이기 때문

정리

자치조례	위임조례
① 자치사무나 단체위임사무에 관하여 제정된 조례 ② 법률 위임 없이도 제정 가능(원칙적 법률유보원칙 적용×) ③ 권리제한, 의무부과, 벌칙에 대한 경우는 법률의 위임 필요 　(예외적 법률유보원칙 적용○, 포괄위임금지원칙 적용×)	① 기관위임사무에 관하여 제정된 조례 ② 법률의 위임이 있어야만 제정 가능(법률유보원칙 적용○, 포괄위임금지원칙 적용○)

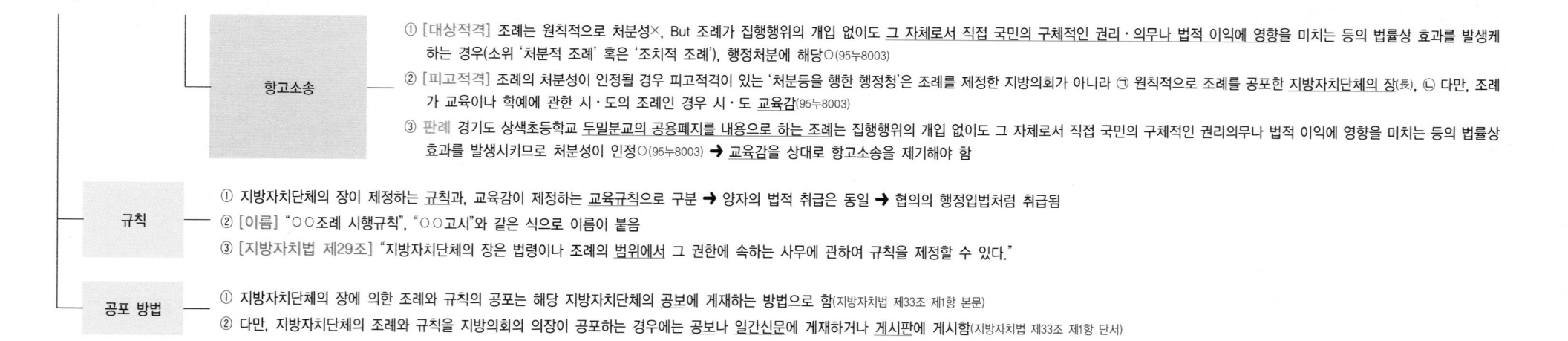

항고소송

① [대상적격] 조례는 원칙적으로 처분성×, But 조례가 집행행위의 개입 없이도 그 자체로서 직접 국민의 구체적인 권리·의무나 법적 이익에 영향을 미치는 등의 법률상 효과를 발생케 하는 경우(소위 '처분적 조례' 혹은 '조치적 조례'), 행정처분에 해당○(95누8003)

② [피고적격] 조례의 처분성이 인정될 경우 피고적격이 있는 '처분등을 행한 행정청'은 조례를 제정한 지방의회가 아니라 ㉠ 원칙적으로 조례를 공포한 지방자치단체의 장(長), ㉡ 다만, 조례가 교육이나 학예에 관한 시·도의 조례인 경우 시·도 교육감(95누8003)

③ 판례 경기도 상색초등학교 두밀분교의 공용폐지를 내용으로 하는 조례는 집행행위의 개입 없이도 그 자체로서 직접 국민의 구체적인 권리의무나 법적 이익에 영향을 미치는 등의 법률상 효과를 발생시키므로 처분성이 인정○(95누8003) ➜ 교육감을 상대로 항고소송을 제기해야 함

규칙

① 지방자치단체의 장이 제정하는 규칙과, 교육감이 제정하는 교육규칙으로 구분 ➜ 양자의 법적 취급은 동일 ➜ 협의의 행정입법처럼 취급됨

② [이름] "○○조례 시행규칙", "○○고시"와 같은 식으로 이름이 붙음

③ [지방자치법 제29조] "지방자치단체의 장은 법령이나 조례의 범위에서 그 권한에 속하는 사무에 관하여 규칙을 제정할 수 있다."

공포 방법

① 지방자치단체의 장에 의한 조례와 규칙의 공포는 해당 지방자치단체의 공보에 게재하는 방법으로 함(지방자치법 제33조 제1항 본문)

② 다만, 지방자치단체의 조례와 규칙을 지방의회의 의장이 공포하는 경우에는 공보나 일간신문에 게재하거나 게시판에 게시함(지방자치법 제33조 제1항 단서)

제1절 행정행위의 의의

행정행위의 의의

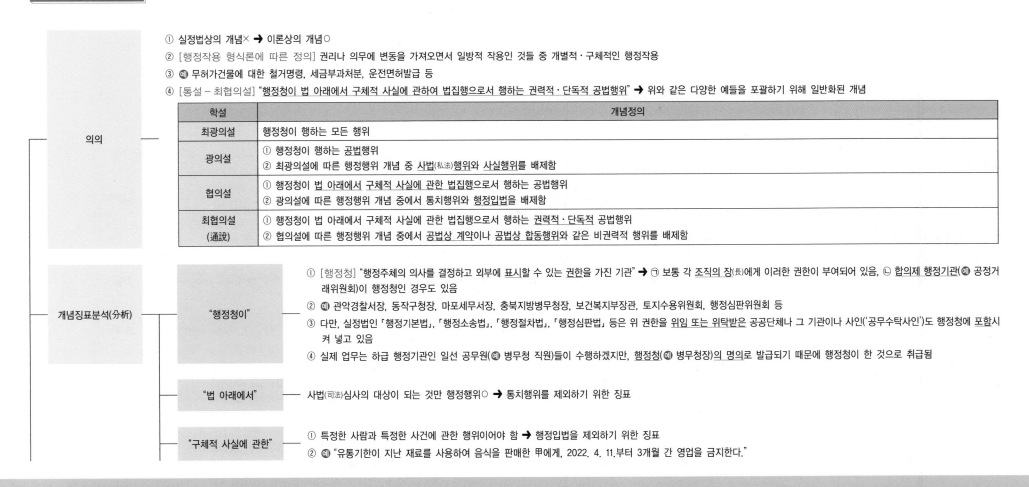

의의	의의	① 실정법상의 개념× → 이론상의 개념○
		② [행정작용 형식론에 따른 정의] 권리나 의무에 변동을 가져오면서 일방적 작용인 것들 중 개별적·구체적인 행정작용
		③ 🅰 무허가건물에 대한 철거명령, 세금부과처분, 운전면허발급 등
		④ [통설 - 최협의설] "행정청이 법 아래에서 구체적 사실에 관하여 법집행으로서 행하는 권력적·단독적 공법행위" → 위와 같은 다양한 예들을 포괄하기 위해 일반화된 개념

학설	개념정의
최광의설	행정청이 행하는 모든 행위
광의설	① 행정청이 행하는 공법행위 ② 최광의설에 따른 행정행위 개념 중 사법(私法)행위와 사실행위를 배제함
협의설	① 행정청이 법 아래에서 구체적 사실에 관한 법집행으로서 행하는 공법행위 ② 광의설에 따른 행정행위 개념 중에서 통치행위와 행정입법을 배제함
최협의설 (通說)	① 행정청이 법 아래에서 구체적 사실에 관한 법집행으로서 행하는 권력적·단독적 공법행위 ② 협의설에 따른 행정행위 개념 중에서 공법상 계약이나 공법상 합동행위와 같은 비권력적 행위를 배제함

개념징표분석(分析)

"행정청이"
① [행정청] "행정주체의 의사를 결정하고 외부에 표시할 수 있는 권한을 가진 기관" → ㉠ 보통 각 조직의 장(長)에게 이러한 권한이 부여되어 있음, ㉡ 합의제 행정기관(🅰 공정거래위원회)이 행정청인 경우도 있음
② 🅰 관악경찰서장, 동작구청장, 마포세무서장, 충북지방병무청장, 보건복지부장관, 토지수용위원회, 행정심판위원회 등
③ 다만, 실정법인 「행정기본법」, 「행정소송법」, 「행정절차법」, 「행정심판법」 등은 위 권한을 위임 또는 위탁받은 공공단체나 그 기관이나 사인('공무수탁사인')도 행정청에 포함시켜 넣고 있음
④ 실제 업무는 하급 행정기관인 일선 공무원(🅰 병무청 직원)들이 수행하겠지만, 행정청(🅰 병무청장)의 명의로 발급되기 때문에 행정청이 한 것으로 취급됨

"법 아래에서"
사법(司法)심사의 대상이 되는 것만 행정행위○ → 통치행위를 제외하기 위한 징표

"구체적 사실에 관한"
① 특정한 사람과 특정한 사건에 관한 행위이어야 함 → 행정입법을 제외하기 위한 징표
② 🅰 "유통기한이 지난 재료를 사용하여 음식을 판매한 甲에게, 2022. 4. 11.부터 3개월 간 영업을 금지한다."

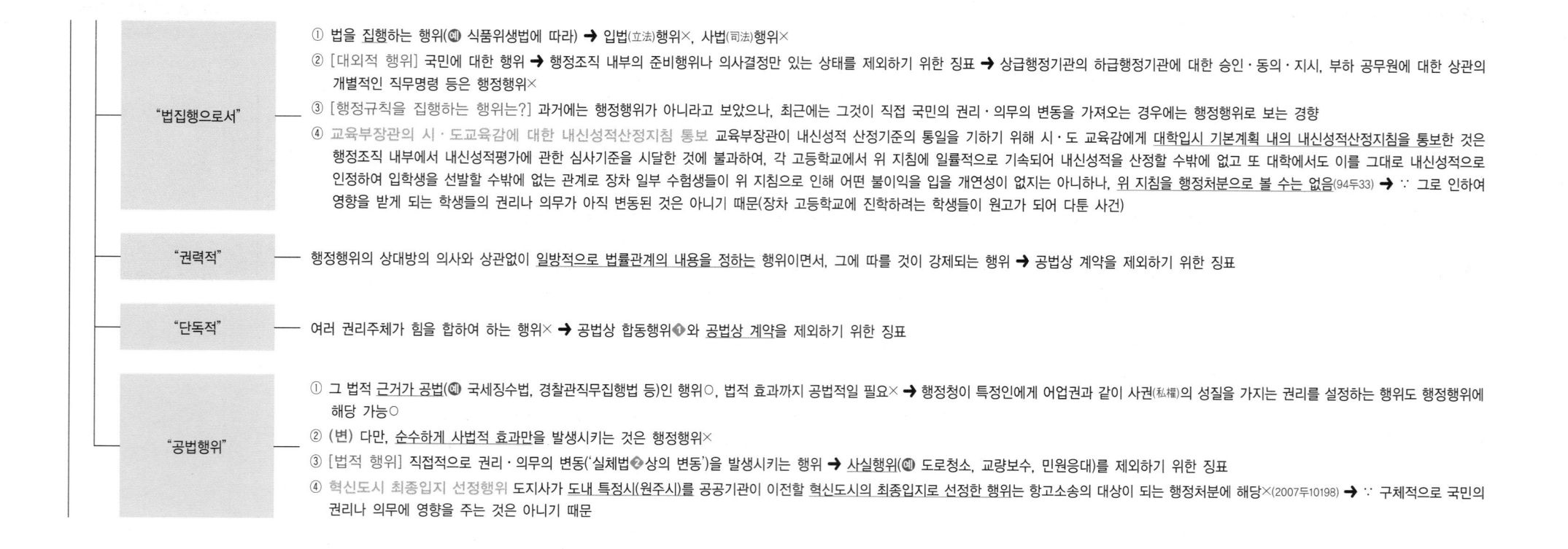

"법집행으로서"

① 법을 집행하는 행위(⑩ 식품위생법에 따라) ➔ 입법(立法)행위×, 사법(司法)행위×

② [대외적 행위] 국민에 대한 행위 ➔ 행정조직 내부의 준비행위나 의사결정만 있는 상태를 제외하기 위한 징표 ➔ 상급행정기관의 하급행정기관에 대한 승인·동의·지시, 부하 공무원에 대한 상관의 개별적인 직무명령 등은 행정행위×

③ [행정규칙을 집행하는 행위는?] 과거에는 행정행위가 아니라고 보았으나, 최근에는 그것이 직접 국민의 권리·의무의 변동을 가져오는 경우에는 행정행위로 보는 경향

④ 교육부장관의 시·도교육감에 대한 내신성적산정지침 통보 교육부장관이 내신성적 산정기준의 통일을 기하기 위해 시·도 교육감에게 대학입시 기본계획 내의 내신성적산정지침을 통보한 것은 행정조직 내부에서 내신성적평가에 관한 심사기준을 시달한 것에 불과하여, 각 고등학교에서 위 지침에 일률적으로 기속되어 내신성적을 산정할 수밖에 없고 또 대학에서도 이를 그대로 내신성적으로 인정하여 입학생을 선발할 수밖에 없는 관계로 장차 일부 수험생들이 위 지침으로 인해 어떤 불이익을 입을 개연성이 없지는 아니하나, 위 지침을 행정처분으로 볼 수는 없음(94두33) ➔ ∵ 그로 인하여 영향을 받게 되는 학생들의 권리나 의무가 아직 변동된 것은 아니기 때문(장차 고등학교에 진학하려는 학생들이 원고가 되어 다툰 사건)

"권력적"

행정행위의 상대방의 의사와 상관없이 일방적으로 법률관계의 내용을 정하는 행위이면서, 그에 따를 것이 강제되는 행위 ➔ 공법상 계약을 제외하기 위한 징표

"단독적"

여러 권리주체가 힘을 합하여 하는 행위× ➔ 공법상 합동행위❶와 공법상 계약을 제외하기 위한 징표

"공법행위"

① 그 법적 근거가 공법(⑩ 국세징수법, 경찰관직무집행법 등)인 행위○, 법적 효과까지 공법적일 필요× ➔ 행정청이 특정인에게 어업권과 같이 사권(私權)의 성질을 가지는 권리를 설정하는 행위도 행정행위에 해당 가능○

② (변) 다만, 순수하게 사법적 효과만을 발생시키는 것은 행정행위×

③ [법적 행위] 직접적으로 권리·의무의 변동('실체법❷상의 변동')을 발생시키는 행위 ➔ 사실행위(⑩ 도로청소, 교량보수, 민원응대)를 제외하기 위한 징표

④ 혁신도시 최종입지 선정행위 도지사가 도내 특정시(원주시)를 공공기관이 이전할 혁신도시의 최종입지로 선정한 행위는 항고소송의 대상이 되는 행정처분에 해당×(2007두10198) ➔ ∵ 구체적으로 국민의 권리나 의무에 영향을 주는 것은 아니기 때문

---

❶ [민법] 민법에서는 법률행위가 여러 사람의 의사표시에 의해 이루어지는가, 한 사람이 의사표시에 의해 이루어지는가에 따라, 단독행위, 계약, 합동행위로 구분한다. 합동행위란 복수의 사람이 대립하지 않는 이해관계에서 행하는 의사표시들의 결합으로 이루어지는 법적 행위를 말한다. 법인설립행위, 관리처분계획에 대한 조합총회결의가 그 예이다. 복수의 사람이 행하지만, 서로 이해관계가 대립하지 않는다는 점에서 계약과 다르다고 한다. 합동행위 개념은 민법학에서는 폐기되고 있는 추세다.

❷ 여기서 실체법이란 절차법(소송법)에 대비되는 개념인데, 권리와 의무의 발생·변경·소멸을 직접적으로 다루는 법을 말한다. 절차법은 실체법을 법적으로 실현하기 위해 존재한다. 예를 들어, 민법은 실체법이고, 민사소송법은 절차법이다. '실체법상의 변동'은 단순히 '권리·의무의 변동'과 동의어라 보아도 무방하다.

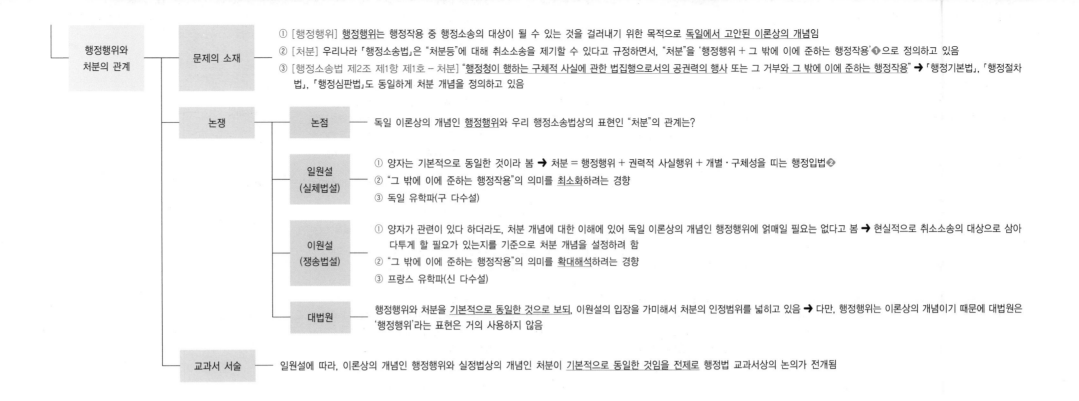

행정행위와 처분의 관계

문제의 소재

① [행정행위] 행정행위는 행정작용 중 행정소송의 대상이 될 수 있는 것을 걸러내기 위한 목적으로 독일에서 고안된 이론상의 개념임

② [처분] 우리나라 「행정소송법」은 "처분등"에 대해 취소소송을 제기할 수 있다고 규정하면서, "처분"을 '행정행위 + 그 밖에 이에 준하는 행정작용'❶으로 정의하고 있음

③ [행정소송법 제2조 제1항 제1호 – 처분] "행정청이 행하는 구체적 사실에 관한 법집행으로서의 공권력의 행사 또는 그 거부와 그 밖에 이에 준하는 행정작용" ➡ 「행정기본법」, 「행정절차법」, 「행정심판법」도 동일하게 처분 개념을 정의하고 있음

논쟁

논점

독일 이론상의 개념인 행정행위와 우리 행정소송법상의 표현인 "처분"의 관계는?

일원설 (실체법설)

① 양자는 기본적으로 동일한 것이라 봄 ➡ 처분 = 행정행위 + 권력적 사실행위 + 개별·구체성을 띠는 행정입법❷

② "그 밖에 이에 준하는 행정작용"의 의미를 최소화하려는 경향

③ 독일 유학파(구 다수설)

이원설 (쟁송법설)

① 양자가 관련이 있다 하더라도, 처분 개념에 대한 이해에 있어 독일 이론상의 개념인 행정행위에 얽매일 필요는 없다고 봄 ➡ 현실적으로 취소소송의 대상으로 삼아 다투게 할 필요가 있는지를 기준으로 처분 개념을 설정하려 함

② "그 밖에 이에 준하는 행정작용"의 의미를 확대해석하려는 경향

③ 프랑스 유학파(신 다수설)

대법원

행정행위와 처분을 기본적으로 동일한 것으로 보되, 이원설의 입장을 가미해서 처분의 인정범위를 넓히고 있음 ➡ 다만, 행정행위는 이론상의 개념이기 때문에 대법원은 '행정행위'라는 표현은 거의 사용하지 않음

교과서 서술

일원설에 따라, 이론상의 개념인 행정행위와 실정법상의 개념인 처분이 기본적으로 동일한 것임을 전제로 행정법 교과서상의 논의가 전개됨

---

❶ [더 들어가기] 규정상으로는 행정행위의 거부도 처분의 일부로 정의되고 있지만, 논의과정에서 무시되고 있다.

❷ 행정소송법상 처분의 개념이 명문으로 '행정행위 + 기타 이에 준하는 행정작용'으로 정의되어 있기 때문에, 일원설도 어쩔 수 없이 권력적 사실행위와 개별·구체성을 띠는 행정입법 정도는 처분에 해당한다고 보는 것이다.

제1항 개설

행정행위의 종류

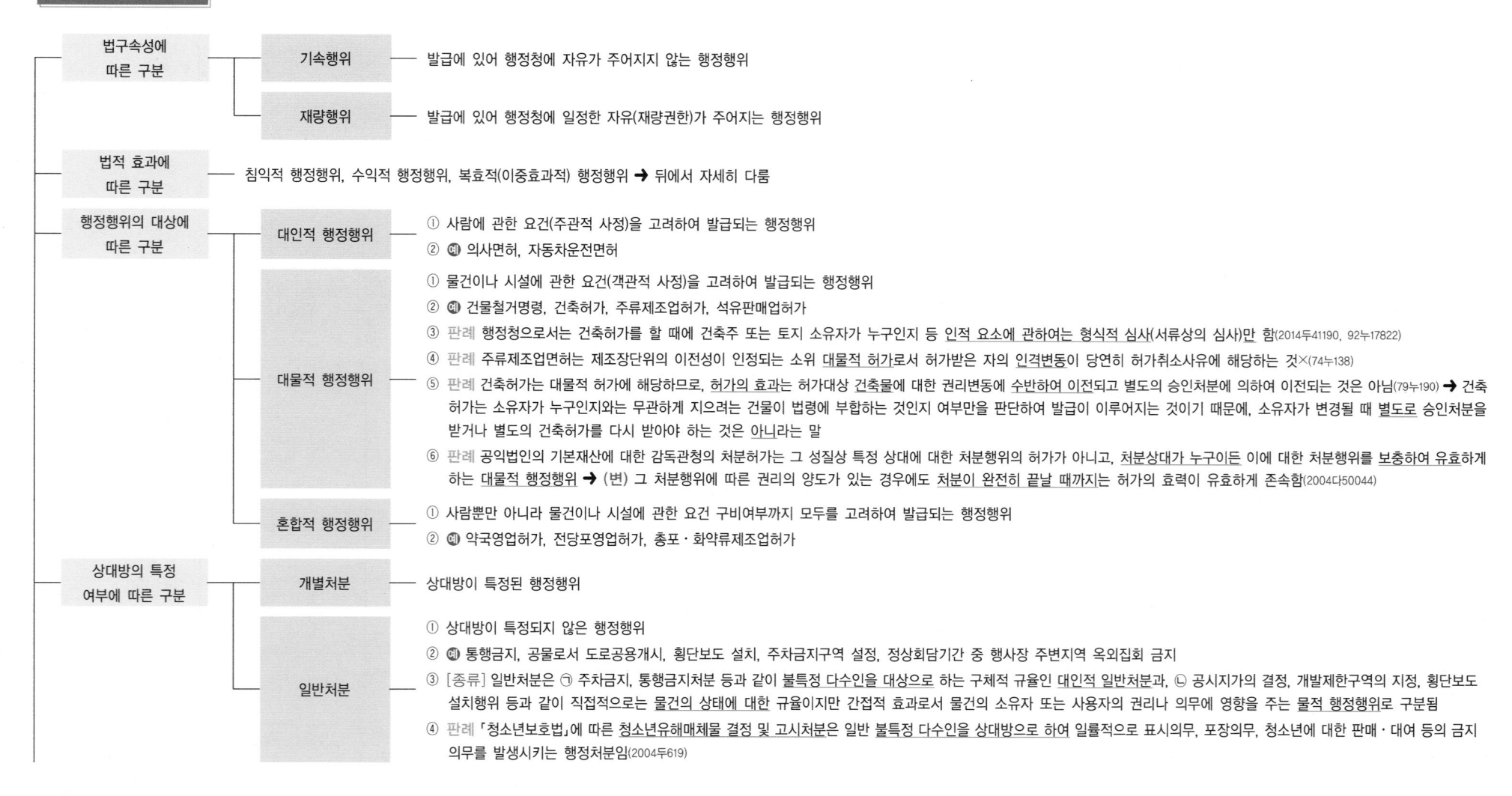

법구속성에 따른 구분	기속행위	발급에 있어 행정청에 자유가 주어지지 않는 행정행위
	재량행위	발급에 있어 행정청에 일정한 자유(재량권한)가 주어지는 행정행위

법적 효과에 따른 구분 — 침익적 행정행위, 수익적 행정행위, 복효적(이중효과적) 행정행위 ➔ 뒤에서 자세히 다룸

행정행위의 대상에 따른 구분

대인적 행정행위
① 사람에 관한 요건(주관적 사정)을 고려하여 발급되는 행정행위
② 예 의사면허, 자동차운전면허

대물적 행정행위
① 물건이나 시설에 관한 요건(객관적 사정)을 고려하여 발급되는 행정행위
② 예 건물철거명령, 건축허가, 주류제조업허가, 석유판매업허가
③ 판례 행정청으로서는 건축허가를 할 때에 건축주 또는 토지 소유자가 누구인지 등 인적 요소에 관하여는 형식적 심사(서류상의 심사)만 함(2014두41190, 92누17822)
④ 판례 주류제조업면허는 제조장단위의 이전성이 인정되는 소위 대물적 허가로서 허가받은 자의 인격변동이 당연히 허가취소사유에 해당하는 것×(74누138)
⑤ 판례 건축허가는 대물적 허가에 해당하므로, 허가의 효과는 허가대상 건축물에 대한 권리변동에 수반하여 이전되고 별도의 승인처분에 의하여 이전되는 것은 아님(79누190) ➔ 건축허가는 소유자가 누구인지와는 무관하게 지으려는 건물이 법령에 부합하는 것인지 여부만을 판단하여 발급이 이루어지는 것이기 때문에, 소유자가 변경될 때 별도로 승인처분을 받거나 별도의 건축허가를 다시 받아야 하는 것은 아니라는 말
⑥ 판례 공익법인의 기본재산에 대한 감독관청의 처분허가는 그 성질상 특정 상대에 대한 처분행위의 허가가 아니고, 처분상대가 누구이든 이에 대한 처분행위를 보충하여 유효하게 하는 대물적 행정행위 ➔ (변) 그 처분행위에 따른 권리의 양도가 있는 경우에도 처분이 완전히 끝날 때까지는 허가의 효력이 유효하게 존속함(2004다50044)

혼합적 행정행위
① 사람뿐만 아니라 물건이나 시설에 관한 요건 구비여부까지 모두를 고려하여 발급되는 행정행위
② 예 약국영업허가, 전당포영업허가, 총포·화약류제조업허가

상대방의 특정 여부에 따른 구분

개별처분 — 상대방이 특정된 행정행위

일반처분
① 상대방이 특정되지 않은 행정행위
② 예 통행금지, 공물로서 도로공용개시, 횡단보도 설치, 주차금지구역 설정, 정상회담기간 중 행사장 주변지역 옥외집회 금지
③ [종류] 일반처분은 ㉠ 주차금지, 통행금지처분 등과 같이 불특정 다수인을 대상으로 하는 구체적 규율인 대인적 일반처분과, ㉡ 공시지가의 결정, 개발제한구역의 지정, 횡단보도 설치행위 등과 같이 직접적으로는 물건의 상태에 대한 규율이지만 간접적 효과로서 물건의 소유자 또는 사용자의 권리나 의무에 영향을 주는 물적 행정행위로 구분됨
④ 판례 「청소년보호법」에 따른 청소년유해매체물 결정 및 고시처분은 일반 불특정 다수인을 상대방으로 하여 일률적으로 표시의무, 포장의무, 청소년에 대한 판매·대여 등의 금지의무를 발생시키는 행정처분임(2004두619)

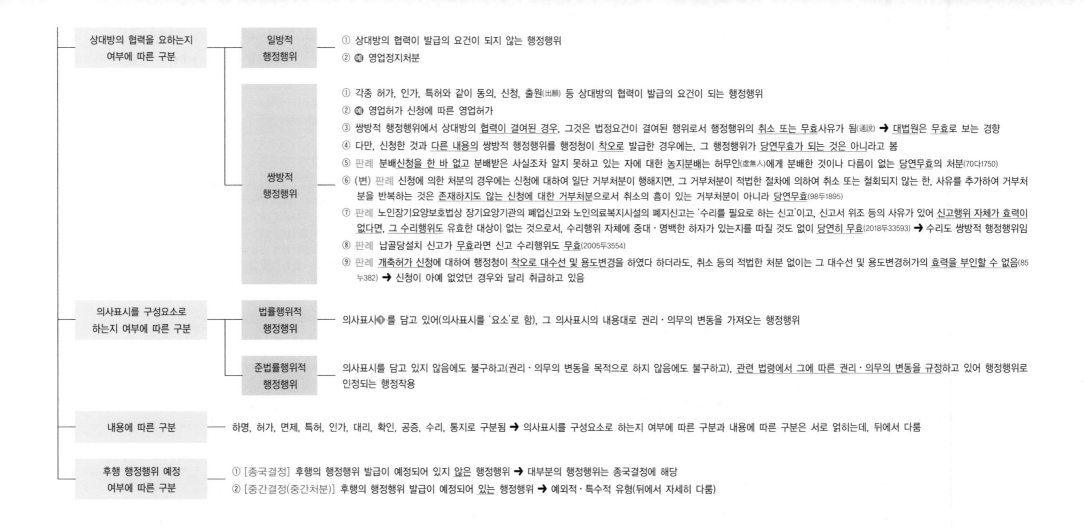

상대방의 협력을 요하는지 여부에 따른 구분	일방적 행정행위	① 상대방의 협력이 발급의 요건이 되지 않는 행정행위 ② 예 영업정지처분
	쌍방적 행정행위	① 각종 허가, 인가, 특허와 같이 동의, 신청, 출원(出願) 등 상대방의 협력이 발급의 요건이 되는 행정행위 ② 예 영업허가 신청에 따른 영업허가 ③ 쌍방적 행정행위에서 상대방의 협력이 결여된 경우, 그것은 법정요건이 결여된 행위로서 행정행위의 취소 또는 무효사유가 됨(通說) ➔ 대법원은 무효로 보는 경향 ④ 다만, 신청한 것과 다른 내용의 쌍방적 행정행위를 행정청이 착오로 발급한 경우에는, 그 행정행위가 당연무효가 되는 것은 아니라고 봄 ⑤ 판례 분배신청을 한 바 없고 분배받은 사실조차 알지 못하고 있는 자에 대한 농지분배는 허무인(虛無人)에게 분배한 것이나 다름이 없는 당연무효의 처분(70다1750) ⑥ (변) 판례 신청에 의한 처분의 경우에는 신청에 대하여 일단 거부처분이 행해지면, 그 거부처분이 적법한 절차에 의하여 취소 또는 철회되지 않는 한, 사유를 추가하여 거부처분을 반복하는 것은 존재하지도 않는 신청에 대한 거부처분으로서 취소의 흠이 있는 거부처분이 아니라 당연무효(98두1895) ⑦ 판례 노인장기요양보호법상 장기요양기관의 폐업신고와 노인의료복지시설의 폐지신고는 '수리를 필요로 하는 신고'이고, 신고서 위조 등의 사유가 있어 신고행위 자체가 효력이 없다면, 그 수리행위도 유효한 대상이 없는 것으로서, 수리행위 자체에 중대·명백한 하자가 있는지를 따질 것도 없이 당연히 무효(2018두33593) ➔ 수리도 쌍방적 행정행위임 ⑧ 판례 납골당설치 신고가 무효라면 신고 수리행위도 무효(2005두3554) ⑨ 판례 개축허가 신청에 대하여 행정청이 착오로 대수선 및 용도변경을 하였다 하더라도, 취소 등의 적법한 처분 없이는 그 대수선 및 용도변경허가의 효력을 부인할 수 없음(85누382) ➔ 신청이 아예 없었던 경우와 달리 취급하고 있음
의사표시를 구성요소로 하는지 여부에 따른 구분	법률행위적 행정행위	의사표시❶를 담고 있어(의사표시를 '요소'로 함), 그 의사표시의 내용대로 권리·의무의 변동을 가져오는 행정행위
	준법률행위적 행정행위	의사표시를 담고 있지 않음에도 불구하고(권리·의무의 변동을 목적으로 하지 않음에도 불구하고), 관련 법령에서 그에 따른 권리·의무의 변동을 규정하고 있어 행정행위로 인정되는 행정작용
내용에 따른 구분		하명, 허가, 면제, 특허, 인가, 대리, 확인, 공증, 수리, 통지로 구분됨 ➔ 의사표시를 구성요소로 하는지 여부에 따른 구분과 내용에 따른 구분은 서로 얽히는데, 뒤에서 다룸
후행 행정행위 예정 여부에 따른 구분		① [종국결정] 후행의 행정행위 발급이 예정되어 있지 않은 행정행위 ➔ 대부분의 행정행위는 종국결정에 해당 ② [중간결정(중간처분)] 후행의 행정행위 발급이 예정되어 있는 행정행위 ➔ 예외적·특수적 유형(뒤에서 자세히 다룸)

❶ [민법] 의사표시(Willenserklärung)란 누군가의 권리나 의무를 변동시키려는 의도를 담고 있는 정신작용을 말한다. 예컨대, '甲에게 100만 원의 조세납부의무를 부담시켜야 겠다'는 정신작용은 의사표시에 해당한다.

제2항 복효적 행정행위

복효적 행정행위 [1]

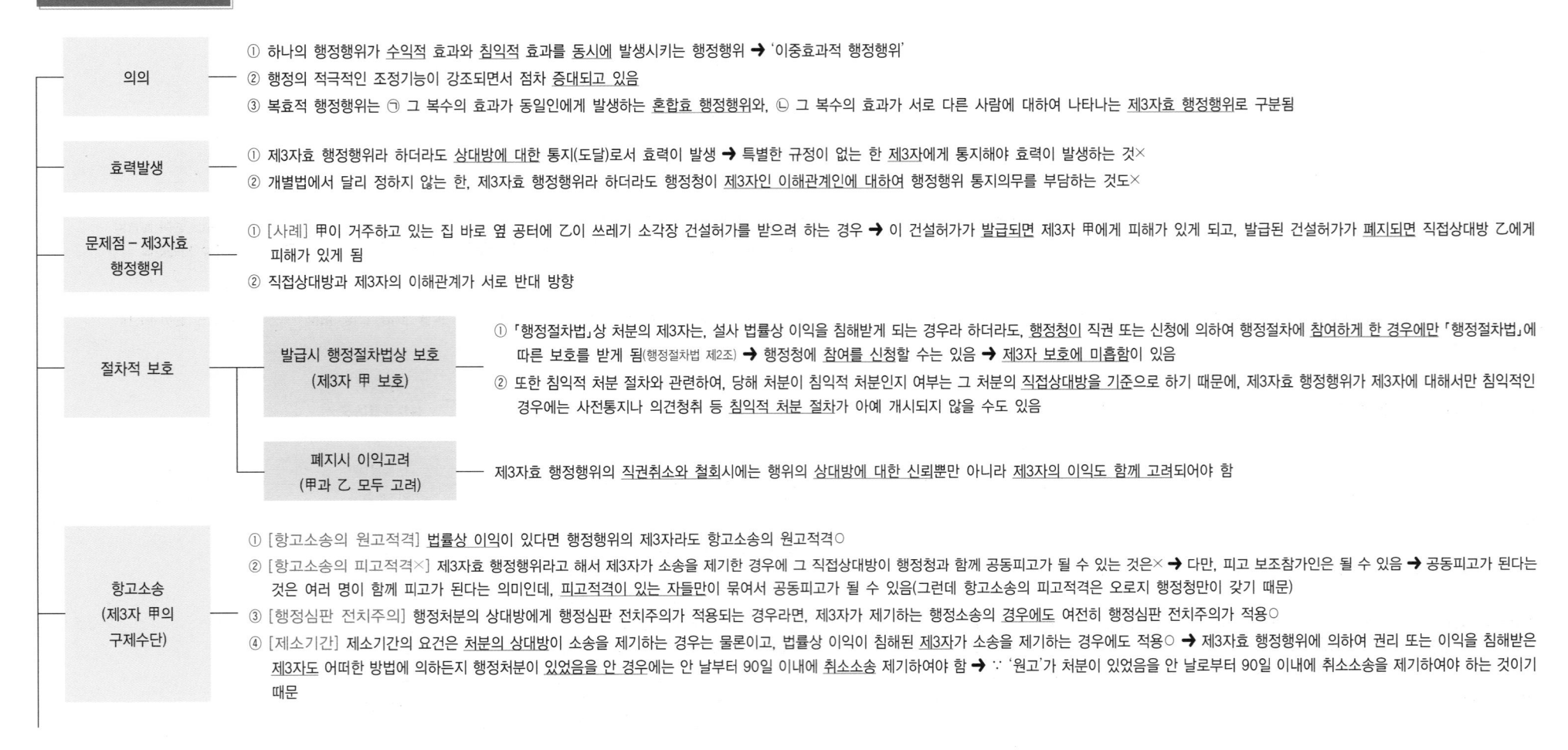

의의
① 하나의 행정행위가 <u>수익적</u> 효과와 <u>침익적</u> 효과를 동시에 발생시키는 행정행위 ➜ '이중효과적 행정행위'
② 행정의 적극적인 조정기능이 강조되면서 점차 증대되고 있음
③ 복효적 행정행위는 ㉠ 그 복수의 효과가 동일인에게 발생하는 혼합효 행정행위와, ㉡ 그 복수의 효과가 서로 다른 사람에 대하여 나타나는 <u>제3자효 행정행위</u>로 구분됨

효력발생
① 제3자효 행정행위라 하더라도 <u>상대방에 대한</u> 통지(도달)로서 효력이 발생 ➜ 특별한 규정이 없는 한 <u>제3자에게 통지해야 효력이 발생하는 것×</u>
② 개별법에서 달리 정하지 않는 한, 제3자효 행정행위라 하더라도 행정청이 <u>제3자인 이해관계인에 대하여</u> 행정행위 통지의무를 부담하는 것도×

문제점 – 제3자효 행정행위
① [사례] 甲이 거주하고 있는 집 바로 옆 공터에 乙이 쓰레기 소각장 건설허가를 받으려 하는 경우 ➜ 이 건설허가가 발급되면 제3자 甲에게 피해가 있게 되고, 발급된 건설허가가 <u>폐지되면</u> 직접상대방 乙에게 피해가 있게 됨
② 직접상대방과 제3자의 이해관계가 서로 반대 방향

절차적 보호

발급시 행정절차법상 보호 (제3자 甲 보호)
① 「행정절차법」상 처분의 제3자는, 설사 법률상 이익을 침해받게 되는 경우라 하더라도, 행정청이 직권 또는 신청에 의하여 행정절차에 <u>참여하게 한 경우에만</u> 「행정절차법」에 따른 보호를 받게 됨(행정절차법 제2조) ➜ 행정청에 참여를 신청할 수는 있음 ➜ 제3자 보호에 미흡함이 있음
② 또한 침익적 처분 절차와 관련하여, 당해 처분이 침익적 처분인지 여부는 그 처분의 <u>직접상대방을 기준으로</u> 하기 때문에, 제3자효 행정행위가 제3자에 대해서만 침익적인 경우에는 사전통지나 의견청취 등 침익적 처분 절차가 아예 개시되지 않을 수도 있음

폐지시 이익고려 (甲과 乙 모두 고려)
제3자효 행정행위의 <u>직권취소와 철회시</u>에는 행위의 상대방에 대한 신뢰뿐만 아니라 제3자의 이익도 함께 고려되어야 함

항고소송 (제3자 甲의 구제수단)
① [항고소송의 원고적격] <u>법률상 이익</u>이 있다면 행정행위의 제3자라도 항고소송의 원고적격○
② [항고소송의 피고적격×] 제3자효 행정행위라고 해서 제3자가 소송을 제기한 경우에 그 직접상대방이 행정청과 함께 공동피고가 될 수 있는 것은× ➜ 다만, 피고 보조참가인은 될 수 있음 ➜ 공동피고가 된다는 것은 여러 명이 함께 피고가 된다는 의미인데, <u>피고적격이 있는</u> 자들만이 묶여서 공동피고가 될 수 있음(그런데 항고소송의 피고적격은 오로지 행정청만이 갖기 때문)
③ [행정심판 전치주의] 행정처분의 상대방에게 행정심판 전치주의가 적용되는 경우라면, 제3자가 제기하는 행정소송의 경우에도 여전히 행정심판 전치주의가 적용○
④ [제소기간] 제소기간의 요건은 처분의 상대방이 소송을 제기하는 경우는 물론이고, 법률상 이익이 침해된 <u>제3자</u>가 소송을 제기하는 경우에도 적용○ ➜ 제3자효 행정행위에 의하여 권리 또는 이익을 침해받은 제3자도 어떠한 방법에 의하든지 행정처분이 있었음을 안 경우에는 안 날부터 90일 이내에 <u>취소소송</u> 제기하여야 함 ➜ ∵ '원고'가 처분이 있었음을 안 날로부터 90일 이내에 취소소송을 제기하여야 하는 것이기 때문

---

❶ 맨 끝까지 다 공부하고 난 후에 돌아와서 봐야 이해가 된다.

행정심판 (제3자 甲의 구제수단)	① [행정심판 청구인적격] <u>법률상 이익</u>이 있다면 행정행위의 제3자라도 행정심판의 청구인적격○(행정심판법 제13조)
	② [행정심판의 객관적 청구기간의 적용 – 규정] 행정심판법 제27조 <u>제3항에 의하면</u> 행정처분의 상대방이 아닌 <u>제3자라도</u> 처분이 <u>있은 날로부터 180일을</u> 경과하면 행정심판청구를 제기하지 못하는 것이 <u>원칙</u> (91누12844)
	③ [행정심판의 객관적 청구기간의 예외 인정] 행정처분의 직접 상대이 아닌 제3자는 행정심판법 제27조 제3항 소정의 심판청구의 제척기간 내에 처분이 있었음을 알았다는 <u>특별한 사정이 없는 한</u>, 그 제척기간의 적용을 배제하는 같은 조항 단서 소정의 '<u>정당한 사유가 있는 때</u>'에 해당○(88누5150) → 물론, 중간에라도 알게 되면 안 날로부터 90일의 주관적 청구기간의 적용은 받게 됨

집행정지 (제3자 甲의 구제수단)	취소소송 제기시 집행정지는 <u>법률상 이익</u>을 갖는 원고라면 신청할 수 있는 것이지, 직접상대방이어야 신청할 수 있는 것× → 제3자 甲도 <u>원고적격</u>을 갖는 경우라면 집행정지를 신청할 수 있음

소송참가와 재심 (직접상대방 乙의 구제수단)	① [배경지식 – 판결의 제3자효] 행정행위를 취소하거나 무효를 확인하는 확정판결은 소송의 제3자에 대해서도 효력이 미침(행정소송법 제29조, 제38조) → <u>소송의 당사자가 아닌 자와의 관계에서도 처분의 효력이 없어짐</u>
	② [문제발생] 위 사례에서 甲이 항고소송을 제기하여 다투고 있는 경우, 乙은 어떻게 자신의 이익을 지켜낼 수 있을 것인가? → ※ 乙은 처분에 대해서는 직접상대방이었지만, 이 소송에 대해서는 제3자가 됨
	③ [소송참가와 재심] 취소소송 또는 무효확인소송의 결과에 대하여 이해관계가 있는 乙은 ㉠ 판결이 <u>확정되기 전</u>에는 그 취소소송 또는 무효확인소송에 <u>참가</u>할 수 있고(행정소송법 제16조, 제38조), ㉡ 판결이 확정되기 전에 그 소송에 참가하지 못하였으나, 그것이 자신에게 책임 없는 사유로 인한 것인 경우에는 그 취소소송 또는 무효확인소송의 확정판결에 대하여 <u>재심을 청구</u>할 수도 있음(행정소송법 제31조, 제38조)

중간결정(중간처분)

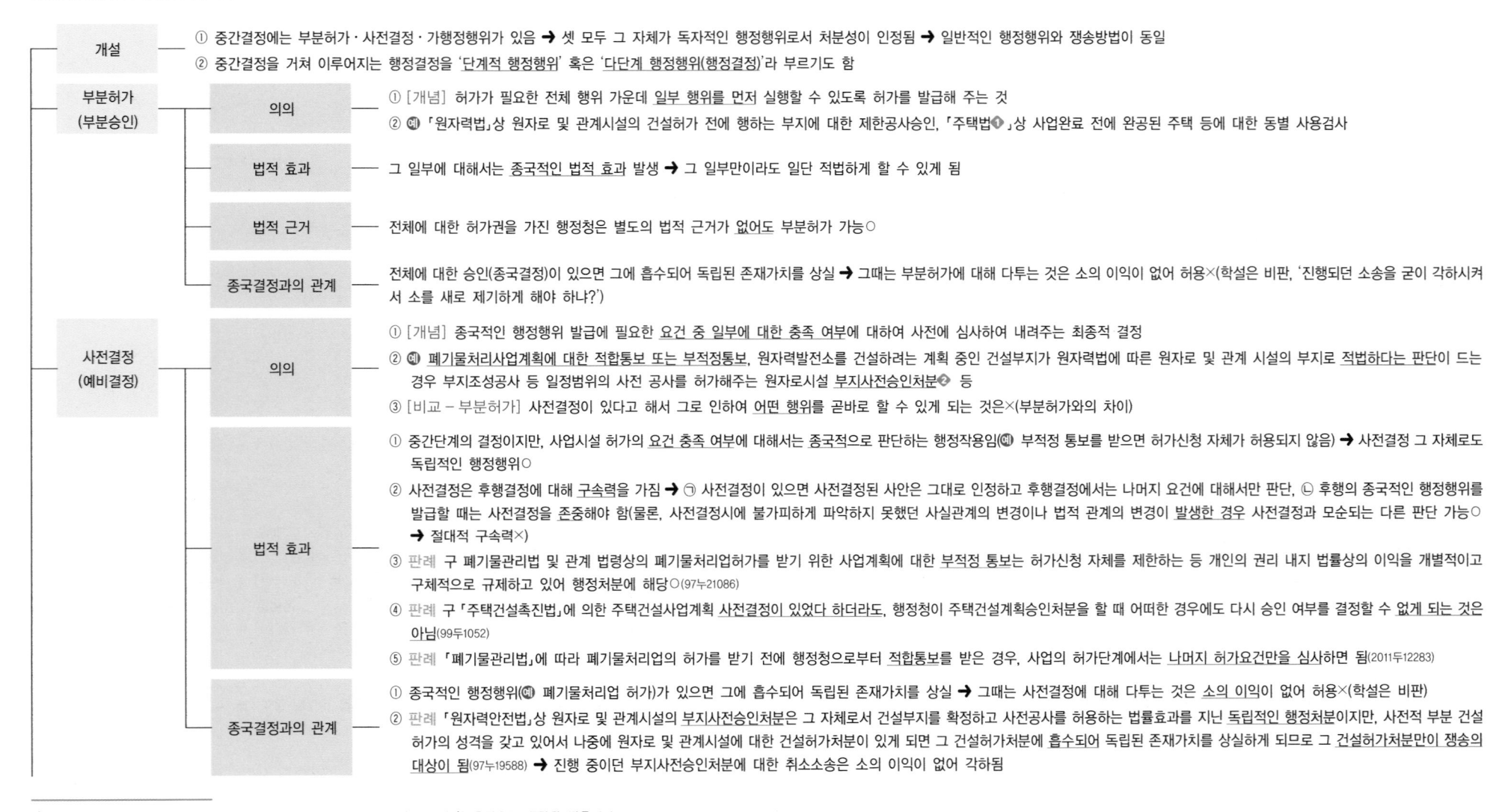

개설

① 중간결정에는 부분허가 · 사전결정 · 가행정행위가 있음 ➡ 셋 모두 그 자체가 독자적인 행정행위로서 처분성이 인정됨 ➡ 일반적인 행정행위와 쟁송방법이 동일

② 중간결정을 거쳐 이루어지는 행정결정을 '단계적 행정행위' 혹은 '다단계 행정행위(행정결정)'라 부르기도 함

부분허가 (부분승인)

의의

① [개념] 허가가 필요한 전체 행위 가운데 일부 행위를 먼저 실행할 수 있도록 허가를 발급해 주는 것

② 예 「원자력법」상 원자로 및 관계시설의 건설허가 전에 행하는 부지에 대한 제한공사승인, 「주택법❶」상 사업완료 전에 완공된 주택 등에 대한 동별 사용검사

법적 효과

그 일부에 대해서는 종국적인 법적 효과 발생 ➡ 그 일부만이라도 일단 적법하게 할 수 있게 됨

법적 근거

전체에 대한 허가권을 가진 행정청은 별도의 법적 근거가 없어도 부분허가 가능○

종국결정과의 관계

전체에 대한 승인(종국결정)이 있으면 그에 흡수되어 독립된 존재가치를 상실 ➡ 그때는 부분허가에 대해 다투는 것은 소의 이익이 없어 허용×(학설은 비판, '진행되던 소송을 굳이 각하시켜서 소를 새로 제기하게 해야 하나?')

사전결정 (예비결정)

의의

① [개념] 종국적인 행정행위 발급에 필요한 요건 중 일부에 대한 충족 여부에 대하여 사전에 심사하여 내려주는 최종적 결정

② 예 폐기물처리사업계획에 대한 적합통보 또는 부적정통보, 원자력발전소를 건설하려는 계획 중인 건설부지가 원자력법에 따른 원자로 및 관계 시설의 부지로 적법하다는 판단이 드는 경우 부지조성공사 등 일정범위의 사전 공사를 허가해주는 원자로시설 부지사전승인처분❷ 등

③ [비교 – 부분허가] 사전결정이 있다고 해서 그로 인하여 어떤 행위를 곧바로 할 수 있게 되는 것은×(부분허가와의 차이)

법적 효과

① 중간단계의 결정이지만, 사업시설 허가의 요건 충족 여부에 대해서는 종국적으로 판단하는 행정작용임(예 부적정 통보를 받으면 허가신청 자체가 허용되지 않음) ➡ 사전결정 그 자체로도 독립적인 행정행위○

② 사전결정은 후행결정에 대해 구속력을 가짐 ➡ ㉠ 사전결정이 있으면 사전결정된 사안은 그대로 인정하고 후행결정에서는 나머지 요건에 대해서만 판단, ㉡ 후행의 종국적인 행정행위를 발급할 때는 사전결정을 존중해야 함(물론, 사전결정시에 불가피하게 파악하지 못했던 사실관계의 변경이나 법적 관계의 변경이 발생한 경우 사전결정과 모순되는 다른 판단 가능○ ➡ 절대적 구속력×)

③ 판례 구 폐기물관리법 및 관계 법령상의 폐기물처리업허가를 받기 위한 사업계획에 대한 부적정 통보는 허가신청 자체를 제한하는 등 개인의 권리 내지 법률상의 이익을 개별적이고 구체적으로 규제하고 있어 행정처분에 해당(97누21086)

④ 판례 구 「주택건설촉진법」에 의한 주택건설사업계획 사전결정이 있었다 하더라도, 행정청이 주택건설계획승인처분을 할 때 어떠한 경우에도 다시 승인 여부를 결정할 수 없게 되는 것은 아님(99두1052)

⑤ 판례 「폐기물관리법」에 따라 폐기물처리업의 허가를 받기 전에 행정청으로부터 적합통보를 받은 경우, 사업의 허가단계에서는 나머지 허가요건만을 심사하면 됨(2011두12283)

종국결정과의 관계

① 종국적인 행정행위(예 폐기물처리업 허가)가 있으면 그에 흡수되어 독립된 존재가치를 상실 ➡ 그때는 사전결정에 대해 다투는 것은 소의 이익이 없어 허용×(학설은 비판)

② 판례 「원자력안전법」상 원자로 및 관계시설의 부지사전승인처분은 그 자체로서 건설부지를 확정하고 사전공사를 허용하는 법률효과를 지닌 독립적인 행정처분이지만, 사전적 부분 건설허가의 성격을 갖고 있어서 나중에 원자로 및 관계시설에 대한 건설허가처분이 있게 되면 그 건설허가처분에 흡수되어 독립된 존재가치를 상실하게 되므로 그 건설허가처분만이 쟁송의 대상이 됨(97누19588) ➡ 진행 중이던 부지사전승인처분에 대한 취소소송은 소의 이익이 없어 각하됨

---

❶ [각론] 참고로, 「주택법」은 건축물 중 특히 아파트의 건설을 규율하기 위한 목적으로 제정된 법률이다.

❷ 부지사전승인은 부분허가와 사전결정의 성질을 겸유하고 있는 것으로 본다.

가행정행위 (잠정적 행정행위)	의의	① [개념] 사실관계와 법률관계가 확정되기 전이지만, 잠정적 규율의 필요성으로 인해 사실관계와 법률관계에 대한 심사를 유보한 상태에서, 행정법관계의 권리·의무를 잠정적으로 규율하는 행정행위 ② (예) 비리사실로 형사 기소되어 징계의결 요구 중인 공무원에 대하여 행하는 임용권자의 직위해제처분
	불가변력 인정×	가행정행위에는 불가변력 발생×(∵ 후에 확정된 사실관계와 법률관계를 토대로 한 종국결정이 예정되어 있기 때문) ➔ 신뢰보호원칙 적용×
	종국결정과의 관계	① 종국결정(예 공무원에 대한 파면처분)이 있으면 그에 흡수되어 독립된 존재가치를 상실 ➔ 그때는 가행정행위에 대해 다투는 것은 소의 이익이 없어 허용×(학설은 비판) ② 판례 어떤 사유에 기하여 공무원을 직위해제한 후 그 직위해제사유와 동일한 사유를 이유로 징계처분을 한 경우 ➔ 뒤에 이루어진 징계처분에 의하여 그 전에 있었던 직위해제처분은 그 효력을 상실(2006다33999) ③ 판례 공정거래위원회가 「독점규제 및 공정거래에 관한 법률」에 따라 부당한 공동행위를 한 사업자에게 과징금 부과처분(선행처분)을 한 뒤, 다시 동법 시행령에 따라 다시 자진신고자에 대한 사건을 분리하여 자진신고나 조사협조 등을 이유로 과징금 감면처분(후행처분)을 한 경우, 선행처분의 취소를 구하는 소는 효력을 잃은 처분의 취소를 구하는 것으로서 소의 이익이 없어 부적법(2013두987) ➔ 과징금 감면처분을 대상으로 하여 다투어야 함 ➔ 후행처분은 자진신고 감면까지 포함하여 처분 상대방이 실제로 납부하여야 할 최종적인 과징금액을 결정하는 종국적 처분이고, 선행처분은 이러한 종국적 처분을 예정하고 있는 일종의 잠정적 처분에 해당한다고 보았음(※ 담합행위의 경우 증거를 확보하기가 어렵기 때문에, 담합에 가담하였다 하더라도 가장 먼저 자진신고를 한 자에 대해서는, 일단 담합자들과 함께 과징금부과처분을 한 후에 따로 (몰래) 과징금 감면처분을 해주는 제도를 두고 있음) ④ (변) 관련판례 甲 주식회사와 乙 주식회사가 공동으로 건축용 판유리 제품 가격을 인상한 후 甲 회사가 1순위로 구 독점규제 및 공정거래에 관한 법률 시행령 제35조 등에 따라 부당한 공동행위 자진신고자 등에 대한 시정조치 등 감면신청을 하고 乙 회사가 2순위로 감면신청을 하였으나, 공정거래위원회가 甲 회사는 감면요건을 충족하지 못했다는 이유로 감면불인정 통지를 하고 乙 회사에 1순위 조사협조자 지위확인을 해준 경우 ➔ 甲 회사는 공정거래위원회의 乙 회사에 대한 1순위 조사협조자 지위확인의 취소를 구할 소의 이익이 없음 ➔ ∵ 乙 회사에 대한 1순위 조사협조자 지위확인이 취소되더라도 甲 회사가 乙 회사의 지위를 승계하는 것이 아니고, 甲 회사에 대한 감면불인정의 위법 여부를 다투어 감면불인정이 번복되는 경우 1순위 조사협조자의 지위를 인정받을 수 있기 때문(2010두3541)

제4항 기속행위와 재량행위

기속행위와 재량행위로의 구분

구분	기속행위	재량행위
의의	① 그 발급에 있어 행정청에 자유가 주어지지 않는 행정행위 ② ⓐ 소득세 부과처분, 단란주점영업허가 ③ "유일한 정답이 있는 행위" ➡ 특정행위를 안하면 위법○ ④ "요건충족시 법에서 정하고 있는 행정행위를 해야 하는 <u>의무가 발생</u>"	① 그 발급에 있어 행정청에 일정한 자유가 주어지는 행정행위❶ ② ⓐ 공정거래위원회의 과징금 부과처분, 도로점용허가 ③ "정답이 꼭 1개인 것은 아닌 행위" ➡ 특정행위를 안 하더라도 위법× ④ "요건충족시 법에서 정하고 있는 행정행위를 할 수 있는 <u>권한이 발생</u>"
구별기준	① [과거] 견해대립 ➡ 요건재량설 vs 효과재량설(뒤에서 다룸) ② [오늘날 통설] 법규정의 문언을 일차적인 기준으로 하여 판단하되, <u>불분명한 경우</u>(ⓐ "대한민국에 체류하려는 외국인은 법무부장관의 체류허가를 받아야 한다."와 같이 규정되어 있는 경우)에는 행정행위의 성질이나 관련규정·입법취지·입법목적을 종합적으로 고려하여 판단	
요건충족시 발급거부 가부	중대한 공익상의 사유가 없는 한 발급거부 불가(중대한 공익상의 사유가 있어도 발급거부가 불가능한 경우만 을 기속행위로 분류하는 견해도 있음)	요건이 충족되었어도 단순한 공익적 고려만에 의해서도 발급거부 가능
위법성판단 방법	① 전면적으로 사법심사가 이루어짐 ② 본래 행정청이 했어야 하는 행위가 무엇인지를 <u>법원이 독자적으로 도출</u>한 후 그것과 실제로 행정청이 한 행위를 <u>비교</u> ➡ 일치하지 않으면 위법○	① 재량권의 일탈이나 남용이 있는지 여부로 사법심사의 폭이 제한됨 ② 어떻게 제한? ➡ 법원이 독자적인 결론을 도출하지 않고, 행정청이 그 결론을 내리게 된 과정을 추적해서, 그 과정에서 재량권을 일탈하거나 남용하지 않았는지만을 검토❷ ➡ 이 점에서 문제가 없으면 위법×
부관❸	부관 부가 가능× ➡ 부관을 붙여도 부관은 무효	부관 부가 가능○
그 행위에 대해 성립할 수 있는 공권	요건이 충족된 그 기속행위의 발급을 요구할 수 있는 권리	무하자재량행사청구권, 행정개입청구권(재량이 0으로 수축하는 경우만)
그 행위 발급신청 거부에 대하여 취소판결이 있는 경우 (판결의 기속력❹)	처분 이후에 다른 사정이 발생하지 않았다면, 행정청은 국민이 신청한 그 행위를 발급해 주어야 함	행정청이 반드시 국민이 신청한 그 행위를 발급해 주어야 하는 것× ➡ 재량권만 제대로 행사한다면 다시 거부하는 것도 가능
일부 취소판결 가부	그 행위가 가분적이고, 법원에 판단 자료가 있으면 가능○	가능× ➡ ∵ 권력분립 원칙 때문
공통점	① 절차상의 하자가 있다는 점만으로도 독립된 취소사유가 됨(84누116) ② 처분사유의 추가·변경 허용○	

---

❶ 다만, 오늘날에는 행정행위 <u>이외의 행정작용</u> 형식에서도 행정행위와 마찬가지로 행정청에 재량이 있는지 여부가 문제된다고 본다.

❷ 이론상으로 재량권의 일탈이란 재량권의 <u>외적 한계</u>를 벗어난 것을 말하고, 재량권의 남용이란 재량권의 <u>내적 한계</u>를 벗어난 것을 말한다. 그러나 실무에서는 양자를 구분하지 않고 있다. 일단은 비합리적 기준에 따라 발급된 경우가 이에 해당한다고 알고 있으면
된다. 뒤에서 자세히 구분하여 다룬다.

❸ ① 부관이란 행정행위에 추가로 덧붙이는 법적인 규율을 말한다. 예컨대, 도로점용허가를 해주면서 매달 30만 원의 점용료를 부과하는 경우에, 매달 30만 원의 점용료 부과가 부관에 해당한다. 부관에 대해서는 뒤에서 다룬다. ② 물론 법령에서 허락하고 있다면
기속행위라 하더라도 부관 부가가 가능하고, 법령에서 허락하지 않는다면 재량행위라 하더라도 부관 부가가 가능하지 않다. 이 표는 별도의 규정이 없는 경우에 대한 얘기다.

❹ 기속력이란 행정청에게 판결의 취지에 따라 행동해야 할 의무를 부과하는 취소확정 판결의 효력을 말한다. 행정쟁송법 편에서 자세히 다룬다.

이론적 구분	요건재량설			효과재량설(다수설)	

논의의 전제	① 법률 규정은 요건을 규율하는 부분과 효과를 규율하는 부분으로 구성됨 ➡ 예 '청소년에게 주류를 제공한 경우'(요건) ➡ '6개월 이하의 영업정지처분을 발할 수 있음'(효과)
	② [법률 규정의 구체적 적용 순서]
	  ㉠ 문제 사실의 존부 확정 ➡ 예 공무원 甲이 청소년 乙에게 맥주 2병을 판매한 편의점 주인 丙을 적발함
	  ㉡ 관련 규정 요건의 의미 해석·확정 ➡ 예 식품위생법령에 따르면 청소년에게 주류를 제공한 영업자에 대해서는 6개월 이하의 영업정지처분을 부과할 수 있음
	  ㉢ 문제 사실이 요건에 해당하는지 여부 판단(포섭·적용) ➡ 예 청소년 乙에게 맥주 2병을 판매한 행위는 '청소년에게 주류를 제공'한 행위에 해당함
	  ㉣ 그에 따른 효과 부여 ➡ 예 편의점 주인 丙에 대해 영업정지 1개월 처분을 발급
	③ 두 견해 모두 재량행위는 사법심사의 대상에서 배제된다고 보던 시절에 제시된 견해❶				

논점	어떤 경우에 재량이 주어져 행정청이 사법심사로부터 자유로워지는 것인가?				
주장	요건 부분이 모호할 경우 행정청의 요건 해석과 포섭·적용을 사법부가 일방적으로 틀린 것이라 판단하기 어려우므로, 이때 행정청에 재량이 주어진 것이라 봄 ➡ 구체적으로 언제?			① 요건의 해석과 포섭·적용은 법적 문제(법적으로 정답이 있는 문제, '인식의 문제')로서 자유가 부여될 수 없다고 봄 ② 요건과 효과는 엄격하게 구분되는 개념임을 전제로, ㉠ 요건의 해석과 포섭·적용이 아니라, ㉡ 요건충족시 어떤 법적 효과를 부여할 것인가, 혹은 법적 효과를 부여할 것인지 여부에 행정청이 선택권을 갖게 되는 경우에 행정청에 재량이 주어진 것이라 봄 ➡ 구체적으로 언제?	
	재량행위	① 법령에 행정행위의 요건에 대한 아무런 언급이 없이 "~처분을 할 수 있다."라고만 규정하고 있는 경우(요건이 공백으로 되어 있는 경우) ② [종국목적] 추상적인 공익(예 국가안전보장, 지역주민의 이익을 위하여 등)만을 요건으로 규정하고 있는 경우 ③ 가치판단과 관련된 불확정개념(예 탁월성, 원활함, 나쁨, 우려, 위험성 등)이 요건으로 규정되어 있는 경우		재량행위	㉠ 효과부분이 가능규정 형식("행정청은 ~을 할 수 있다")으로 되어 있거나, ㉡ 법적 효과가 수익적인 경우 ➡ 행정청에 효과 선택의 자유가 주어진다고 봄
	기속행위	① [중간목적] 구체적 공익(예 도로교통의 정체를 일으키지 않는 한도 내에서)을 행정행위 발급의 요건으로 규정하고 있는 경우 ② 요건을 일의적이고 구체적으로 규정하고 있는 경우		기속행위	㉠ 효과부분이 강제규정 형식("행정청은 ~을 해야 한다")으로 되어 있거나, ㉡ 법적 효과가 침익적인 경우 ➡ 행정청에 효과 선택의 자유가 주어지지 않는다고 봄
비판	① 무엇이 중간목적이고 무엇이 종국목적인지를 구분하는 것은 쉽지 않음 ② 공백규정이나 종국목적만이 요건으로 규정되어 있다 하더라도, 목적규정이나 관계법 규정의 보충을 받아 의미가 구체화될 수 있는 경우도 많음 ➡ 모호하지 않을 수 있다는 말 ③ 중간목적을 요건으로 규정하고 있는 경우에도 그 판단기준은 여전히 모호한 경우도 많음 ④ 행정청의 판단이 제대로 된 것인지 판단하는 것이 어렵게 되는 일은 요건의 해석·확정이나 포섭·적용에서보다, 그에 따른 효과 선택에 자유가 주어진 경우에, 그 효과 선택의 옳고 그름에 대해 판단할 때 더 자주 벌어짐			① 침익적 행위라 하더라도 허가취소나 영업정지 중에서 어느 것을 선택할 것인가처럼 법문언 자체에서 선택권이 부여되는 경우가 있고, 수익적 행위라 하더라도 법문언 자체에서 선택권을 부여하지 않는 경우가 있는데, 그 경우는 어떻게 처리해야 하는지가 문제됨 ➡ [비판반영] 오늘날의 효과재량설(다수설)은 우선 법문언이 1차적 기준이고, 불분명한 경우에만 성질을 고려한다고 봄 ② 행정행위 발급의 요건으로 아무것도 규정되어 있지 않은 경우나 추상적인 공익만이 요건으로 규정되어 있는 경우에는 현실적으로 행정청에 자유가 주어진다고 볼 수밖에 없음	

---

❶ 오늘날에는 재량행위라 하더라도 사법심사의 대상이 될 수 있다고 보지만, 과거에는 재량행위는 사법심사의 대상이 되지 않아 재량행위에 대한 소가 제기된 경우, 각하판결을 하여야 한다고 보았다.

▶ (변) 불확정개념과 판단여지이론 ◀

난해영역의 처리문제	① [사법심사 난해영역의 현실적 존재] 행정행위의 요건에 **불확정개념이 사용된 경우** 중 행정청이 전문적인 평가나 판단 또는 미래예측적 혹은 정책적 결정을 하는 경우에는, 행정청의 결정에 대해 <u>사법부가</u> 법적인 기준을 사용하여 잘·잘못을 판단하는 것은 현실적으로 어려움 ➡ 그 적법성에 대한 판단을 사법부에 구해 온 경우, 사법부는 행정청의 결정에 특별한 문제가 없으면 그 결정을 존중해서 적법한 것으로 평가할 수밖에 없음
	② [사례] "각 과의 과장은 업무능력이 매우 탁월하고 성실한 공무원에 대해서는 S의 성적을 부여한다."는 「지방공무원법」 규정이 있었음 ➡ 창원시청 도시과 과장 甲은 도시과 공무원 乙이 S등급의 성적을 받을만큼 탁월하지는 않다고 생각하여 乙에게 A등급의 성적을 부여하였음 ➡ 乙은 자신에게 S등급의 성적이 부여되지 않았다는 점을 문제삼아 법원에 소를 제기 하였음 ➡ 乙과 같이 일해본 적이 없는 법관으로서는 乙이 '매우 탁월'한지 '성실'한지 여부에 대한 도시과 과장 甲의 판단이 잘못된 것이라 판단하기 어려움
	③ [문제점] 다수설인 효과재량설에 따르면, 요건 부분에 불확정개념이 사용된 경우도 기속행위의 일종인데, 이런 현상은 무엇이라 설명할 것인가?

각 견해의 해석 ('불확정개념의 취급에 관한 논의')	① [요건재량설의 해석 – 재량] 요건부분에 불확정개념이 사용된 경우를 재량행위로 보아야 한다고 우리가 주장한 이유가 바로 이런 경우 때문이다!
	② [효과재량설의 해석 – 판단여지] 행정행위의 요건부분에 불확정개념이 사용되어 그 해석이나 포섭이 어려울 수 있다 하더라도, 그것은 여전히 법적문제로서 재량권이 부여된 것이 아니다! ➡ 이 경우는 행정청에 재량과는 질적으로 다른 종류의 자유인 '판단여지'(Beurteilungsspielraum)가 인정되기 때문이다! ➡ 판단여지이론

판단여지이론	판단여지의 개념	위 난해영역에서 행정행위를 하는 경우에 행정청에게 인정되는 자유
	판단여지가 인정될 수 있다고 보는 경우	행정청이 ㉠ <u>비대체적인 결정</u>(예 공무원에 대한 근무성적 평정행위), ㉡ <u>구속적인 가치평가</u>(예 청소년보호위원회의 청소년 유해도서물 결정, 공정거래위원회의 불공정거래행위 결정), ㉢ <u>미래예측결정</u>(예 환경행정에서의 위해 평가), ㉣ <u>행정정책적 결정</u>(예 공무원인사를 위한 인력수급계획의 결정)을 하는 경우
	판단여지의 효과	① 판단여지가 인정되면 <u>사법심사의 범위가 제한</u>(불가능×)됨 ② ㉠ 판단기관이 <u>적정하게 구성</u>되었는지, ㉡ <u>법에서 정한 절차를 준수</u>하였는지, ㉢ <u>정확한 사실관계에 기초</u>하였는지, ㉣ <u>행정법의 일반원칙</u> 등을 준수하였는지 여부에 대한 심사 정도로 사법심사의 범위가 제한됨 ➡ 난해영역에서 이루어진 행정청의 결정은 이 점에서 문제가 없으면 <u>적법하다고 봄</u>

판단여지이론의 수용여부 (재량과 판단여지의 구별 여부)	긍정설 (다수설)	㉠ 판단여지는 법률요건에 대한 <u>인식의 문제</u>이고, 재량은 법률효과 선택의 문제라는 점, ㉡ 판단여지는 법원이 행정청의 결정을 존중하기로 하는 결단의 결과물인 반면, 재량은 입법자가 행정청에 부여한 자유라는 점, ㉢ 판단여지가 인정되는 행정행위에 대해서는 재량이 부여된 행정행위와 달리 <u>부관을 붙일 수 없다는 점</u>, ㉣ 판단여지가 인정되는 경우와 재량이 인정되는 경우에 사법심사의 범위가 <u>제한되는 방식이 다르다는 점</u>에서 양자는 구별하는 것이 타당하다고 봄
	부정설 (대법원)	① [학설] ㉠ 법규정은 일체를 이루고 있는 경우도 많아 요건 판단의 문제와 효과 선택의 문제를 <u>준별하는 것이 어려울뿐더러</u> ㉡ 어차피 둘 다 행정청이 자율권을 갖게 되는 경우이기 때문에, 양자를 구별하는 것은 타당하지 않다고 함 ② [대법원] 대법원은 판단여지이론을 수용× ➡ 법률요건의 해석이나 포섭·적용에 있어서 일정한 자유가 주어질 수밖에 없는 경우도 '판단여지' 대신 '재량'의 문제로 파악(판단여지를 별도의 독자적 개념으로 설정×) ③ 판례 토지형질변경허가는 금지요건이 불확정개념으로 규정되어 있어 그 금지요건의 판단에 행정청의 재량이 있기 때문에 토지형질변경 행위를 수반하는 건축허가는 결국 재량행위(판단여지×)에 속함(2013두9625) ④ 판례 교과서검정이 고도의 학술상, 교육상의 전문적인 판단을 요한다는 특성에 비추어 보면, 검정상 판단이 사실적 기초가 없다거나 사회통념상 현저히 부당하다는 등 현저히 재량권의 범위를 일탈한 것이 아닌 이상 그 검정을 위법하다고 할 수 없음(91누6634) ⑤ 판례 행정청의 전문적인 정성적 평가 결과는, 판단의 기초가 된 사실인정에 중대한 오류가 있거나, 그 판단이 사회통념상 현저하게 타당성을 잃어 객관적으로 불합리하다는 등의 특별한 사정이 없는 한 법원이 당부를 심사하기에 적절하지 않으므로 <u>가급적 존중되어야 함</u>(2017두39785) ➡ 재량의 일탈·남용의 판단기준으로서 이러한 판시를 하였음

재량의 종류

결정재량 — 어떤 행위를 할지 말지에 대해 갖는 자유 ➜ 예 경찰권을 발동할지 여부에 대한 재량

선택재량 — 어떤 행위를 하기는 하되, 그 중에서 어떤 행위를 할지에 대해 갖는 자유 ➜ 예 영업정지와 영업취소 중 선택할 수 있는 재량

기속재량?

유래	재량행위에 대해서는 사법심사가 아예 불가능하다고 보던 시절에, 재량행위에 대한 사법심사 가능성을 확보하기 위한 시도의 일종으로 등장한 개념 ➜ 재량을 <u>기속재량</u>과 <u>자유재량(편의재량)</u>으로 구분한 뒤, 기속재량의 경우에는 사법심사가 가능하다고 보던 연혁적 개념
변형된 사용	국내 학자 중 일부는 단순한 공익이 아니라 '<u>중대한 공익</u>❶상의 고려를 이유로 그 발급을 거부할 수 있는 행정행위'를 제3의 행위인 '<u>기속재량행위</u>'라 부름
대법원의 사용	① [혼선] '기속재량'이라는 표현을, 기속행위와 법적 취급을 같게 해야 하는 행위라는 의미로 사용할 때도 있고(주류적), 본래적 의미에 따라 재량행위의 일종이라는 의미로 사용할 때도 있음(예외적) ② <u>주류적 판례</u> "행정행위가 그 재량성의 유무 및 범위와 관련하여 이른바 <u>기속행위 내지 기속재량행위</u>와 <u>재량행위 내지 자유재량행위</u>로 구분된다고 할 때" ➜ 기속행위와 법적 취급을 같게 해야 하는 행위라는 의미로 사용한 경우 ③ <u>예외적 판례</u> "어느 행정행위가 기속행위인지 재량행위인지, 나아가 재량행위라고 할지라도 기속재량행위인지 또는 자유재량에 속하는 것인지의 여부는 이를 일률적으로 규정지을 수는 없는 것이고, 당해 처분의 근거가 된 규정의 형식이나 체재 또는 문언에 따라 개별적으로 판단하여야 한다."(94누12302) ➜ 재량행위의 일종이라는 의미로 사용한 경우

변형된 사용을 하는 견해에 따른 분류		
기속행위	기속재량행위	재량행위
요건을 충족하면 <u>반드시</u> 발급해야 하거나, 결격사유가 없으면 <u>반드시</u> 발급해야 하는 행정행위	요건을 충족한 경우 <u>중대한 공익</u>상의 필요가 있을 때만 발급하지 않을 수 있는 행정행위	요건을 충족했다 하더라도 공익상의 필요가 있으면 발급하지 않을 수 있는 행정행위

주류적 판례에 따른 분류	
기속행위(＝기속재량행위)	재량행위(＝자유재량행위)
중대한 공익상의 필요가 없는 한, 요건을 충족하거나 결격사유가 없으면 발급해야 하는 행정행위	요건을 충족했다 하더라도 공익상의 필요가 있으면 발급하지 않을 수 있는 행정행위

---

❶ ① 교과서상 이 부분에 관한 서술이 갈리는데, '<u>중대한 공익을 이유로 해서 그 발급을 거부할 수 있는 행정행위</u>'를 <u>기속행위</u>로 분류하는 학자도 있고, <u>기속재량행위</u>로 분류하는 학자도 있는가 하면, <u>재량행위</u>로 분류하는 학자도 있다. ② 참고로, 대법원은 단순히 '공익을 이유로 그 발급을 거부할 수 있는 행정행위'라는 표현을 사용하곤 하는데, 그것은 재량행위를 가리키는 의미이다.

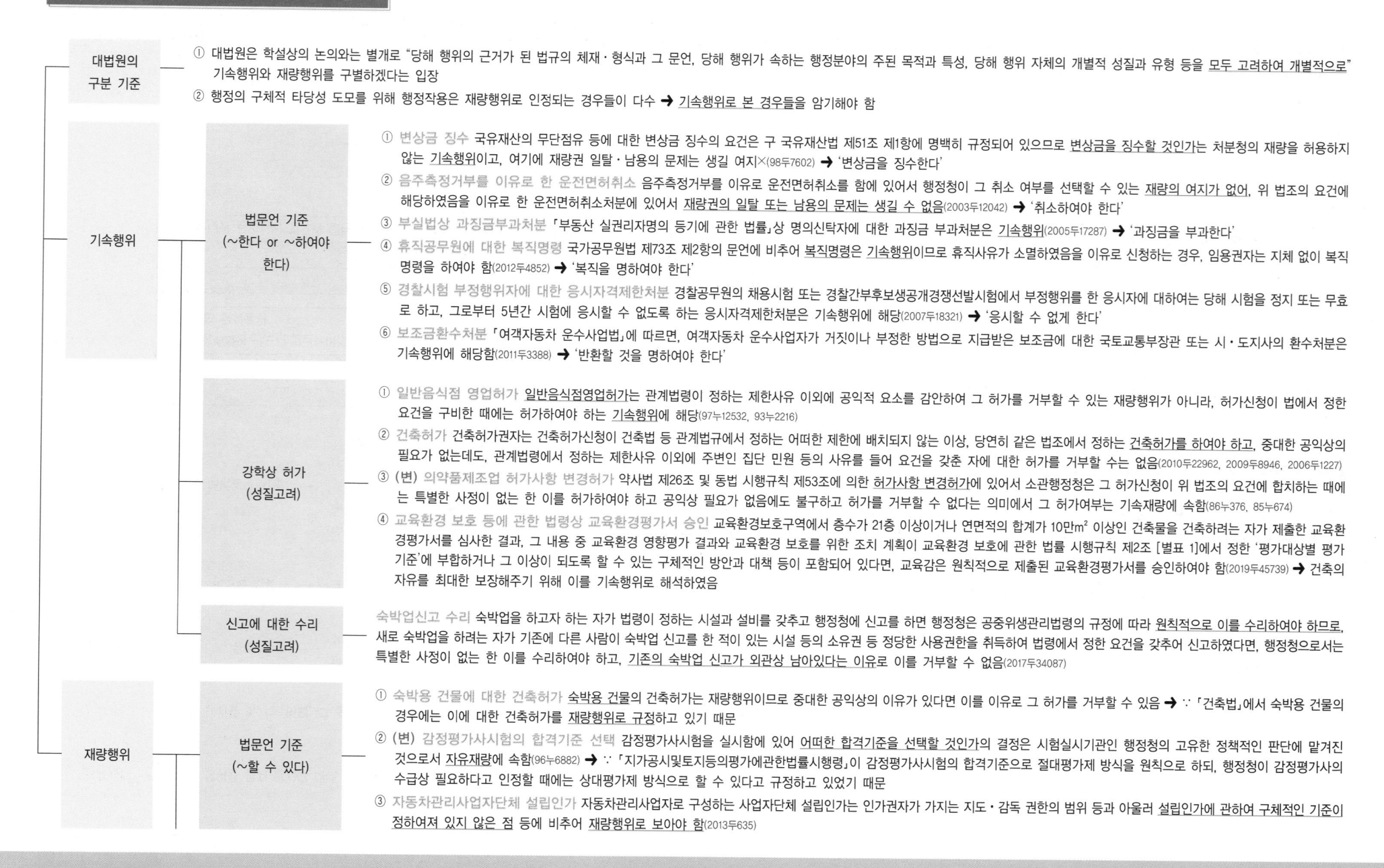

대법원의 구분 기준

① 대법원은 학설상의 논의와는 별개로 "당해 행위의 근거가 된 법규의 체재·형식과 그 문언, 당해 행위가 속하는 행정분야의 주된 목적과 특성, 당해 행위 자체의 개별적 성질과 유형 등을 모두 고려하여 개별적으로" 기속행위와 재량행위를 구별하겠다는 입장

② 행정의 구체적 타당성 도모를 위해 행정작용은 재량행위로 인정되는 경우들이 다수 ➜ <u>기속행위로 본 경우들을 암기해야 함</u>

기속행위

법문언 기준 (~한다 or ~하여야 한다)

① **변상금 징수** 국유재산의 무단점유 등에 대한 변상금 징수의 요건은 구 국유재산법 제51조 제1항에 명백히 규정되어 있으므로 <u>변상금을 징수할 것인가는 처분청의 재량을 허용하지 않는 기속행위</u>이고, 여기에 재량권 일탈·남용의 문제는 생길 여지×(98두7602) ➜ '변상금을 징수한다'

② **음주측정거부를 이유로 한 운전면허취소** 음주측정거부를 이유로 운전면허취소를 함에 있어서 행정청이 그 취소 여부를 선택할 수 있는 <u>재량의 여지가 없어,</u> 위 법조의 요건에 해당하였음을 이유로 한 운전면허취소처분에 있어서 <u>재량권의 일탈 또는 남용의 문제는 생길 수 없음</u>(2003두12042) ➜ '취소하여야 한다'

③ **부실법상 과징금부과처분** 「부동산 실권리자명의 등기에 관한 법률」상 명의신탁자에 대한 과징금 부과처분은 <u>기속행위</u>(2005두17287) ➜ '과징금을 부과한다'

④ **휴직공무원에 대한 복직명령** 국가공무원법 제73조 제2항의 문언에 비추어 <u>복직명령</u>은 <u>기속행위</u>이므로 휴직사유가 소멸하였음을 이유로 신청하는 경우, 임용권자는 지체 없이 복직명령을 하여야 함(2012두4852) ➜ '복직을 명하여야 한다'

⑤ **경찰시험 부정행위자에 대한 응시자격제한처분** 경찰공무원의 채용시험 또는 경찰간부후보생공개경쟁선발시험에서 부정행위를 한 응시자에 대하여는 당해 시험을 정지 또는 무효로 하고, 그로부터 5년간 시험에 응시할 수 없도록 하는 응시자격제한처분은 기속행위에 해당(2007두18321) ➜ '응시할 수 없게 한다'

⑥ **보조금환수처분** 「여객자동차 운수사업법」에 따르면, 여객자동차 운수사업자가 거짓이나 부정한 방법으로 지급받은 보조금에 대한 국토교통부장관 또는 시·도지사의 환수처분은 기속행위에 해당(2011두3388) ➜ '반환할 것을 명하여야 한다'

강학상 허가 (성질고려)

① **일반음식점 영업허가** <u>일반음식점영업허가</u>는 관계법령이 정하는 제한사유 이외에 공익적 요소를 감안하여 그 허가를 거부할 수 있는 재량행위가 아니라, 허가신청이 법에서 정한 요건을 구비한 때에는 허가하여야 하는 <u>기속행위에 해당</u>(97누12532, 93누2216)

② **건축허가** 건축허가권자는 건축허가신청이 건축법 등 관계법규에서 정하는 어떠한 제한에 배치되지 않는 이상, 당연히 같은 법조에서 정하는 <u>건축허가를 하여야 하고,</u> 중대한 공익상의 필요가 없는데도, 관계법령에서 정하는 제한사유 이외에 주변인 집단 민원 등의 사유를 들어 요건을 갖춘 자에 대한 허가를 거부할 수는 없음(2010두22962, 2009두8946, 2006두1227)

③ (변) **의약품제조업 허가사항 변경허가** 약사법 제26조 및 동법 시행규칙 제53조에 의한 <u>허가사항 변경허가</u>에 있어서 소관행정청은 그 허가신청이 위 법조의 요건에 합치하는 때에는 특별한 사정이 없는 한 이를 허가하여야 하고 공익상 필요가 없음에도 불구하고 허가를 거부할 수 없다는 의미에서 그 허가여부는 <u>기속재량에 속함</u>(86누376, 85누674)

④ **교육환경 보호 등에 관한 법령상 교육환경평가서 승인** 교육환경보호구역에서 층수가 21층 이상이거나 연면적의 합계가 10만m² 이상인 건축물을 건축하려는 자가 제출한 교육환경평가서를 심사한 결과, 그 내용 중 교육환경 영향평가 결과와 교육환경 보호를 위한 조치 계획이 교육환경 보호에 관한 법률 시행규칙 제2조 [별표 1]에서 정한 '평가대상별 평가 기준'에 부합하거나 그 이상이 되도록 할 수 있는 구체적인 방안과 대책 등이 포함되어 있다면, 교육감은 원칙적으로 제출된 교육환경평가서를 승인하여야 함(2019두45739) ➜ 건축의 자유를 최대한 보장해주기 위해 이를 기속행위로 해석하였음

신고에 대한 수리 (성질고려)

숙박업신고 수리 숙박업을 하고자 하는 자 법령이 정하는 시설과 설비를 갖추고 행정청에 신고를 하면 행정청은 공중위생관리법령의 규정에 따라 <u>원칙적으로 이를 수리하여야 하므로,</u> 새로 숙박업을 하려는 자가 기존에 다른 사람이 숙박업 신고를 한 적이 있는 시설 등의 소유권 등 정당한 사용권한을 취득하여 법령에서 정한 요건을 갖추어 신고하였다면, 행정청으로서는 특별한 사정이 없는 한 이를 수리하여야 하고, <u>기존의 숙박업 신고가 외관상 남아있다는 이유로 이를 거부할 수 없음</u>(2017두34087)

재량행위

법문언 기준 (~할 수 있다)

① **숙박용 건물에 대한 건축허가** 숙박용 건물의 건축허가는 재량행위이므로 중대한 공익상의 이유가 있다면 이를 이유로 그 허가를 거부할 수 있음 ➜ ∵ 「건축법」에서 숙박용 건물의 경우에는 이에 대한 건축허가를 재량행위로 규정하고 있기 때문

② (변) **감정평가사시험의 합격기준 선택** 감정평가사시험을 실시함에 있어 어떠한 합격기준을 선택할 것인가의 결정은 시험실시기관인 행정청의 고유한 정책적인 판단에 맡겨진 것으로서 <u>자유재량에 속함</u>(96누6882) ➜ ∵ 「지가공시및토지등의평가에관한법률시행령」이 감정평가사시험의 합격기준으로 절대평가제 방식을 원칙으로 하되, 행정청이 감정평가사의 수급상 필요하다고 인정할 때에는 상대평가제 방식으로 할 수 있다고 규정하고 있었기 때문

③ **자동차관리사업자단체 설립인가** 자동차관리사업자로 구성하는 사업자단체 설립인가는 인가권자가 가지는 지도·감독 권한의 범위 등과 아울러 설립인가에 관하여 구체적인 기준이 정하여져 있지 않은 점 등에 비추어 <u>재량행위로 보아야 함</u>(2013두635)

<table>
<tr><td rowspan="9">환경고려</td><td>① <u>토지형질변경허가</u> 「국토의 계획 및 이용에 관한 법률」상 <u>토지형질변경의 허가신청</u>에 대하여, 공익상 또는 이해관계인의 보호를 위하여 부관을 붙일 필요의 유무나 그 내용 등을 판단함에 있어서 행정청에 <u>재량의 여지가 있음</u>(98두17845)</td></tr>
<tr><td>② <u>산림훼손허가</u> 환경보전을 이유로 산림훼손허가 신청을 거부할 수 있다는 <u>명문의 규정이 없다</u> 하더라도, 환경보전을 이유로 <u>산림훼손허가를 거부하는 것은 비례의 원칙에 반하지 않음</u>(2002두12113) → ※ 산림훼손허가는 현행법상으로는 형질변경허가로 통합되었음</td></tr>
<tr><td>③ <u>산림훼손허가</u> 구 산림법령이 규정하는 산림훼손 금지 또는 제한 지역에 해당하지 않더라도, 환경의 보존 등 중대한 공익상 필요가 인정되는 경우, 허가관청은 법규상 명문의 근거가 없어도 <u>산림훼손허가신청</u>을 거부할 수 있음(97누1228, 96누15213) → 기속행위이든 재량행위이든 '중대한' 공익상의 필요가 있는데도 요건을 구비했다는 이유만으로 발급해야 하는 경우는 없음</td></tr>
<tr><td>④ <u>입목굴채허가</u> <u>입목굴채 허가관청</u>은 입목굴채 허가신청 대상 토지의 현상과 위치 및 주위의 상황 등을 고려하여 국토 및 자연의 유지와 환경의 보전 등 중대한 공익상 필요가 있다고 인정될 때에는 <u>허가를 거부할 수 있음</u>(2001두5866) → 허가시 산림훼손이 뒤따르기 때문</td></tr>
<tr><td>⑤ <u>자연공원사업시행허가</u> 자연공원법상 <u>자연공원사업시행허가</u> 여부는 사업장소의 현상과 위치 및 주위의 상황, 사업시행의 시기 및 주체의 적정성, 사업계획에 나타난 사업의 내용, 규모, 방법과 그것이 자연 및 환경에 미치는 영향 등을 종합적으로 고려하여 결정하여야 하는 일종의 <u>재량행위에 속함</u>(99두5092)</td></tr>
<tr><td>⑥ <u>개발행위허가</u> 「국토의 계획 및 이용에 관한 법률」상 <u>개발행위허가</u>는 허가기준 및 금지요건이 불확정개념으로 규정된 부분이 많아 그 요건에 해당하는지 여부는 행정청의 재량판단의 영역에 속함(2017두48956, 2016두55490)</td></tr>
<tr><td>⑦ <u>폐기물처리사업 계획의 적정 여부 통보</u> ㉠ 폐기물처리업허가와 관련된 <u>사업계획의 적정 여부 통보는 재량행위에 해당</u>하고, ㉡ 사업계획의 적합 여부 및 그 적합 여부 통보를 위하여 필요한 <u>기준을 정하는 것 역시 행정청의 재량에 속함</u>(2011두12283, 2004두91, 97누21086)</td></tr>
<tr><td>⑧ <u>가축분뇨 처리방법 변경허가</u> 「가축분뇨의 관리 및 이용에 관한 법률」에 따른 가축분뇨 처리방법 변경허가는 재량행위에 해당○ → 불허가처분에 대한 사법심사는 법원이 허가권자의 재량권을 대신 행사하는 것이 아니라, 허가권자의 공익판단에 관한 재량의 여지를 감안하여 원칙적으로 재량권의 일탈·남용이 있는지 여부만을 판단함(2021두35681)</td></tr>
<tr><td>⑨ <u>건설폐기물처리 사업계획서의 적합 여부 결정</u> 건설폐기물처리업에 관한 법규는 그 허가 요건을 일률적·확정적으로 규정하는 형식을 취하지 않고 그 최소한도만을 정하고 있으므로, 건설폐기물의 재활용촉진에 관한 법령상 건설폐기물 처리 사업계획서의 적합 여부 결정은 재량행위에 해당(2017두46783)</td></tr>
<tr><td rowspan="4">기타 공익고려</td><td>① <u>총포 등 소지허가</u> 총포·도검·화약류 등 단속법상의 총포 등 소지허가는 관할 관청에 총포 등 소지허가에 관한 재량권이 유보되어 있는 것임(92도2179)</td></tr>
<tr><td>② <u>음주운전에 따른 운전면허취소</u> 운전면허를 받은 사람이 음주운전을 한 경우에 운전면허의 취소 여부는 행정청의 재량행위임(2017두67476)</td></tr>
<tr><td>③ <u>재단법인 임원취임승인</u> 재단법인의 임원 취임이 재단법인의 정관에 근거한다 할지라도 <u>재단법인의 임원취임승인</u> 신청에 대해 주무관청이 기속되어 당연히 인가하여야 하는 것은 아니며 인가 여부를 재량으로 결정할 수 있음(98두16996)</td></tr>
<tr><td>④ <u>사회복지법인의 정관변경허가</u> 사회복지사업법상 <u>사회복지법인의 정관변경</u>을 허가할 것인지 여부는 주무관청의 정책적 판단에 따른 재량에 맡겨져 있음(2000두5661) → 사회복지법인은 공익을 위하여 설립되는 법인이라는 이유로 국가로부터 금전상의 각종 혜택을 받기 때문(정관을 변경하면 운영의 주체나 운영방식이 변경될 수 있음)</td></tr>
<tr><td rowspan="4">예외적 승인</td><td>① <u>개발제한구역 내 용도변경허가</u> 구 「도시계획법」상의 개발제한구역 내의 건축물의 용도변경허가는 그 법률적 성질이 재량행위 내지 자유재량행위에 속하는 것임(98두17593)</td></tr>
<tr><td>② <u>개발제한구역 내 건축허가</u> 개발제한구역 안에서의 건축허가의 법적 성질은 재량행위이므로 건축법 등 관계 법규에서 정한 요건을 갖추었다 하더라도 공익상의 이유를 들어 거부할 수 있음(2003두7606)</td></tr>
<tr><td>③ <u>개발제한구역 내 자동차용 액화석유가스충전사업허가</u> 「개발제한구역의 지정 및 관리에 관한 특별조치법」 및 구 「액화석유가스의 안전관리 및 사업법」 등의 관련법규에 의하면, 개발제한구역에서의 자동차용 액화석유가스충전사업허가는 그 기준 내지 요건이 불확정개념으로 규정되어 있으므로 그 허가 여부를 판단함에 있어서 행정청에 재량권이 부여되어 있다고 보아야 함(2015두52432)</td></tr>
<tr><td>④ <u>사행행위허가</u> 구 「사행행위등규제법」에 의한 허가의 경우 ㉠ 허가신청이 적극적 요건에 해당하는지 여부를 판단하는 것은 <u>재량행위</u>라 할 수 있겠으나, ㉡ 허가제한사유에 해당되는 경우에는 적극적 요건에 해당하는지 여부를 판단할 필요는 없음(94누5140) → ∵ 규정상 허가제한사유는 "허가가 취소되거나 영업소가 폐쇄된 후 2년이 지나지 아니한 경우"와 같이 일의적으로 규정하고 있었기 때문</td></tr>
<tr><td rowspan="3">강학상 특허</td><td>① <u>마을버스운송사업면허(한정면허도 마찬가지)</u> 구 여객자동차운수사업법령상 마을버스운송사업면허의 허용 여부 및 마을버스 한정면허시 확정되는 마을버스 노선을 정함에 있어서 기존 일반노선버스의 노선과의 중복 허용 정도에 대한 판단은, 운수행정을 통한 공익실현과 아울러 합목적성을 추구하기 위하여 보다 구체적 타당성에 적합한 기준에 의하여야 할 것이므로 행정청의 재량에 속하는 것이라고 보아야 함(2001두10028, 99두3812)</td></tr>
<tr><td>② <u>개인택시운송사업면허</u> ㉠ 자동차운수사업법에 의한 개인택시운송사업 면허는 특정인에게 권리나 이익을 부여하는 행정행위로서 법령에 특별한 규정이 없는 한 재량행위이고, ㉡ 그 면허를 위하여 필요한 <u>기준을 정하는 것도 행정청의 재량에 속함</u>(2008두16087) → 이 경우에도 그 기준은 객관적으로 타당하여야 하며 그 설정된 우선순위 결정방법이나 기준이 객관적으로 합리성을 잃은 것이라면 이에 따라 면허 여부를 결정하는 것은 재량권의 한계를 일탈한 것이 되어 위법함(2006두13886)</td></tr>
<tr><td>③ <u>공유수면 점용허가</u> 공유수면 점용허가는 공유수면 관리청이 공공 위해의 예방경감과 공공 복리의 증진에 기여함에 적당하다고 인정하는 경우에 그 자유재량에 의하여 허가의 여부를 결정할 수 있음(2002두5016, 62누196)</td></tr>
</table>

수익적 행위 (➜ 효과재량설을 반영)	① 국제적 멸종위기종 및 가공품의 수입 또는 반입 목적외 용도변경승인 「야생동·식물보호법」상 곰의 웅지를 추출하여 비누, 화장품 등의 재료로 사용할 목적으로 곰의 용도를 '사육곰'에서 '식·가공품 및 약용 재료'로 변경하겠다는 내용의 국제적 멸종위기종의 용도변경 승인신청에 대한, 국제적 멸종위기종 및 가공품의 수입 또는 반입 목적 외의 용도로의 용도변경승인처분은 특정인에게만 용도 외의 사용을 허용해주는 권리나 이익을 부여하는 이른바 수익적 행정행위로서 법령에 특별한 규정이 없는 한 재량행위임(2010두23033)
	② 주택건설사업계획승인 (구)주택건설촉진법(현 주택법)에 의한 주택건설사업계획의 승인은 상대방에게 권리나 이익을 부여하는 효과를 수반하는 수익적 행정처분으로서 처분의 요건이 일의적으로 규정되어 있지 아니한 이상 재량행위에 속함(2005두13315, 99두1052) ➜ ※ 주택단지를 건설하는 사업계획에 대한 승인은 건축허가와 다름
	③ 주택건설사업계획승인 주택건설사업계획의 승인의 경우 승인을 받으려는 주택건설사업계획에 관계법령이 정하는 제한사유가 없는 경우에도 공익상 필요가 있으면 처분권자는 그 승인을 받기 위한 신청에 대하여 불허가 결정을 할 수 있음(2004두10883)
전문적 판단 영역 (다수설은 판단여지로 보는 경우들)	① 공무원 임용시 면접 공무원 임용을 위한 면접전형에서 임용신청자의 능력이나 적격성 등에 관한 판단은 면접위원의 고도의 교양과 학식, 경험에 기초한 자율적 판단에 의존하는 것으로서 오로지 면접위원의 자유재량에 속함(97누11911)
	② 예방접종으로 인한 인과관계 판단 구 전염병예방법 제54조의2 제2항에 따른 예방접종으로 인한 질병, 장애 또는 사망의 인정 여부 결정은 보건복지가족부장관(현 보건복지부장관)의 재량에 속함 ➜ (변) 다만, 인정 여부의 결정이 재량권의 행사에 해당하더라도, 전염병예방법의 취지와 입법 경위 등을 고려하면, 동법상 피해보상제도가 수익적 행정처분의 형식을 취하고는 있지만 그 실질은 피해자의 특별한 희생에 대한 보상에 가까우므로, 보건복지가족부장관은 위와 같은 사정 등을 두루 고려하여 객관적으로 합리적인 재량권의 범위 내에서 타당한 결정을 해야 하고, 그렇지 않을 경우 인정 여부의 결정은 주어진 재량권을 남용한 것으로서 위법하게 됨(2014두274)
	③ 의료법상 안정성 평가 「의료법」상 신의료기술의 안전성·유효성 평가나 신의료기술의 시술로 국민보건에 중대한 위해가 발생하거나 발생할 우려가 있는지 여부에 대한 판단과, 그 경우 행정청이 어떠한 종류와 내용의 지도나 명령을 할 것인지의 판단에 관해서는 행정청에 재량권이 부여되어 있음(2013두21120)
	④ 보건의료정책을 위한 지도와 명령 보건의료정책을 위하여 필요하거나 국민보건에 중대한 위해가 발생하거나 발생할 우려가 있을 때 지도와 명령을 할 것인지의 결정은 행정청의 재량권이 인정됨(2013두21120)
	⑤ 사법시험문제 출제행위 사법시험령상 사법시험 문제 출제행위는 출제담당위원의 재량행위에 해당(99다33960)
	⑥ 교과서검정 교과서검정이 고도의 학술상, 교육상의 전문적인 판단을 요한다는 특성에 비추어 보면, 검정상 판단이 사실적 기초가 없다거나 사회통념상 현저히 부당하다는 등 현저히 재량권의 범위를 일탈한 것이 아닌 이상 그 검정을 위법하다고 할 수 없음(91누6634)
	⑦ 교과서검정 교육과학기술부장관의 교과서검정에 관한 처분과 관련하여, 법원이 교과서의 저술 내용이 교육에 적합한지의 여부를 심사할 수는 없음(86누618)
	⑧ 사법시험 2차시험 채점 일의적인 정답을 그 기준으로 하는 객관식 시험과 달리, 논술형으로 치르는 사법시험 2차시험에 있어 채점위원은 시험의 목적과 내용 등을 고려하여 법령이 정하는 범위 내에서 전문적인 지식에 근거하여 그 독자적 판단과 재량에 따라 답안을 채점할 수 있음(2004두10432)
	⑨ 고분발굴허가 건설공사를 계속하기 위한 고분발굴허가신청에 대하여 그 공사를 계속하기 위하여 '부득이 발굴할 필요가 있는지 여부'를 결정하여 발굴을 허가하거나 이를 허가하지 아니함으로써 원형 그대로 매장되어 있는 상태를 유지하는 조치는 허가권자의 재량행위에 속함(99두264)
	⑩ 「도로법」상 도로구역 결정 도로구역의 결정은 행정에 관한 전문적·기술적 판단을 기초로 도로망의 정비를 통한 교통의 발달과 공공복리의 향상이라는 행정목표를 달성하기 위한 행정작용으로서, 구 도로법과 하위법령에는 추상적인 행정목표와 절차만이 규정되어 있을 뿐 도로구역을 결정하는 기준이나 요건에 관하여는 별다른 규정을 두고 있지 않아 행정주체는 해당 노선을 이루는 구체적인 도로구역을 결정함에 있어서 비교적 광범위한 형성의 자유를 가짐(2015두35215)
재량행위를 수반하는 기속행위	① 토지형질변경행위나 농지전용행위를 수반하는 건축허가 「건축법」상의 건축허가가 기속행위라 하더라도, 「국토의 계획 및 이용에 관한 법률」에 따른 토지의 형질변경행위나 농지전용행위를 수반하는 건축(웹 산을 깎아서 만드는 별장 건축)허가는 건축허가와 와와 같은 개발행위허가 및 농지전용허가의 성질을 아울러 갖게 되므로 재량행위에 해당○(2017두48956, 2009두19960, 2004두6181)
	② 토지형질변경행위를 수반하는 건축허가 토지형질변경허가는 금지요건이 불확정개념으로 규정되어 있어 그 금지요건의 판단에 행정청의 재량이 있기 때문에 토지형질변경 행위를 수반하는 건축허가는 결국 재량행위에 속함(2013두9625)

재량행위의 위법(하자)

재량행사의 자유

① [원칙] 재량행위는 그 행사에 있어 일정범위 내에서는 자유를 부여받은 것이기 때문에, 그 행사에 다소 문제가 있다 하더라도('합목적성'을 결여하였다 하더라도) '부당'(不當)한 것이 될 뿐 위법(違法)한 것으로 평가받지는 않는 것이 원칙 ➜ 합목적성 또는 공익성은 사법심사의 대상×

② [예외] 다만, 일정한 유형의 사유가 발생하면 재량행위라 하더라도 예외적으로 위법해질 수 있다고 봄

학설

학설은 재량행위가 예외적으로 위법(부당×)해지는 경우를 아래와 같이 유형화하고 구분하고 있음

재량권의 일탈 (외적 한계를 벗어난 경우)		① 법령에서 정한 범위를 넘어서는 처분을 한 경우(법규정 위반)
		② 잘못된 사실에 기초한 행위를 한 경우(사실오인) ➜ "사실의 존부판단에 대해서까지 재량권이 인정되는 것은 아님"
재량권의 남용 (내적 한계를 벗어난 경우)	객관적 남용	행정법상의 일반원칙(비례의 원칙, 신뢰보호의 원칙 등)을 위반한 경우
	주관적 남용	① 재량을 부여한 법률의 목적을 위반한 경우
		② 사적 목적이나 부정한 동기에서 재량을 행사한 경우
재량권의 불행사(해태)		① 고려해야 할 구체적 사정을 고려하지 않고 재량권을 행사한 경우
		② 재량행위를 기계적 기준에 따라 발급한 경우(재량권을 충분히 행사하지 아니한 경우)

판례의 태도

① 판례는 이상의 하자 유형들을 일일이 구분하지 않고 (재량의 불행사까지도) 모두 묶어서 단순히 '재량의 일탈·남용'이라 부름

② 판례는 재량의 일탈·남용이 있는지 여부를 판단할 때 행정법상의 일반원칙 위반이 있는지 여부를 가장 중요한 기준으로 활용하는 경향

③ 유승준 사건 재외공관장(LA총영사)이 법무부장관의 입국금지결정이 있었다는 이유만으로 기계적으로 유승준에 대하여 재량행위인 재외동포(F-4) 체류자격 사증발급을 거부한 것은 재량권 불행사로서 그 자체로 재량권 일탈·남용에 해당하여 해당 처분을 취소하여야 할 위법사유가 됨(2017두38874)

재량행위에 대한 통제

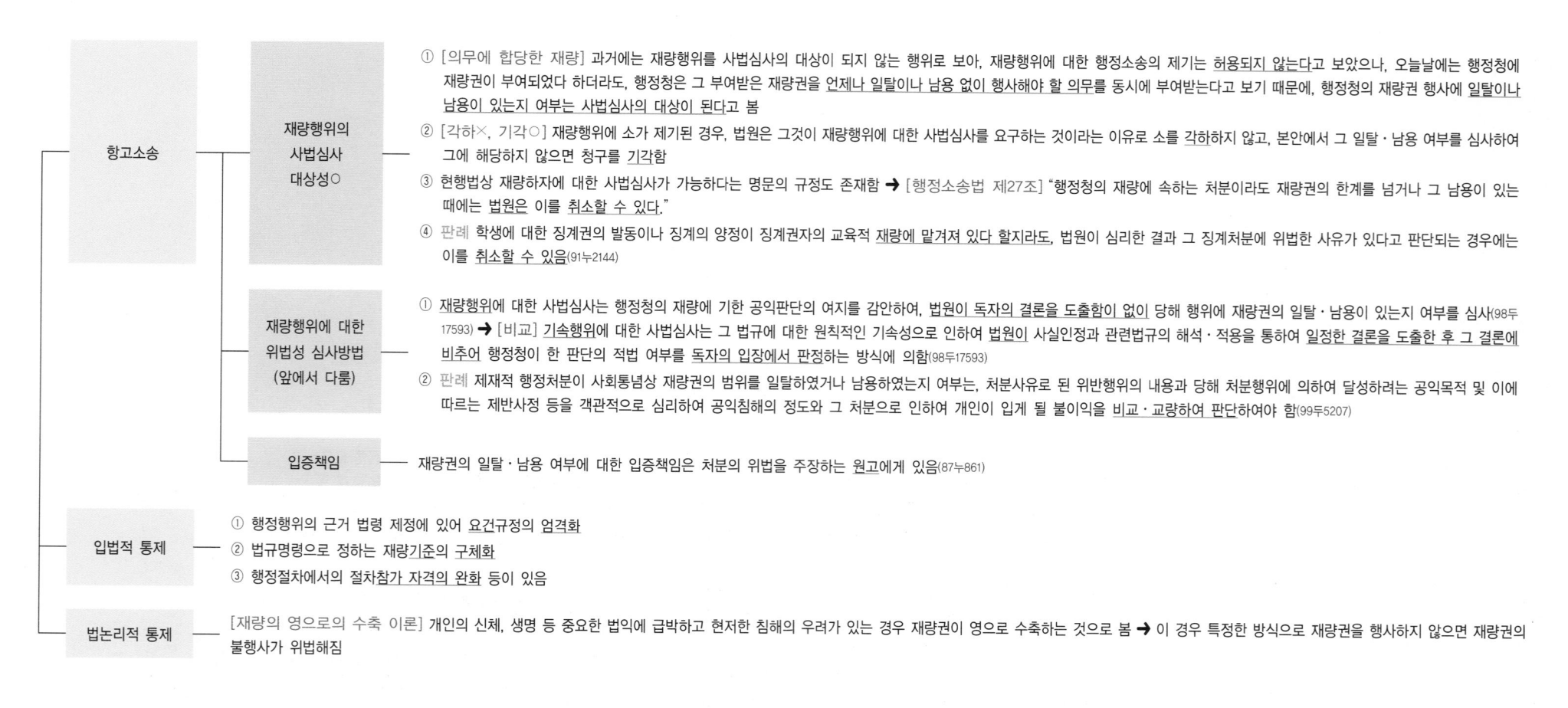

항고소송

재량행위의 사법심사 대상성 ○

① [의무에 합당한 재량] 과거에는 재량행위를 사법심사의 대상이 되지 않는 행위로 보아, 재량행위에 대한 행정소송의 제기는 허용되지 않는다고 보았으나, 오늘날에는 행정청에 재량권이 부여되었다 하더라도, 행정청은 그 부여받은 재량권을 언제나 일탈이나 남용 없이 행사해야 할 의무를 동시에 부여받는다고 보기 때문에, 행정청의 재량권 행사에 일탈이나 남용이 있는지 여부는 사법심사의 대상이 된다고 봄

② [각하×, 기각○] 재량행위에 소가 제기된 경우, 법원은 그것이 재량행위에 대한 사법심사를 요구하는 것이라는 이유로 소를 각하하지 않고, 본안에서 그 일탈·남용 여부를 심사하여 그에 해당하지 않으면 청구를 기각함

③ 현행법상 재량하자에 대한 사법심사가 가능하다는 명문의 규정도 존재함 ➜ [행정소송법 제27조] "행정청의 재량에 속하는 처분이라도 재량권의 한계를 넘거나 그 남용이 있는 때에는 법원은 이를 취소할 수 있다."

④ 판례 학생에 대한 징계권의 발동이나 징계의 양정이 징계권자의 교육적 재량에 맡겨져 있다 할지라도, 법원이 심리한 결과 그 징계처분에 위법한 사유가 있다고 판단되는 경우에는 이를 취소할 수 있음(91누2144)

재량행위에 대한 위법성 심사방법 (앞에서 다룸)

① 재량행위에 대한 사법심사는 행정청의 재량에 기한 공익판단의 여지를 감안하여, 법원이 독자의 결론을 도출함이 없이 당해 행위에 재량권의 일탈·남용이 있는지 여부를 심사(98두17593) ➜ [비교] 기속행위에 대한 사법심사는 그 법규에 대한 원칙적인 기속성으로 인하여 법원이 사실인정과 관련법규의 해석·적용을 통하여 일정한 결론을 도출한 후 그 결론에 비추어 행정청이 한 판단의 적법 여부를 독자의 입장에서 판정하는 방식에 의함(98두17593)

② 판례 제재적 행정처분이 사회통념상 재량권의 범위를 일탈하였거나 남용하였는지 여부는, 처분사유로 된 위반행위의 내용과 당해 처분행위에 의하여 달성하려는 공익목적 및 이에 따르는 제반사정 등을 객관적으로 심리하여 공익침해의 정도와 그 처분으로 인하여 개인이 입게 될 불이익을 비교·교량하여 판단하여야 함(99두5207)

입증책임

재량권의 일탈·남용 여부에 대한 입증책임은 처분의 위법을 주장하는 원고에게 있음(87누861)

입법적 통제

① 행정행위의 근거 법령 제정에 있어 요건규정의 엄격화

② 법규명령으로 정하는 재량기준의 구체화

③ 행정절차에서의 절차참가 자격의 완화 등이 있음

법논리적 통제

[재량의 영으로의 수축 이론] 개인의 신체, 생명 등 중요한 법익에 급박하고 현저한 침해의 우려가 있는 경우 재량권이 영으로 수축하는 것으로 봄 ➜ 이 경우 특정한 방식으로 재량권을 행사하지 않으면 재량권의 불행사가 위법해짐

평등원칙 위반

① **같이 화투놀이를 한 3명에게는 견책이 내려졌으나 1명만 파면된 사건** 부산시 영도구청의 당직 근무 대기 중 약 25분간 같은 근무조원 3명과 함께 시민 과장실에서 심심풀이로 돈을 걸지 않고 점수 따기 화투놀이를 한 사건에 대하여, 함께 화투놀이를 한 3명은 부산시 소청심사위원회에서 견책에 처하기로 의결한 반면, 원고에 대해서는 징계처분으로 파면을 택한 것은 당직근무 대기자의 실정이나 공평의 원칙상 그 재량의 범위를 벗어나 위법(72누194) ➔ 비례의 원칙 위반과 평등의 원칙 위반

② **해외근무자들의 자녀 중 외교관, 공무원의 자녀만 가산점을 준 사건** 서울대학교 총장이 해외근무자들의 자녀를 대상으로 한 특별전형에서 외교관, 공무원의 자녀에 대하여만 획일적으로 실제 취득점수에 20%의 가산점을 부여함으로써, 실제 취득점수에 의하면 합격할 수 있었던 다른 응시생에 대하여 불합격처분을 한 경우, 그 처분에는 재량권 남용이 인정됨(89누8255) ➔ 상사(商社)주재원 등 다른 해외근무자의 자녀와의 합리적 이유 없는 차별에 해당할 뿐만 아니라(평등원칙 위반), 20%의 가산점을 부가하는 것은 과하다는 이유로(비례원칙 위반) 재량권의 일탈·남용을 인정

③ **학력을 기준으로 청원경찰 인원을 감축한 사건** 청원경찰의 인원감축을 위하여, 초등학교 졸업 이하 학력소지자 집단과 중학교 중퇴 이상 학력소지자 집단으로 나누어 각 집단별로 같은 감원비율의 인원을 선정하고 그에 따라 면직처분을 한 것은 위법한 재량권 행사○ ➔ 다만, 이러한 기준을 설정한 이유가 시험문제 출제 수준이 중학교 학력 수준이어서 초등학교 졸업 이하 학력소지자에게 상대적으로 불리할 것이라는 판단 아래 이를 보완하기 위한 것이었으므로 그 하자가 객관적으로 명백하다고 보기는 어려워 취소사유(무효사유×)에 해당하는 하자(2000두4057)

비례원칙 위반

① **판례** 외숙이었던 주유소의 관리인(甲)이 부정 휘발유를 구입·판매한 것을 이유로 그러한 사정을 모르고 있던 乙에 대하여 가장 무거운 제재인 위험물취급소 설치허가 자체를 취소한 처분은 너무 가혹하여 그 재량권의 범위를 일탈한 것(87누436)

② **판례** 공정한 업무처리에 대한 사의(謝意)로 두고 간 돈 30만원이 든 봉투를 소지함으로써 피동적으로 금품을 수수하였다가 돌려준 20여 년 근속의 경찰공무원에 대한 해임처분에는 재량의 일탈 또는 남용이 있다고 보아야 함(90누8954)

③ **급량비를 시립무용단의 다른 용도로 일시전용한 단원을 해촉을 한 사건** 급량비가 나왔을 때 이를 단원들에게 바로 지급하지 않고, 그 중 소액을 개인적인 목적이 아닌 시립무용단장의 지시에 따라 시립무용단의 다른 용도에 일시 전용한 것을 이유로 한, 서울시립무용단원에 대한 해촉은, 너무 가혹하여 징계권을 남용한 것으로서 무효(95누4636) ➔ 서울시립무용단원 위촉은 공법상 계약이어서 그 해촉도 공법상 계약의 해지에 해당하고 이에 대해서는 당사자소송으로 그 무효확인을 청구해야 함 ➔ 공법상 계약의 해지이기 때문에 공정력이 없어 위법하면 곧바로 무효가 됨

④ **위법한 전출명령에 근거한 징계처분** 당해 공무원의 동의 없는 지방공무원법 제29조의8의 규정에 의한 전출명령은 위법하여 취소되어야 하므로, 그 전출명령이 적법함을 전제로 내린 징계처분은 그 전출명령이 공정력에 의하여 취소되기 전까지는 유효하다고 하더라도 징계양정에 있어 재량권을 일탈한 것으로서 위법(99두1823) ➔ 취소사유로 보았다는 점도 중요

⑤ **북한어린이를 위한 모금행위를 불허한 사건** 행정청이 '준조세 폐해 근절 및 경제난 극복'이라는 이유를 내세워, 북한어린이를 위한 의약품지원을 위하여 성금 및 의약품 등을 모금하는 행위 자체를 불허한 것은 재량권의 일탈 또는 남용(99두3690) ➔ ∵ 모집절차 및 그 방법과 모집된 기부금품의 사용에 대한 통제라는 더 경미한 제한 방법도 있기 때문

⑥ **판례** 청소년유해매체물로 결정·고시된 만화인 사실을 모르고 있던 도서대여업자가 그 고시일로부터 8일 후에 청소년에게 그 만화를 대여한 것을 사유로 그 도서대여업자에게 금 700만원의 과징금을 부과한 경우, 그 과징금부과처분은 재량권을 일탈·남용○(99두9490)

자기구속의 원칙 위반

판례 재량준칙이 정한 바에 따라 되풀이 시행되어 행정관행이 이루어지게 되면 평등의 원칙이나 신뢰보호의 원칙에 따라 행정청은 상대방에 대한 관계에서 그 규칙에 따라야 할 자기구속을 받게 되므로, 이러한 경우에는 특별한 사정이 없는 한 그에 반하는 처분은 평등의 원칙이나 신뢰보호의 원칙에 어긋나 재량권을 일탈·남용한 위법한 처분이 됨(2009두7967)

재량권 불행사

① **판례** 실권리자명의 등기의무를 위반한 명의신탁자에 대한 과징금 부과와 관련하여 임의적 감경규정이 존재하는 경우, ㉠ 그 감경규정에 따른 감경사유가 존재하여 이를 고려하고도 과징금을 감경하지 않은 것을 위법하다고 단정할 수는 없으나, ㉡ 위 감경사유를 전혀 고려하지 않았거나 감경사유에 해당하지 않는다고 오인한 나머지 과징금을 감경하지 않았다면 그 과징금 부과처분은 재량권을 일탈·남용한 위법한 처분이라고 할 수밖에 없음(2010두7031)

② **징계위원회에서 공적사항이 제시되지 않아 고려되지 못한 경우** 경찰공무원에 대한 징계위원회의 심의과정에 반드시 제출되어야 하는 감경사유에 해당하는 공적(功績) 사항이 제시되지 아니한 경우에는, 그 징계양정이 결과적으로 적정한지와 상관없이 이는 관계 법령이 정한 징계절차를 지키지 않은 것으로서 위법함(2012두13245)

③ **유승준 사건** 처분의 근거 법령이 행정청에 처분의 요건과 효과 판단에 일정한 재량을 부여하였는데도, 행정청이 자신에게 재량권이 없다고 오인한 나머지 처분으로 달성하려는 공익과 그로써 처분상대방이 입게 되는 불이익의 내용과 정도를 전혀 비교형량 하지 않은 채 처분을 하였다면, 이는 재량권 불행사로서 그 자체로 재량권 일탈·남용으로 해당됨(2017두38874)

재량의 일탈·남용 부정 판례

① 판례 경찰공무원이 교통법규 위반 운전자에게 만원권 지폐 한 장을 두 번 접어서 면허증과 함께 달라고 한 경우에 내려진 해임처분은 징계재량권의 일탈·남용이 아님(2006두16272)

② 판례 지방식품의약품안전청장이 수입 녹용 중 일부를 절단하여 측정한 회분함량이 기준치를 0.5% 초과하였다는 이유로 수입 녹용 전부에 대하여 전량 폐기 또는 반송 처리하도록 한 지시처분은 재량권을 일탈·남용한 것에 해당하지 않음(2004두3854)

③ 판례 초음파 검사를 통하여 알게 된 태아의 성별을 고지한 의사에 대해 의사면허자격정지처분을 한 경우, 재량권 남용이 있다고 볼 수 없음(2002두4822)

④ 판례 학교법인의 임원(甲)이 교비회계자금을 법인회계로 부당 전출하여 이에 대하여 교육인적자원부장관이 시정을 요구하자, 학교법인이 이를 시정하기 위한 노력을 하였으나, 결과적으로 시정요구 사항의 대부분을 사실상 이행하지 아니하였고, 부당전출에 대한 다른 임원들(乙, 丙)의 가공의 정도가 가볍지 아니하였다면, 이들(乙, 丙)에 대하여 행한 임원취임승인취소처분에는 재량권의 일탈이나 남용이 있었다고 볼 수 없음(2006두19297)

⑤ 판례 명예퇴직 합의 후 명예퇴직 예정일 사이에 허위로 병가를 받아 다른 회사에 근무하였음을 사유로 한 징계해임처분에 재량권 남용이 있다고 볼 수 없음(2000다60890)

⑥ 판례 대학의 신규교원 채용에 서류심사위원으로 관여하면서 소지하게 된 인사서류를, 학교 운영과 관련한 진정서의 자료로 활용한 사립학교의 교원에 대한 해임처분에 재량권의 일탈·남용이 있다고 볼 수 없음(98두8858)

⑦ 판례 건설공사를 계속하기 위한 매장문화재의 발굴허가신청에 대하여, 이를 원형 그대로 매장되어 있는 상태를 유지하기 위해 문화재보호법 등 관계 법령이 정하는 바에 따라 내린 허가권자의 불허가 조치는 재량권의 일탈·남용에 해당하지 아니함(99누264)

⑧ 판례 약사의 의약품 개봉판매행위는 약사법에 의하여 금지되어 있는데, 이를 위반한 약사에 대하여 구 약사법령에 근거한 15일 영업정지에 갈음하는 과징금 855만원을 부과한 처분에는 재량권의 일탈·남용이 있다고 볼 수 없음(2007두6946)

⑨ 판례 허위의 무사고증명을 제출하여 개인택시면허를 받은 자에 대하여 신뢰이익을 고려하지 아니하고 면허를 취소하였다 하더라도 재량권 남용이 있다고 볼 수 없음(90누9520)

⑩ 판례 문화재청장이 국가지정문화재의 보호구역에 인접한 나대지에 건물을 건축하기 위한 국가지정문화재 현상변경신청을 허락하지 않은 경우, 그 거부에는 재량권 남용이 있다고 단정하기 어려움(2004두9920)

⑪ 판례 생물학적 동등성 시험자료에 조작이 있음을 이유로 해당 의약품의 회수, 폐기를 명한 처분에는 재량권의 일탈·남용이 있다고 할 수는 없음(2008두8628)

⑫ 판례 미성년자를 출입시켰다는 이유로 2회나 영업정지에 갈음한 과징금을 부과받은 지 1개월 만에, 다시 만 17세도 되지 아니한 고등학교 1학년 재학생까지 포함된 미성년자들을 연령을 확인하지 않고 출입시킨 행위에 대한 영업허가취소처분에 재량권의 일탈·남용이 있다고 볼 수 없음(93누5185)

⑬ 판례 전국공무원노동조합 시지부 사무국장이 지방공무원 복무조례 개정안에 대한 의견을 표명하기 위하여 전국공무원노동조합 간부들과 함께 시장의 사택을 방문하였고, 이에 징계권자가 시장 개인의 명예와 시청의 위신을 실추시키고 지방공무원법에서 정한 집단행위 금지의무를 위반하였다는 등의 이유로 사무국장을 파면처분한 것은 재량권의 일탈·남용에 해당되지 않음(2006두16786)

⑭ 판례 태국에서 수입하는 냉동새우에 유해화학물질인 말라카이트그린이 들어 있음에도 수입신고서에 말라카이트그린이 사용된 사실을 기재하지 않았음을 이유로 행정청이 행한 영업정지 1개월의 처분에 재량권의 일탈·남용이 있었다고 볼 수 없음(2009두22997)

⑮ 판례 교통사고를 일으켜 피해자 2인에게 각 전치 2주의 상해를 입히고 약 296,890원 상당의 손해를 입히고도 구호조치 없이 도주한 수사 담당경찰관에 대한 해임처분에는 재량권의 일탈·남용이 있다고 볼 수 없음(99두6101)

⑯ 판례 행정청이 개인택시운송사업의 면허를 발급함에 있어 '개인택시운송사업면허사무처리지침'에 따라 택시운전경력자를 일정 부분 우대하는 처분을 한 경우, 택시 이외의 운전경력자에게 반사적 불이익이 초래된다 하더라도 재량권을 일탈하거나 남용한 처분이라 볼 수 없음(2008두11099)

⑰ 판례 해당 지역에서 일정기간 거주하여야 한다는 요건 이외에 해당 지역 운수업체에서 일정기간 근무한 경력이 있는 경우에만 개인택시운송사업면허신청 자격을 부여한다는 개인택시운송사업면허업무규정은 합리적인 제한임(2006두1798)

⑱ 판례 자동차운송사업 신규면허처분이 기존업자의 사업구역을 축소한 결과가 되어 경제적 손실을 가져온다 하더라도 그것이 행정구역변경에 따른 사업구역 조정이라는 공익상의 필요에 따른 것이라면 신규면허처분에 재량권 남용 등의 위법이 없음(91누10220)

⑲ 판례 출입국관리법에 따라 거짓진술이나 사실은폐 등으로 난민인정 결정을 하는 데 하자가 있음을 이유로 법무부장관이 난민인정결정을 취소한 처분에는 재량의 일탈 또는 남용이 없음(2013두16333)

⑳ (변) 판례 전역지원의 시기를 상실하였을 뿐 아니라 의무장교의 인력운영 수준이 매우 저조하여 장기활용가능 자원인 군의관을 의무복무기간 중 군에서 계속하여 활용할 필요가 있다는 등의 이유로 해당 군의관을 전역대상자에서 제외한 처분에는 재량의 일탈 또는 남용이 없음(98두12253)

㉑ 판례 공정거래위원회가 과징금 산정 시 위반 횟수 가중의 근거로 삼은 위반행위에 대한 시정조치가, 그 후 '위반행위 자체가 존재하지 않는다'는 이유로 취소판결로 소급하여 취소되고 그 판결이 확정된 경우, ㉠ 그것을 근거로 하여 부과된 과징금 부과처분은 비례·평등원칙 및 책임주의 원칙에 위배될 여지가 있으나, ㉡ 위 시정조치를 위반 횟수 가중을 위한 횟수 산정에서 제외하더라도, 그 사유가 과징금 부과처분에 영향을 미치지 아니하여 처분의 정당성이 인정되는 경우, 그 처분은 위법하지 않음(2017두55077) ➜ 예컨대, 공정거래법 위반으로 1회 시정명령을 받은 경우 과징금 300만원, 2회 시정명령을 받은 경우 과징금 500만원, 3회 이상 시정명령을 받은 경우 과징금 1,000만원 부과가 각각 규정되어 있던 상황을 상정해보면 됨

제5항 내용에 따른 행정행위의 구분

❶ 개설

> **의사표시를 구성요소로 하는지 여부에 따른 행정행위의 분류 개관**

법률행위적 행정행위 (전형적인 형태)

① [개념] 민법상의 개념인 <u>법률행위(몰라도 됨)와</u> 유사한 성격을 갖는 행정행위

② [특징] <u>의사표시를 내포○</u> ➔ <u>의사표시의 내용대로</u> 법률관계를 변동시킴

③ [종류] 명령적 행정행위(하명, 허가, 면제), 형성적 행정행위(특허, 인가, 대리)

④ [사례] 행정청이 甲에 대하여 100만 원의 조세납부<u>의무를 부담시키기로</u> 하는 조세부과처분을 하면, 그에 따라 甲은 100만 원의 조세납부<u>의무를</u> 부담하게 됨

준법률행위적 행정행위 (특수한 형태)

① [개념] 민법상의 개념인 <u>준법률행위(몰라도 됨)와</u> 유사한 성격을 갖는 행정행위

② [특징] 의사표시를 내포× ➔ 관계 법령규정에 따라 법률관계를 변동시킴

③ [종류] 확인, 공증, 수리, 통지

④ <u>본래는</u> 의사표시를 담고 있지 않아 행정행위일 수 없는 것들이지만, ㉠ 무언가를 판정하고(확인), ㉡ 장부에 기재하고(공증), ㉢ 사인의 공법행위를 유효한 것으로 받아들였다는 인식을 표시하고(수리), ㉣ 어떤 사실을 알리는(통지) 행정작용들에 대해, 관련 법령규정에서 그것들이 있을 경우 어떤 권리·의무의 변동이 수반되게 하고 있어 행정행위의 일종으로 분류되는 것

⑤ [사례] 농지를 처분해야 하는 의무가 있음을 알려주는 행위인 「농지법」상 농지처분의무의 통지를 받은 자는, 「농지법」 제63조에 의해 일정기간 내에 농지를 처분하지 않을 경우 <u>이행강제금을 부과받게</u> 됨 ➔ 농지처분의무 통지 자체는 단지 의무가 있음을 알려주는 행위에 불과하지만, 그것이 있을 경우 <u>「농지법」</u> 규정에 의해 이행강제금 부과의 법적 전제가 되는 효과가 발생하기 때문에 행정행위의 일종으로 분류됨

❷ 하명과 면제

법률행위적 행정행위 - 명령적 행정행위 - 하명과 면제

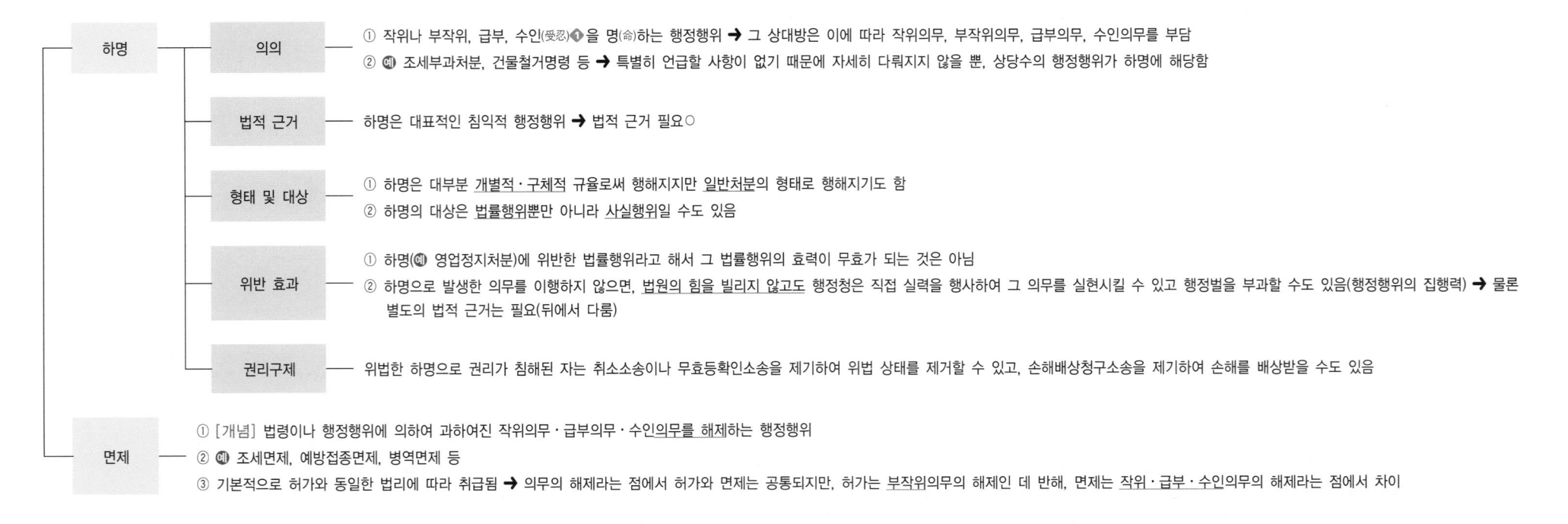

하명 — 의의
① 작위나 부작위, 급부, 수인(受忍)❶을 명(命)하는 행정행위 ➜ 그 상대방은 이에 따라 작위의무, 부작위의무, 급부의무, 수인의무를 부담
② ⓔ 조세부과처분, 건물철거명령 등 ➜ 특별히 언급할 사항이 없기 때문에 자세히 다뤄지지 않을 뿐, 상당수의 행정행위가 하명에 해당함

법적 근거
하명은 대표적인 침익적 행정행위 ➜ 법적 근거 필요○

형태 및 대상
① 하명은 대부분 개별적·구체적 규율로써 행해지지만 일반처분의 형태로 행해지기도 함
② 하명의 대상은 법률행위뿐만 아니라 사실행위일 수도 있음

위반 효과
① 하명(ⓔ 영업정지처분)에 위반한 법률행위라고 해서 그 법률행위의 효력이 무효가 되는 것은 아님
② 하명으로 발생한 의무를 이행하지 않으면, 법원의 힘을 빌리지 않고도 행정청은 직접 실력을 행사하여 그 의무를 실현시킬 수 있고 행정벌을 부과할 수도 있음(행정행위의 집행력) ➜ 물론 별도의 법적 근거는 필요(뒤에서 다룸)

권리구제
위법한 하명으로 권리가 침해된 자는 취소소송이나 무효등확인소송을 제기하여 위법 상태를 제거할 수 있고, 손해배상청구소송을 제기하여 손해를 배상받을 수도 있음

면제
① [개념] 법령이나 행정행위에 의하여 과하여진 작위의무·급부의무·수인의무를 해제하는 행정행위
② ⓔ 조세면제, 예방접종면제, 병역면제 등
③ 기본적으로 허가와 동일한 법리에 따라 취급됨 ➜ 의무의 해제라는 점에서 허가와 면제는 공통되지만, 허가는 부작위의무의 해제인 데 반해, 면제는 작위·급부·수인의무의 해제라는 점에서 차이

---

❶ 수인이란 참고(忍) 받아들인다(受)는 뜻으로서, 국어사전에는 없는 일본식 한자어다.

❸ 허가

법률행위적 행정행위 - 명령적 행정행위 - 허가

의의
- ① 본래는 자유로이 할 수 있었지만 공익적 차원에서 일단 금지되었던 행위들에 대하여, 일정한 요건을 갖추어 공공에 대한 위험이 없다고 판단되는 경우에, 그 금지를 해제하여 주는 행정행위("자연적 자유를 회복시켜 주는 행위")
- ② 허가는 실정법상으로 '허가', '승인', '인가', '면허', '인허' 등으로 표현 ➡ 강학상의 허가인지 여부는 별도 검토 필요
- ③ 본래 헌법상 자유권적 기본권 때문에 범죄행위가 아닌 한 그 어떤 행동도 자유롭게 할 수 있는 것이 원칙이지만, 공공의 안녕과 질서유지 때문(그 자체의 유해성 때문×)에 일정한 행위들에 대해서는 일단 금지('예방적 금지', '상대적 금지', '일반적 금지', '경찰금지')를 해두고, 최소한의 요건을 갖추게 하려는 것 ➡ 어떤 행위가 허가를 받고 해야 하는 행위인지는 정책적 판단의 문제 ➡ 나라마다 다름

예시
- ① 주류판매업면허(95누5714), 식품위생법상 영업허가(95누10877), 「기부금품모집규제법」상 기부금품모집허가(99두3690), 담배 일반소매인 지정(2007두23811), 석유판매업허가(86누203)
- ② 운전면허 ➡ [비교] 개인택시운송사업면허는 강학상 특허
- ③ [특허×] 유기장 영업허가(84누369), 의사면허, 한의사면허(97누4289), 구 「학원의설립·운영에관한법률」 제5조 제2항에 의한 학원설립인가(93누8276), 종합주류도매업면허(95누5714)
- ④ [인가×] 사설법인묘지의 설치에 대한 행정청의 허가(2007두6106)
- ⑤ [대물적 허가] 주류제조업면허(89누46, 74누138), 건축허가(2014두41190, 92누17822)

법적 성질

명령적 행위 — 허가는 의무를 해제하는 행위로서, 명령적 행위로 분류하는 것이 전통적인 견해이지만, 최근에는 이를 형성적 행위의 성격도 함께 있는 것으로 보아야 한다는 견해도 제시되고 있음

기속성

법령 규정을 따름 — 허가가 기속행위인지 재량행위인지 여부는 원칙적으로 개별법령이 정하는 바에 의함 ➡ [사례] 건축법 제11조 제4항('러브호텔조항')은 위락시설이나 숙박시설에 대한 건축허가를 재량행위로 규정 ➡ 러브호텔 건축허가는 재량행위(➡ 요건을 구비하여 신청해도 공익을 고려하여 발급되지 않을 수 있음)

불분명한 경우 원칙적 기속행위
- ① 규정이 분명하지 않다면 원칙적으로 기속행위 ➡ 법령에 명시된 허가 요건을 갖추어서 허가신청을 하면, 행정청은 중대한 공익상의 필요가 없는 한, 허가를 발급해 주어야 한다는 말 ➡ ∵ 본래 자유롭게 할 수 있게 하는 것이 마땅한 행위들을 사전에 금지한 것이기 때문
- ② 허가의 요건은 법령으로 규정되어야 하며, 법령의 근거 없이 행정권이 독자적으로 허가요건을 추가하는 것은 허용× ➡ 허가는 기본적으로 기속행위이기 때문에 법령에 규정된 조건을 모두 충족하였다면 법령에 없는 조건을 요구하며 허가발급을 거부할 수 없다는 의미
- ③ 판례 주류판매업 면허는 강학상의 허가로 해석되므로, 「주세법」에 열거된 면허제한 사유에 해당하지 아니하는 한 면허관청으로는 임의로 그 면허를 거부할 수 없음(95누5714)
- ④ 판례 「공중위생법」상 위생접객업허가는 기속행위에 해당함(94누13497) ➡ ※ 위생접객업이란 호텔업이나 여관업 등의 숙박업이나 목욕장업 등을 말함
- ⑤ 판례 「식품위생법」상 일반음식점영업허가는 성질상 일반적 금지의 해제에 불과하므로 허가권자는 허가신청이 법에서 정한 요건을 구비한 때에는 허가하여야 하고 관계 법령에서 정하는 제한사유 외에 공공복리 등의 사유를 들어 허가신청을 거부할 수는 없음(97누12532)

불분명한 경우 예외적 재량행위
- ① 성질상 발급여부 판단에 이익형량을 통한 공익고려가 필요한 경우에는 예외적으로 재량행위처럼 발급을 거부할 수 있음
- ② 입목벌채(굴채)허가 입목(立木)의 벌채허가는 재량행위로서 중대한 공익상의 필요가 있는 경우에는 허가를 거부할 수 있음(2001두5866)
- ③ (변) 전자유기장영업허가 유기장영업허가는 유기장영업권을 설정하는 설권행위가 아니고 일반적 금지를 해제하는 영업자유의 회복이라 할 것이므로 그 영업상의 이익은 반사적 이익에 불과하고 행정행위의 본질상 금지의 해제나 그 해제를 다시 철회하는 것은 공익성과 합목적성에 따른 당해 행정청의 재량행위임(84누369) ➡ ※ 유기장은 오락실을 말함

쌍방적 행정행위
- ① 허가는 보통 상대방의 출원에 따라 발급되는 쌍방적 행정행위 ➡ 다만, 통행금지 해제와 같이 출원 없이도 발급되는 경우도 있음
- ② [수정허가] 신청 내용과 다른 내용의 허가 발급도 가능하다고 봄 ➡ 다만, 상대방의 동의가 있어야 효력이 발생한다고 봄

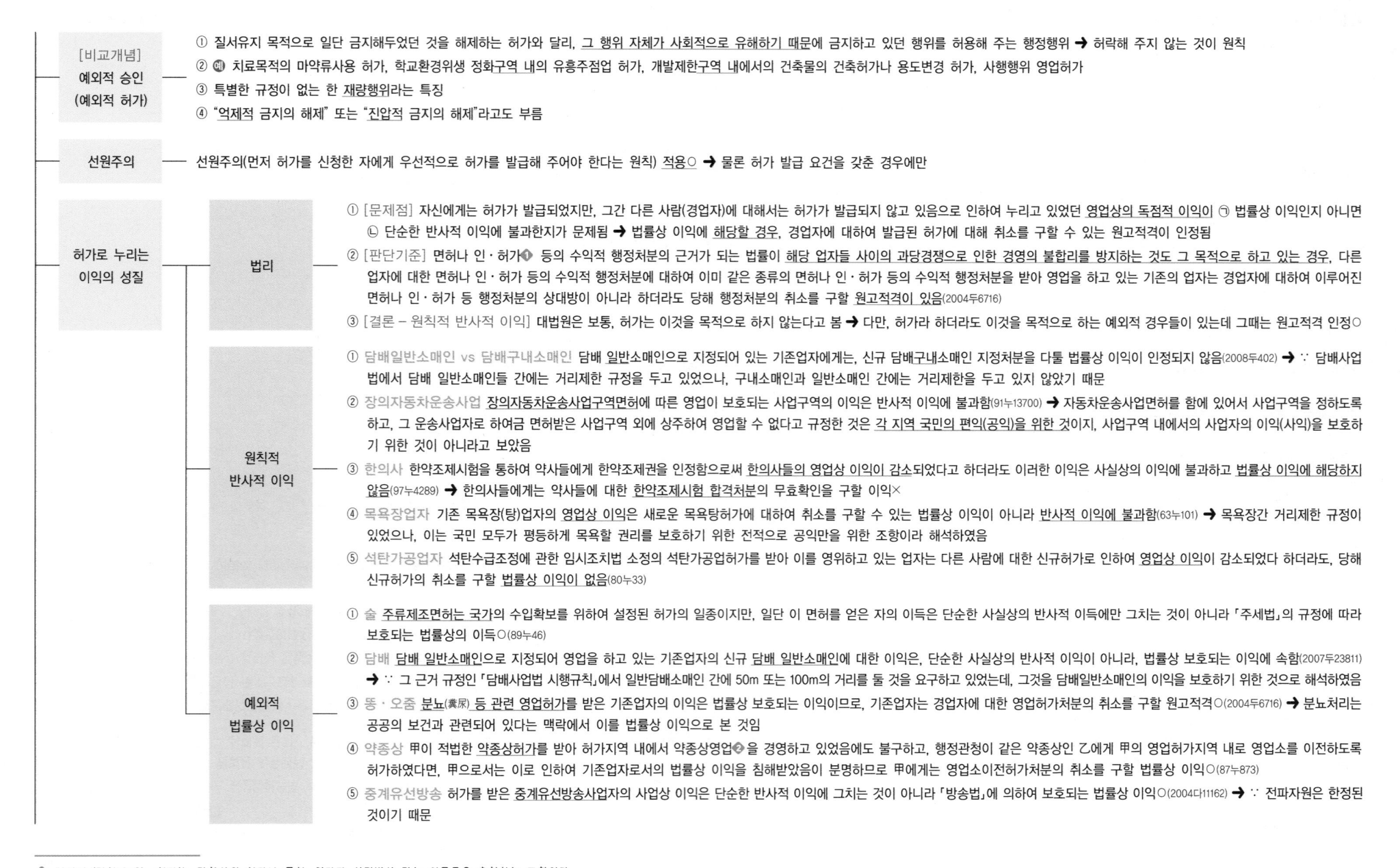

[비교개념]
예외적 승인
(예외적 허가)

① 질서유지 목적으로 일단 금지해두었던 것을 해제하는 허가와 달리, 그 행위 자체가 사회적으로 유해하기 때문에 금지하고 있던 행위를 허용해 주는 행정행위 ➔ 허락해 주지 않는 것이 원칙

② 🐾 치료목적의 마약류사용 허가, 학교환경위생 정화구역 내의 유흥주점업 허가, 개발제한구역 내에서의 건축물의 건축허가나 용도변경 허가, 사행행위 영업허가

③ 특별한 규정이 없는 한 재량행위라는 특징

④ "억제적 금지의 해제" 또는 "진압적 금지의 해제"라고도 부름

선원주의 —— 선원주의(먼저 허가를 신청한 자에게 우선적으로 허가를 발급해 주어야 한다는 원칙) 적용○ ➔ 물론 허가 발급 요건을 갖춘 경우에만

허가로 누리는 이익의 성질

법리

① [문제점] 자신에게는 허가가 발급되었지만, 그간 다른 사람(경업자)에 대해서는 허가가 발급되지 않고 있음으로 인하여 누리고 있었던 영업상의 독점적 이익이 ㉠ 법률상 이익인지 아니면 ㉡ 단순한 반사적 이익에 불과한지가 문제됨 ➔ 법률상 이익에 해당할 경우, 경업자에 대하여 발급된 허가에 대해 취소를 구할 수 있는 원고적격이 인정됨

② [판단기준] 면허나 인·허가❶ 등의 수익적 행정처분의 근거가 되는 법률이 해당 업자들 사이의 과당경쟁으로 인한 경영의 불합리를 방지하는 것도 그 목적으로 하고 있는 경우, 다른 업자에 대한 면허나 인·허가 등의 수익적 행정처분에 대하여 이미 같은 종류의 면허나 인·허가 등의 수익적 행정처분을 받아 영업을 하고 있는 기존의 업자는 경업자에 대하여 이루어진 면허나 인·허가 등 행정처분의 상대방이 아니라 하더라도 당해 행정처분의 취소를 구할 원고적격이 있음(2004두6716)

③ [결론 – 원칙적 반사적 이익] 대법원은 보통, 허가는 이것을 목적으로 하지 않는다고 봄 ➔ 다만, 허가라 하더라도 이것을 목적으로 하는 예외적 경우들이 있는데 그때는 원고적격 인정○

원칙적 반사적 이익

① 담배일반소매인 vs 담배구내소매인 담배 일반소매인으로 지정되어 있는 기존업자에게는, 신규 담배구내소매인 지정처분을 다툴 법률상 이익이 인정되지 않음(2008두402) ➔ ∵ 담배사업법에서 담배 일반소매인들 간에는 거리제한 규정을 두고 있었으나, 구내소매인과 일반소매인 간에는 거리제한을 두고 있지 않았기 때문

② 장의자동차운송사업 장의자동차운송사업구역면허에 따른 영업이 보호되는 사업구역의 이익은 반사적 이익에 불과함(91누13700) ➔ 자동차운송사업면허를 함에 있어서 사업구역을 정하도록 하고, 그 운송사업자로 하여금 면허받은 사업구역 외에 상주하여 영업할 수 없다고 규정한 것은 각 지역 국민의 편익(공익)을 위한 것이지, 사업구역 내에서의 사업자의 이익(사익)을 보호하기 위한 것이 아니라고 보았음

③ 한의사 한약조제시험을 통하여 약사들에게 한약조제권을 인정함으로써 한의사들의 영업상 이익이 감소되었다고 하더라도 이러한 이익은 사실상의 이익에 불과하고 법률상 이익에 해당하지 않음(97누4289) ➔ 한의사들에게는 약사들에 대한 한약조제시험 합격처분의 무효확인을 구할 이익×

④ 목욕장업자 기존 목욕장(탕)업자의 영업상 이익은 새로운 목욕탕허가에 대하여 취소를 구할 수 있는 법률상 이익이 아니라 반사적 이익에 불과함(63누101) ➔ 목욕장간 거리제한 규정이 있었으나, 이는 국민 모두가 평등하게 목욕할 권리를 보호하기 위한 전적으로 공익만을 위한 조항이라 해석하였음

⑤ 석탄가공업자 석탄수급조정에 관한 임시조치법 소정의 석탄가공업허가를 받아 이를 영위하고 있는 업자는 다른 사람에 대한 신규허가로 인하여 영업상 이익이 감소되었다 하더라도, 당해 신규허가의 취소를 구할 법률상 이익이 없음(80누33)

예외적 법률상 이익

① 술 주류제조면허는 국가의 수입확보를 위하여 설정된 허가의 일종이지만, 일단 이 면허를 얻은 자의 이득은 단순한 사실상의 반사적 이득에만 그치는 것이 아니라 「주세법」의 규정에 따라 보호되는 법률상의 이득○(89누46)

② 담배 담배 일반소매인으로 지정되어 영업을 하고 있는 기존업자의 신규 담배 일반소매인에 대한 이익은, 단순한 사실상의 반사적 이익이 아니라, 법률상 보호되는 이익에 속함(2007두23811) ➔ ∵ 그 근거 규정인 「담배사업법 시행규칙」에서 일반담배소매인 간에 50m 또는 100m의 거리를 둘 것을 요구하고 있었는데, 그것을 담배일반소매인의 이익을 보호하기 위한 것으로 해석하였음

③ 똥·오줌 분뇨(糞尿) 등 관련 영업허가를 받은 기존업자의 이익은 법률상 보호되는 이익이므로, 기존업자는 경업자에 대한 영업허가처분의 취소를 구할 원고적격○(2004두6716) ➔ 분뇨처리는 공공의 보건과 관련되어 있다는 맥락에서 이를 법률상 이익으로 본 것임

④ 약종상 甲이 적법한 약종상허가를 받아 허가지역 내에서 약종상영업❷을 경영하고 있었음에도 불구하고, 행정관청이 같은 약종상인 乙에게 甲의 영업허가지역 내로 영업소를 이전하도록 허가하였다면, 甲으로서는 이로 인하여 기존업자로서의 법률상 이익을 침해받았음이 분명하므로 甲에게는 영업소이전허가처분의 취소를 구할 법률상 이익○(87누873)

⑤ 중계유선방송 허가를 받은 중계유선방송사업자의 사업상 이익은 단순한 반사적 이익에 그치는 것이 아니라 「방송법」에 의하여 보호되는 법률상 이익○(2004다11162) ➔ ∵ 전파자원은 한정된 것이기 때문

---

❶ 여기서 '면허나 인·허가'는 강학상의 허가나 특허, 인가가 실정법상 갖는 이름들을 총칭하는 표현이다.

❷ 약종상은 조제약을 팔지 못하고 완제품만을 팔아야 한다는 점에서 약사와 다르다. 약종상영업허가는 1971년부터 신규발급이 중단되었다.

허가기준의 변경 – 개정법령 적용	① 허가 신청을 한 때와 허가를 할 때 사이에 법령의 변경이 있는 경우, 허가처분은 ① 원칙적으로 허가발급 당시의 개정된 새 법령과 허가기준에 의하여 처리하여야 하나, ⓒ 허가관청이 허가신청을 수리하고도 정당한 이유 없이 그 처리를 늦추어 그 사이에 허가기준이 변경된 경우에는 신청시의 법령에 따라 처분을 하여야 함(95누10877) ➔ 장래형성적 작용임을 고려한 것으로 평가됨
	② 판례 허가를 신청한 이후 관계법령이 개정되어 허가요건을 충족하지 못하게 된 경우, 행정청이 허가신청을 수리하고도 정당한 이유 없이 그 처리를 늦추어 그 사이에 허가기준이 변경된 것이 아닌 이상 불허가처분을 하여야 함(95누10877)
	③ 응용판례 주택건설사업계획승인신청을 받은 행정청이, 그 처리기간을 넘겨 그 후에 결정·고시된 도시계획에 따라 승인을 거부하였더라도, 정당한 이유 없이 처리를 지연한 것이 아니라면 그 승인 거부를 위법한 것으로 볼 수는 없음(95누10877)
효과	① 어떤 행위를 하기 위해서는 여러 관련 법령들에 의한 금지들이 해제되어야 하는 경우(예 접도구역 내에서의 건축행위, 공무원의 단란주점 영업), 하나의 허가가 있다고 해서 타법상의 금지까지 해제되는 것× ➔ 당해 허가 근거법에 의한 금지만 해제됨 ➔ 각각의 허가를 다 받아야 함
	② 특별한 규정이 없는 한 허가는 금지된 행위의 사법상(私法上) 효력요건×, 행정법상 적법요건○ ➔ 허가 없이 한 행위는 행정상 강제집행이나 행정벌의 대상이 될 뿐 무효가 되는 것은 아님

허가자 지위승계 문제

배경지식	① [사법상 지위] 인·허가를 받아 어떤 영업을 하고 있던 자가 영업양도계약을 체결하고 이를 타인에게 이전한 경우, 사법상(私法上)으로는 영업자의 지위가 곧바로 이전됨
	② [공법상 지위] 공법상의 지위인 인·허가자의 지위는 행정청에 영업양도 인가신청을 하거나 영업양도 신고(수리를 요하는 신고의 일종)를 하고, 행정청이 이에 대해 법령에 따라 ① 인가 또는 ⓒ 신고 수리를 해주어야 비로소 이전됨❶ ➔ 행정법의 관심사
	③ 공법상 인·허가자 지위가 이전되는 경우 '제재사유'의 승계 문제와 '제재처분효과'의 승계 문제가 발생
	④ 판례 영업이 양도·양수되었지만 아직 지위승계신고가 있기 이전에는 여전히 종전의 영업자인 양도인이 영업허가자이고 양수인은 영업허가자가 아니므로, 행정제재처분의 사유가 있는지 여부는 양도인을 기준으로 판단하여야 하고, 양수인의 위반행위에 대한 행정적 책임은 양도인에게 귀속됨(94누9146)
영업허가의 양도 가부	① [대인적 허가] 별도의 규정이 없는 한 승계 가능× ➔ 예 운전면허, 약사면허
	② [대물적 허가] 별도의 규정이 없는 한 승계 가능 ○ ➔ 예 건축허가, 주류제조업허가, 석유판매업(주유소)허가
	③ [혼합적 허가] 인적 요소가 포함되어 있어 이론상으로는 불가능하다고 보지만, 실정법에서는 규정을 두어 승계를 허용하고 있는 경우가 많음 ➔ 예 약국영업허가

❶ ① 허가자 지위승계와 관련된 신고는 수리를 요하는 신고로 분류된다. ② 허가자 지위승계를 위해 행정청의 ① 인가를 받아야 하는 경우와 ⓒ 신고 수리가 있어야 하는 경우는, 당해 법령에서 어떻게 제도를 설정하고 있느냐에 따라 달라진다.

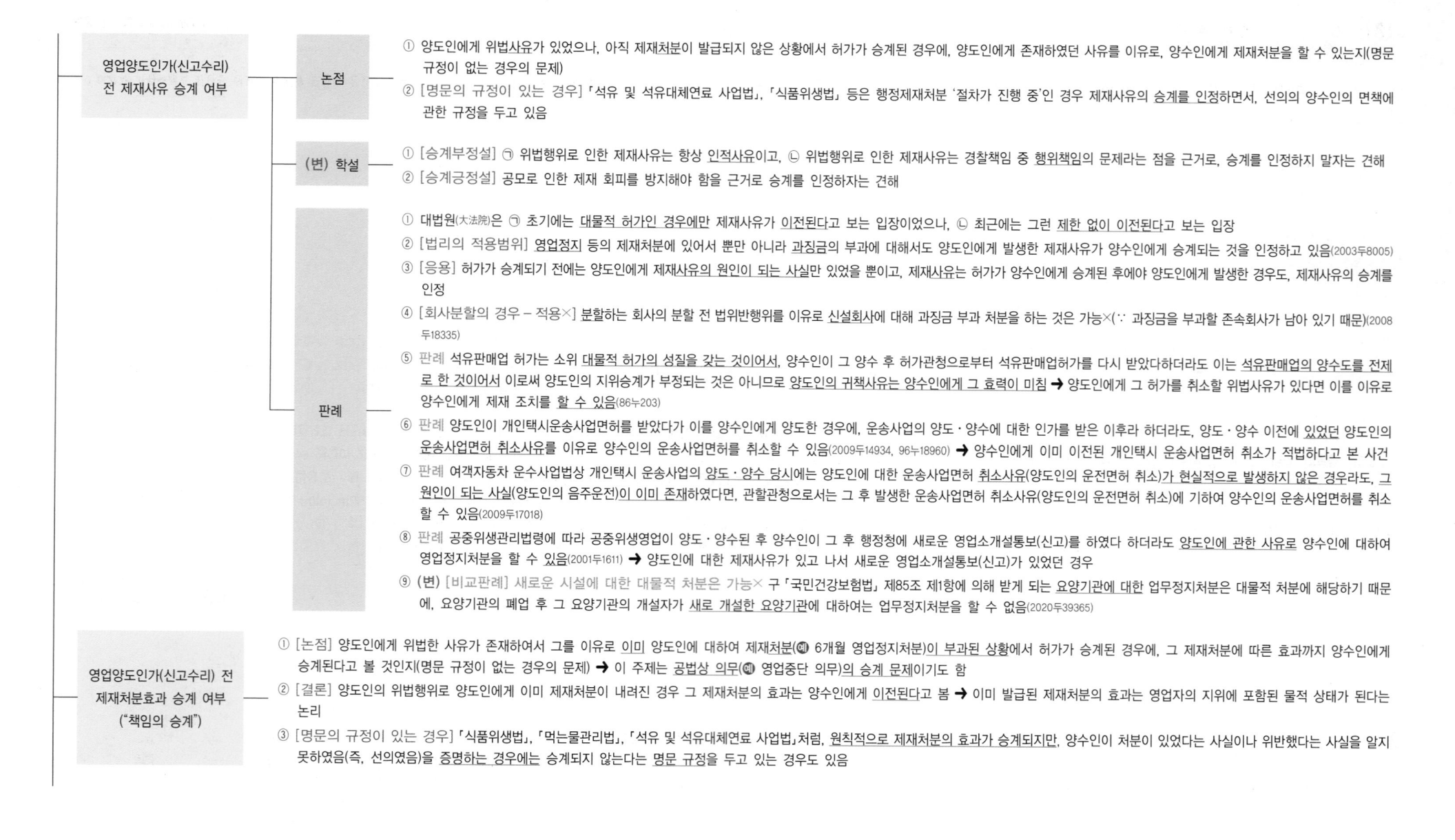

영업양도인가(신고수리) 전 제재사유 승계 여부

논점

① 양도인에게 위법사유가 있었으나, 아직 제재처분이 발급되지 않은 상황에서 허가가 승계된 경우에, 양도인에게 존재하였던 사유를 이유로, 양수인에게 제재처분을 할 수 있는지(명문 규정이 없는 경우의 문제)

② [명문의 규정이 있는 경우] 「석유 및 석유대체연료 사업법」, 「식품위생법」 등은 행정제재처분 '절차가 진행 중'인 경우 제재사유의 승계를 인정하면서, 선의의 양수인의 면책에 관한 규정을 두고 있음

(변) 학설

① [승계부정설] ㉠ 위법행위로 인한 제재사유는 항상 인적사유이고, ㉡ 위법행위로 인한 제재사유는 경찰책임 중 행위책임의 문제라는 점을 근거로, 승계를 인정하지 말자는 견해

② [승계긍정설] 공모로 인한 제재 회피를 방지해야 함을 근거로 승계를 인정하자는 견해

판례

① 대법원(大法院)은 ㉠ 초기에는 대물적 허가인 경우에만 제재사유가 이전된다고 보는 입장이었으나, ㉡ 최근에는 그런 제한 없이 이전된다고 보는 입장

② [법리의 적용범위] 영업정지 등의 제재처분에 있어서 뿐만 아니라 과징금의 부과에 대해서도 양도인에게 발생한 제재사유가 양수인에게 승계되는 것을 인정하고 있음(2003두8005)

③ [응용] 허가가 승계되기 전에는 양도인에게 제재사유의 원인이 되는 사실만 있었을 뿐이고, 제재사유는 허가가 양수인에게 승계된 후에야 양도인에게 발생한 경우도, 제재사유의 승계를 인정

④ [회사분할의 경우 – 적용×] 분할하는 회사의 분할 전 법위반행위를 이유로 신설회사에 대해 과징금 부과 처분을 하는 것은 가능×(∵ 과징금을 부과할 존속회사가 남아 있기 때문)(2008두18335)

⑤ 판례 석유판매업 허가는 소위 대물적 허가의 성질을 갖는 것이어서, 양수인이 그 양수 후 허가관청으로부터 석유판매업허가를 다시 받았다하더라도 이는 석유판매업의 양수도를 전제로 한 것이어서 이로써 양도인의 지위승계가 부정되는 것은 아니므로 양도인의 귀책사유는 양수인에게 그 효력이 미침 ➜ 양도인에게 그 허가를 취소할 위법사유가 있다면 이를 이유로 양수인에게 제재 조치를 할 수 있음(86누203)

⑥ 판례 양도인이 개인택시운송사업면허를 받았다가 이를 양수인에게 양도한 경우에, 운송사업의 양도·양수에 대한 인가를 받은 이후라 하더라도, 양도·양수 이전에 있었던 양도인의 운송사업면허 취소사유를 이유로 양수인의 운송사업면허를 취소할 수 있음(2009두14934, 96누18960) ➜ 양수인에게 이미 이전된 개인택시 운송사업면허 취소가 적법하다고 본 사건

⑦ 판례 여객자동차 운수사업법상 개인택시 운송사업의 양도·양수 당시에는 양도인에 대한 운송사업면허 취소사유(양도인의 운전면허 취소)가 현실적으로 발생하지 않은 경우라도, 그 원인이 되는 사실(양도인의 음주운전)이 이미 존재하였다면, 관할관청으로서는 그 후 발생한 운송사업면허 취소사유(양도인의 운전면허 취소)에 기하여 양수인의 운송사업면허를 취소할 수 있음(2009두17018)

⑧ 판례 공중위생관리법령에 따라 공중위생영업이 양도·양수된 후 양수인이 그 후 행정청에 새로운 영업소개설통보(신고)를 하였다 하더라도 양도인에 관한 사유로 양수인에 대하여 영업정지처분을 할 수 있음(2001두1611) ➜ 양도인에 대한 제재사유가 있고 나서 새로운 영업소개설통보(신고)가 있었던 경우

⑨ (변) [비교판례] 새로운 시설에 대한 대물적 처분은 가능× 구 「국민건강보험법」 제85조 제1항에 의해 받게 되는 요양기관에 대한 업무정지처분은 대물적 처분에 해당하기 때문에, 요양기관의 폐업 후 그 요양기관의 개설자가 새로 개설한 요양기관에 대하여는 업무정지처분을 할 수 없음(2020두39365)

영업양도인가(신고수리) 전 제재처분효과 승계 여부 ("책임의 승계")

① [논점] 양도인에게 위법한 사유가 존재하여서 그를 이유로 이미 양도인에 대하여 제재처분(예 6개월 영업정지처분)이 부과된 상황에서 허가가 승계된 경우에, 그 제재처분에 따른 효과까지 양수인에게 승계된다고 볼 것인지(명문 규정이 없는 경우의 문제) ➜ 이 주제는 공법상 의무(예 영업중단 의무)의 승계 문제이기도 함

② [결론] 양도인의 위법행위로 양도인에게 이미 제재처분이 내려진 경우 그 제재처분의 효과는 양수인에게 이전된다고 봄 ➜ 이미 발급된 제재처분의 효과는 영업자의 지위에 포함된 물적 상태가 된다는 논리

③ [명문의 규정이 있는 경우] 「식품위생법」, 「먹는물관리법」, 「석유 및 석유대체연료 사업법」처럼, 원칙적으로 제재처분의 효과가 승계되지만, 양수인이 처분이 있었다는 사실이나 위반했다는 사실을 알지 못하였음(즉, 선의였음)을 증명하는 경우에는 승계되지 않는다는 명문 규정을 두고 있는 경우도 있음

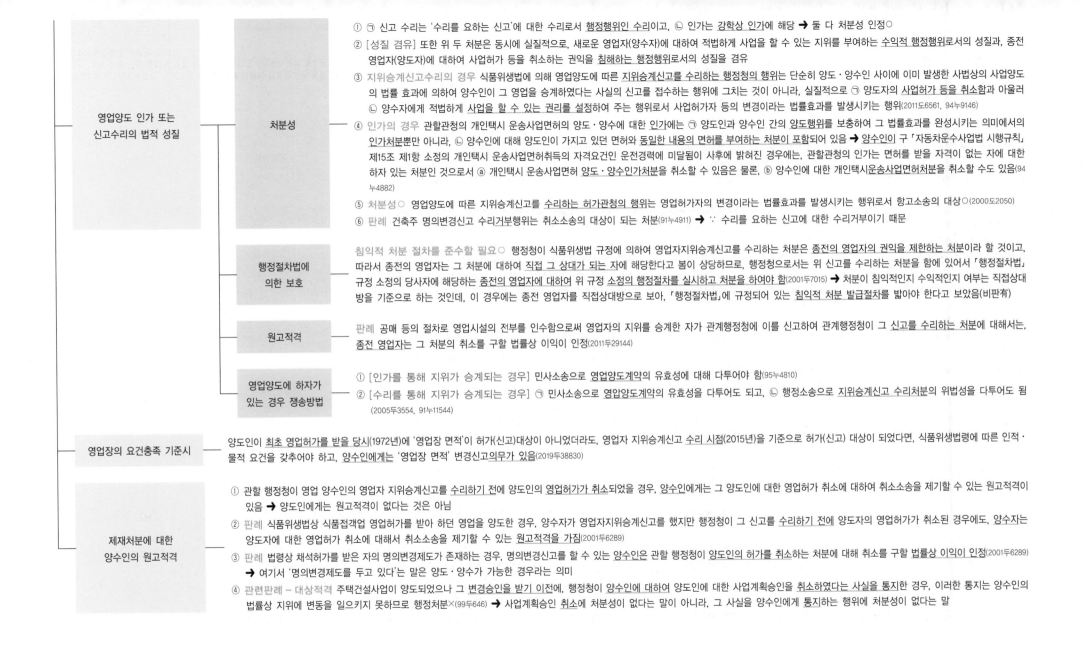

영업양도 인가 또는 신고수리의 법적 성질	처분성	① ㉠ 신고 수리는 '수리를 요하는 신고'에 대한 수리로서 행정행위인 수리이고, ㉡ 인가는 강학상 인가에 해당 ➜ 둘 다 처분성 인정○
		② [성질 겸유] 또한 위 두 처분은 동시에 실질적으로, 새로운 영업자(양수자)에 대하여 적법하게 사업을 할 수 있는 지위를 부여하는 수익적 행정행위로서의 성질과, 종전 영업자(양도자)에 대하여 사업허가 등을 취소하는 권익을 침해하는 행정행위로서의 성질을 겸유
		③ 지위승계신고수리의 경우 식품위생법에 의해 영업양도에 따른 지위승계신고를 수리하는 행정청의 행위는 단순히 양도·양수인 사이에 이미 발생한 사법상의 사업양도의 법률 효과에 의하여 양수인이 그 영업을 승계하였다는 사실의 신고를 접수하는 행위에 그치는 것이 아니라, 실질적으로 ㉠ 양도자의 사업허가 등을 취소함과 아울러 ㉡ 양수자에게 적법하게 사업을 할 수 있는 권리를 설정하여 주는 행위로서 사업허가자 등의 변경이라는 법률효과를 발생시키는 행위(2011도6561, 94누9146)
		④ 인가의 경우 관할관청의 개인택시 운송사업면허의 양도·양수에 대한 인가에는 ㉠ 양도인과 양수인 간의 양도행위를 보충하여 그 법률효과를 완성시키는 의미에서의 인가처분뿐만 아니라, ㉡ 양수인에 대해 양도인이 가지고 있던 면허와 동일한 내용의 면허를 부여하는 처분이 포함되어 있음 ➜ 양수인이 구 「자동차운수사업법 시행규칙」 제15조 제1항 소정의 개인택시 운송사업면허취득의 자격요건인 운전경력에 미달됨이 사후에 밝혀진 경우에는, 관할관청의 인가는 면허를 받을 자격이 없는 자에 대한 하자 있는 처분인 것으로서 ⓐ 개인택시 운송사업면허 양도·양수인가처분을 취소할 수 있음은 물론, ⓑ 양수인에 대한 개인택시운송사업면허처분을 취소할 수도 있음(94누4882)
		⑤ 처분성○ 영업양도에 따른 지위승계신고를 수리하는 허가관청의 행위는 영업허가자의 변경이라는 법률효과를 발생시키는 행위로서 항고소송의 대상○(2000도2050)
		⑥ 판례 건축주 명의변경신고 수리거부행위는 취소소송의 대상이 되는 처분(91누4911) ➜ ∵ 수리를 요하는 신고에 대한 수리거부이기 때문
	행정절차법에 의한 보호	침익적 처분 절차를 준수할 필요○ 행정청이 식품위생법 규정에 의하여 영업자지위승계신고를 수리하는 처분은 종전의 영업자의 권익을 제한하는 처분이라 할 것이고, 따라서 종전의 영업자는 그 처분에 대하여 직접 그 상대가 되는 자에 해당한다고 봄이 상당하므로, 행정청으로서는 위 신고를 수리하는 처분을 함에 있어서 「행정절차법」 규정 소정의 당사자에 해당하는 종전의 영업자에 대하여 위 규정 소정의 행정절차를 실시하고 처분을 하여야 함(2001두7015) ➜ 처분이 침익적인지 수익적인지 여부는 직접상대방을 기준으로 하는 것인데, 이 경우에는 종전 영업자를 직접상대방으로 보아, 「행정절차법」에 규정되어 있는 침익적 처분 발급절차를 밟아야 한다고 보았음(비판有)
	원고적격	판례 공매 등의 절차로 영업시설의 전부를 인수함으로써 영업자의 지위를 승계한 자가 관계행정청에 이를 신고하여 관계행정청이 그 신고를 수리하는 처분에 대해서는, 종전 영업자는 그 처분의 취소를 구할 법률상 이익이 인정(2011두29144)
	영업양도에 하자가 있는 경우 쟁송방법	① [인가를 통해 지위가 승계되는 경우] 민사소송으로 영업양도계약의 유효성에 대해 다투어야 함(95누4810)
		② [수리를 통해 지위가 승계되는 경우] ㉠ 민사소송으로 영압양도계약의 유효성을 다투어도 되고, ㉡ 행정소송으로 지위승계신고 수리처분의 위법성을 다투어도 됨 (2005두3554, 91누11544)
영업장의 요건충족 기준시		양도인이 최초 영업허가를 받을 당시(1972년)에 '영업장 면적'이 허가(신고)대상이 아니었더라도, 영업자 지위승계신고 수리 시점(2015년)을 기준으로 허가(신고) 대상이 되었다면, 식품위생법령에 따른 인적·물적 요건을 갖추어야 하고, 양수인에게는 '영업장 면적' 변경신고의무가 있음(2019두38830)
제재처분에 대한 양수인의 원고적격		① 관할 행정청이 영업 양수인의 영업자 지위승계신고를 수리하기 전에 양도인의 영업허가가 취소되었을 경우, 양수인에게는 그 양도인에 대한 영업허가 취소에 대하여 취소소송을 제기할 수 있는 원고적격이 있음 ➜ 양도인에게는 원고적격이 없다는 것은 아님
		② 판례 식품위생법상 식품접객업 영업허가를 받아 하던 영업을 양도한 경우, 양수자가 영업자지위승계신고를 했지만 행정청이 그 신고를 수리하기 전에 양도자의 영업허가가 취소된 경우에도, 양수자는 양도자에 대한 영업허가 취소에 대해서 취소소송을 제기할 수 있는 원고적격을 가짐(2001두6289)
		③ 판례 법령상 채석허가를 받은 자의 명의변경제도가 존재하는 경우, 명의변경신고를 할 수 있는 양수인은 관할 행정청이 양도인의 허가를 취소하는 처분에 대해 취소를 구할 법률상 이익이 인정(2001두6289) ➜ 여기서 '명의변경제도를 두고 있다'는 말은 양도·양수가 가능한 경우라는 의미
		④ 관련판례 – 대상적격 주택건설사업이 양도되었으나 그 변경승인을 받기 이전에, 행정청이 양수인에 대하여 양도인에 대한 사업계획승인을 취소하였다는 사실을 통지한 경우, 이러한 통지는 양수인의 법률상 지위에 변동을 일으키지 못하므로 행정처분×(99두646) ➜ 사업계획승인 취소에 처분성이 없다는 말이 아니라, 그 사실을 양수인에게 통지하는 행위에 처분성이 없다는 말

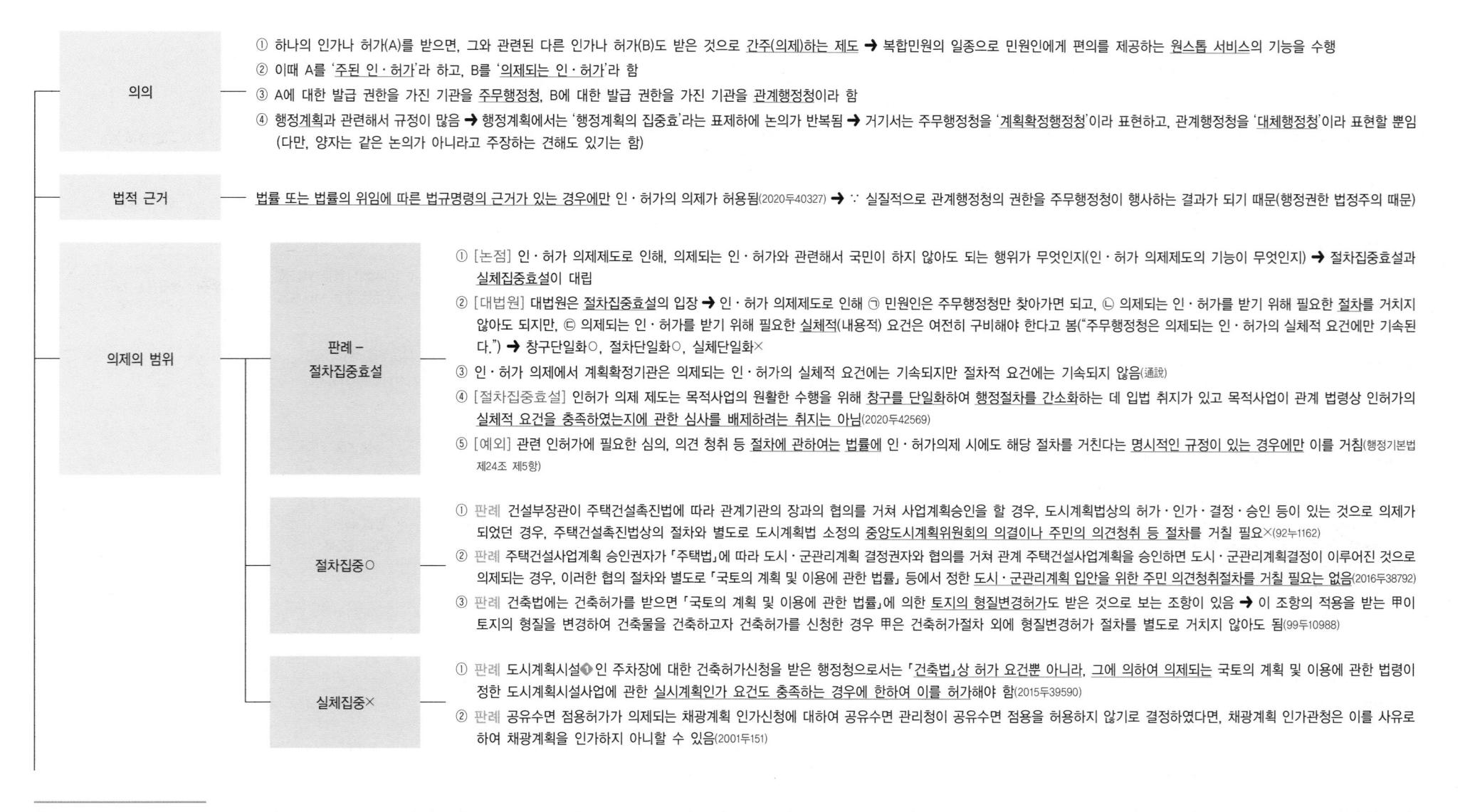

의의

① 하나의 인가나 허가(A)를 받으면, 그와 관련된 다른 인가나 허가(B)도 받은 것으로 간주(의제)하는 제도 ➜ 복합민원의 일종으로 민원인에게 편의를 제공하는 원스톱 서비스의 기능을 수행

② 이때 A를 '주된 인 · 허가'라 하고, B를 '의제되는 인 · 허가'라 함

③ A에 대한 발급 권한을 가진 기관을 주무행정청, B에 대한 발급 권한을 가진 기관을 관계행정청이라 함

④ 행정계획과 관련해서 규정이 많음 ➜ 행정계획에서는 '행정계획의 집중효'라는 표제하에 논의가 반복됨 ➜ 거기서는 주무행정청을 '계획확정행정청'이라 표현하고, 관계행정청을 '대체행정청'이라 표현할 뿐임 (다만, 양자는 같은 논의가 아니라고 주장하는 견해도 있기는 함)

법적 근거

법률 또는 법률의 위임에 따른 법규명령의 근거가 있는 경우에만 인 · 허가의 의제가 허용됨(2020두40327) ➜ ∵ 실질적으로 관계행정청의 권한을 주무행정청이 행사하는 결과가 되기 때문(행정권한 법정주의 때문)

의제의 범위

판례 – 절차집중효설

① [논점] 인 · 허가 의제제도로 인해, 의제되는 인 · 허가와 관련해서 국민이 하지 않아도 되는 행위가 무엇인지(인 · 허가 의제제도의 기능이 무엇인지) ➜ 절차집중효설과 실체집중효설이 대립

② [대법원] 대법원은 절차집중효설의 입장 ➜ 인 · 허가 의제제도로 인해 ㉠ 민원인은 주무행정청만 찾아가면 되고, ㉡ 의제되는 인 · 허가를 받기 위해 필요한 절차를 거치지 않아도 되지만, ㉢ 의제되는 인 · 허가를 받기 위해 필요한 실체적(내용적) 요건은 여전히 구비해야 한다고 봄("주무행정청은 의제되는 인 · 허가의 실체적 요건에만 기속된다.") ➜ 창구단일화○, 절차단일화○, 실체단일화×

③ 인 · 허가 의제에서 계획확정기관은 의제되는 인 · 허가의 실체적 요건에는 기속되지만 절차적 요건에는 기속되지 않음(通說)

④ [절차집중효설] 인허가 의제 제도는 목적사업의 원활한 수행을 위해 창구를 단일화하여 행정절차를 간소화하는 데 입법 취지가 있고 목적사업이 관계 법령상 인허가의 실체적 요건을 충족하였는지에 관한 심사를 배제하려는 취지는 아님(2020두42569)

⑤ [예외] 관련 인허가에 필요한 심의, 의견 청취 등 절차에 관하여는 법률에 인 · 허가의제 시에도 해당 절차를 거친다는 명시적인 규정이 있는 경우에만 이를 거침(행정기본법 제24조 제5항)

절차집중○

① 판례 건설부장관이 주택건설촉진법에 따라 관계기관의 장과의 협의를 거쳐 사업계획승인을 할 경우, 도시계획법상의 허가 · 인가 · 결정 · 승인 등이 있는 것으로 의제가 되었던 경우, 주택건설촉진법상의 절차와 별도로 도시계획법 소정의 중앙도시계획위원회의 의결이나 주민의 의견청취 등 절차를 거칠 필요×(92누1162)

② 판례 주택건설사업계획 승인권자가 「주택법」에 따라 도시 · 군관리계획 결정권자와 협의를 거쳐 관계 주택건설사업계획을 승인하면 도시 · 군관리계획결정이 이루어진 것으로 의제되는 경우, 이러한 협의 절차와 별도로 「국토의 계획 및 이용에 관한 법률」 등에서 정한 도시 · 군관리계획 입안을 위한 주민 의견청취절차를 거칠 필요는 없음(2016두38792)

③ 판례 건축법에는 건축허가를 받으면 「국토의 계획 및 이용에 관한 법률」에 의한 토지의 형질변경허가도 받은 것으로 보는 조항이 있음 ➜ 이 조항의 적용을 받는 甲이 토지의 형질을 변경하여 건축물을 건축하고자 건축허가를 신청한 경우 甲은 건축허가절차 외에 형질변경허가 절차를 별도로 거치지 않아도 됨(99두10988)

실체집중×

① 판례 도시계획시설❶인 주차장에 대한 건축허가신청을 받은 행정청으로서는 「건축법」상 허가 요건뿐 아니라, 그에 의하여 의제되는 국토의 계획 및 이용에 관한 법령이 정한 도시계획시설사업에 관한 실시계획인가 요건도 충족하는 경우에 한하여 이를 허가해야 함(2015두39590)

② 판례 공유수면 점용허가가 의제되는 채광계획 인가신청에 대하여 공유수면 관리청이 공유수면 점용을 허용하지 않기로 결정하였다면, 채광계획 인가관청은 이를 사유로 하여 채광계획을 인가하지 아니할 수 있음(2001두151)

❶ [각론] 도시계획시설이란, 도시 · 군 관리계획에 의해서 만들어지는 공항, 철도, 학교 등 기반시설을 말한다. (도시 · 군관리계획에 대해서는 뒤에서 다룬다.) 보통 도시계획시설을 설치하기 위해 민간기업을 사업시행자로 지정한 다음, 민간기업이 사업실시계획을 입안해 오면, 그에 대해 시장 등이 인가를 하는 방식으로 도시계획시설이 설치된다. 사업실시계획에 대한 인가가 있으면, 「토지보상법」상 사업인정이 의제되어 그 시설을 만들기 위해 필요한 토지 등을 수용할 수 있는 권한을 부여받게 된다. 도시계획과 관련된 분쟁의 상당수는 도시계획시설과 관련된 것이다.

개발행위로 의제되는 건축	① [각론 – 배경지식(출제×)] 국토의 계획 및 이용에 관한 법령에 따르면, 건축물 중(中) 토지에 정착하는 공작물 중 지붕과 기둥 또는 벽이 있는 것이나 이에 딸린 시설물, 지하나 고가(高架)의 공작물에 설치하는 <u>사무소 · 공연장 · 점포 · 차고 · 창고</u>를 건축하는 행위는 국토를 개발하는 '개발행위'에 해당(시행령 제51조) ➡ 건축이 개발행위에도 해당하는 경우에는(사실상 거의 대부분) 건축이 「국토의 계획 및 이용에 관한 법률」상 개발행위 허가의 요건도 충족해야 함 ② 판례 「국토의 계획 및 이용에 관한 법률」상의 개발행위허가로 의제되는 건축신고가 동법상의 개발행위허가 기준을 갖추지 못한 경우라면, 건축법상 적법한 요건을 갖추었다 하더라도 행정청은 그 수리를 <u>거부할 수 있음</u>(2010두14954) ③ 판례 건축물의 건축이 「국토의 계획 및 이용에 관한 법률」상 개발행위에 해당할 경우, 그 건축의 허가권자는 국토계획법령의 개발행위허가기준을 확인하여야 하므로, 국토계획법상 건축물의 건축에 관한 개발행위허가가 의제되는 건축허가신청이 국토계획법령이 정한 개발행위허가기준에 부합하지 아니하면 허가권자로서는 이를 <u>거부할 수 있음</u>(2016두35762)
의제절차	① 민원인이 자신이 <u>원하는</u> 인 · 허가에 대한 요건을 갖추어 의제를 신청 ➡ 주무행정청은 민원인이 신청한 인 · 허가의 관계행정청과 협의를 거쳐 주된 인 · 허가를 발급 ② [필요서류의 통합제출] 인허가의제를 받으려면 주된 인허가를 신청할 때 관련 인허가에 필요한 서류를 함께 제출하여야 함 ➡ 다만, 불가피한 사유로 함께 제출할 수 없는 경우에는 주된 인허가 행정청(관련 인허가 행정청×)이 별도로 정하는 기한까지 제출할 수 있음(행정기본법 제24조 제2항) ③ [의제처리 신청의무×] 어떤 인 · 허가의 근거 법령에서 절차간소화를 위하여 관련 인 · 허가를 의제 처리할 수 있는 근거 규정을 둔 경우에는, 사업시행자가 인 · 허가를 신청하면서 하나의 절차 내에서 관련 인허가를 의제 처리해줄 것을 <u>신청할 수 있음</u>(2019두31839) ➡ 관련 인 · 허가 의제 제도는 사업시행자의 이익을 위하여 만들어진 것이므로, <u>사업시행자가 반드시 관련 인허가 의제 처리를 신청할 의무가 있는 것은 아님</u> ④ [사례] 건축하려는 건축물 건축에 <u>의제되는 인 · 허가가 필요하지 않은 경우</u>에는, 주된 인 · 허가 발급을 위해 관계행정청과 협의할 필요가 없고 인 · 허가 의제도 발생× ⑤ (변) ['협의'의 구속력] 관계행정청과의 협의에 구속력이 있는지에 대해 ㉠ 구속력이 있다고 보는 견해(동의설)과 ㉡ 구속력이 없다고 보는 견해(협의설)가 대립하고 있음 ➡ 동의설에 따를 경우 관계행정청의 반대에도 불구하고 주된 인 · 허가를 발급한 경우, 주된 인 · 허가에는 <u>절차상 하자</u>가 있게 됨 ⑥ [인허가 처분기준 통합공표] 관련 인허가 행정청은 관련 인허가의 <u>처분기준</u>을 주된 인허가 행정청에 <u>제출</u>하여야 하고, 주된 인허가 행정청은 제출받은 관련 인허가의 처분기준을 통합하여 <u>공표</u>하여야 함 ➡ 처분기준을 변경하는 경우에도 마찬가지(행정절차법 제20조 제2항) ⑦ [협의기간 및 협의의제] 관련 인허가 행정청은 협의를 요청받으면 그 <u>요청을 받은 날부터 20일 이내</u>에 의견을 제출하여야 함 ➡ 이 경우 정한 기간 내에 협의 여부에 관하여 의견을 제출하지 아니하면 <u>협의가 된 것으로 봄</u>(행정기본법 제24조 제4항)
효력	**관련 인허가의 의제** — 협의가 된 사항에 대해서는 주된 인허가를 받았을 때(협의성립 시점×) 관련 인허가를 받은 것으로 봄(행정기본법 제25조 제1항)
	주된 사업에 필요한 범위로 한정 — 주된 인 · 허가에 의해 의제되는 인 · 허가는 원칙적으로 <u>주된 인 · 허가로 인한 사업을 시행하는 데 필요한 범위 내에서만 그 효력이 유지</u>되는 것이므로, 주된 인 · 허가로 인한 사업이 완료된 <u>이후에는 그 효력이 없어짐</u>(2009두18547)
	의제된 인 · 허가를 받았음을 전제로 하는 또 다른 규정들까지 적용× — ① [행정기본법] 인허가 의제의 효과는 <u>주된 인허가의 해당 법률에 규정된 관련 인허가에 한정됨</u>(행정기본법 제25조 제2항) ② 판례 주된 인 · 허가에 관한 사항을 규정하고 있는 A법률에서, 주된 인 · 허가가 있으면 B법률에 의한 인 · 허가를 받은 것으로 의제한다는 규정을 두었다 하더라도, 주된 인 · 허가가 있으면 B법률에 의한 인 · 허가가 있는 것으로 보는데 그치는 것이고, 그에서 더 나아가 B법률에 의하여 인 · 허가를 받았음을 전제로 하는 B법률의 모든 규정(예 B법률상의 의무부과 규정)이 적용되는 것×(2014두2409, 2014두47686, 2004다19715) ③ [재의제 인정×] 주택건설사업계획의 승인(A)이 있으면 「주택법」에 따라, 「국토의 계획 및 이용에 관한 법률」상의 도시계획시설사업에 관한 실시계획인가(B)가 의제되는 데 그치고, 거기서 다시 「국유재산법」 제24조에 따른 <u>국유지 사용 · 수익에 대한 허가(C)</u>까지 의제된다고 볼 수는 없음(2014두2409) ➡ 「국토의 계획 및 이용에 관한 법률」에서 도시계획시설사업에 관한 실시계획인가(B)가 있으면 「국유재산법」상의 국유지 사용 · 수익에 대한 허가(C)가 의제된다고 규정하고 있었던 경우에 대한 판시 ④ 판례 구 「건축법」 제8조 제4항에 따른 건축허가를 받아 새로이 공공시설을 설치하였다고 하더라도, 그 공공시설의 귀속에 관하여 구 「도시계획법」 제83조 제2항이 적용되지는 <u>않음</u>(2004다19715) ➡ ∵ 「건축법」에 따르면, 건축허가를 받을 경우 「도시계획법」상의 도시계획사업 실시계획인가를 받은 것으로 의제된다 하더라도, 「도시계획법」에 따라 도시계획사업실시 계획인가를 실제로 받았을 때 적용되는, 신규 공공시설의 지자체로의 무상귀속에 관한 규정(구 도시계획법 제83조 제2항)까지 적용되는 것은 아니라는 말

인·허가 의제의 사후관리	의제가 이루어지면, 관련 인허가 행정청은 관련 인허가를 직접 한 것으로 보아 관계 법령에 따른 관리·감독 등 필요한 조치를 하여야 함(행정기본법 제26조 제1항)
부분 인·허가의제 제도 (협의 완료된 인·허가만 의제)	① [개념] 민원인의 요청이 있거나 필요성이 인정되는 경우, 모든 관계행정청과 협의가 완료되지 않았다 하더라도, 요건을 갖추어 일단 협의를 마친 관계 인·허가만의 의제를 허용하는 방식으로 주된 인·허가를 발급하는 것도 허용됨 ➔ 협의를 마치지 못한 부분도 나중에 협의를 마치면 인·허가 발급이 의제됨 ② 명문의 규정 필요× ③ 판례 인·허가 의제에 관계기관의 장과의 협의가 요구되는 경우라고 해서, 주된 인·허가를 발급하기 위해서는 의제되는 모든 인·허가 사항에 관하여 관계기관의 장과 사전협의를 하여야만 하는 것은 아님(2009두16305) ④ 사례 「주한미군 공여구역주변지역 등 지원특별법」에 의한 사업시행 승인을 하는 경우 모든 인·허가의제 사항에 관하여 사전협의를 거칠 것을 요건으로 하는 것은 아니고, 사업시행승인 후 인·허가의제 사항에 관하여 관계 행정기관의 장과 협의를 거치면 그때 해당 인허가가 의제된다고 봄
(변) 선승인 후협의제도	① [개념] 필요한 인·허가에 대한 관계행정청과의 협의가 완료되지 않은 상황에서도, 공익상 긴급한 필요가 있는 경우 등 일정한 경우에, 후에 협의를 완료할 것을 조건으로, 협의가 완료되지 않은 인·허가도 의제되게 하는 제도 ② 명문의 규정 필요○ ➔ 「주한미군 공여구역주변지역 등 지원 특별법」에 이에 대한 명문의 규정 존재
의제되는 인·허가만의 직권취소(철회) 가부	① 주된 인·허가를 발급한 후에, 의제되는 인·허가만의 효력을 행정청이 직권취소나 철회를 통해 거두어 들이는 것도 가능○ ② 판례 중소기업창업법에 따른 창업사업계획승인의 경우 그로 인하여 의제된 산지전용허가만 '취소' 내지 '철회'함으로써 사업계획에 대한 승인의 효력은 유지하면서 의제되는 허가인 산지전용허가의 효력만을 소멸시킬 수 있음(2017두48734) ③ 판례 의제된 인·허가는 통상적인 인·허가와 동일한 효력을 가지므로, 적어도 '부분 인·허가 의제'가 허용되는 경우에는❶, 그 효력을 제거하기 위한 법적 수단으로 의제된 인·허가만의 직권취소·철회가 허용○(2016두38792)
위법성의 독립적 취급	① 판례 A군수가 甲에게 「중소기업창업 지원법」 제35조에 따라 공장설립 등의 승인(제1호), 도로점용허가(제2호), 산지전용허가(제3호), 농지의 전용허가(제4호) 등이 의제되는 사업계획을 승인하는 처분을 함 ➔ 의제된 농지 전용허가에 하자가 있다고 해서, 甲에 대한 사업계획 승인처분에 절차상 하자 등 어떤 위법이 있게 되는 것×(2016두38792) ② 판례 주택건설사업계획 승인처분이 있으면 의제되는 국토계획법상 도시·군관리계획의 결정에 하자가 있다고 하여, 주택건설사업계획 승인처분 자체가 위법하게 되는 것은 아님(2017두45131)
독립적 쟁송취소	① 의제된 인·허가는 통상적인 인·허가와 동일한 효력을 가져 독자적인 처분성을 가지므로, 별도로 항고소송의 대상이 되는 처분에 해당○(2016두38792) ➔ 쟁송취소까지 가능하다고 보고 있음 ② 적어도 '부분 인·허가 의제'가 허용되는 경우에는 그 효력을 제거하기 위한 법적 수단으로 의제된 인·허가만의 쟁송취소가 허용○(2018두38792) ③ (변) 판례 A군수가 甲에게 「중소기업창업 지원법」 제35조에 따라 공장설립 등의 승인(제1호), 도로점용허가(제2호), 산지전용허가(제3호), 농지의 전용허가(제4호) 등이 의제되는 사업계획을 승인하는 처분을 함 ➔ 甲에 대해 농지의 전용허가가 취소되었고 이를 이유로 사업계획승인처분이 취소된 경우, 甲은 사업계획승인의 취소와는 별도로 농지 전용허가의 취소만을 다툴 수도 있음(2017두48734) ➔ 각각에 대하여 직권취소가 이루어진 경우에, 그 각각의 직권취소에 대해 다투는 경우에도 쟁송이 독립적이라는 말

---

❶ [더 들어가기] 부분 인·허가 의제가 허용된다는 말은, 의제되는 인·허가들 간에 분리·독립된 취급이 가능한 경우라는 말이기도 하다. 부분 인·허가가 불가능한 경우에도 이러한 취급이 가능한지는 별론으로 하고, 적어도 일단, 부분 인·허가가 허용되는 경우에는 독립취급이 가능하다는 말이다.

| 불복방법 | 의제되는 인·허가와 관련된 사유로 주된 허가 신청에 대해 거부처분을 받은 경우 | ① 행정청이 주된 인·허가 거부처분을 하면서 의제되는 인·허가 거부사유를 제시한 경우라 하더라도, 거부한 것은 주된 인·허가이지, 의제되는 인·허가가 아님 → 의제되는 인·허가 거부는 발급된 바 없는 것이어서('실재성 부인'), 이 경우에는 ㉠ [대상적격] 주된 인·허가거부처분을 대상으로 하여(의제되는 인·허가 거부를 대상으로 하여×), ㉡ [피고적격] 주무행정청을 상대로(관계행정청을 상대로 ×) 항고소송을 제기하여야 함 → 그 쟁송에서, 의제되는 인·허가 거부에 문제가 있음을 주장하는 방법으로 다투어야 함

 ② 판례 甲은 건축불허가처분을 하면서 건축불허가 사유 외에 형질변경불허가 사유나 농지전용불허가 사유를 들고 있더라도, 그 건축불허가처분 외에 별개로 형질변경불허가처분이나 농지전용불허가처분이 존재하는 것은× → ㉠ 대신 건축불허가처분에 대한 취소소송에서 형질변경불허가 사유나 농지전용불허가 사유에 대하여도 다툴 수 있고, ㉡ 甲이 건축불허가처분에 관한 쟁송과는 별개로 형질변경불허가처분이나 농지전용불허가처분에 대한 취소소송을 제기하지 않더라도, 형질변경불허가사유나 농지전용불허가사유에 관하여 불가쟁력 발생×(99두10988)

 ③ 판례 건축불허가처분을 하면서 건축불허가 사유뿐만 아니라 구 「소방법」에 따른 소방서장의 건축부동의 사유를 들고 있는 경우, 그 건축불허가처분에 관한 쟁송에서 건축법상의 건축불허가 사유뿐만 아니라 소방서장의 부동의 사유에 관하여도 다툴 수 있음(2003두6573) |
| | 주된 인·허가가 발급되었는데 의제된 인·허가의 실체적 요건이 구비되지 않았음에 대해 제3자가 다투려는 경우 | ① 제3자는 의제되는 인·허가를 대상으로 하여 항고소송을 제기하여야 함

 ② 판례 주택건설사업계획 승인처분에 따라 의제된 인·허가(도시·군관리계획결정)가 위법함을 다투고자 하는 이해관계인은, 주택건설사업계획 승인처분의 취소를 구할 것이 아니라 의제된 인·허가의 취소를 구하여야 하며, 의제된 인·허가는 주택건설사업계획 승인처분과 별도로 항고소송의 대상이 되는 처분에 해당○(2016두38792) |

❹ 특허

법률행위적 행정행위 - 형성적 행정행위 - 특허

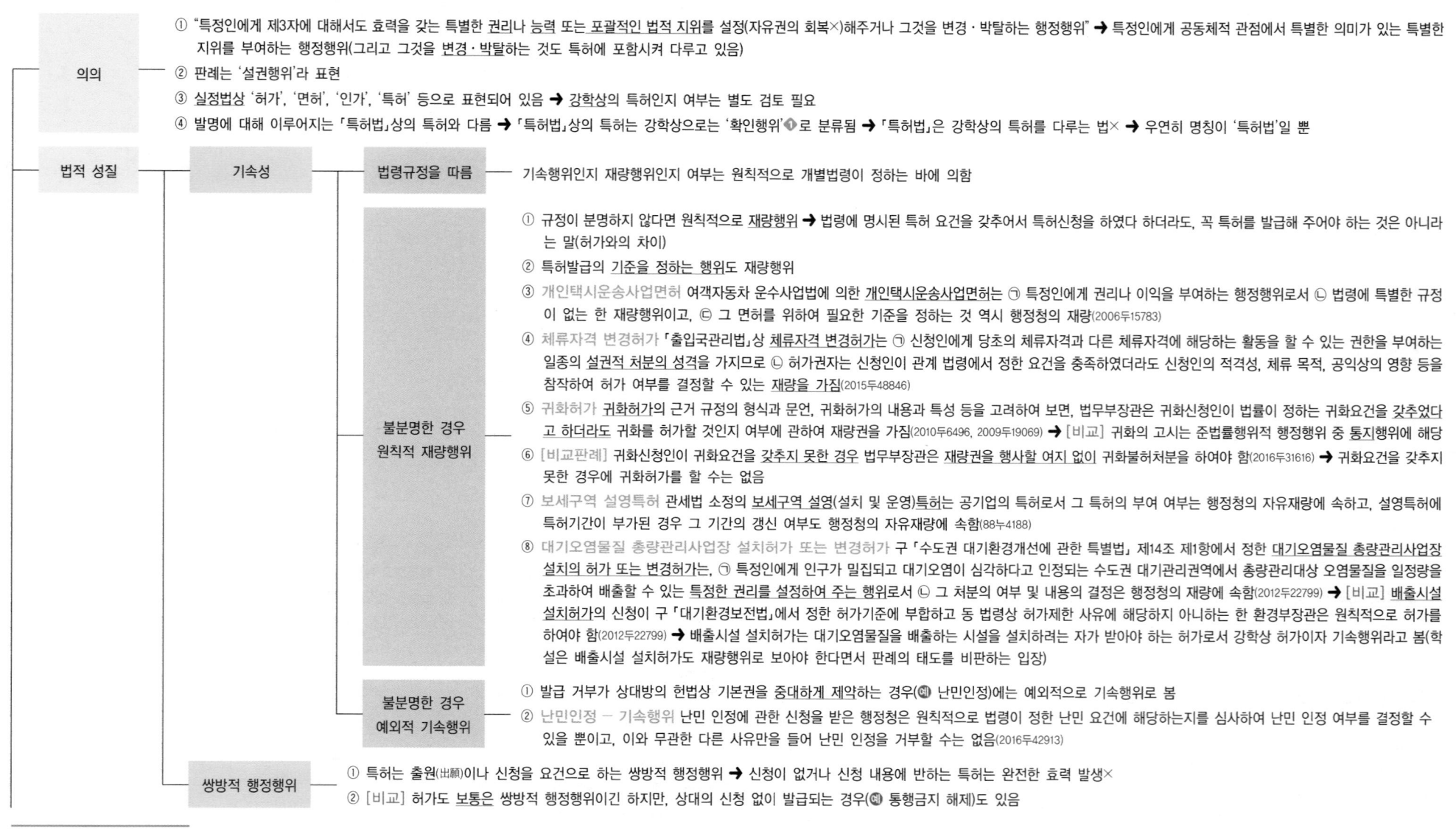

의의

① "특정인에게 제3자에 대해서도 효력을 갖는 특별한 권리나 능력 또는 포괄적인 법적 지위를 설정(자유권의 회복×)해주거나 그것을 변경·박탈하는 행정행위" ➜ 특정인에게 공동체적 관점에서 특별한 의미가 있는 특별한 지위를 부여하는 행정행위(그리고 그것을 변경·박탈하는 것도 특허에 포함시켜 다루고 있음)

② 판례는 '설권행위'라 표현

③ 실정법상 '허가', '면허', '인가', '특허' 등으로 표현되어 있음 ➜ 강학상의 특허인지 여부는 별도 검토 필요

④ 발명에 대해 이루어지는 「특허법」상의 특허와 다름 ➜ 「특허법」상의 특허는 강학상으로는 '확인행위'❶로 분류됨 ➜ 「특허법」은 강학상의 특허를 다루는 법× ➜ 우연히 명칭이 '특허법'일 뿐

법적 성질

기속성

법령규정을 따름

기속행위인지 재량행위인지 여부는 원칙적으로 개별법령이 정하는 바에 의함

불분명한 경우 원칙적 재량행위

① 규정이 분명하지 않다면 원칙적으로 재량행위 ➜ 법령에 명시된 특허 요건을 갖추어서 특허신청을 하였다 하더라도, 꼭 특허를 발급해 주어야 하는 것은 아니라는 말(허가와의 차이)

② 특허발급의 기준을 정하는 행위도 재량행위

③ 개인택시운송사업면허 여객자동차 운수사업법에 의한 개인택시운송사업면허는 ㉠ 특정인에게 권리나 이익을 부여하는 행정행위로서 ㉡ 법령에 특별한 규정이 없는 한 재량행위이고, ㉢ 그 면허를 위하여 필요한 기준을 정하는 것 역시 행정청의 재량(2006두15783)

④ 체류자격 변경허가 「출입국관리법」상 체류자격 변경허가는 ㉠ 신청인에게 당초의 체류자격과 다른 체류자격에 해당하는 활동을 할 수 있는 권한을 부여하는 일종의 설권적 처분의 성격을 가지므로 ㉡ 허가권자는 신청인이 관계 법령에서 정한 요건을 충족하였더라도 신청인의 적격성, 체류 목적, 공익상의 영향 등을 참작하여 허가 여부를 결정할 수 있는 재량을 가짐(2015두48846)

⑤ 귀화허가 귀화허가의 근거 규정의 형식과 문언, 귀화허가의 내용과 특성 등을 고려하여 보면, 법무부장관은 귀화신청인이 법률이 정하는 귀화요건을 갖추었다고 하더라도 귀화를 허가할 것인지 여부에 관하여 재량권을 가짐(2010두6496, 2009두19069) ➜ [비교] 귀화의 고시는 준법률행위적 행정행위 중 통지행위에 해당

⑥ [비교판례] 귀화신청인이 귀화요건을 갖추지 못한 경우 법무부장관은 재량권을 행사할 여지 없이 귀화불허처분을 하여야 함(2016두31616) ➜ 귀화요건을 갖추지 못한 경우에 귀화허가를 할 수는 없음

⑦ 보세구역 설영특허 관세법 소정의 보세구역 설영(설치 및 운영)특허는 공기업의 특허로서 그 특허의 부여 여부는 행정청의 자유재량에 속하고, 설영특허에 특허기간이 부가된 경우 그 기간의 갱신 여부도 행정청의 자유재량에 속함(88누4188)

⑧ 대기오염물질 총량관리사업장 설치허가 또는 변경허가 구 「수도권 대기환경개선에 관한 특별법」 제14조 제1항에서 정한 대기오염물질 총량관리사업장 설치의 허가 또는 변경허가는, ㉠ 특정인에게 인구가 밀집되고 대기오염이 심각하다고 인정되는 수도권 대기관리권역에서 총량관리대상 오염물질을 일정량을 초과하여 배출할 수 있는 특정한 권리를 설정하여 주는 행위로서 ㉡ 그 처분의 여부 및 내용의 결정은 행정청의 재량에 속함(2012두22799) ➜ [비교] 배출시설 설치허가의 신청이 구 「대기환경보전법」에서 정한 허가기준에 부합하고 동 법령상 허가제한 사유에 해당하지 아니하는 한 환경부장관은 원칙적으로 허가를 하여야 함(2012두22799) ➜ 배출시설 설치허가는 대기오염물질을 배출하는 시설을 설치하려는 자가 받아야 하는 허가로서 강학상 허가이자 기속행위라고 봄(학설은 배출시설 설치허가도 재량행위로 보아야 한다면서 판례의 태도를 비판하는 입장)

불분명한 경우 예외적 기속행위

① 발급 거부가 상대방의 헌법상 기본권을 중대하게 제약하는 경우(⑩ 난민인정)에는 예외적으로 기속행위로 봄

② 난민인정 - 기속행위 난민 인정에 관한 신청을 받은 행정청은 원칙적으로 법령이 정한 난민 요건에 해당하는지를 심사하여 난민 인정 여부를 결정할 수 있을 뿐이고, 이와 무관한 다른 사유만을 들어 난민 인정을 거부할 수는 없음(2016두42913)

쌍방적 행정행위

① 특허는 출원(出願)이나 신청을 요건으로 하는 쌍방적 행정행위 ➜ 신청이 없거나 신청 내용에 반하는 특허는 완전한 효력 발생×

② [비교] 허가도 보통은 쌍방적 행정행위이긴 하지만, 상대의 신청 없이 발급되는 경우(⑩ 통행금지 해제)도 있음

❶ '확인행위'는 준법률행위적 행정행위의 일종으로서, 무언가를 '판정'해 주는 행정행위들이 이에 해당한다. 뒤에서 다룬다.

특허로 누리는 이익의 성질 – 법률상 이익	① 특허를 받으면 그 상대방은 제3자에 대해서도 효력을 갖는 그 특별한 지위를 법적으로 누릴 수 있음 ② 자신에게는 특허가 발급되었지만, 그간 다른 사람(경업자)에 대하여는 특허가 발급되지 않고 있음으로 인하여 누리고 있었던 영업상의 독점적 이익 ➡ 법률상의 이익 ○ ➡ 경업자에 대하여 특허가 발급된 경우, 기존의 특허자는 그 처분에 대한 제3자임에도 불구하고 항고소송으로 그에 대해 다툴 수 있는 원고적격이 인정됨 ③ 판례 하천의 점용허가를 받은 사람은 그 하천부지를 권원 없이 점유·사용하는 자에 대하여 직접 부당이득의 반환 등을 구할 수 있음(94다4592) ➡ ∵ 하천점용권은 특허로 부여 받은 권리이어서 제3자에 대해서도 법적 효력을 갖기 때문
선원주의 적용×	① 먼저 신청한 자에게 특허를 내주어야 하는 것× ➡ 신청이 경합하는 경우 더 적합한 자에게 특허를 발급할 수 있음 ② [비교] 허가는 선원주의 적용○
상대방	① 특허는 언제나 특정인을 상대로 해서만 발급되고, 불특정 다수인을 상대로 발급되는 경우는 없음 ② [비교] 허가도 보통은 특정인을 상대로 하여 발급되지만, 불특정 다수인을 상대로 해서 발급(예 통행금지 해제)되기도 함

특허 사례정리

권리를 설정, 변경, 소멸시키는 행위(협의의 특허)	권리능력을 설정, 변경, 소멸시키는 행위	포괄적 법률관계를 설정, 변경, 소멸시키는 행위
① 공유수면매립면허(88누9206) ② 개인택시운송사업면허(2006두15783) ③ 국유재산법상 행정재산에 대한 사용·수익 허가(99두509) ④ 도로점용허가(2002두5795) ⑤ 공유수면의 점용·사용허가(2002두5016) ⑥ 전기·가스 공급사업 허가, 철도·버스 운송사업에 대한 허가 ⑦ 광업허가 ⑧ 어업면허 ⑨ 하천점용허가(2014두11601) ⑩ 자동차운수사업면허 ⑪ 토지수용권의 설정 ⑫ 보세구역 설치·운영에 관한 특허(88누4188) ⑬ 대기오염물질 총량관리사업장 설치·변경허가(2012두22799) ⑭ 토지보상법상의 사업인정(93누19375) ⑮ 「지역균형개발 및 지방중소기업 육성에 관한 법률」 및 동법 시행령에 따라 이루어지는, 개발촉진지구 안에서 시행되는 지역개발사업에 관한 지정권자의 실시계획승인처분(2012두5619) ⑯ 국립의료원 부설 주차장에 관한 위탁관리용역운영계약은 공법상 계약이 아니라 강학상 특허로서 처분에 해당(2004다31074, 2000두2013) ➡ 형식이 아니라 실질에 따라 판단 ⑰ 항공노선 운수권 배분(2003두10251)	① 공법인 설립인가 ② 재건축·재개발조합 설립인가(2008다60568) ③ 토지등소유자들이 조합을 따로 설립하지 않고 시행하는 도시환경정비사업시행인가(2011두19994) ④ 공기업특허 ⑤ 법무부장관의 공증인 인가·임명행위(2018두41907)	① 귀화허가(2009두19069) ② 「출입국관리법」상 체류자격 변경허가(2015두48846) ③ 공무원 임명

❺ 인가

법률행위적 행정행위 - 형성적 행정행위 - 인가

의의

① [개념] 개인들 간의 법률행위('기본행위')의 효과를 완성하여 주는 보충적 행정행위 ➜ 개인들 간의 법률행위에는 행정청이 관여하지 않는 것이 원칙이지만, 공익보호의 차원에서 행정청의 인가를 받도록 하는 경우가 있음(인가의 대상이 되는 행위는 나라마다 다름)

② 실정법상으로는 '허가', '승인', '인가' 등으로 표현되어 있음 ➜ 강학상의 인가인지 여부는 별도 검토 필요

③ 인가는 "보충행위" ➜ 아무 문제없이 이미 다 완성된 행위에 효력 부여만 하는 수동적 반응행위라는 말 ➜ 그 이상의 효력×

예

① 토지거래허가구역 내 토지거래허가(90다12243) ➜ 허가가 있기 전에는 효력이 발생하지 않은 '유동적 무효상태'에 있다가 허가가 있으면 소급하여 유효하게 됨

② 「부동산 거래신고 등에 관한 법률」상 외국인등의 토지거래 허가

③ 관할청의 임원취임승인은 학교법인의 임원으로서의 포괄적 지위를 설정하여주는 행위가 아니라, 학교법인의 임원선임행위의 법률상 효력을 완성케하는 보충행위임(2005두9651, 86누152)

④ 사단법인·재단법인 정관변경허가(95누4810)

⑤ 정비조합 정관변경에 대한 인가

⑥ 재건축조합의 사업시행계획에 대한 인가

⑦ 공익법인의 기본재산에 대한 감독관청의 처분허가(2004다50044)

⑧ 「자동차관리법」상 자동차관리사업자로 구성하는 사업자단체인 자동차정비사업조합 또는 협회의 설립인가처분은 국토해양부장관 또는 시·도지사가 자동차관리사업자들의 단체결성행위를 보충하여 효력을 완성시키는 처분에 해당함(2013두635)

⑨ 주택조합의 조합장 명의변경에 대한 시장, 군수 또는 자치구 구청장의 인가는 법률행위적 행정행위 중 인가에 해당함(95누7338)

⑩ (구)외자도입법에 따른 기술도입계약에 대한 인가는 기본행위인 기술도입계약을 보충하여 그 법률상 효력을 완성시키는 보충적 행정행위임(82누491)

⑪ [분양전환승인 중 분양전환가격을 승인하는 부분은 인가×] 구 「임대주택법」상 분양전환승인 중 분양전환가격을 승인하는 부분은, 분양전환에 따른 분양계약의 매매대금 산정의 기준이 되는 분양전환가격의 적정성을 심사하여 그 분양전환가격이 적법하게 산정된 것임을 확인하고 임대사업자로 하여금 승인된 분양전환 가격을 기준으로 분양전환을 하도록 하는 처분으로서, 분양계약의 효력을 보충하여 그 효력을 완성시켜주는 강학상 인가에 해당하지 않음(2015두48129) ➜ 단순한 수동적 효력부여 행위가 아니기 때문에 인가일 수 없다는 말 ➜ 학자들은 강학상 확인으로 분류하고 있음

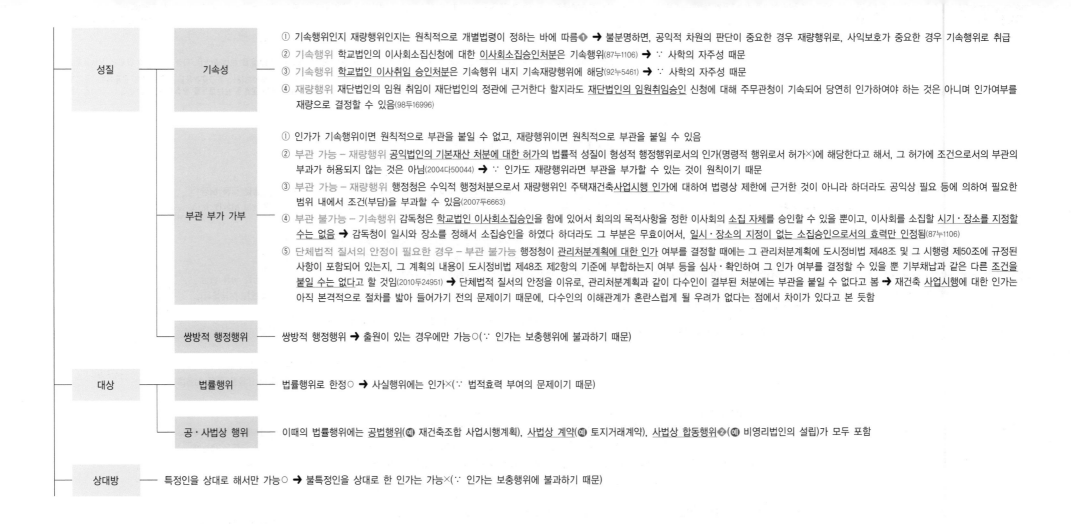

성질

기속성

① 기속행위인지 재량행위인지는 원칙적으로 개별법령이 정하는 바에 따름❶ ➔ 불분명하면, 공익적 차원의 판단이 중요한 경우 재량행위로, 사익보호가 중요한 경우 기속행위로 취급

② 기속행위 학교법인의 이사회소집신청에 대한 이사회소집승인처분은 기속행위(87누1106) ➔ ∵ 사학의 자주성 때문

③ 기속행위 학교법인 이사취임 승인처분은 기속행위 내지 기속재량행위에 해당(92누5461) ➔ ∵ 사학의 자주성 때문

④ 재량행위 재단법인의 임원 취임이 재단법인의 정관에 근거한다 할지라도 재단법인의 임원취임승인 신청에 대해 주무관청이 기속되어 당연히 인가하여야 하는 것은 아니며 인가여부를 재량으로 결정할 수 있음(98두16996)

부관 부가 가부

① 인가가 기속행위이면 원칙적으로 부관을 붙일 수 없고, 재량행위이면 원칙적으로 부관을 붙일 수 있음

② 부관 가능 – 재량행위 공익법인의 기본재산 처분에 대한 허가의 법률적 성질이 형성적 행정행위로서의 인가(명령적 행위로서 허가×)에 해당한다고 해서, 그 허가에 조건으로서의 부관의 부과가 허용되지 않는 것은 아님(2004다50044) ➔ ∵ 인가도 재량행위라면 부관을 부가할 수 있는 것이 원칙이기 때문

③ 부관 가능 – 재량행위 행정청은 수익적 행정처분으로서 재량행위인 주택재건축사업시행 인가에 대하여 법령상 제한에 근거한 것이 아니라 하더라도 공익상 필요 등에 의하여 필요한 범위 내에서 조건(부담)을 부과할 수 있음(2007두6663)

④ 부관 불가능 – 기속행위 감독청은 학교법인 이사회소집승인을 함에 있어서 회의의 목적사항을 정한 이사회의 소집 자체를 승인할 수 있을 뿐이고, 이사회를 소집할 시기·장소를 지정할 수는 없음 ➔ 감독청이 일시와 장소를 정해서 소집승인을 하였다 하더라도 그 부분은 무효이어서, 일시·장소의 지정이 없는 소집승인으로서의 효력만 인정됨(87누1106)

⑤ 단체법적 질서의 안정이 필요한 경우 – 부관 불가능 행정청이 관리처분계획에 대한 인가 여부를 결정할 때에는 그 관리처분계획에 도시정비법 제48조 및 그 시행령 제50조에 규정된 사항이 포함되어 있는지, 그 계획의 내용이 도시정비법 제48조 제2항의 기준에 부합하는지 여부 등을 심사·확인하여 그 인가 여부를 결정할 수 있을 뿐 기부채납과 같은 다른 조건을 붙일 수는 없다고 할 것임(2010두24951) ➔ 단체법적 질서의 안정을 이유로, 관리처분계획과 같이 다수인이 결부된 처분에는 부관을 붙일 수 없다고 봄 ➔ 재건축 사업시행에 대한 인가는 아직 본격적으로 절차를 밟아 들어가기 전의 문제이기 때문에, 다수인의 이해관계가 혼란스럽게 될 우려가 없다는 점에서 차이가 있다고 본 듯함

쌍방적 행정행위

쌍방적 행정행위 ➔ 출원이 있는 경우에만 가능○(∵ 인가는 보충행위에 불과하기 때문)

대상

법률행위

법률행위로 한정○ ➔ 사실행위에는 인가×(∵ 법적효력 부여의 문제이기 때문)

공·사법상 행위

이때의 법률행위에는 공법행위(⑩ 재건축조합 사업시행계획), 사법상 계약(⑩ 토지거래계약), 사법상 합동행위❷(⑩ 비영리법인의 설립)가 모두 포함

상대방

특정인을 상대로 해서만 가능○ ➔ 불특정인을 상대로 한 인가는 가능×(∵ 인가는 보충행위에 불과하기 때문)

❶ [더 들어가기] 과거에는 인가는 그 보충성으로 인해 기속행위로 보아야 한다는 견해가 다수설이었지만, 오늘날에는 그렇지 않다.

❷ [복습] 합동행위란 복수의 사람이 대립하지 않는 이해관계에서 행하는 의사표시들의 결합으로 이루어지는 법적 행위를 말한다.

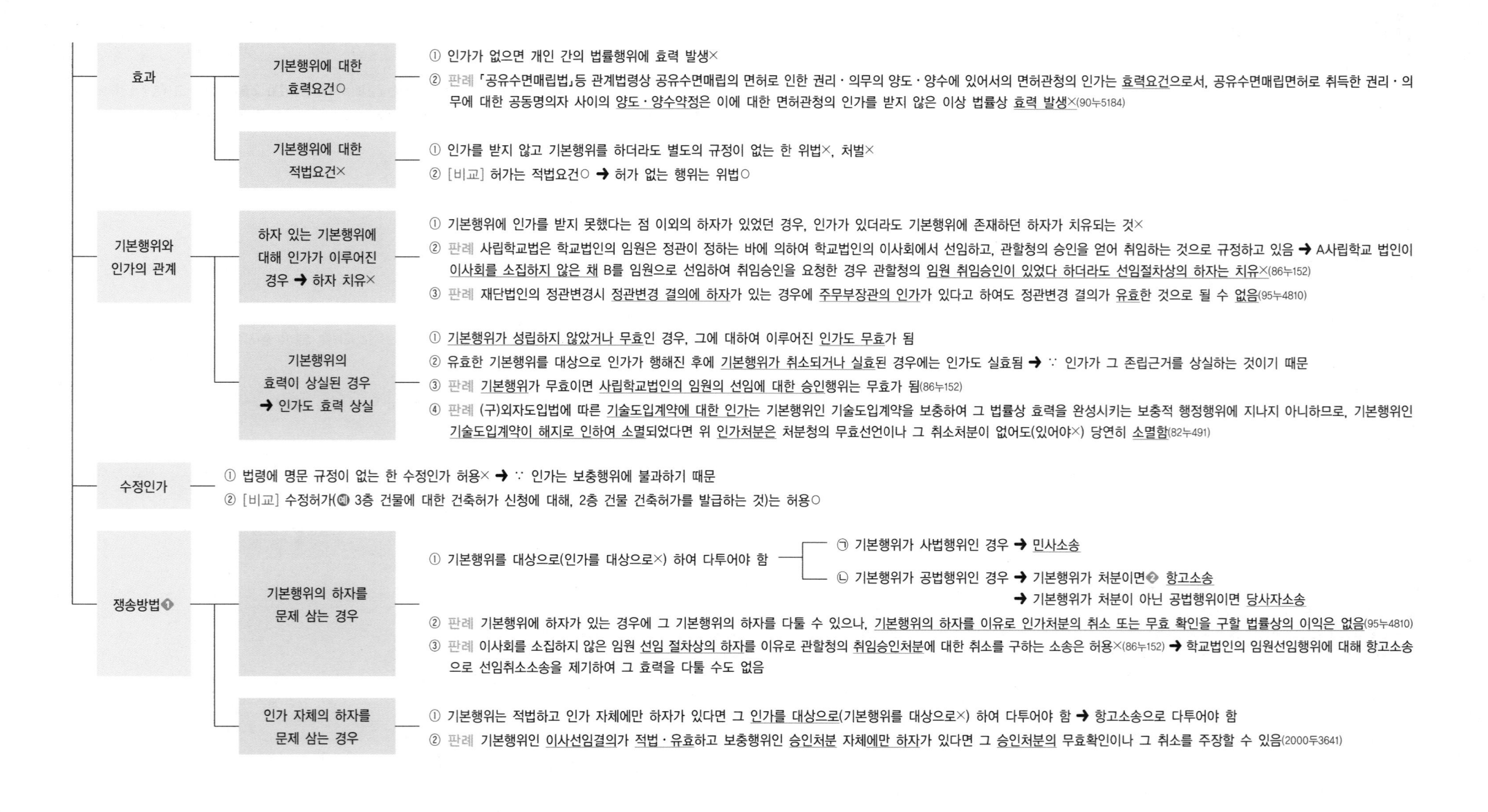

효과

기본행위에 대한 효력요건○
① 인가가 없으면 개인 간의 법률행위에 효력 발생×
② 판례 「공유수면매립법」등 관계법령상 공유수면매립의 면허로 인한 권리·의무의 양도·양수에 있어서의 면허관청의 인가는 효력요건으로서, 공유수면매립면허로 취득한 권리·의무에 대한 공동명의자 사이의 양도·양수약정은 이에 대한 면허관청의 인가를 받지 않은 이상 법률상 효력 발생×(90누5184)

기본행위에 대한 적법요건×
① 인가를 받지 않고 기본행위를 하더라도 별도의 규정이 없는 한 위법×, 처벌×
② [비교] 허가는 적법요건○ ➡ 허가 없는 행위는 위법○

기본행위와 인가의 관계

하자 있는 기본행위에 대해 인가가 이루어진 경우 ➡ 하자 치유×
① 기본행위에 인가를 받지 못했다는 점 이외의 하자가 있었던 경우, 인가가 있더라도 기본행위에 존재하던 하자가 치유되는 것×
② 판례 사립학교법은 학교법인의 임원은 정관이 정하는 바에 의하여 학교법인의 이사회에서 선임하고, 관할청의 승인을 얻어 취임하는 것으로 규정하고 있음 ➡ A사립학교 법인이 이사회를 소집하지 않은 채 B를 임원으로 선임하여 취임승인을 요청한 경우 관할청의 임원 취임승인이 있었다 하더라도 선임절차상의 하자는 치유×(86누152)
③ 판례 재단법인의 정관변경시 정관변경 결의에 하자가 있는 경우에 주무부장관의 인가가 있다고 하여도 정관변경 결의가 유효한 것으로 될 수 없음(95누4810)

기본행위의 효력이 상실된 경우 ➡ 인가도 효력 상실
① 기본행위가 성립하지 않았거나 무효인 경우, 그에 대하여 이루어진 인가도 무효가 됨
② 유효한 기본행위를 대상으로 인가가 행해진 후에 기본행위가 취소되거나 실효된 경우에는 인가도 실효됨 ➡ ∵ 인가가 그 존립근거를 상실하는 것이기 때문
③ 판례 기본행위가 무효이면 사립학교법인의 임원의 선임에 대한 승인행위는 무효가 됨(86누152)
④ 판례 (구)외자도입법에 따른 기술도입계약에 대한 인가는 기본행위인 기술도입계약을 보충하여 그 법률상 효력을 완성시키는 보충적 행정행위에 지나지 아니하므로, 기본행위인 기술도입계약이 해지로 인하여 소멸되었다면 위 인가처분은 처분청의 무효선언이나 그 취소처분이 없어도(있어야×) 당연히 소멸함(82누491)

수정인가
① 법령에 명문 규정이 없는 한 수정인가 허용× ➡ ∵ 인가는 보충행위에 불과하기 때문
② [비교] 수정허가(예 3층 건물에 대한 건축허가 신청에 대해, 2층 건물 건축허가를 발급하는 것)는 허용○

쟁송방법❶

기본행위의 하자를 문제 삼는 경우
① 기본행위를 대상으로(인가를 대상으로×) 하여 다투어야 함
  ㉠ 기본행위가 사법행위인 경우 ➡ 민사소송
  ㉡ 기본행위가 공법행위인 경우 ➡ 기본행위가 처분이면❷ 항고소송
                              ➡ 기본행위가 처분이 아닌 공법행위이면 당사자소송
② 판례 기본행위에 하자가 있는 경우에 그 기본행위의 하자를 다툴 수 있으나, 기본행위의 하자를 이유로 인가처분의 취소 또는 무효 확인을 구할 법률상의 이익은 없음(95누4810)
③ 판례 이사회를 소집하지 않은 임원 선임 절차상의 하자를 이유로 관할청의 취임승인처분에 대한 취소를 구하는 소송은 허용×(86누152) ➡ 학교법인의 임원선임행위에 대해 항고소송으로 선임취소소송을 제기하여 그 효력을 다툴 수도 없음

인가 자체의 하자를 문제 삼는 경우
① 기본행위는 적법하고 인가 자체에만 하자가 있다면 그 인가를 대상으로(기본행위를 대상으로×) 하여 다투어야 함 ➡ 항고소송으로 다투어야 함
② 판례 기본행위인 이사선임결의가 적법·유효하고 보충행위인 승인처분 자체에만 하자가 있다면 그 승인처분의 무효확인이나 그 취소를 주장할 수 있음(2000두3641)

---

❶ [더 들어가기] 인가에 대해 이렇게 쟁송법리가 발달한 이유는, 행정사건의 수를 줄이기 위한 대법원의 정책적 결단 때문이다. 기본행위에 존재하는 하자는 기본행위를 대상으로 다투어야 한다고 보면, 대부분의 사건이 민사사건으로 처리되기 때문이다. 조금씩 극복되고는 있지만, 대법원은 기본적으로 행정사건으로 처리되어야 할 것들을 민사사건으로 몰아가는 경향이 있고, 학자들은 그 점을 불만스러워 하고 있다.

❷ 기본행위가 처분일 수 있는 이유는, 경우에 따라 행정청(예 재건축조합)도 다른 행정청의 인가를 받아서 법적인 행위를 하여야 하는 경우가 존재하기 때문이다.

개설

① 재건축 · 재개발은 다수의 이해관계인들이 기존의 건축물을 헐고 새로운 건축물을 지어 이를 나누어 갖는 사업임

② 관련 법제는 도시의 난개발을 막기 위해 행정청의 엄격한 통제하에서만 재건축 · 재개발사업이 이루어지게 하고 있음

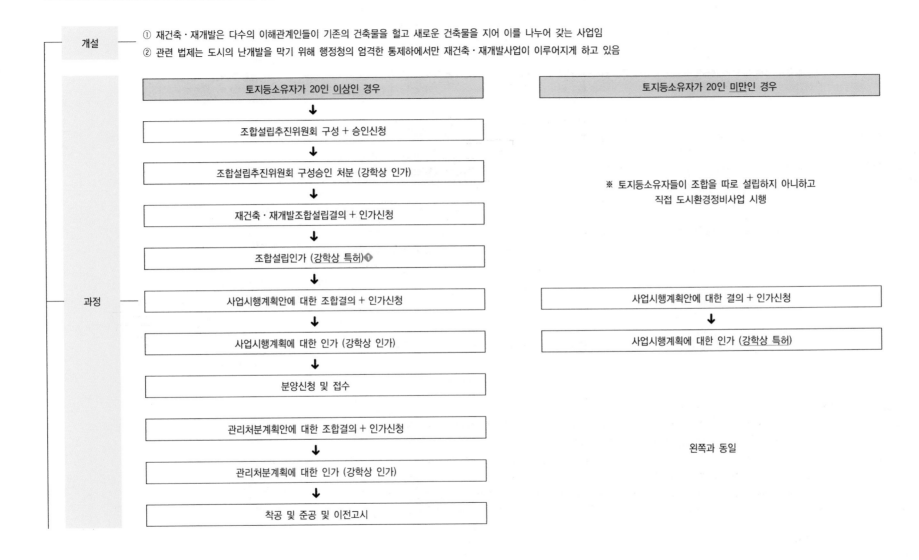

과정

토지등소유자가 20인 이상인 경우

↓

조합설립추진위원회 구성 + 승인신청

↓

조합설립추진위원회 구성승인 처분 (강학상 인가)

↓

재건축 · 재개발조합설립결의 + 인가신청

↓

조합설립인가 (강학상 특허)❶

↓

사업시행계획안에 대한 조합결의 + 인가신청

↓

사업시행계획에 대한 인가 (강학상 인가)

↓

분양신청 및 접수

↓

관리처분계획안에 대한 조합결의 + 인가신청

↓

관리처분계획에 대한 인가 (강학상 인가)

↓

착공 및 준공 및 이전고시

토지등소유자가 20인 미만인 경우

※ 토지등소유자들이 조합을 따로 설립하지 아니하고
직접 도시환경정비사업 시행

사업시행계획안에 대한 결의 + 인가신청

↓

사업시행계획에 대한 인가 (강학상 특허)

왼쪽과 동일

---

❶ 이 특허가 있으면 재건축 · 재개발조합이 행정주체로서의 지위를 부여받게 된다. 강학상 특허인지 인가인지가 중요한 이유는, 쟁송대상이 달라지기 때문이다.

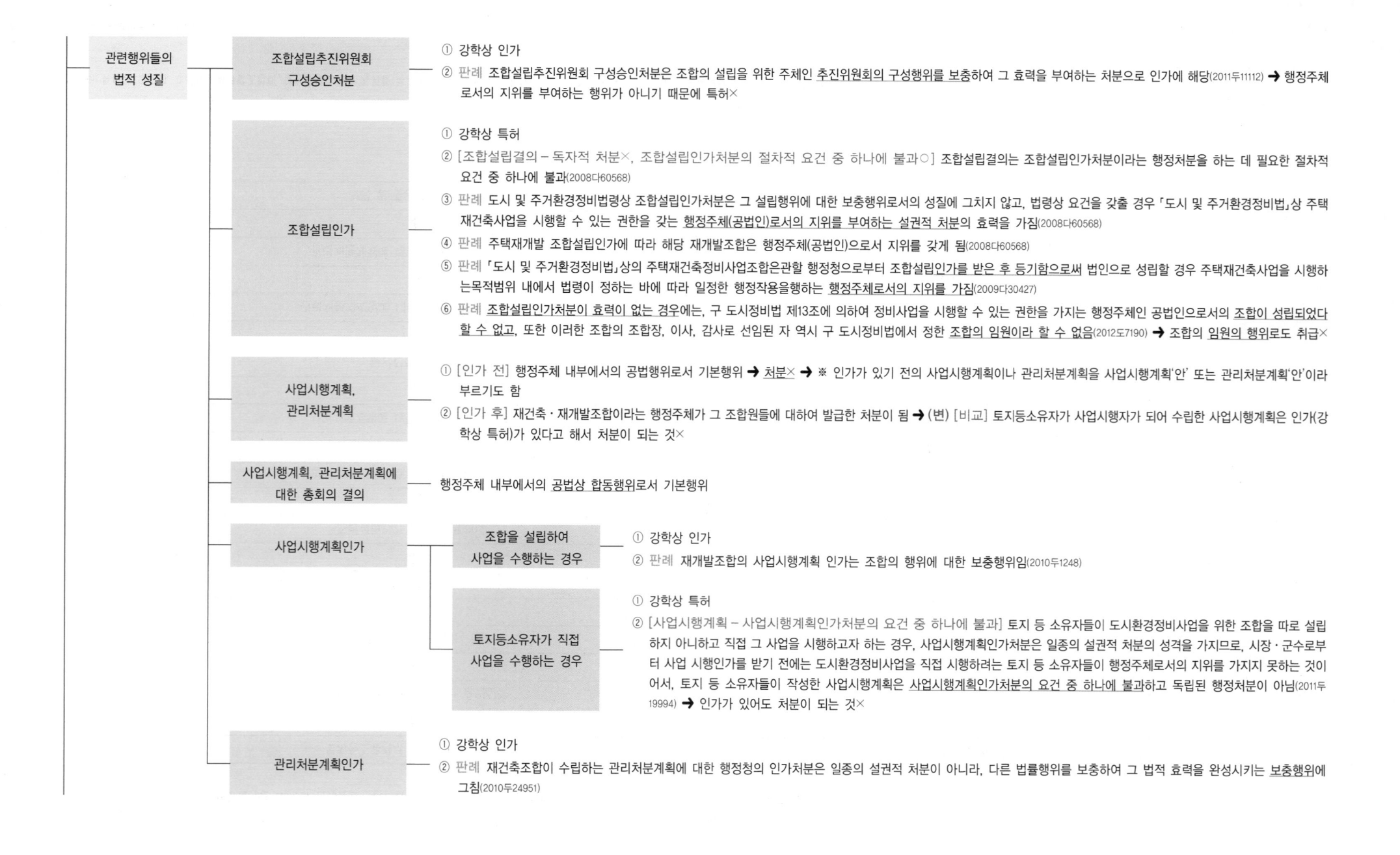

관련행위들의 법적 성질

조합설립추진위원회 구성승인처분
① 강학상 인가
② 판례 조합설립추진위원회 구성승인처분은 조합의 설립을 위한 주체인 추진위원회의 구성행위를 보충하여 그 효력을 부여하는 처분으로 인가에 해당(2011두11112) ➔ 행정주체로서의 지위를 부여하는 행위가 아니기 때문에 특허×

조합설립인가
① 강학상 특허
② [조합설립결의 – 독자적 처분×, 조합설립인가처분의 절차적 요건 중 하나에 불과○] 조합설립결의는 조합설립인가처분이라는 행정처분을 하는 데 필요한 절차적 요건 중 하나에 불과(2008다60568)
③ 판례 도시 및 주거환경정비법령상 조합설립인가처분은 그 설립행위에 대한 보충행위로서의 성질에 그치지 않고, 법령상 요건을 갖출 경우 「도시 및 주거환경정비법」상 주택재건축사업을 시행할 수 있는 권한을 갖는 행정주체(공법인)로서의 지위를 부여하는 설권적 처분의 효력을 가짐(2008다60568)
④ 판례 주택재개발 조합설립인가에 따라 해당 재개발조합은 행정주체(공법인)으로서 지위를 갖게 됨(2008다60568)
⑤ 판례 「도시 및 주거환경정비법」상의 주택재건축정비사업조합은 관할 행정청으로부터 조합설립인가를 받은 후 등기함으로써 법인으로 성립할 경우 주택재건축사업을 시행하는목적범위 내에서 법령이 정하는 바에 따라 일정한 행정작용을 행하는 행정주체로서의 지위를 가짐(2009다30427)
⑥ 판례 조합설립인가처분이 효력이 없는 경우에는, 구 도시정비법 제13조에 의하여 정비사업을 시행할 수 있는 권한을 가지는 행정주체인 공법인으로서의 조합이 성립되었다 할 수 없고, 또한 이러한 조합의 조합장, 이사, 감사로 선임된 자 역시 구 도시정비법에서 정한 조합의 임원이라 할 수 없음(2012도7190) ➔ 조합의 임원의 행위로도 취급×

사업시행계획, 관리처분계획
① [인가 전] 행정주체 내부에서의 공법행위로서 기본행위 ➔ 처분× ➔ ※ 인가가 있기 전의 사업시행계획이나 관리처분계획을 사업시행계획'안' 또는 관리처분계획'안'이라 부르기도 함
② [인가 후] 재건축·재개발조합이라는 행정주체가 그 조합원들에 대하여 발급한 처분이 됨 ➔ (변) [비교] 토지등소유자가 사업시행자가 되어 수립한 사업시행계획은 인가(강학상 특허)가 있다고 해서 처분이 되는 것×

사업시행계획, 관리처분계획에 대한 총회의 결의
행정주체 내부에서의 공법상 합동행위로서 기본행위

사업시행계획인가

조합을 설립하여 사업을 수행하는 경우
① 강학상 인가
② 판례 재개발조합의 사업시행계획 인가는 조합의 행위에 대한 보충행위임(2010두1248)

토지등소유자가 직접 사업을 수행하는 경우
① 강학상 특허
② [사업시행계획 – 사업시행계획인가처분의 요건 중 하나에 불과] 토지 등 소유자들이 도시환경정비사업을 위한 조합을 따로 설립하지 아니하고 직접 그 사업을 시행하고자 하는 경우, 사업시행계획인가처분은 일종의 설권적 처분의 성격을 가지므로, 시장·군수로부터 사업 시행인가를 받기 전에는 도시환경정비사업을 직접 시행하려는 토지 등 소유자들이 행정주체로서의 지위를 가지지 못하는 것이어서, 토지 등 소유자들이 작성한 사업시행계획은 사업시행계획인가처분의 요건 중 하나에 불과하고 독립된 행정처분이 아님(2011두19994) ➔ 인가가 있어도 처분이 되는 것×

관리처분계획인가
① 강학상 인가
② 판례 재건축조합이 수립하는 관리처분계획에 대한 행정청의 인가처분은 일종의 설권적 처분이 아니라, 다른 법률행위를 보충하여 그 법적 효력을 완성시키는 보충행위에 그침(2010두24951)

쟁송수단	조합설립추진위원회 관련 분쟁	조합설립추진위원회 설립승인처분에 대한 원고적격	도시 및 주거환경정비법상 조합설립추진위원회의 구성에 동의하지 아니한 <u>정비구역 내의 토지 등 소유자</u>는 조합설립추진위원회 설립승인처분의 취소를 구할 원고적격이 있음(2006두12289) ➔ 자신이 동의하지 아니한 단체가 조합설립추진위원회 설립승인처분을 받으면 싫더라도 그에 따라 재건축 · 재개발 사업을 진행할 수밖에 없게 되기 때문에 원고적격을 인정한 것(※ 재건축 · 재개발 조합을 설립하기 위한 조합설립추진위원회는 하나의 정비구역 안에 1개만 만들어질 수 있음)

조합설립인가 후 조합설립추진위원회 구성승인처분에 대한 쟁송

① [소의 이익×] 구 「도시 및 주거환경정비법」상 조합설립추진위원회 구성승인처분을 <u>다투는 소송 계속 중 조합설립인가처분이 이루어졌다면</u> 조합설립추진위원회 구성승인처분의 취소를 구할 법률상 이익× ➔ ∵ 조합설립추진위원회 구성승인처분의 취소를 받으려는 이유는 결국 그에 기초하여 성립된 조합이 정비사업을 추진하는 것을 막기 위함인데, 추진위원회 구성승인처분과 조합설립인가는 독립적인 별개의 처분이어서, 추진위원회 구성승인처분을 취소한다 하더라도 <u>이미 조합설립인가를 받은 조합의 정비사업진행을 저지할 수 없기 때문</u>(2011두11112) ➔ 취소판결로 원고가 원하는 것을 얻을 수 없게 되기 때문에 소의 이익이 부정된 것 ➔ 조합설립인가가 있은 후에는 <u>직접 조합설립인가처분에 대해 다투는 방법으로 정비사업의 진행을 저지하여야 한다고 봄</u>

② [하자승계×] 조합설립추진위원회 구성승인처분에 <u>하자가 있는 경우라고 해도</u>, 그것이 무효라는 등의 특별한 사정이 없는 한, 그것만으로 조합설립인가처분은 <u>위법한 것이 되지 않음</u> ➔ ∵ 추진위원회 구성승인처분은 추진위원회를 구성하는 행위를 보충하여 그 효력을 부여하는 처분인 반면, 조합설립인가는 행정주체로서의 지위를 부여하는 설권적 처분이어서 양자는 목적과 성격을 달리하기 때문(2011두8291)

조합설립결의의 하자에 대한 쟁송

① 조합설립인가는 <u>강학상 특허</u>이기 때문에, '기본행위 – <u>인가</u>' 쟁송의 상황과는 다른 법리가 전개됨 ➔ 재건축 · 재개발 조합의 설립과 관련된 분쟁은 <u>구청장을 상대로 하여 다투는</u> 것을 허용한 방향전환이라 해석되고 있음

② [결의의 하자도 특허에 대한 소송으로 다투어야 함] 조합설립결의는 조합설립인가처분이라는 행정처분을 하는 데 필요한 절차적 요건 중 하나에 불과 ➔ 조합설립결의에 하자가 있는 경우에도 항고소송으로 직접 조합설립인가처분(강학상 특허)의 절차상의 하자를 이유로 항고소송으로 취소 또는 무효확인을 구하여야 함(2008다60568)

③ 판례 행정청의 조합설립인가처분이 있은 후에 조합설립결의에 하자가 있음을 이유로 소송을 제기하는 경우라면, 조합설립인가처분에 대한 항고소송을 제기하여야 하고, 조합설립인가처분이 있은 후에 조합설립결의의 하자를 이유로 그 결의부분만을 따로 떼어내어 그에 대해 그 효력 유무를 다투는 확인의 소를 제기하는 것은 확인의 이익이 없어 허용×(2008다60568)

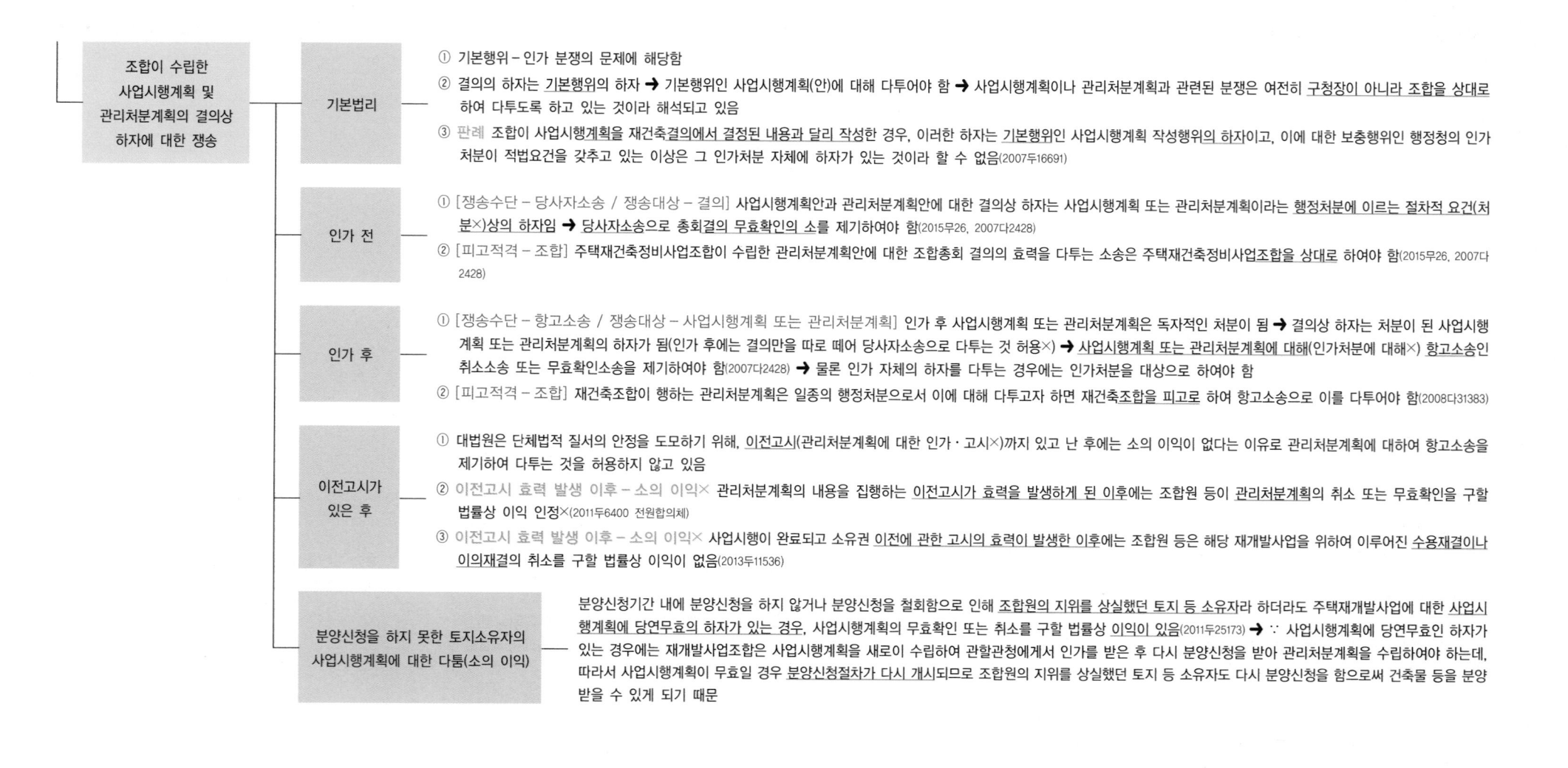

조합이 수립한 사업시행계획 및 관리처분계획의 결의상 하자에 대한 쟁송	**기본법리**

① 기본행위 – 인가 분쟁의 문제에 해당함

② 결의의 하자는 <u>기본행위의 하자</u> ➔ 기본행위인 사업시행계획(안)에 대해 다투어야 함 ➔ 사업시행계획이나 관리처분계획과 관련된 분쟁은 여전히 <u>구청장이 아니라 조합을 상대로</u> 하여 다투도록 하고 있는 것이라 해석되고 있음

③ <u>판례</u> 조합이 사업시행계획을 재건축결의에서 결정된 내용과 달리 작성한 경우, 이러한 하자는 <u>기본행위인 사업시행계획 작성행위의 하자</u>이고, 이에 대한 보충행위인 행정청의 인가처분이 적법요건을 갖추고 있는 이상은 그 인가처분 자체에 하자가 있는 것이라 할 수 없음(2007두16691)

인가 전

① [쟁송수단 – 당사자소송 / 쟁송대상 – 결의] 사업시행계획안과 관리처분계획안에 대한 결의상 하자는 사업시행계획 또는 관리처분계획이라는 <u>행정처분에 이르는 절차적 요건(처분×)상의 하자임</u> ➔ <u>당사자소송으로 총회결의 무효확인의 소를 제기하여야</u> 함(2015무26, 2007다2428)

② [피고적격 – 조합] 주택재건축정비사업조합이 수립한 관리처분계획안에 대한 조합총회 결의의 효력을 다투는 소송은 주택재건축정비사업조합을 상대로 하여야 함(2015무26, 2007다2428)

인가 후

① [쟁송수단 – 항고소송 / 쟁송대상 – 사업시행계획 또는 관리처분계획] 인가 후 사업시행계획 또는 관리처분계획은 독자적인 처분이 됨 ➔ 결의상 하자는 처분이 된 사업시행계획 또는 관리처분계획의 하자가 됨(인가 후에는 결의만을 따로 떼어 당사자소송으로 다투는 것 허용×) ➔ <u>사업시행계획 또는 관리처분계획에 대해(인가처분에 대해×) 항고소송인</u> 취소소송 또는 무효확인소송을 제기하여야 함(2007다2428) ➔ 물론 인가 자체의 하자를 다투는 경우에는 인가처분을 대상으로 하여야 함

② [피고적격 – 조합] 재건축조합이 행하는 관리처분계획은 일종의 행정처분으로서 이에 대해 다투고자 하면 재건축조합을 피고로 하여 항고소송으로 이를 다투어야 함(2008다31383)

이전고시가 있은 후

① 대법원은 단체법적 질서의 안정을 도모하기 위해, <u>이전고시(관리처분계획에 대한 인가·고시×)까지 있고 난 후에는 소의 이익이 없다는 이유로 관리처분계획에 대하여 항고소송을</u> 제기하여 다투는 것을 허용하지 않고 있음

② 이전고시 효력 발생 이후 – 소의 이익× 관리처분계획의 내용을 집행하는 <u>이전고시가 효력을 발생하게 된 이후에는 조합원 등이 관리처분계획의 취소 또는 무효확인을 구할 법률상 이익 인정×</u>(2011두6400 전원합의체)

③ 이전고시 효력 발생 이후 – 소의 이익× 사업시행이 완료되고 소유권 이전에 관한 고시의 효력이 발생한 이후에는 조합원 등은 해당 재개발사업을 위하여 이루어진 <u>수용재결이나 이의재결의 취소를 구할 법률상 이익이 없음</u>(2013두11536)

분양신청을 하지 못한 토지소유자의 사업시행계획에 대한 다툼(소의 이익)

분양신청기간 내에 분양신청을 하지 않거나 분양신청을 철회함으로 인해 <u>조합원의 지위를 상실했던 토지 등 소유자라 하더라도 주택재개발사업에 대한 사업시행계획에 당연무효의 하자가 있는 경우, 사업시행계획의 무효확인 또는 취소를 구할 법률상 이익이 있음</u>(2011두25173) ➔ ∵ 사업시행계획에 당연무효인 하자가 있는 경우에는 재개발사업조합은 사업시행계획을 새로이 수립하여 관할관청에게서 인가를 받은 후 다시 분양신청을 받아 관리처분계획을 수립하여야 하는데, 따라서 사업시행계획이 무효일 경우 분양신청절차가 다시 개시되므로 조합원의 지위를 상실했던 토지 등 소유자도 다시 분양신청을 함으로써 건축물 등을 분양받을 수 있게 되기 때문

구분	허가	특허	인가
의의	금지되었던 자유로운 행위에 대한 금지를 해제하는 행정행위("자연적 자유를 회복시켜 주는 행위")	특정인에게 제3자에 대해서도 효력을 갖는 특별한 권리나 능력 또는 포괄적인 법적 지위를 설정해주거나 그것을 변경·박탈하는 행정행위	개인들 간의 법률행위('기본행위')의 효과를 완성하여 주는 보충적 행정행위
성질	① 명령적 행위(종래 통설) ② 원칙적으로 기속행위 ③ 허가를 받아 하려는 행위의 적법요건으로 기능	① 형성적 행위 ② 원칙적으로 재량행위	① 형성적 행위 ② 기속행위인 경우도 있고 재량행위인 경우도 있음 ③ 인가 대상인 법률행위의 효력요건으로 기능
상대방	① 특정인을 상대로 이루어지는 것이 일반적 ② 다만, 통행금지의 해제와 같이 불특정 다수인에 대해 이루어지는 허가도 존재	언제나 특정인을 대상으로 함	언제나 개별적으로 이루어짐
신청요부	① 신청에 의하는 것이 일반적 ② 다만, 통행금지의 해제와 같이 신청에 의하지 않는 허가도 존재	행정행위로서의 특허에는 신청이 필수적	신청이 필수적
대상	사실행위 또는 법률행위		법률행위
효과	공법적 효과만 발생		공법적 or 사법적 효과 발생
없이 한 행위	① 허가는 적법요건 ➡ 강제집행·행정벌의 대상○ ② 당해 행위 자체의 효력에는 영향이 없음		① 인가는 효력요건 ➡ 강제집행·행정벌의 대상× ② 당해 행위는 무효
수정 인·허가 가부	수정허가 가능		수정인가 불가능

⑥ 대리

의의	—	타인(A)이 행하여야 할 행위를 행정청(B)이 갈음하여 행함으로써, 그 타인(A)이 스스로 행한 것과 같은 법적 효과를 발생케 하는 행정행위
법적 효과	—	행정청(B)이 한 대리행위의 법적 효과는 그 타인(A)에게 귀속됨
사례	—	① 사학재단 임시이사 임명 등 공법인의 임원임명(감독적 대리) ② 당사자 간의 협의가 이루어지지 않는 경우 토지수용위원회의 수용재결(조정적 대리) ③ 행려병자 또는 사자의 유류품 처분(개인보호적 대리) ④ 강제징수 절차의 압류재산 공매처분(행정목적 달성적 대리)

❼ 확인

준법률행위적 행정행위 - 확인

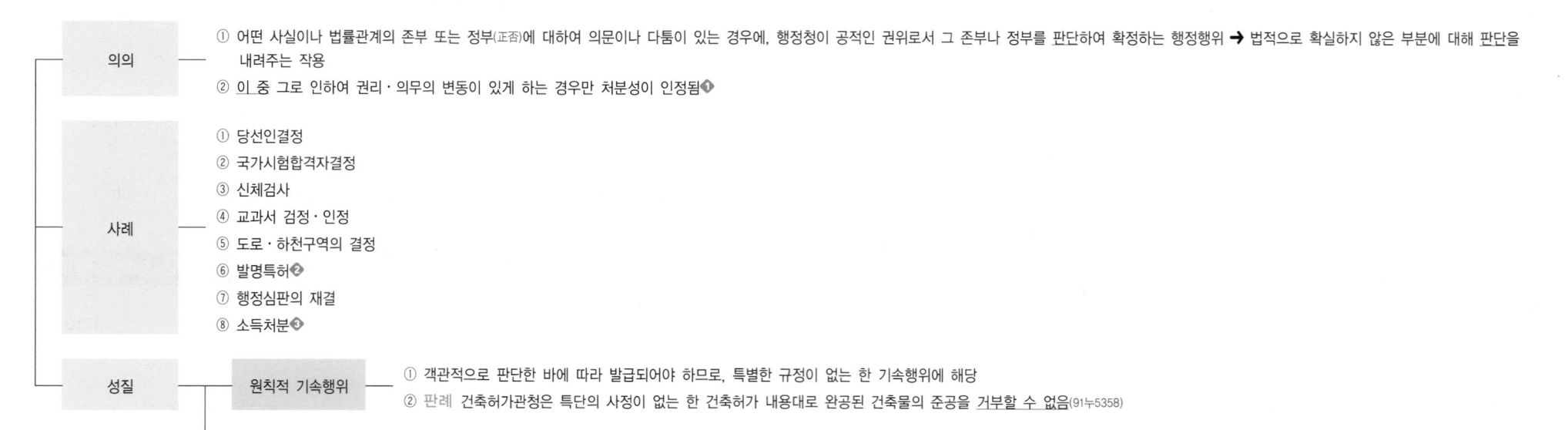

의의
① 어떤 사실이나 법률관계의 존부 또는 정부(正否)에 대하여 의문이나 다툼이 있는 경우에, 행정청이 공적인 권위로서 그 존부나 정부를 판단하여 확정하는 행정행위 ➜ 법적으로 확실하지 않은 부분에 대해 판단을 내려주는 작용
② 이 중 그로 인하여 권리·의무의 변동이 있게 하는 경우만 처분성이 인정됨❶

사례
① 당선인결정
② 국가시험합격자결정
③ 신체검사
④ 교과서 검정·인정
⑤ 도로·하천구역의 결정
⑥ 발명특허❷
⑦ 행정심판의 재결
⑧ 소득처분❸

성질

원칙적 기속행위
① 객관적으로 판단한 바에 따라 발급되어야 하므로, 특별한 규정이 없는 한 기속행위에 해당
② 판례 건축허가관청은 특단의 사정이 없는 한 건축허가가 내용대로 완공된 건축물의 준공을 거부할 수 없음(91누5358)

---

❶ [더 들어가기] 준법률행위적 행정행위에 대한 서술은 기존 교과서들이 그에 해당하는 예시들을 잘못 들었기 때문에 논리적 문제가 있다. ㉠ 개념 정의 자체는 행정행위의 일종인 것으로 해 놓고, 그에 해당하는 예시를 권리·의무의 변동을 가져오지 않는 단순한 정신작용들(예 신체검사)까지 제시한 다음, 다시 그것들 중 권리·의무의 변동을 가져오는 것들만 처분에 해당하는 것으로 서술을 하고 있는데, ㉡ 처음부터 권리·의무의 변동을 가져오지 않는 것들은 예시로 제시하지 말았어야 한다.

❷ ① 발명특허의 이름은 특허이지만 강학상 특허가 아니라 강학상 확인에 해당한다. ② 한편 발명특허의 등록은 강학상 공증에 속한다. ③ 또 특허출원의 공고는 준법률행위적 행정행위 중 통지에 해당한다.

❸ [세법] 원천징수를 할 때 원천징수의무자는 국세청에 대하여 원천징수의 근거가 되는 소득귀속자의 소득이 얼마인지를 신고할 수밖에 없는데, 이때 원천징수의무자가 신고한 소득금액이 실제 소득금액과 다르다는 국세청의 판정(강학상 확인)을 '소득처분'이라 하고, 이를 알려주는 행위를 '소득금액변동통지'라 한다.

処分성

① 행정행위인 확인을 하면, 관련 법령에서 규정하고 있는 바에 따라 권리·의무가 변동됨 ➡ 판단작용이라 하더라도 그로 인하여 어떤 권리나 의무를 변동시키지 못하면 행정행위인 확인× ➡ 처분성 인정×

② 건물준공검사 – 처분○ 준공검사처분은 건축허가를 받아 건축한 건물이 건축허가사항대로 건축행정목적에 적합한가의 여부를 확인하고, 준공검사필증을 교부하여 줌으로써 허가받은 자로 하여금 건축한 건물을 사용, 수익할 수 있게 하는 법률효과를 발생시키는 행위(98두15283)

③ 친일반민족행위자 재산조사위원회의 국가귀속결정 – 처분○ ㉠ 친일반민족행위자 재산의 국가귀속에 관한 특별법에 따른 친일재산은 친일반민족행위자 재산조사위원회가 국가귀속결정을 하여야 비로소 국가의 소유로 되는 것이 아니라, 특별법의 시행에 따라 그 취득·증여 등 원인행위시에 소급하여 당연히 국가의 소유로 되는 것이고, ㉡ 위원회의 국가귀속결정은 당해 재산이 친일재산에 해당한다는 사실을 확인하는 이른바 준법률행위적 행정행위의 성격을 가지는 것임(2008두13491) ➡ 이 '국가귀속결정'은 단순히 당해 재산이 친일반민족행위의 대가로서 취득한 것이었다고 판정하는 행정작용(대가성 판단작용)이었는데, 이 판정이 있으면 근거법인 「친일반민족행위자 재산의 국가귀속에 관한 특별법」에서 친일행위자가 친일행위의 대가로 취득한 재산이 그 취득·증여 등을 한 원인행위시점부터, 친일행위자의 것이 아니라 대한민국의 것이었던 것으로 소급 간주한다는 규정(제3조 제1항)을 두고 있었음 ➡ '판정'이라는 정신작용을 하면 관계 법령 규정에 의하여 소급적으로 소유권이라는 권리의 귀속을 변동시켜 버리는 법적 효과를 발생시키는 행정작용이기 때문에, 이 국가귀속결정을 준법률행위적 행정행위라 하는 것

④ 과거사정리위원회의 진실규명결정 – 처분○ 「진실·화해를 위한 과거사정리 기본법」에 따른 과거사정리위원회의 진실규명결정은 처분에 해당함(2010두22856) ➡ ∵ 이 진실규명결정이 이루어지면, 피해자 등에게는 진실규명 신청권 및 그 결정에 대한 이의신청권 등이 부여되고, 그 결정에서 규명된 진실에 따라 국가는 피해자 등에 대하여 피해 및 명예회복 조치를 취할 법률상 의무를 부담하게 되기 때문

⑤ 방위사업법령상 연구개발확인서발급 – 처분○ 방위사업법령 및 「국방전력발전업무훈령」에 따른 연구개발확인서발급은 개발업체가 전력지원체계 연구개발사업을 성공적으로 수행하여 군사용 적합판정을 받고, 경우에 따라 사업관리기관이 개발업체에게 해당 품목의 양산과 관련하여 수의계약의 방식(경쟁입찰의 예외사유)으로 국방조달계약을 체결할 수 있는 지위가 있음을 인정해 주는 확인적 행정행위로서 처분에 해당함 (2019다264700)

⑥ 개별사업장 사업종류변경결정 – 처분○ 근로복지공단이 사업주에 대하여 하는 '개별 사업장의 사업종류변경결정'은 사업종류 결정의 주체, 내용과 결정기준을 고려할 때 확인적 행정행위로서 처분에 해당함(2019두61137) ➡ ∵ 사업종류가 무엇인지에 따라 사업주가 납부해야 하는 산재보험료의 액수가 달라지기 때문

⑦ 국방부장관의 유족연금수급권자 심사·확인 결정 – 처분○ 구 「군인연금법」상 선순위 유족이 유족연금수급권을 상실함에 따라 동순위 또는 차순위 유족이 유족연금수급권 이전 청구를 한 경우, 이에 관한 국방부장관의 결정은 선순위 유족의 수급권 상실로 청구인에게 유족연금수급권 이전이라는 법률효과가 발생하였는지를 '확인'하는 행정행위에 해당하고, 이는 월별 유족연금액 지급이라는 후속 집행행위의 기초가 되므로, 항고소송의 대상인 처분에 해당함 ➡ 만약 국방부장관이 거부결정을 하는 경우 그 거부결정을 대상으로 항고소송(당사자소송×)을 제기하는 방식으로 불복하여야 함(2018두46780)

❽ 공증

준법률행위적 행정행위 - 공증

의의 — [개념] 어떤 사실이나 법률관계의 존부에 대해 공적인 권위로서 공적 증거력을 부여해주는 행정행위 ➜ [쉬운 정의] 공적 장부에 무언가를 기록하거나, 그 기록한 공적 장부를 발급해 주는 행위들

확인과 공증 비교	
확인	㉠ 특정한 법률사실이나 법률관계에 관한 의문·분쟁이 있는 것을 전제함 ㉡ 판단을 표시하는 행위
공증	㉠ 특정한 법률사실이나 법률관계에 관한 의문·분쟁이 없는 것을 전제함 ㉡ 어떠한 사실 또는 법률관계가 진실이라고 인식하여 그것을 공적으로 증명하는 인식행위(인식표시행위)

사례
① 부동산 등기부에의 등기
② 발명특허의 등록
③ 선거인명부·토지대장·건축물관리대장·지적공부·자동차운전면허대장 등에의 등재행위
④ 당선증서·합격증서 등과 같은 증명서 발급행위
⑤ 여권·주민등록등본·주민등록증·인감증명서 등의 발급행위
⑥ 각종 인가·허가·특허 등 인·허가증 발급행위
⑦ 서울특별시장의 의료유사업자[침사(鍼師)] 자격증 갱신발급(76누295)
⑧ 건설업면허증 및 건설업면허수첩의 재교부(93누21231) ➜ 종전의 면허증 및 면허수첩과 동일한 내용의 면허증 및 면허수첩을 새로이 또는 교체하여 발급하여 주는 행위임
⑨ 특허청장의 상표사용권설정등록행위는 사인간의 법률관계의 존부를 공적으로 증명하는 강학상 공증행위로서 준법률행위적 행정행위임이 분명(90누9414) ➜ ∵ 상표사용권은 상표원부에 등록되어야 효력이 발생하는 것이기 때문

성질

원칙적 기속행위 — 객관적 사실에 따라 발급되어야 하므로, 특별한 규정이 없는 한 기속행위에 해당

보통 요식행위
① 공증은 관련 법령에서 문서의 형식 등 특정한 방식으로 행해질 것을 요구하고 있는 경우가 많음
② 판례 서울특별시장의 의료유사업자[침사(鍼師)] 자격증 갱신발급은 ㉠ 자격을 부여 내지 확인하는 것이 아니라, ㉡ 특정한 사실 또는 법률관계의 존부를 공적으로 증명하는 소위 공증행위에 속하는 행정행위(사실행위×)(76누295) ➜ 문서 등 일정한 서식이 요구되는 요식행위

처분성	① 행정청이 공적으로 장부에 기록하거나 장부를 발급해주면, 권리·의무가 변동하는 경우만 행정행위인 공증으로서 처분성이 인정됨 → 단순히 어떤 사실을 증명하는 기능만을 하는 경우에는 처분성이 부정됨

① 행정청이 공적으로 장부에 기록하거나 장부를 발급해주면, 권리·의무가 변동하는 <u>경우만 행정행위인 공증으로서 처분성이 인정됨</u> → 단순히 어떤 <u>사실을 증명하는 기능만</u>을 하는 경우에는 처분성이 부정됨

② [단순한 공적 증명행위 – 처분×] 행정청이 한 행위가 단지 사인 간 <u>법률관계의 존부</u>를 공적으로 증명하는 공증행위에 불과하여, 그 효력을 둘러싼 분쟁의 해결이 사법원리에 맡겨져 있어 위법한 행정처분의 <u>취소</u>가 국민의 권익구제나 분쟁의 근본적인 해결을 위한 적절한 수단이 되지 못하거나, 행위의 근거 법률에서 행정소송 이외의 다른 절차에 의하여 불복할 것을 예정하고 있는 경우에는 항고소송의 대상×(2010두19720)

③ 사업자등록 직권말소 – 처분× 구「부가가치세법」제5조 제5항에 의한 과세관청의 사업자등록 직권말소행위는 폐업사실의 기재일 뿐 그에 의하여 사업자로서의 지위에 변동을 가져오는 것이 아니라는 점에서 항고소송의 대상이 되는 행정처분으로 볼 수 없음(2008두2200) → ∵ 사업자등록은 과세관청으로 하여금 부가가치세 납세의무자를 파악하고 과세자료로 사용하기 위한 목적으로 두는 제도에 불과하고, 그 기재의 변동으로 인하여 사업자로서의 지위가 변동되는 것은 아니기 때문

④ 사업자등록상 사업자명의의 직권정정 – 처분× 과세관청이 <u>사업자등록</u>을 관리하는 과정에서 위장사업자의 <u>사업자명의를 직권으로 실사업자의 명의로 정정하는 행위</u>는 항고소송의 대상이 되는 행정처분에 해당×(2008두2200)

⑤ (변) 사업자등록증의 교부, 사업자등록증에 대한 검열 – 처분× 사업자등록증의 교부는 사업자등록사실을 증명하는 증서의 <u>단순한 교부행위</u>에 불과한 것이며, 사업자등록증에 대한 검열 역시 과세관청이 등록된 사업을 계속하고 있는 사업자의 신고사실을 증명하는 <u>사실행위</u>(행정행위인 확인×)임(87누156)

⑥ 자동차운전면허대장 등록, 운전경력증명서 등재 – 처분× 자동차운전면허대장상 일정한 사항의 등재행위는 행정소송의 대상이 되는 독립한 행정처분에 해당하지 않고, 운전경력증명서상의 기재행위 역시 당해 운전면허취득자에 대한 자동차운전면허대장상의 기재사항을 옮겨 적는 것이므로 운전경력증명서에 한 등재의 말소를 구하는 소는 부적법함(91누1400) → ∵ 그 등재행위로 인하여 당해 운전면허 취득자에게 새로이 어떠한 권리가 부여되거나 변동 또는 상실되는 효력이 발생하는 것은 아니기 때문(행정사무 집행의 편의를 위해 만든 장부에 불과)

⑦ 인감증명행위 – 처분× 인감증명행위는 처분에 해당×(2000두2136) → ∵ 인감증명행위는 적법한 신청이 있는 경우에, 출원자가 현재 사용하는 인감이 인감대장에 이미 신고된 인감임을 증명하는 것으로서 구체적인 사실을 증명하는 것일 뿐, 이에서 더 나아가 출원자에게 어떠한 권리가 부여되거나 변동 또는 상실되는 효력을 발생하는 것이 아니기 때문

⑧ 공정증서 작성행위 – 처분× 법무법인의 공정증서 작성행위는 단지 사인 간 <u>법률관계의 존부</u>를 공적으로 <u>증명</u>하는 공증행위에 불과하여 처분에 해당×(2010두19720) → ∵ 법률관계의 변동을 가져오지 않기 때문

⑨ 상표권 말소등록 – 처분× 상표등록원부에 상표권을 말소등록하는 행위 자체는 항고소송의 대상×(2014두2362) → ∵ 상표권은 말소등록으로 인하여 소멸되는 것이 아니기 때문 → 아래의 실용신안권과 마찬가지로 회복신청을 하고 그것이 거부되면 그 <u>회복 신청 거부행위</u>를 대상으로 하여 항고소송으로 다투라고 보았음

⑩ [비교판례] 실용신안권 회복신청 거부 – 처분○ 실용신안권자 중 1인인 원고가 한 <u>소멸등록된 실용신안권</u>의 회복 신청 거부행위는 처분에 해당○(2000두9229) → ∵ 실용신안권이 소멸등록된 상태에서는 실용신안권자로서는 자신의 권리를 실용신안등록원부에 표창하지 못하고, 나아가 실용신안권을 처분하거나 담보로 제공하는 등 등록을 필요로 하는 일체의 행위를 할 수 없게 되어 <u>권리행사에 중대한 지장</u>을 받게 되기 때문

⑪ 신문의 등록 – 처분○ 「신문 등의 진흥에 관한 법률」상 신문의 등록은 단순히 명칭 등을 공적 장부에 등재하여 일반에 공시하는 것에 그치는 것이 아니라, 신문사업자에게 등록한 <u>특정 명칭으로 신문을 발행할 수 있도록 하는 것</u> → 등록관청이 하는 신문의 등록은 신문을 적법하게 발행할 수 있도록 하는 행정처분에 해당○(2018두47189)

효과	① [공통적 효력] 반증이 없으면 일단 공증의 내용대로 법률관계가 처리되게 하는 공적인 증거력('사실상 추정력❶')이 부여됨 → 다만, 반증이 허용됨
	② [개별적 효력] 이외의 공증의 효과는 개별법에서 정하는 바에 따라 발생 → 예컨대, 권리발생요건(⑩ 등기)인 경우도 있고, 권리행사요건(⑩ 선거인명부 등재)인 경우도 있음

❶ [민사소송법] 사실상 추정이란, 'A라는 사실이 있을 경우 보통 B라는 사실이 있었던 것으로 볼 수 있는 경우'에 이러한 경험법칙을 토대로 하여, 확실한 A사실의 존재를 토대로 존부가 불확실한 B사실의 존재를 추단하는 것을 말한다. 예컨대, 甲에게 국회의원 당선증이 발급된 사실이 있다면, 실제로 甲이 국회의원 선거에서 최대득표를 한 것으로 볼만한 사정이 있었던 것으로 추단된다. 법률규정에 의해 추정이 이루어지는 '법률상 추정'에 대비되는 개념이다.

부동산 관련 공증의 처분성

① 부동산 소유권은 등기부에 의해서만 변동됨(민법 제186조) ➔ 등기부 이외의 부동산 관련 장부(예 토지대장, 건축물대장)에 기록된 사항은 변경되어도 부동산에 관한 권리나 의무 변동× ➔ 등기부 이외의 부동산 관련 장부에 기록된 사항을 변경하는 행위에는 처분성이 인정되지 않는 것이 원칙

② [대법원의 처분성 인정 확장] 공증과 관련해서는 ㉠ 원칙적으로 등기부 이외의 장부는 실체법상의 법률관계를 직접 변동시키지 못한다는 이유로 처분성을 인정하지 않지만, ㉡ 현실적으로 소송을 통해 다투게 해야 할 필요를 느끼는 경우에는 "실체법상의 법률관계에 영향을 미치거나 밀접한 관련이 있다"는 논리로 처분성을 인정하는 경우가 있음(정책적 결단) ➔ ⓐ 장부의 존립을 좌우하는 행위나, ⓑ 그에 의하여 경제적 이해가 크게 변동되는 행위에 대해서는 처분성을 인정하고 있음

③ **(변)** 관련판례 – 건축허가서상 건축주 기재 건축허가서상의 건축주 기재는, 허가된 건물에 관한 실체적 권리의 득실변경의 공시방법이 아니며 그 추정력도 없으므로, ㉠ 건축허가시 건축허가서에 건축주로 기재된 자가 그 소유권을 취득하는 것은 아니며, ㉡ 건축 중인 건물의 소유자와 건축허가의 건축주가 반드시 일치하여야 하는 것도 아님(2006다28454) ➔ '건축주'는 건축허가의 상대방으로서, '소유권자'와는 별개의 개념임 ➔ ※ 신축건물의 소유권은 실제로 건물을 건축한 자가 취득하고, 건물의 소유권 귀속은 건축허가서나 건축물대장이 아니라, 등기부에 의해 공시됨(민법의 영역)

부동산 관련 처분성을 인정한 판례들	부동산 관련 처분성을 부정한 판례들
① 토지대장을 직권으로 말소하는 행위(2011두13286)	
② 건축물대장을 직권으로 말소하는 행위(2008두22655)	
③ 건축물대장의 작성신청을 반려하는 행위(2007두17359)	① 토지대장상 소유자명의의 변경신청을 거부하는 행위(2010두12354)
④ 구분소유 건축물에 대한 건축물대장을 합병하는 행위	② 가옥대장에 일정한 사항을 등재하는 행위
⑤ 1필지 일부의 소유자가 달라졌음을 이유로 하는 토지분할신청을 거부하는 행위(92누7542, 91누8968)	③ 건물을 무허가건물관리대장에 등재하거나 내용을 변경·삭제하는 행위(2008두11525) ➔ 무허가건물의 권리관계 역시 무허가건물관리대장에 의해 변동되는 것이 아니기 때문 ➔ 이주대책에서 정한 무허가건물 '소유자'의 지위에 영향×
⑥ 건축물대장 용도변경 신청을 반려하는 행위(2007두7277)	
⑦ 지목변경 신청을 반려하는 행위(2003두9015)	
⑧ 한국도로공사가 토지소유자들을 대위하여 토지면적등록 정정신청을 한 것에 대한 행정청의 반려행위(2011두3371)	

❾ 수리

준법률행위적 행정행위 - 수리

의의
① 사인(私人)의 행정청에 대한 행위를 유효한 행위로 받아들이는(인식을 표시하는) 행정행위 ➔ 이 중 그로 인하여 권리·의무의 변동이 있게 하는 경우만 행정행위인 수리로서 처분성이 인정됨
② 수리를 요하는 신고에서의 그 '수리'도 행정행위인 수리의 일종 ➔ [비교] 자기완결적 신고에 대한 수리는 행정행위로서의 수리×(∵ 그것으로 인하여 금지가 해제되는 것이 아니기 때문)

비교개념
[접수] 행정기관에 도달한 사인의 공법행위를 (그 처리를 유보한 채) 일단 접수해주는 단순한 사실행위

성질

기속행위
요건을 갖춘 신고가 이루어지면 수리를 해야 하고, 법령에 규정되어 있지 않은 사유를 들어 수리를 거부할 수 없음

불요식행위
① 특정한 형식이 요구되는 행정행위× ➔ 사인의 행위가 법적으로 유효하게 이루어졌음을 인정하는 취지가 표명되기만 하면 수리가 있었던 것으로 봄
② 판례 납골당 설치 신고에 대한 행정청의 '「장사 등에 관한 법률」에 따라 필요한 시설을 설치하고 유골을 안전하게 보관할 수 있는 설비를 갖추어야 하며 관계법령에 따른 허가 및 준수사항을 이행하여야 한다'는 납골당설치 신고사항 이행통지는 납골당설치 요건을 구비하였음을 확인하고, 구 장사법령상의 납골당설치 기준, 관계 법령상의 허가 또는 신고 내용을 고지하면서 신고한 대로 납골당 시설을 설치하도록 한 것이므로, 이 사건 이행통지를 함으로써 납골당 설치 신고에 대한 수리를 하였다고 봄이 타당(2009두6766) ➔ ※ 납골당설치 신고사항 이행통지는 그 명칭에도 불구하고, 납골당 설치 신고에 대하여 납골당을 설치하는 데 필요한 각종 인·허가 사항, 향후 절차 등에 관한 사항을 알려 주는 작용일 뿐, 그 상대방에게 어떤 명령을 하는 '하명'인 것은 아니어서, 수리처분 이외에 별도로 어떤 처분을 하는 것으로 취급되지는 않음
③ 판례 타인의 행위를 유효한 행위로 받아들이는 행정행위를 수리라 하며, 이러한 수리 중 '체육시설업자 등이 제출한 회원모집계획서에 대한 시·도지사의 검토결과 통보'의 경우 대법원은 수리행위로서, 처분성이 인정된다고 봄(2006두16243) ➔ ※ 체육시설의 회원을 모집하고자 하는 자의 시·도지사 등에 대한 '회원모집계획서 제출'은 수리를 요하는 신고에 해당함

기본행위와 수리
① 수리행위에는 그 받아들이는 행위(기본행위)의 하자를 치유하는 효력은 없음
② 수리행위의 대상인 기본행위가 존재하지 않거나 무효인 경우, 그 수리행위도 당연무효(∵ 수리대상이 없기 때문)
③ 판례 납골당설치 신고가 무효라면, 신고수리행위도 무효(2005두3554)
④ 판례 행정청이 노인장기요양보호법상 장기요양기관의 폐업신고와 노인의료복지시설의 폐지신고는 '수리를 필요로 하는 신고'이고, 수리하였다고 하더라도, 신고서 위조 등의 사유가 있어 신고행위 자체가 효력이 없다면, 그 수리행위도 유효한 대상이 없는 것으로서, 수리행위 자체에 중대·명백한 하자가 있는지를 따질 것도 없이 당연히 무효(2018두33593)

쟁송법리
① 기본행위가 무효인 경우 ㉠ 기본행위를 대상으로 하여 다투어도 되고, ㉡ 수리를 대상으로 하여 다투어도 됨 ➔ ∵ 기본행위가 무효라는 판단을 받으면 당연히 수리도 무효가 되는 것이기 때문
② 판례 사업양도·양수에 따른 허가관청의 지위승계신고의 수리대상인 사업양도·양수가 존재하지 아니하거나 무효인 때에는, 사업의 양도행위가 무효라고 주장하는 양도자는, ㉠ 민사쟁송으로 양도·양수행위의 무효(확인)를 구함이 없이, ㉡ 막바로 허가관청을 상대로 하여 행정소송으로 사업양도·양수에 따른 허가관청의 지위승계신고 수리처분의 무효확인을 구할 법률상 이익이 있음(2005두3554, 91누11544)

사례
① 혼인신고 수리
② 행정심판청구서나 소장(訴狀)의 수리
③ 공무원 사직서(의원면직 의사표시) 수리
④ 액화석유가스충전사업의 지위승계신고 수리(91누11544)

⑩ 통지

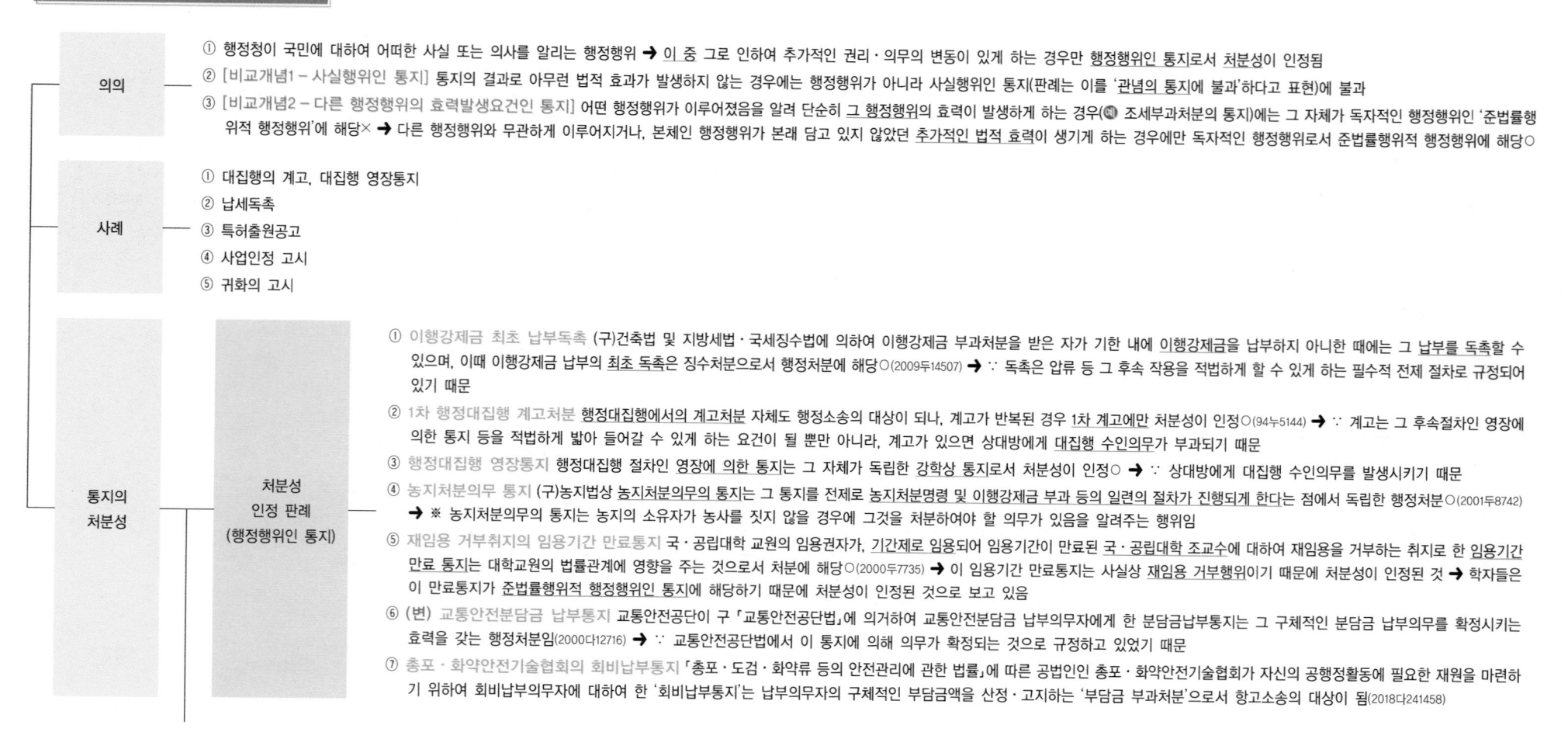

의의

① 행정청이 국민에 대하여 어떠한 사실 또는 의사를 알리는 행정행위 ➜ 이 중 그로 인하여 추가적인 권리·의무의 변동이 있게 하는 경우만 행정행위인 통지로서 처분성이 인정됨

② [비교개념1 – 사실행위인 통지] 통지의 결과로 아무런 법적 효과가 발생하지 않는 경우에는 행정행위가 아니라 사실행위인 통지(판례는 이를 '관념의 통지에 불과'하다고 표현)에 불과

③ [비교개념2 – 다른 행정행위의 효력발생요건인 통지] 어떤 행정행위가 이루어졌음을 알려 단순히 그 행정행위의 효력이 발생하게 하는 경우(예 조세부과처분의 통지)에는 그 자체가 독자적인 행정행위인 '준법률행위적 행정행위'에 해당× ➜ 다른 행정행위와 무관하게 이루어지거나, 본체인 행정행위가 본래 담고 있지 않았던 추가적인 법적 효력이 생기게 하는 경우에만 독자적인 행정행위로서 준법률행위적 행정행위에 해당○

사례

① 대집행의 계고, 대집행 영장통지

② 납세독촉

③ 특허출원공고

④ 사업인정 고시

⑤ 귀화의 고시

통지의 처분성

처분성 인정 판례 (행정행위인 통지)

① 이행강제금 최초 납부독촉 (구)건축법 및 지방세법·국세징수법에 의하여 이행강제금 부과처분을 받은 자가 기한 내에 이행강제금을 납부하지 아니한 때에는 그 납부를 독촉할 수 있으며, 이때 이행강제금 납부의 최초 독촉은 징수처분으로서 행정처분에 해당○(2009두14507) ➜ ∵ 독촉은 압류 등 그 후속 작용을 적법하게 할 수 있게 하는 필수적 전제 절차로 규정되어 있기 때문

② 1차 행정대집행 계고처분 행정대집행에서의 계고처분 자체도 행정소송의 대상이 되나, 계고가 반복된 경우 1차 계고에만 처분성이 인정○(94누5144) ➜ ∵ 계고는 그 후속절차인 영장에 의한 통지 등을 적법하게 밟아 들어갈 수 있게 하는 요건이 될 뿐만 아니라, 계고가 있으면 상대방에게 대집행 수인의무가 부과되기 때문

③ 행정대집행 영장통지 행정대집행 절차인 영장에 의한 통지는 그 자체가 독립한 강학상 통지로서 처분성이 인정○ ➜ ∵ 상대방에게 대집행 수인의무를 발생시키기 때문

④ 농지처분의무 통지 (구)농지법상 농지처분의무의 통지는 그 통지를 전제로 농지처분명령 및 이행강제금 부과 등의 일련의 절차가 진행되게 한다는 점에서 독립한 행정처분○(2001두8742) ➜ ※ 농지처분의무의 통지는 농지의 소유자가 농사를 짓지 않을 경우에 그것을 처분하여야 할 의무가 있음을 알려주는 행위임

⑤ 재임용 거부취지의 임용기간 만료통지 국·공립대학 교원의 임용권자가, 기간제로 임용되어 임용기간이 만료된 국·공립대학 조교수에 대하여 재임용을 거부하는 취지로 한 임용기간 만료 통지는 대학교원의 법률관계에 영향을 주는 것으로서 처분에 해당○(2000두7735) ➜ 이 임용기간 만료통지는 사실상 재임용 거부행위이기 때문에 처분성이 인정된 것 ➜ 학자들은 이 만료통지가 준법률행위적 행정행위인 통지에 해당하기 때문에 처분성이 인정된 것으로 보고 있음

⑥ (변) 교통안전분담금 납부통지 교통안전공단이 구 「교통안전공단법」에 의거하여 교통안전분담금 납부의무자에게 한 분담금납부통지는 그 구체적인 분담금 납부의무를 확정시키는 효력을 갖는 행정처분임(2000다12716) ➜ ∵ 교통안전공단법에서 이 통지에 의해 의무가 확정되는 것으로 규정하고 있었기 때문

⑦ 총포·화약안전기술협회의 회비납부통지 「총포·도검·화약류 등의 안전관리에 관한 법률」에 따른 공법인인 총포·화약안전기술협회가 자신의 공행정활동에 필요한 재원을 마련하기 위하여 회비납부의무자에 대하여 한 '회비납부통지'는 납부의무자의 구체적인 부담금액을 산정·고지하는 '부담금 부과처분'으로서 항고소송의 대상이 됨(2018다241458)

처분성 부정 판례	① 강제징수시 반복된 독촉 행정상 강제징수에 있어 최초 독촉의 처분성은 인정되나, 그 후에 동일한 내용에 대해 반복된 독촉은 처분성이 인정×(97누119) ➔ ∵ 반복된 독촉의 경우에는 그에 의해서 발생하는 추가적인 법적 효과가 없기 때문
	② 2, 3차 행정대집행 계고처분 계고처분 자체는 행정소송의 대상이 되나, 계고가 반복된 경우 2차, 3차 계고처분은 새로운 의무를 부과하는 것이 아니어서 대집행기한의 연기통지에 불과할 뿐 처분×(94누5144)
	③ 당연퇴직 인사발령 국가공무원법상 당연퇴직의 인사발령은 법률상 당연히 발생하는 퇴직사유를 공적으로 확인하여 알려주는 관념의 통지에 불과하고 새로운 형성적 행위가 아니므로 행정처분×(95누2036)
	④ 정년퇴직발령 정년에 달한 공무원에 대한 정년퇴직발령은 정년퇴직 사실을 알리는 이른바 관념의 통지에 불과하여 행정소송의 대상×(81누263)
	⑤ (변) 수도사업자의 급수공사비 납부통지 급수공사 신청자에 대한 수도사업자의 급수공사비 납부통지는 처분성이 부정됨(93누6331) ➔ 견적상 공사비를 납부하면 급수공사를 하여 주겠다는 취지의 강제성이 없는 의사 또는 사실상의 통지행위에 불과한 것으로 보았음
	⑥ (변) 공납금 미납시 졸업증을 주지 않겠다는 중학교의 통고 공립학교당국이 미납 공납금을 완납하지 아니할 경우 졸업증의 교부와 증명서를 발급하지 않겠다고 통고한 행위는 비권력적 사실행위에 해당함 (2001헌마113) ➔ ∵ 졸업증과 증명서를 교부받을 권리는 본래 공납금의 완납을 한 경우에야 비로소 발생하는 것이어서, 그 권리가 이 통고에 의하여 제한받게 되는 것은 아니기 때문

행정행위의 효력[1] 개관

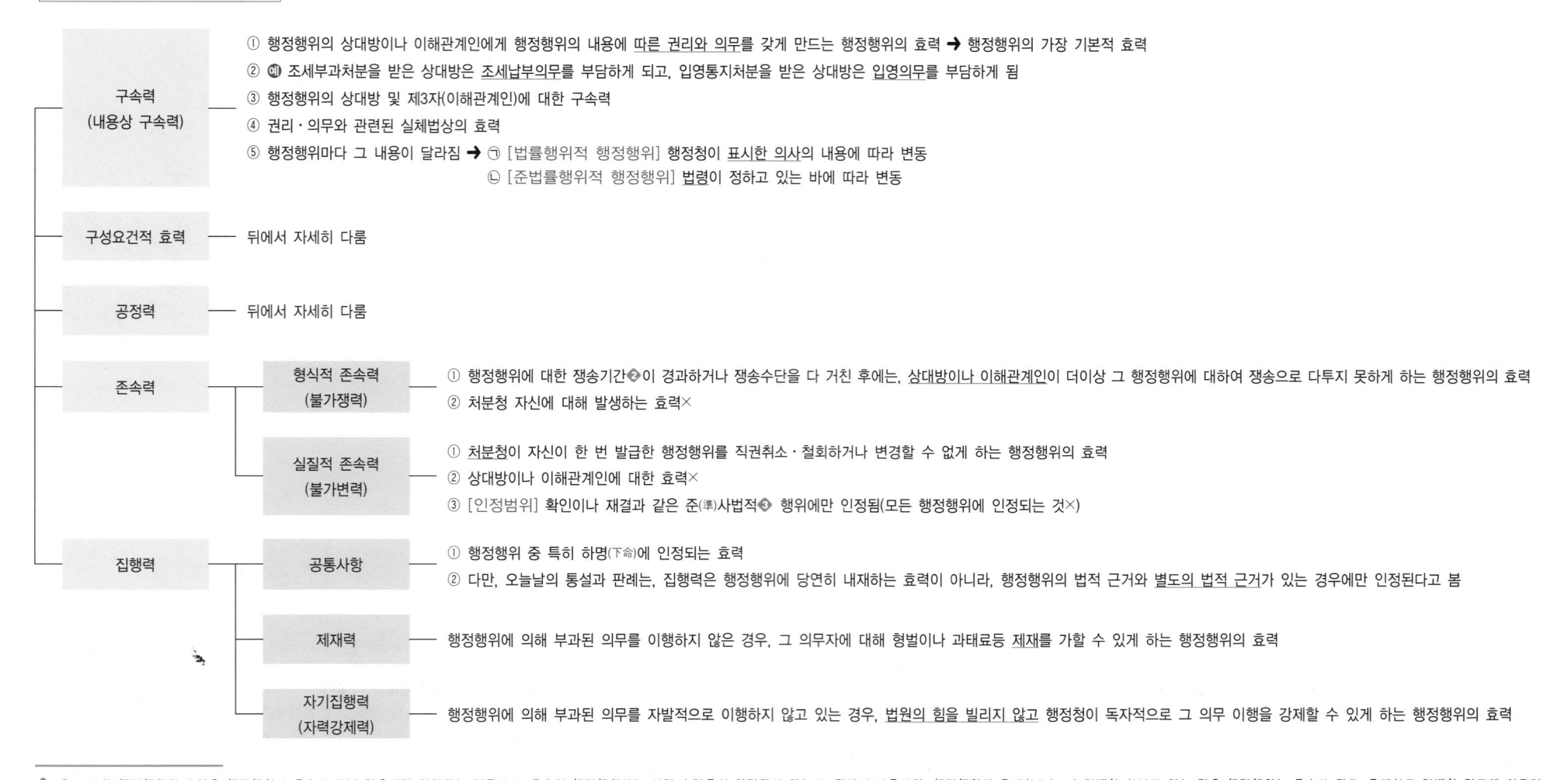

구속력 (내용상 구속력)

① 행정행위의 상대방이나 이해관계인에게 행정행위의 내용에 따른 권리와 의무를 갖게 만드는 행정행위의 효력 ➜ 행정행위의 가장 기본적 효력
② 예 조세부과처분을 받은 상대방은 조세납부의무를 부담하게 되고, 입영통지처분을 받은 상대방은 입영의무를 부담하게 됨
③ 행정행위의 상대방 및 제3자(이해관계인)에 대한 구속력
④ 권리·의무와 관련된 실체법상의 효력
⑤ 행정행위마다 그 내용이 달라짐 ➜ ㉠ [법률행위적 행정행위] 행정청이 표시한 의사의 내용에 따라 변동
　　　　　　　　　　　　　　　　　㉡ [준법률행위적 행정행위] 법령이 정하고 있는 바에 따라 변동

구성요건적 효력 ── 뒤에서 자세히 다룸

공정력 ── 뒤에서 자세히 다룸

존속력

형식적 존속력 (불가쟁력)
① 행정행위에 대한 쟁송기간[2]이 경과하거나 쟁송수단을 다 거친 후에는, 상대방이나 이해관계인이 더이상 그 행정행위에 대하여 쟁송으로 다투지 못하게 하는 행정행위의 효력
② 처분청 자신에 대해 발생하는 효력×

실질적 존속력 (불가변력)
① 처분청이 자신이 한 번 발급한 행정행위를 직권취소·철회하거나 변경할 수 없게 하는 행정행위의 효력
② 상대방이나 이해관계인에 대한 효력×
③ [인정범위] 확인이나 재결과 같은 준(準)사법적[3] 행위에만 인정됨(모든 행정행위에 인정되는 것×)

집행력

공통사항
① 행정행위 중 특히 하명(下命)에 인정되는 효력
② 다만, 오늘날의 통설과 판례는, 집행력은 행정행위에 당연히 내재하는 효력이 아니라, 행정행위의 법적 근거와 별도의 법적 근거가 있는 경우에만 인정된다고 봄

제재력
── 행정행위에 의해 부과된 의무를 이행하지 않은 경우, 그 의무자에 대해 형벌이나 과태료등 제재를 가할 수 있게 하는 행정행위의 효력

자기집행력 (자력강제력)
── 행정행위에 의해 부과된 의무를 자발적으로 이행하지 않고 있는 경우, 법원의 힘을 빌리지 않고 행정청이 독자적으로 그 의무 이행을 강제할 수 있게 하는 행정행위의 효력

---

❶ ① 아래의 행정행위의 효력은 행정행위가 무효가 아닌 경우에만 인정되는 것들이다. 무효인 행정행위에는 이런 효력들이 인정되지 않는다. 뒤에서 다루지만, 행정행위에 중대하고(and) 명백한 하자가 있는 경우 행정행위는 무효가 되고, 중대하고 명백한 정도에 이르지 않은 위법만 있는 경우에는 취소되기 전까지는 유효한 '취소할 수 있는 행정행위'가 되는 것에 그친다고 본다. ② 교과서마다 행정행위의 효력 분류와 그 표현이 조금씩 다르다.

❷ 취소소송의 경우 처분등이 있음을 안 날로부터 90일, 처분등이 있은 날로부터 1년 내에 취소소송을 제기하여야 한다. 한편, 행정심판의 일종인 취소심판의 경우에는 처분이 있음을 안 날로부터 90일, 처분이 있은 날로부터 180일 내에 제기하여야 한다.

❸ 준사법적 행위란 사법부 이외의 기관이 법적 판단(예 법령 위반이 있는지 여부에 대한 판단)을 하는 행위를 말한다.

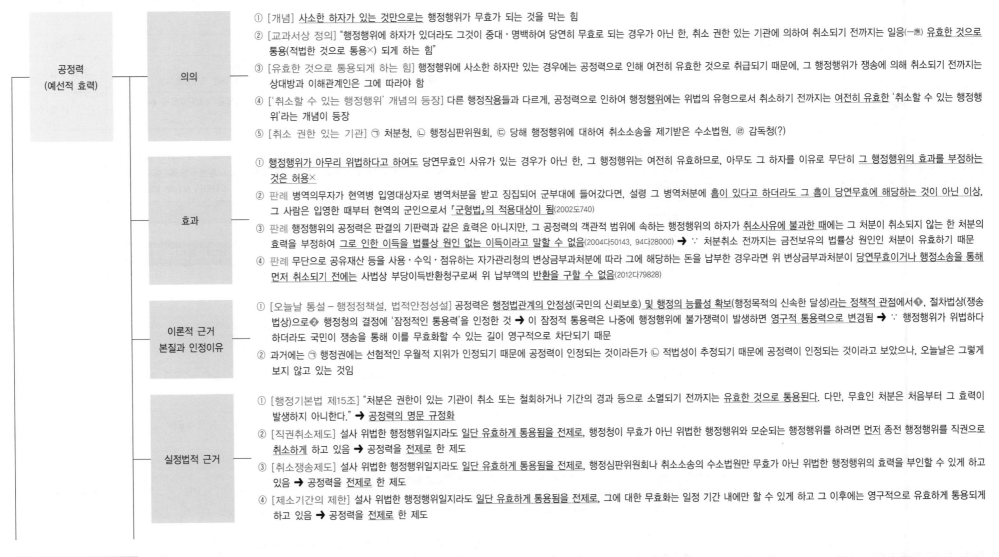

공정력
(예선적 효력)

의의

① [개념] 사소한 하자가 있는 것만으로는 행정행위가 무효가 되는 것을 막는 힘

② [교과서상 정의] "행정행위에 하자가 있더라도 그것이 중대·명백하여 당연히 무효로 되는 경우가 아닌 한, 취소 권한 있는 기관에 의하여 취소되기 전까지는 일응(一應) 유효한 것으로 통용(적법한 것으로 통용×) 되게 하는 힘"

③ [유효한 것으로 통용되게 하는 힘] 행정행위에 사소한 하자만 있는 경우에는 공정력으로 인해 여전히 유효한 것으로 취급되기 때문에, 그 행정행위가 쟁송에 의해 취소되기 전까지는 상대방과 이해관계인은 그에 따라야 함

④ ['취소할 수 있는 행정행위' 개념의 등장] 다른 행정작용들과 다르게, 공정력으로 인하여 행정행위에는 위법의 유형으로서 취소하기 전까지는 여전히 유효한 '취소할 수 있는 행정행위'라는 개념이 등장

⑤ [취소 권한 있는 기관] ㉠ 처분청, ㉡ 행정심판위원회, ㉢ 당해 행정행위에 대하여 취소소송을 제기받은 수소법원, ㉣ 감독청(?)

효과

① 행정행위가 아무리 위법하다고 하여도 당연무효인 사유가 있는 경우가 아닌 한, 그 행정행위는 여전히 유효하므로, 아무도 그 하자를 이유로 무단히 그 행정행위의 효과를 부정하는 것은 허용×

② 판례 병역의무자가 현역병 입영대상자로 병역처분을 받고 징집되어 군부대에 들어갔다면, 설령 그 병역처분에 흠이 있다고 하더라도 그 흠이 당연무효에 해당하는 것이 아닌 이상, 그 사람은 입영한 때부터 현역의 군인으로서 「군형법」의 적용대상이 됨(2002도740)

③ 판례 행정행위의 공정력은 판결의 기판력과 같은 효력은 아니지만, 그 공정력의 객관적 범위에 속하는 행정행위의 하자가 취소사유에 불과한 때에는 그 처분이 취소되지 않는 한 처분의 효력을 부정하여 그로 인한 이득을 법률상 원인 없는 이득이라고 말할 수 없음(2004다50143, 94다28000) ➡ ∵ 처분취소 전까지는 금전보유의 법률상 원인인 처분이 유효하기 때문

④ 판례 무단으로 공유재산 등을 사용·수익·점유하는 자가관리청의 변상금부과처분에 따라 그에 해당하는 돈을 납부한 경우라면 위 변상금부과처분이 당연무효이거나 행정소송을 통해 먼저 취소되기 전에는 사법상 부당이득반환청구로써 위 납부액의 반환을 구할 수 없음(2012다79828)

**이론적 근거
본질과 인정이유**

① [오늘날 통설 – 행정정책설, 법적안정성설] 공정력은 행정법관계의 안정성(국민의 신뢰보호) 및 행정의 능률성 확보(행정목적의 신속한 달성)라는 정책적 관점에서❶, 절차법상(쟁송법상)으로❷ 행정청의 결정에 '잠정적인 통용력'을 인정한 것 ➡ 이 잠정적 통용력은 나중에 행정행위에 불가쟁력이 발생하면 영구적 통용력으로 변경됨 ➡ ∵ 행정행위가 위법하다 하더라도 국민이 쟁송을 통해 이를 무효화할 수 있는 길이 영구적으로 차단되기 때문

② 과거에는 ㉠ 행정권에는 선험적인 우월적 지위가 인정되기 때문에 공정력이 인정되는 것이라든가 ㉡ 적법성이 추정되기 때문에 공정력이 인정되는 것이라고 보았으나, 오늘날은 그렇게 보지 않고 있는 것임

실정법적 근거

① [행정기본법 제15조] "처분은 권한이 있는 기관이 취소 또는 철회하거나 기간의 경과 등으로 소멸되기 전까지는 유효한 것으로 통용된다. 다만, 무효인 처분은 처음부터 그 효력이 발생하지 아니한다." ➡ 공정력의 명문 규정화

② [직권취소제도] 설사 위법한 행정행위일지라도 일단 유효하게 통용됨을 전제로, 행정청이 무효가 아닌 위법한 행정행위와 모순되는 행정행위를 하려면 먼저 종전 행정행위를 직권으로 취소하게 하고 있음 ➡ 공정력을 전제로 한 제도

③ [취소쟁송제도] 설사 위법한 행정행위일지라도 일단 유효하게 통용됨을 전제로, 행정심판위원회나 취소소송의 수소법원만 무효가 아닌 위법한 행정행위의 효력을 부인할 수 있게 하고 있음 ➡ 공정력을 전제로 한 제도

④ [제소기간의 제한] 설사 위법한 행정행위일지라도 일단 유효하게 통용됨을 전제로, 그에 대한 무효화는 일정 기간 내에만 할 수 있게 하고 그 이후에는 영구적으로 유효하게 통용되게 하고 있음 ➡ 공정력을 전제로 한 제도

---

❶ 사소한 하자에 의해서도 행정행위가 무효가 된다고 보면, ㉠ 나중에 사소한 하자라도 발견될 경우 그 행정행위의 유효성을 전제로 한 법률관계들이 모두 무효화되고, ㉡ 상대방은 위법성에 대한 의심이 있다는 이유만으로도 행정행위에 의하여 부과된 의무를 이행하지 않을 우려가 있어, 행정청으로서는 개별 상대방들을 일일이 상대하여, 그것이 유효임을 확인받는 절차를 거쳐야 하므로('자 유효라는게 확인 됐지? 이제 세금 내') 행정목적을 달성하는 것이 어렵게 된다는 말이다.

❷ 공정이 존재하기 때문에, 행정행위의 상대방이나 이해관계인이 취소사유에 해당하는 하자가 있는 행정행위를 무효화시키기 위해서는 권한 있는 기관에 의한 취소를 받는 절차를 거칠 수밖에 없게 된다는 의미이다.

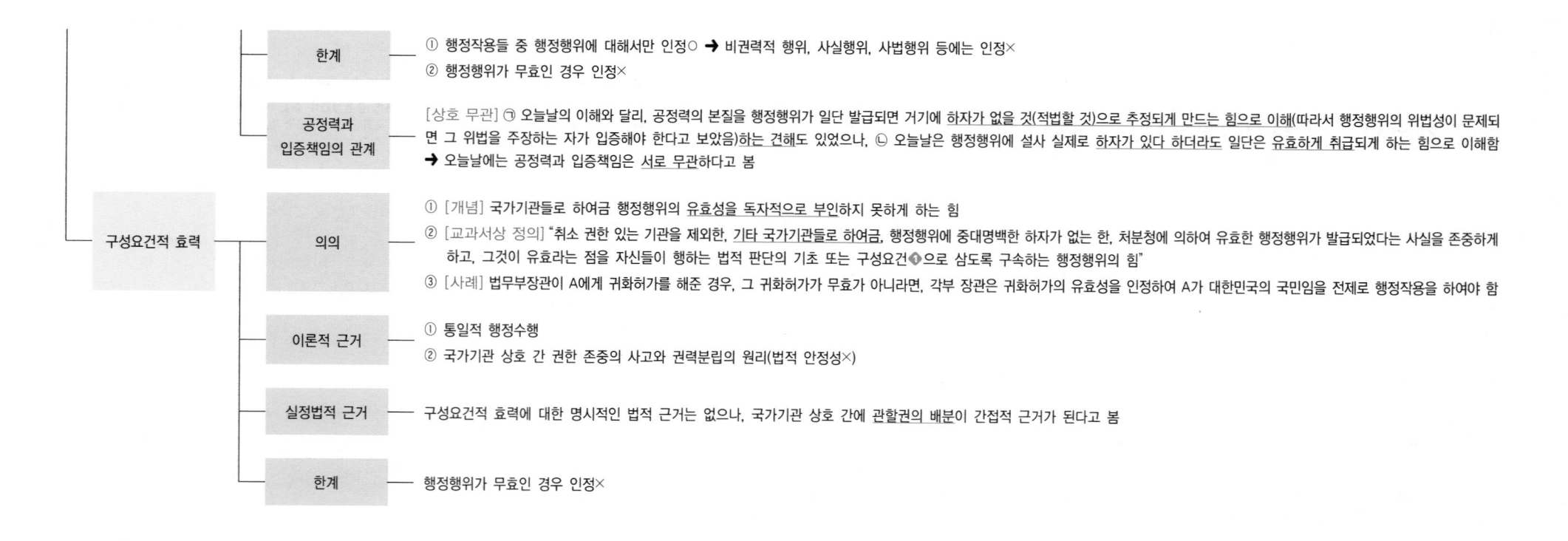

한계
① 행정작용들 중 행정행위에 대해서만 인정○ ➜ 비권력적 행위, 사실행위, 사법행위 등에는 인정×
② 행정행위가 무효인 경우 인정×

공정력과 입증책임의 관계
[상호 무관] ㉠ 오늘날의 이해와 달리, 공정력의 본질을 행정행위가 일단 발급되면 거기에 하자가 없을 것(적법할 것)으로 추정되게 만드는 힘으로 이해(따라서 행정행위의 위법성이 문제되면 그 위법을 주장하는 자가 입증해야 한다고 보았음)하는 견해도 있었으나, ㉡ 오늘날은 행정행위에 설사 실제로 하자가 있다 하더라도 일단은 유효하게 취급되게 하는 힘으로 이해함 ➜ 오늘날에는 공정력과 입증책임은 서로 무관하다고 봄

구성요건적 효력

의의
① [개념] 국가기관들로 하여금 행정행위의 유효성을 독자적으로 부인하지 못하게 하는 힘
② [교과서상 정의] "취소 권한 있는 기관을 제외한, 기타 국가기관들로 하여금, 행정행위에 중대명백한 하자가 없는 한, 처분청에 의하여 유효한 행정행위가 발급되었다는 사실을 존중하게 하고, 그것이 유효라는 점을 자신들이 행하는 법적 판단의 기초 또는 구성요건❶으로 삼도록 구속하는 행정행위의 힘"
③ [사례] 법무부장관이 A에게 귀화허가를 해준 경우, 그 귀화허가가 무효가 아니라면, 각부 장관은 귀화허가의 유효성을 인정하여 A가 대한민국의 국민임을 전제로 행정작용을 하여야 함

이론적 근거
① 통일적 행정수행
② 국가기관 상호 간 권한 존중의 사고와 권력분립의 원리(법적 안정성×)

실정법적 근거
구성요건적 효력에 대한 명시적인 법적 근거는 없으나, 국가기관 상호 간에 관할권의 배분이 간접적 근거가 된다고 봄

한계
행정행위가 무효인 경우 인정×

공정력과 구성요건적 효력의 비교

구분	공정력	구성요건적 효력
의의	"행정행위에 하자가 있더라도, 그것이 중대하고 명백하지 않은 한, 취소 권한 있는 기관에 의하여 취소되기 전까지는 행정행위가 무효가 되지 않고 일응 유효한 것으로 통용되게 하는 행정행위의 효력" ➜ 사소한 하자가 있는 것만으로는 행정행위가 무효가 되는 것을 막는 힘	"취소 권한 있는 기관을 제외한 기타 국가기관으로 하여금, 행정행위에 중대·명백한 하자가 없는 한 처분청에 의하여 유효한 행정행위가 발급되었다는 사실을 존중하게 하고, 그것이 유효라는 점을 자신들이 행하는 법적 판단의 기초 또는 구성요건으로 삼도록 구속하는 힘" ➜ 다른 국가기관들이 행정행위의 유효성을 부인하지 못하게 하는 힘
인정 근거	법적안정성설(행정정책설) ➜ 행정법관계의 안정성(국민의 신뢰보호)과 행정의 능률성 확보(행정목적의 신속한 달성)	통일적 행정수행, 국가기관 상호 간 권한 존중의 사고, 권력분립의 원리
구속력의 성질	위법하더라도 무효가 아니라면 절차적으로 일단 준수되어야 한다는 절차적 구속력○, 행정행위의 내용이 적법하다는 내용상 구속력×	내용상 구속력
효력범위	상대방과 이해관계인에 대한 효력	취소 권한 있는 기관 이외의 국가기관에 대한 효력

❶ 이때의 '구성요건'이란 논리적 전제라는 의미이다.

취소소송의 수소법원 이외의 법원에 대한 효력	① 취소소송의 수소법원이 아닌 민사법원, 형사법원, 당사자소송의 수소법원 등 기타법원은 행정행위에 대한 취소권한을 갖지 못함 ➜ 기타법원은 행정행위가 위법한 것으로 판단되더라도, 거기에 취소사유에 불과한 하자만 있다고 판단하는 경우에는, 그 행정행위가 직권취소나 쟁송취소가 되지 않는 한, 직접 그 행정행위에 효력이 없음을 전제로 판결하는 것은 허용되지 않음 ➜ '기타법원은 구성요건적 효력에 의한 구속을 받는 국가기관에 속함' ② [용어정리 - '효력 부인'] 처분을 무효로 취급하는 것 ➜ '유효한 처분에 대한 효력 부인'(거창) = '취소'(단순) ③ '기타법원은 구성요건적 효력으로 인해 유효한 행정행위의 효력을 독자적으로 부인할 수 없음' ➜ 기타법원이 독자적으로 처분을 취소할 수는 없다는 말
'선결문제'	① [개념] 판결을 내리기 위해 논리필연적으로 법관이 먼저 판단해야만 하는 법적 쟁점 ② [배경지식] 행정행위가 무효인지 여부를 판단하기 위해서는, 단순히 행정행위가 위법한지 여부뿐만 아니라 추가로, 그 위법의 정도가 중대·명백한지도 판단해야 함 ③ [선결문제의 종류] 기타법원에서 판결을 내리기 위해 논리적으로 행정행위의 위법 여부 또는 효력 유무를 먼저 판단해야 하는 상황("선결문제가 되는 상황")이 발생하곤 함 ➜ ㉠ 행정행위의 위법 여부가 선결문제가 되는 경우와 ㉡ 효력 유무가 선결문제가 되는 경우로 나뉨(뒤에서 다시 다룸)
구성요건적 효력과 무관하게 기타법원이 할 수 있는 행위	① [위법 여부 판단행위○] 직권취소나 쟁송취소가 없었어도, 행정행위의 위법여부가 선결문제가 된 경우, 기타법원은 독자적으로 그 행정행위가 적법한지, 위법한지 판단하는 행위는 할 수 있음 ➜ ∵ 효력을 '부인'하는 것이 아니라, 단지 위법한지 여부만을 판단하는 것이기 때문 ➜ 구성요건적 효력에 저촉× ② [효력 유무 판단행위○] 직권취소나 쟁송취소가 없었어도, 행정행위의 효력유무가 선결문제가 된 경우, 기타법원은 독자적으로 그 행정행위가 유효인지, 무효인지 판단하는 행위는 할 수 있음 ➜ ∵ ㉠ 유효라 판단하는 것은 효력 부인이 아니기 때문에 가능하고, ㉡ 무효라 판단하는 것은 무효인 행정행위에서는 구성요건적 효력이 발생하지 않는 것이어서 타당한 논변이 되기 때문 ③ [무효확인판결×] 위 판단들을 전제로 민사판결을 하거나, 형사판결을 하거나, 당사자소송에서의 판결 등을 할 수는 있지만, 직접 그 행정행위가 무효임을 확인하는 무효확인판결을 할 수는 없음 ➜ 무효확인판결은 항고소송의 일종인 무효확인소송을 제기받은 법원이 할 수 있는 것임
행정소송법 제11조	① [제1항] "처분등의 효력 유무 또는 존재 여부가 민사소송의 선결문제로 되어 당해 민사소송의 수소법원이 이를 심리·판단하는 경우에는 제17조, 제25조, 제26조 및 제33조의 규정을 준용한다." ➜ 처분의 효력 유무(위법 여부×)를 민사법원이 판단할 수 있음을 전제로 한 조문 ② [제2항] "제1항의 경우 당해 수소법원은 그 처분등을 행한 행정청에게 그 선결문제로 된 사실을 통지하여야 한다."

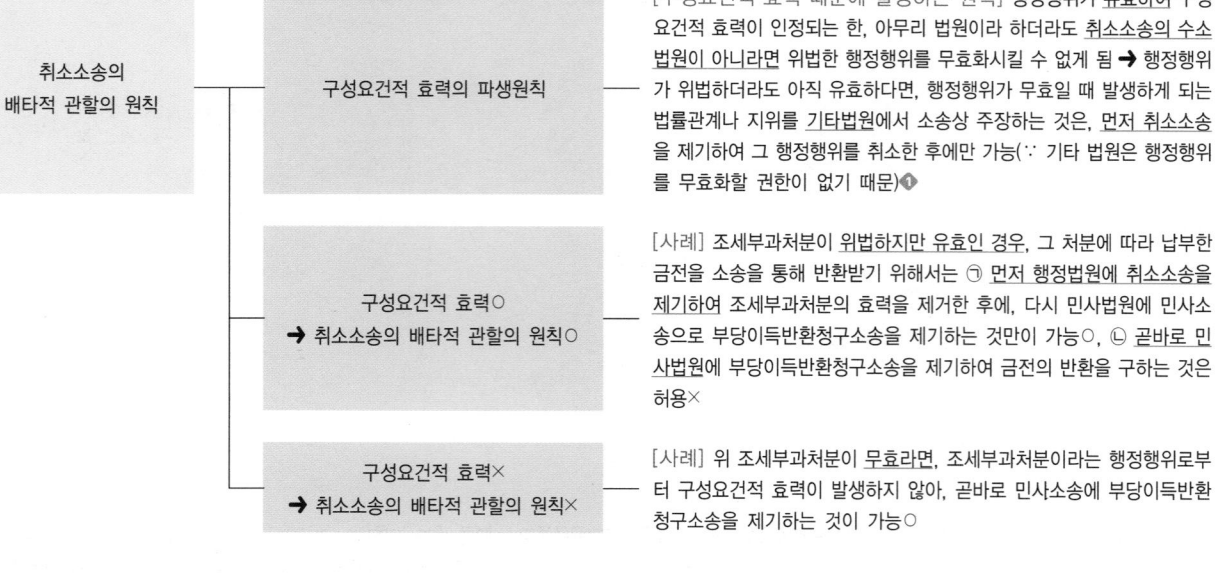

취소소송의 배타적 관할의 원칙	구성요건적 효력의 파생원칙	[구성요건적 효력 때문에 발생하는 원칙] 행정행위가 유효하여 구성요건적 효력이 인정되는 한, 아무리 법원이라 하더라도 <u>취소소송의 수소법원이 아니라면</u> 위법한 행정행위를 무효화시킬 수 없게 됨 ➡ 행정행위가 위법하더라도 아직 유효하다면, 행정행위가 무효일 때 발생하게 되는 법률관계나 지위를 <u>기타법원</u>에서 소송상 주장하는 것은, 먼저 <u>취소소송</u>을 제기하여 그 행정행위를 취소한 후에만 가능(∵ 기타 법원은 행정행위를 무효화할 권한이 없기 때문)
	구성요건적 효력○ ➡ 취소소송의 배타적 관할의 원칙○	[사례] 조세부과처분이 <u>위법하지만 유효인 경우</u>, 그 처분에 따라 납부한 금전을 소송을 통해 반환받기 위해서는 ㉠ 먼저 행정법원에 취소소송을 제기하여 조세부과처분의 효력을 제거한 후에, 다시 민사법원에 민사소송으로 부당이득반환청구소송을 제기하는 것만이 가능○, ㉡ 곧바로 <u>민사법원에 부당이득반환청구소송을 제기</u>하여 금전의 반환을 구하는 것은 허용×
	구성요건적 효력× ➡ 취소소송의 배타적 관할의 원칙×	[사례] 위 조세부과처분이 무효라면, 조세부과처분이라는 행정행위로부터 구성요건적 효력이 발생하지 않아, 곧바로 민사소송에 부당이득반환청구소송을 제기하는 것이 가능○

❶ [더 들어가기] ① 처분이 있으면 그로 인하여 법률관계(즉, 권리나 의무)가 변동하게 된다. 이때 제도상으로 ㉠ 처분의 결과물인 법률관계에 대해 다툴 수 있게 제도를 설정할 수도 있고, ㉡ 그러한 <u>법률관계 변동의 원인이 된 처분</u>에 대해 다툴 수 있게 제도를 설정할 수도 있다.

② 우리나라의 경우 독일의 영향을 받아 위법한 행정행위라 하더라도 그것이 중대·명백하지 않은 한 일단 행정행위의 유효성을 인정하면서(공정력), 위법하더라도 유효하다면 그 행정행위의 효력을 제거할 권능은 법원 중에서는 취소소송의 수소법원만이 갖는다고 보고 있기 때문에(구성요건적 효력), 유효한 처분으로 인하여 권리나 의무가 변동된 경우에 그러한 변동에 대해 다투기 위해서는 <u>먼저 취소소송을 제기하여 처분의 효력을 제거</u>하여야 한다(취소소송의 배타적 관할의 원칙).

③ 그런데 처분은 가장 전형적인 행정작용이기 때문에, 실무상 대다수의 행정과 관련된 소송은 취소소송의 형태로 제기가 되고 있고, 그 개념 정의의 포괄성에도 불구하고 행정관련 소송이 당사자소송이나 민사소송의 형태로 제기될 수 있는 경우는 매우 한정적이다.

④ 예컨대, 만 15세인 甲에 대하여 입영통지처분이 내려져 甲이 입영의무를 부담하게 된 경우 ㉠ 이 입영통지처분이 위법하다는 이유로 이를 곧바로 무효로 취급하고(즉, 공정력 개념을 인정하지 않고), 甲에게 자신에게는 입영의무가 없다는 확인(즉, 법률관계의 존부에 대한 확인)을 구하는 방식으로 다투도록 제도를 설정할 수도 있고, ㉡ 법적 안정성을 위해 입영통지처분이 위법하더라도 예외적으로 그것이 중대·명백한 하자가 아닌 한, 원칙적으로 일단은 위법한 처분의 유효성을 인정하고(즉, 공정력 개념을 인정하고) 대신 행정법원에 입영통지처분이라는 행정작용의 취소를 구하는 방식으로 다투도록 제도를 설정할 수도 있는데, 우리나라의 경우에는 독일의 영향을 받아 후자의 방식으로 제도를 설정하고 있는 것이다.

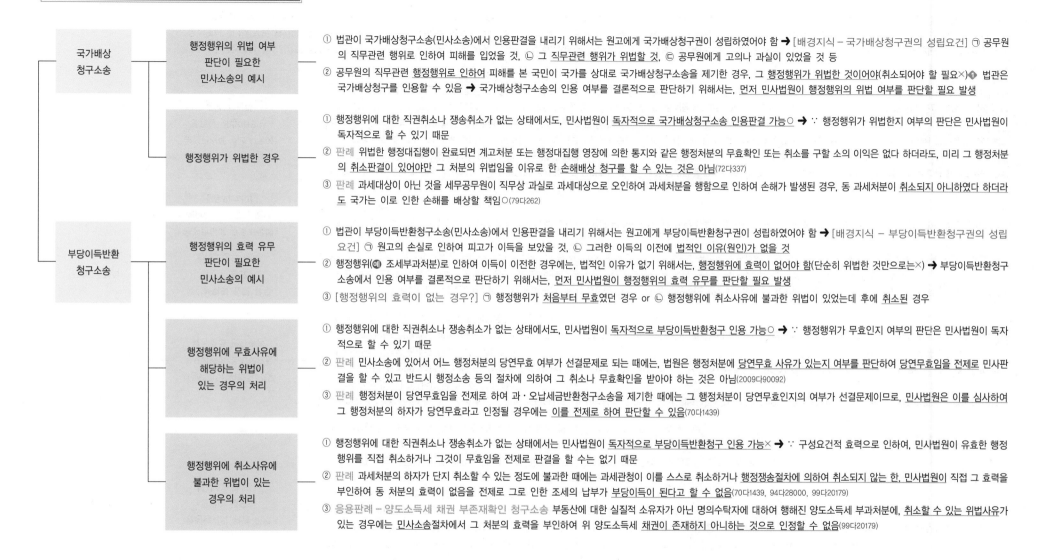

국가배상 청구소송	행정행위의 위법 여부 판단이 필요한 민사소송의 예시	① 법관이 국가배상청구소송(민사소송)에서 인용판결을 내리기 위해서는 원고에게 국가배상청구권이 성립하였어야 함 ➜ [배경지식 – 국가배상청구권의 성립요건] ㉠ 공무원 의 직무관련 행위로 인하여 피해를 입었을 것, ㉡ 그 직무관련 행위가 위법할 것, ㉢ 공무원에게 고의나 과실이 있었을 것 등 ② 공무원의 직무관련 행정행위로 인하여 피해를 본 국민이 국가를 상대로 국가배상청구소송을 제기한 경우, 그 행정행위가 위법한 것이어야(취소되어야 할 필요×)❶ 법관은 국가배상청구를 인용할 수 있음 ➜ 국가배상청구소송의 인용 여부를 결론적으로 판단하기 위해서는, 먼저 민사법원이 행정행위의 위법 여부를 판단할 필요 발생
	행정행위가 위법한 경우	① 행정행위에 대한 직권취소나 쟁송취소가 없는 상태에서도, 민사법원이 독자적으로 국가배상청구소송 인용판결 가능○ ➜ ∵ 행정행위가 위법한지 여부의 판단은 민사법원이 독자적으로 할 수 있기 때문 ② 판례 위법한 행정대집행이 완료되면 계고처분 또는 행정대집행 영장에 의한 통지와 같은 행정처분의 무효확인 또는 취소를 구할 소의 이익은 없다 하더라도, 미리 그 행정처분 의 취소판결이 있어야만 그 처분의 위법임을 이유로 한 손해배상 청구를 할 수 있는 것은 아님(72다337) ③ 판례 과세대상이 아닌 것을 세무공무원이 직무상 과실로 과세대상으로 오인하여 과세처분을 행함으로 인하여 손해가 발생된 경우, 동 과세처분이 취소되지 아니하였다 하더라 도 국가는 이로 인한 손해를 배상할 책임○(79다262)
부당이득반환 청구소송	행정행위의 효력 유무 판단이 필요한 민사소송의 예시	① 법관이 부당이득반환청구소송(민사소송)에서 인용판결을 내리기 위해서는 원고에게 부당이득반환청구권이 성립하였어야 함 ➜ [배경지식 – 부당이득반환청구권의 성립 요건] ㉠ 원고의 손실로 인하여 피고가 이득을 보았을 것, ㉡ 그러한 이득의 이전에 법적인 이유(원인)가 없을 것 ② 행정행위(例 조세부과처분)로 인하여 이득이 이전한 경우에는, 법적인 이유가 없기 위해서는, 행정행위에 효력이 없어야 함(단순히 위법한 것만으로는×) ➜ 부당이득반환청구 소송에서 인용 여부를 결론적으로 판단하기 위해서는, 먼저 민사법원이 행정행위의 효력 유무를 판단할 필요 발생 ③ [행정행위의 효력이 없는 경우?] ㉠ 행정행위가 처음부터 무효였던 경우 or ㉡ 행정행위에 취소사유에 불과한 위법이 있었는데 후에 취소된 경우
	행정행위에 무효사유에 해당하는 위법이 있는 경우의 처리	① 행정행위에 대한 직권취소나 쟁송취소가 없는 상태에서도, 민사법원이 독자적으로 부당이득반환청구 인용 가능○ ➜ ∵ 행정행위가 무효인지 여부의 판단은 민사법원이 독자 적으로 할 수 있기 때문 ② 판례 민사소송에 있어서 어느 행정처분의 당연무효 여부가 선결문제로 되는 때에는, 법원은 행정처분에 당연무효 사유가 있는지 여부를 판단하여 당연무효임을 전제로 민사판 결을 할 수 있고 반드시 행정소송 등의 절차에 의하여 그 취소나 무효확인을 받아야 하는 것은 아님(2009다90092) ③ 판례 행정처분이 당연무효임을 전제로 하여 과·오납세금반환청구소송을 제기한 때에는 그 행정처분이 당연무효인지의 여부가 선결문제이므로, 민사법원은 이를 심사하여 그 행정처분의 하자가 당연무효라고 인정될 경우에는 이를 전제로 하여 판단할 수 있음(70다1439)
	행정행위에 취소사유에 불과한 위법이 있는 경우의 처리	① 행정행위에 대한 직권취소나 쟁송취소가 없는 상태에서는 민사법원이 독자적으로 부당이득반환청구 인용 가능× ➜ ∵ 구성요건적 효력으로 인하여, 민사법원이 유효한 행정 행위를 직접 취소하거나 그것이 무효임을 전제로 판결을 할 수는 없기 때문 ② 판례 과세처분의 하자가 단지 취소할 수 있는 정도에 불과한 때에는 과세관청이 이를 스스로 취소하거나 행정쟁송절차에 의하여 취소되지 않는 한, 민사법원이 직접 그 효력을 부인하여 동 처분의 효력이 없음을 전제로 그로 인한 조세의 납부가 부당이득이 된다고 할 수 없음(70다1439, 94다28000, 99다20179) ③ 응용판례 – 양도소득세 채권 부존재확인 청구소송 부동산에 대한 실질적 소유자가 아닌 명의수탁자에 대하여 행해진 양도소득세 부과처분에, 취소할 수 있는 위법사유가 있는 경우에는 민사소송절차에서 그 처분의 효력을 부인하여 위 양도소득세 채권이 존재하지 아니하는 것으로 인정할 수 없음(99다20179)

❶ 위법 여부가 선결문제라는 말은, 행정행위가 위법한지(하자가 있는지) 여부만이 그 재판에서의 관심사이고, 그 행정행위가 무효사유에 해당하는 하자로 인하여 위법한 것인지, 아니면 취소사유에 해당하는 하자로 인하여 위법한 것인지는 관심사가 아니라는 말이기도
하다. 따라서 위법 여부가 선결문제인 경우에는 그 행정행위에 존재하는 하자가 중대·명백한 것이라 하더라도, 위법한 행정행위라는 것 이상의 의미를 갖지 못한다.

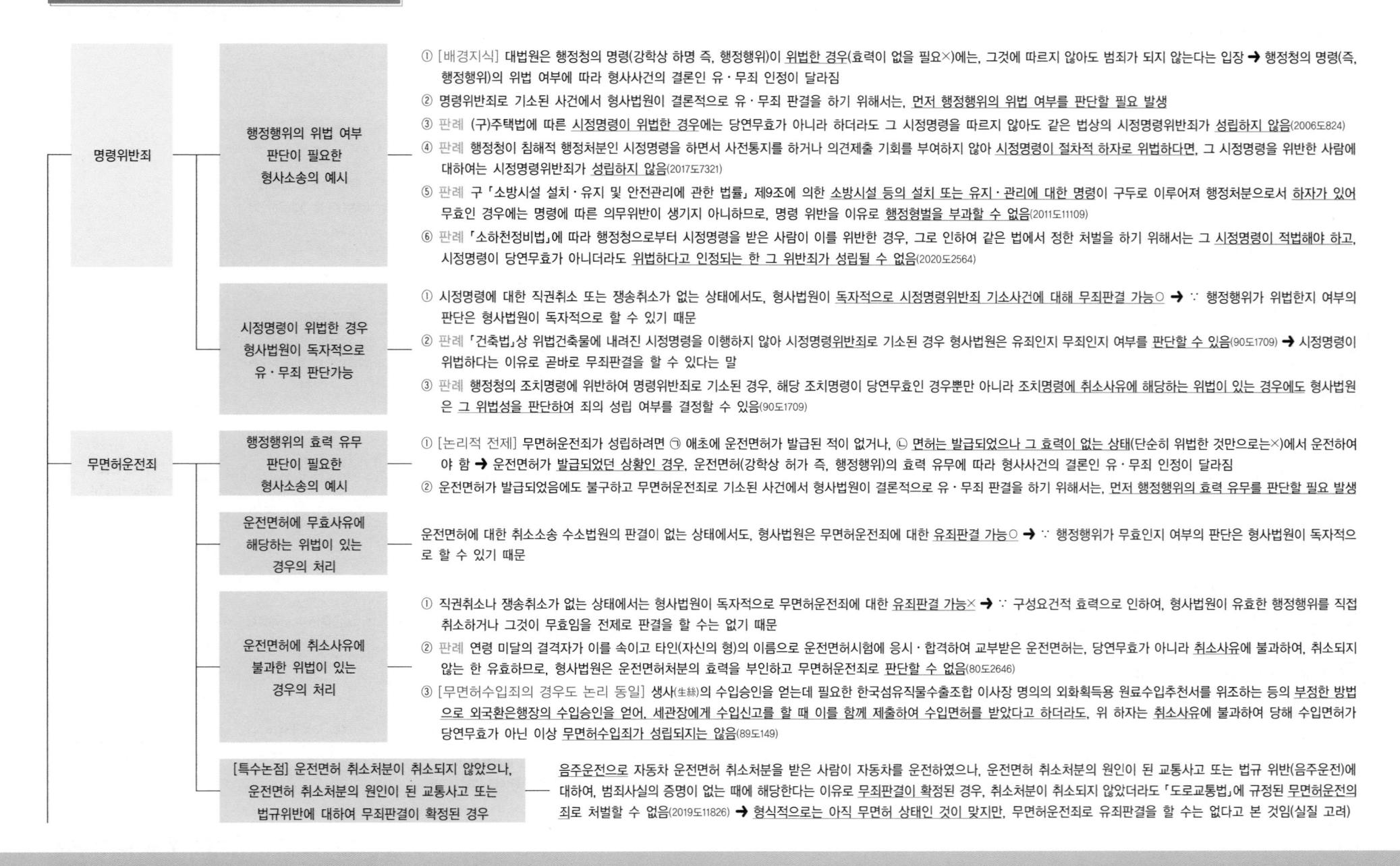

명령위반죄

행정행위의 위법 여부 판단이 필요한 형사소송의 예시

① [배경지식] 대법원은 행정청의 명령(강학상 하명 즉, 행정행위)이 <u>위법한 경우</u>(효력이 없을 필요×)에는, 그것에 따르지 않아도 범죄가 되지 않는다는 입장 ➔ 행정청의 명령(즉, 행정행위)의 위법 여부에 따라 형사사건의 결론인 유·무죄 인정이 달라짐

② 명령위반죄로 기소된 사건에서 형사법원이 결론적으로 유·무죄 판결을 하기 위해서는, 먼저 행정행위의 위법 여부를 판단할 필요 발생

③ 판례 (구)주택법에 따른 <u>시정명령이 위법한 경우</u>에는 당연무효가 아니라 하더라도 그 시정명령을 따르지 않아도 같은 법상의 시정명령위반죄가 <u>성립하지 않음</u>(2006도824)

④ 판례 행정청이 침해적 행정처분인 시정명령을 하면서 사전통지를 하거나 의견제출 기회를 부여하지 않아 <u>시정명령이 절차적 하자로 위법하다면</u>, 그 시정명령을 위반한 사람에 대하여는 시정명령위반죄가 성립하지 않음(2017도7321)

⑤ 판례 구「소방시설 설치·유지 및 안전관리에 관한 법률」 제9조에 의한 <u>소방시설 등의 설치 또는 유지·관리에 대한 명령이 구두로 이루어져 행정처분으로서 하자가 있어</u> 무효인 경우에는 명령에 따른 의무위반이 생기지 아니하므로, 명령 위반을 이유로 <u>행정형벌을 부과할 수 없음</u>(2011도11109)

⑥ 판례 「소하천정비법」에 따라 행정청으로부터 시정명령을 받은 사람이 이를 위반한 경우, 그로 인하여 같은 법에서 정한 처벌을 하기 위해서는 그 <u>시정명령이 적법해야 하고</u>, 시정명령이 당연무효가 아니더라도 <u>위법하다고 인정되는 한 그 위반죄가 성립될 수 없음</u>(2020도2564)

시정명령이 위법한 경우 형사법원이 독자적으로 유·무죄 판단가능

① 시정명령에 대한 직권취소 또는 쟁송취소가 없는 상태에서도, 형사법원이 <u>독자적으로 시정명령위반죄 기소사건에 대해 무죄판결 가능</u>○ ➔ ∵ 행정행위가 위법한지 여부의 판단은 형사법원이 독자적으로 할 수 있기 때문

② 판례 「건축법」상 위법건축물에 내려진 시정명령을 이행하지 않아 시정명령<u>위반죄로 기소된 경우 형사법원은 유죄인지 무죄인지 여부를 판단할 수 있음</u>(90도1709) ➔ 시정명령이 위법하다는 이유로 곧바로 무죄판결을 할 수 있다는 말

③ 판례 행정청의 조치명령에 위반하여 명령위반죄로 기소된 경우, 해당 조치명령이 당연무효인 경우뿐만 아니라 조치명령에 취소사유에 해당하는 위법이 있는 경우에도 형사법원은 그 위법성을 판단하여 죄의 성립 여부를 결정할 수 있음(90도1709)

무면허운전죄

행정행위의 효력 유무 판단이 필요한 형사소송의 예시

① [논리적 전제] 무면허운전죄가 성립하려면 ㉠ 애초에 운전면허가 발급된 적이 없거나, ㉡ 면허는 발급되었으나 그 효력이 없는 상태(단순히 위법한 것만으로는×)에서 운전하여야 함 ➔ 운전면허가 발급되었던 상황인 경우, 운전면허(강학상 허가 즉, 행정행위)의 효력 유무에 따라 형사사건의 결론인 유·무죄 인정이 달라짐

② 운전면허가 발급되었음에도 불구하고 무면허운전죄로 기소된 사건에서 형사법원이 결론적으로 유·무죄 판결을 하기 위해서는, 먼저 행정행위의 효력 유무를 판단할 필요 발생

운전면허에 무효사유에 해당하는 위법이 있는 경우의 처리

운전면허에 대한 취소소송 수소법원의 판결이 없는 상태에서도, 형사법원은 무면허운전죄에 대한 <u>유죄판결 가능</u>○ ➔ ∵ 행정행위가 무효인지 여부의 판단은 형사법원이 독자적으로 할 수 있기 때문

운전면허에 취소사유에 불과한 위법이 있는 경우의 처리

① 직권취소나 쟁송취소가 없는 상태에서는 형사법원이 독자적으로 무면허운전죄에 대한 <u>유죄판결 가능</u>× ➔ ∵ 구성요건적 효력으로 인하여, 형사법원이 유효한 행정행위를 직접 취소하거나 그것이 무효임을 전제로 판결을 할 수는 없기 때문

② 판례 연령 미달의 결격자가 이를 속이고 타인(자신의 형)의 이름으로 운전면허시험에 응시·합격하여 교부받은 운전면허는, 당연무효가 아니라 취소사유에 불과하여, 취소되지 않는 한 유효하므로, 형사법원은 운전면허처분의 효력을 부인하고 무면허운전죄로 판단할 수 없음(80도2646)

③ [무면허수입죄의 경우도 논리 동일] 생사(生絲)의 수입승인을 얻는데 필요한 한국섬유직물수출조합 이사장 명의의 외화획득용 원료수입추천서를 위조하는 등의 부정한 방법으로 외국환은행장의 수입승인을 얻어, 세관장에게 수입신고를 할 때 이를 함께 제출하여 수입면허를 받았다고 하더라도, 위 하자는 취소사유에 불과하여 당해 수입면허가 당연무효가 아닌 이상 <u>무면허수입죄가 성립되지는 않음</u>(89도149)

[특수논점] 운전면허 취소처분이 취소되지 않았으나, 운전면허 취소처분의 원인이 된 교통사고 또는 법규위반에 대하여 무죄판결이 확정된 경우

<u>음주운전으로 자동차 운전면허 취소처분을 받은 사람이 자동차를 운전하였으나, 운전면허 취소처분의 원인이 된 교통사고 또는 법규 위반(음주운전)</u>에 대하여, 범죄사실의 증명이 없는 때에 해당한다는 이유로 무죄판결이 확정된 경우, 취소처분이 취소되지 않았더라도 「도로교통법」에 규정된 무면허운전의 죄로 처벌할 수 없음(2019도11826) ➔ <u>형식적으로는 아직 무면허 상태인 것이 맞지만</u>, 무면허운전죄로 유죄판결을 할 수는 없다고 본 것임(실질 고려)

| 기타
형사판례 | ① [조세체납죄] 과세대상과 납세의무자 확정이 잘못되어 당연무효인 과세에 대해서는 체납이 문제될 여지가 없으므로 조세체납범이 문제되지 않음(71도742) ➜ 효력 유무가 선결문제인 형사소송 사례 |
| | ② [무허가영업죄] 영업허가가 취소되었음에도 불구하고 영업을 계속하던 乙이 무허가영업을 한 죄로 기소되자, 그 취소처분에 취소사유가 있음을 들어 무죄를 주장하는 경우, 법원이 乙을 무죄로 판단할 수는 없음
➜ 효력 유무가 선결문제인 형사소송 사례 |

▶ 선결문제 정리 ◀

민사소송			형사소송		
국가배상청구소송	부당이득반환청구소송		명령위반죄 기소사건	무면허운전죄 기소사건	
if 행정행위가 위법 ➜ 인용판결 可	if 행정행위에 취소사유 ➜ 인용판결 可×	if 행정행위에 무효사유 ➜ 인용판결 可	if 행정행위가 위법 ➜ 무죄판결 可	if 행정행위에 취소사유 ➜ 유죄판결 可×	if 행정행위에 무효사유 ➜ 유죄판결 可

구분	불가쟁력(형식적 존속력)	불가변력(실질적 존속력)(실체적 존속력)
의의	① 행정행위에 대한 쟁송기간이 경과하거나 쟁송수단을 다 거친 후에는, 상대방과 이해관계인이 더 이상 그 행정행위의 효력에 대해 쟁송으로 다투지 못하게 하는 절차법적 효력(쟁송제기와 관련된 효력○) ② 처분에 불가쟁력이 발생한 것을 두고 판례는 "확정력이 발생"하였다고 표현하곤 함	행정청이 자신이 발급한 당해 행정행위를 직권취소·철회하거나 변경할 수 없게 하는 실체법적 효력(쟁송제기와 관련된 효력×)
구속 대상	행정행위의 상대방 및 이해관계인에 대한 구속력	처분청 자신에 대한 구속력
발생 대상	모든 행정행위	① [일부 행정행위] 확인이나 재결과 같은 준사법적 행정행위에만 인정됨 ➜ 행정심판위원회의 재결, 과세처분에 대한 이의신청 등 ② 당해 행정행위에 대하여서만 인정되는 것이고, 동종의 행정행위라 하더라도 그 대상을 달리할 때에는 이를 인정×(73누129) ➜ 동종의 행정행위 중 하나의 행정행위에 대해 불가변력이 발생하였다고 해서, 다른 행정행위에 대해서도 직권취소나 철회·변경이 불가능한 것은 아니라는 말 ③ 판례 과세처분에 관한 이의신청절차에서 과세관청이 이의신청 사유가 옳다고 인정하여 과세처분을 직권으로 취소한 경우 특별한 사정이 없는 한 불가변력 발생하므로, 특별한 사유 없이 이를 번복하고 종전 처분을 되풀이하는 것은 위법함(2009두1020, 2011두14227) ➜ 이의신청은 행정심판은 아니지만, 이 절차에서의 판단도 공적인 판정활동이기 때문에 '과세관청이 이의신청 사유가 옳다고 인정'하는 행위에는 불가변력이 인정됨
효력 내용	① 행정행위의 효력에 대해 행정소송이나 행정심판을 제기할 수 없게 됨 ② [민사소송으로 다투는 것은 가능] 취소사유 있는 영업정지처분에 대한 취소소송의 제소기간이 도과하여 불가쟁력이 발생한 경우라도 처분의 상대방은 국가배상청구소송을 제기하여 재산상 손해의 배상을 구할 수 있음 ➜ ∵ 국가배상청구소송은 처분을 직접 대상으로 하여 그 효력을 다투는 소송이 아니기 때문 ③ 불가쟁력이 발생했다고 해서 행정행위에 존재하는 하자가 치유되는 것은×	불가변력이 발생하면 행정청은 직권취소·철회·변경가능×
행정행위가 무효인 경우	① 무효인 행정행위에는 불가쟁력 발생× ➜ 행정행위의 상대방·이해관계인은 기간의 제한 없이 그 행정행위의 효력에 대해 다툴 수 있음 ② 판례 환경영향평가를 거쳐야 함에도 불구하고 환경영향평가를 거치지 않고 개발사업승인을 한 처분에 대해서는 처분이 있은 후 1년이 도과한 경우라도 불가쟁력 발생×(2005두14363) ➜ ∵ 환경영향평가를 거치지 않은 하자는 무효사유이기 때문	무효인 행정행위에는 불가변력 발생× ➜ 처분청은 자신이 발급한 행정행위를 직권취소·철회·변경할 수 있음
불가쟁력과 불가변력의 관계	① 불가쟁력과 불가변력은 일단 발하여진 행정행위를 존속시키려는 취지에서 인정되는 힘, 즉 존속력이라는 공통점이 있지만, 각각의 효력은 상호 무관함 ② 불가변력이 발생했다고 해서 불가쟁력이 발생하지는 않는 것도 아니고, 불가쟁력이 발생했다고 해서 불가변력이 발생하는 것도 아님 ③ 서로가 서로를 전제로 하지 않음 ④ 불가변력이 있는 행정행위에 대해서도, 불가쟁력이 발생하지 않은 경우에는 쟁송을 제기하여 다툴 수 있음 ➜ 쟁송취소는 가능○ ⑤ 불가쟁력이 발생한 행정행위일지라도, 실권의 법리에 저촉되지 않는다면, 불가변력이 없는 경우에는 행정청 등 권한 있는 기관은 이를 직권으로 취소·철회·변경할 수 있음	

개설 ── 불가쟁력이 발생하면 그 상대방이나 이해관계인은 더 이상 그 행정행위의 효력에 대해 다툴 수 없게 됨 ➜ 이외에도 이를 토대로 한 파생적 효과들이 발생하는 것은 아닌지가 문제됨

기판력 (인정×)

① 행정행위에 불가쟁력이 발생했다고 해서 행정행위에 판결의 효력인 기판력이 인정되는 것×

② 판례 행정처분이 불복기간의 경과로 확정되었다 하더라도, 그 확정력은 처분으로 인하여 법률상 이익을 침해받은 자가 처분의 효력을 더이상 다툴 수 없다는 의미일 뿐, 그 처분의 기초가 된 사실관계나 법률적 판단이 확정된다는 의미×, 당사자들이나 법원이 이에 기속되어 모순되는 주장이나 판단을 할 수 없게 된다는 의미×(2006두20808, 93누21927) ➜ [사례] 근로복지공단이 근로자 甲이 당한 부상이 업무상의 사유에 의한 것이 아니라고 판단하여 산업재해요양보상취소처분을 하였는데, 이에 대해 불복기간이 경과하여 처분이 확정되었다 하더라도, 그 부상이 업무상의 사유에 의한 것인지 여부까지 확정되는 것은 아니므로, 그 부상으로 인한 신체장해가 업무상의 재해에 해당한다는 이유로 다시 요양급여를 청구하는 것이 허용되지 않는 것은 아님

③ 판례 피재해자에게 이루어진 요양승인처분이 불복기간의 경과로 확정되었다 하더라도, 사업주는 피재해자가 재해 발생당시 자신의 근로자가 아니라는 사정을 들어 보험급여액 징수처분의 위법성을 주장할 수 있음(2006두20808)

④ 관련판례 – 재결의 경우 행정심판의 재결은 피청구인인 행정청을 기속하는 효력을 가지므로 재결청이 취소심판의 청구가 이유 있다고 인정하여 처분청에 처분을 취소할 것을 명하면 처분청으로서는 재결의 취지에 따라 처분을 취소하여야 하지만, 나아가 재결에 판결에서와 같은 기판력이 인정되는 것은 아니어서, 재결이 확정된 경우에도 처분의 기초가 된 사실관계나 법률적 판단이 확정되고 당사자들이나 법원이 이에 기속되어 모순되는 주장이나 판단을 할 수 없게 되는 것은 아님(2013다6759) ➜ 행정심판의 재결에도 기판력은 인정되지 않는다고 봄

재심사신청권

의의 ── 행정행위에 불가쟁력이 발생한 후에, 행정행위의 기초가 된 사실관계 또는 법률관계가 변경되는 등의 사정이 발생한 경우, 처분청에 대하여 행정행위의 변경 또는 철회를 요구할 수 있는 권리

대법원의 태도 (원칙적 인정×)

① [불가쟁력○ ➜ 변경신청권×] 불가쟁력이 생긴 행정처분에 대하여는 ㉠ 개별 법규에서 그 변경을 요구할 신청권을 규정하고 있거나 ㉡ 관계 법령의 해석상 그러한 신청권이 인정될 수 있는 등 특별한 사정이 없는 한, 그 행정처분의 변경을 구할 신청권은 인정×(2014두43264, 2005두11104)

② 판례 영업허가를 취소하는 처분에 대해 불가쟁력이 발생하였다면 이후 사정변경을 이유로 그 허가취소의 변경을 요구하였다가 행정청이 이를 거부한 경우, 그 거부는 원칙적으로 항고소송의 대상이 되는 처분에 해당×(2005두11104)

③ 공사중지명령의 원인사유가 해소된 경우의 공사중지명령 해제신청권(철회신청권❶) – 예외적 인정○ 지방자치단체장이 공장시설을 신축하는 회사에 대하여 사업승인 당시 부가하였던 조건을 이행할 때까지 신축공사를 중지하라는 명령을 하였으나 후에 중지명령의 원인사유가 해소된 경우, 위 회사에게는 원인사유의 해소를 이유로 당해 공사중지명령의 해제를 요구할 수 있는 권리가 인정되고, 상대방으로부터 그 신청을 받은 행정청으로서는 상당한 기간 내에 그 신청을 인용하는 적극적 처분을 하거나 각하 또는 기각하는 등의 소극적 처분을 하여야 할 법률상의 응답의무가 있음(2003두7590)

④ 토지사용권을 상실한 건축주에 대한 건축허가 철회신청권 – 예외적 인정○ 건축주(甲)가 토지소유자(乙)로부터 토지사용승낙서를 받아 그 토지 위에 건축물을 건축하는 건축허가를 받았다가, 착공에 앞서 건축주(甲)의 귀책사유로 해당 토지를 사용할 권리를 상실한 경우, 토지소유자(乙)의 건축허가 철회신청을 거부한 행위는 항고소송의 대상이 됨○(2014두41190) ➜ 乙로부터 토지를 매수한 甲이 잔금을 미지급해서 계약이 해제되어 문제된 사건

---

❶ [더 들어가기] 정확히 말하면, 재심사신청권은 행정행위에 불가쟁력이 발생한 다음의 문제이고, 철회신청권 또는 직권취소신청권은 불가쟁력이 발생했는지 여부와 관계 없이 문제되는 개념이다. 그러나 어쨌든 우리 대법원은 재심사청구권이든, 철회신청권이든, 직권취소 신청권이든 원칙적으로 인정하지 않고 있어 묶여 논의되고 있다. 정확히는, 2003두7590 사건과 2014두41190 사건은 철회신청권과 관련된 것이다.

행정기본법 (예외적 인정○)	① 당사자(제3자×)는 처분(제재처분 및 행정상 강제는 제외❶)이 행정심판, 행정소송 및 그 밖의 쟁송을 통하여 다툴 수 없게 된 경우(법원의 확정판결이 있는 경우는 제외)라도 ㉠ 처분의 근거가 된 사실관계 또는 법률관계가 추후에 당사자에게 유리하게 바뀐 경우나 ㉡ 당사자에게 유리한 결정을 가져다주었을 새로운 증거가 있는 경우, ㉢ 「민사소송법」 제451조에 따른 재심사유에 준하는 사유가 발생한 경우 등 대통령령❷으로 정하는 경우에는 해당 처분을 한 행정청에 처분을 취소·철회하거나 변경하여 줄 것을 신청할 수 있음(행정기본법 제37조 제1항) ➜ 유유민 ② [귀책사유] 다만, 이 재심사 신청은 처분의 절차, 행정심판, 행정소송 및 그 밖의 쟁송에서 당사자가 중대한 과실(경과실×) 없이 위 사유들을 주장하지 못한 경우에만 할 수 있음(제2항) ③ [신청기간] 이 신청은 당사자가 위 사유를 안 날부터 60일 이내에 하여야 하나, 처분이 있은 날부터 5년이 지나면 신청할 수 없음(제3항) ④ [재심사청구결과에 대한 불복금지] 처분의 재심사 결과 중 처분을 유지하는 결과(재심사 거부결정×)에 대해서는 행정심판, 행정소송 및 그 밖의 쟁송수단을 통하여 불복할 수 없음(제5항) ➜ ∵ 불가쟁력이 발생한 상황에 대해 예외적으로 처분청에 시정을 구할 기회를 한 번 더 준 것이기 때문(But 재심사청구권이 있는지는 보통 처분청이 이의신청을 받아들이지 않는 경우에 그 거부행위의 처분성을 인정하는 것과 관련하여 문제되는 개념이기 때문에 비판有)
[특수논점] 불가변력 불발생을 근거로 한 논증 (인정×)	① [불가변력× ➜ 변경신청권○] 불가변력이 발생하지 않았다고 해서 그것만으로 이해관계인이 처분청에 대한 처분의 취소(변경)를 요구할 수 있는 신청권을 갖는 것× ② 판례 행정처분을 한 처분청은 그 처분에 하자가 있는 경우에는, 원칙적으로 별도의 법적 근거가 없더라도 스스로 이를 직권으로 취소할 수 있지만, 그렇다고 해서 이해관계인에게 그 처분청에 대하여 그 취소를 요구할 신청권이 부여된 것으로 볼 수는 없음(2004두701) ③ 판례 법률에 직권취소에 대한 근거 규정이 존재한다는 것만으로, 이해관계인이 처분청에 대하여 위법을 이유로 행정행위의 취소를 요구할 신청권을 갖는다고 볼 수는 없음(2004두701) ➜ 규정이 있어서 불가변력이 발생하지 않은 경우라 하더라도, 마찬가지로 재심사신청권을 인정할 수는 없다는 말 ④ 판례 처분청은 별도의 법적 근거가 없어도 별개의 행정행위로 이를 철회·변경할 수 있으나, 처분의 상대방 등이 그 철회·변경을 요구할 신청권은 없음(96누6219) ⑤ 판례 도시계획법령이 토지형질변경행위허가의 변경신청 및 변경허가에 관하여 아무런 규정을 두지 않고 있을 뿐 아니라, 처분청이 처분 후에 원래의 처분을 그대로 존속시킬 필요가 없게 된 사정변경이 생겼거나 중대한 공익상의 필요가 발생한 경우에는 별도의 법적 근거가 없어도 별개의 행정행위로 이를 철회·변경할 수 있지만, 이는 그러한 철회·변경의 권한을 처분청에게 부여하는 데 그치는 것일 뿐 상대방 등에게 그 철회·변경을 요구할 신청권까지를 부여하는 것은 아니라 할 것이므로, 이와 같이 법규상 또는 조리상의 신청권이 없이 한 국민들의 토지형질변경행위 변경허가신청을 반려한 당해 반려처분은 항고소송의 대상이 되는 처분에 해당되지 않음(96누6219)

---

❶ 제재처분과 행정상 강제를 재심사의 범위에서 제외한 것은, 실효성 확보 기능이 약화되는 것을 방지하기 위한 것이다.

❷ 이에 따라 제정된 「행정기본법 시행령」은 이 사유를, ㉠ 처분 업무를 직접 또는 간접적으로 처리한 공무원이 그 처분에 관한 직무상 죄를 범한 경우, ㉡ 처분의 근거가 된 문서나 그 밖의 자료가 위조되거나 변조된 것인 경우, ㉢ 제3자의 거짓 진술이 처분의 근거가 된 경우, ㉣ 처분에 영향을 미칠 중요한 사항에 관하여 판단이 누락된 경우로 구체화하고 있다.

행정행위의 적법요건, 성립요건, 효력발생요건

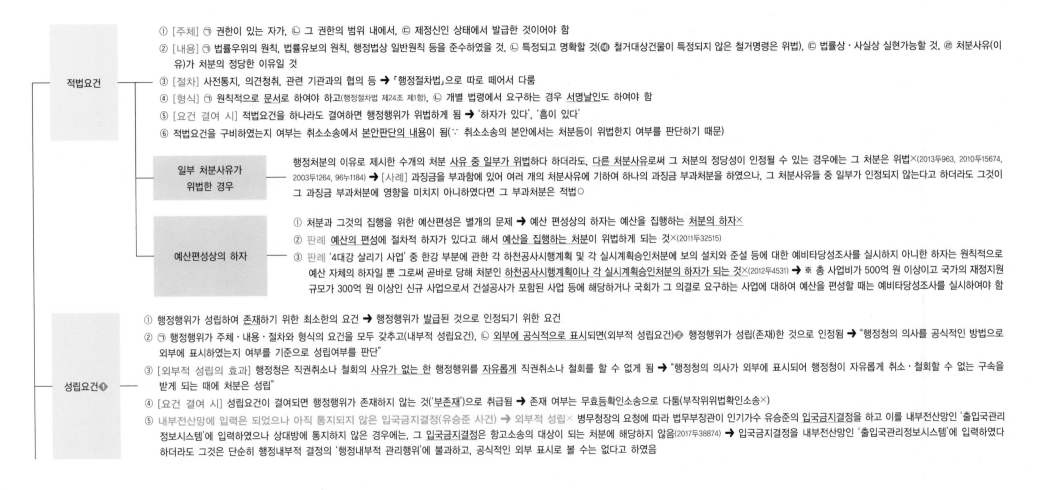

적법요건

① [주체] ㉠ 권한이 있는 자가, ㉡ 그 권한의 범위 내에서, ㉢ 제정신인 상태에서 발급한 것이어야 함

② [내용] ㉠ 법률우위의 원칙, 법률유보의 원칙, 행정법상 일반원칙 등을 준수하였을 것, ㉡ 특정되고 명확할 것(㉮ 철거대상건물이 특정되지 않은 철거명령은 위법), ㉢ 법률상·사실상 실현가능할 것, ㉣ 처분사유(이유)가 처분의 정당한 이유일 것

③ [절차] 사전통지, 의견청취, 관련 기관과의 협의 등 ➡ 「행정절차법」으로 따로 떼어서 다룸

④ [형식] ㉠ 원칙적으로 문서로 하여야 하고(행정절차법 제24조 제1항), ㉡ 개별 법령에서 요구하는 경우 서명날인도 하여야 함

⑤ [요건 결여 시] 적법요건을 하나라도 결여하면 행정행위가 위법하게 됨 ➡ '하자가 있다', '흠이 있다'

⑥ 적법요건을 구비하였는지 여부는 취소소송에서 본안판단의 내용이 됨(∵ 취소소송의 본안에서는 처분등이 위법한지 여부를 판단하기 때문)

일부 처분사유가 위법한 경우

행정처분의 이유로 제시한 수개의 처분 사유 중 일부가 위법하다 하더라도, 다른 처분사유로써 그 처분의 정당성이 인정될 수 있는 경우에는 그 처분은 위법×(2013두963, 2010두15674, 2003두1264, 96누1184) ➡ [사례] 과징금을 부과함에 있어 여러 개의 처분사유에 기하여 하나의 과징금 부과처분을 하였으나, 그 처분사유들 중 일부가 인정되지 않는다고 하더라도 그것이 그 과징금 부과처분에 영향을 미치지 아니하였다면 그 부과처분은 적법○

예산편성상의 하자

① 처분과 그것의 집행을 위한 예산편성은 별개의 문제 ➡ 예산 편성상의 하자는 예산을 집행하는 처분의 하자×

② 판례 예산의 편성에 절차적 하자가 있다고 해서 예산을 집행하는 처분이 위법하게 되는 것×(2011두32515)

③ 판례 '4대강 살리기 사업' 중 한강 부분에 관한 각 하천공사시행계획 및 각 실시계획승인처분에 보의 설치와 준설 등에 대한 예비타당성조사를 실시하지 아니한 하자는 원칙적으로 예산 자체의 하자일 뿐 그로써 곧바로 당해 처분인 하천공사시행계획이나 각 실시계획승인처분의 하자가 되는 것×(2012두4531) ➡ ※ 총 사업비가 500억 원 이상이고 국가의 재정지원 규모가 300억 원 이상인 신규 사업으로서 건설공사가 포함된 사업 등에 해당하거나 국회가 그 의결로 요구하는 사업에 대하여 예산을 편성할 때는 예비타당성조사를 실시하여야 함

성립요건❶

① 행정행위가 성립하여 존재하기 위한 최소한의 요건 ➡ 행정행위가 발급된 것으로 인정되기 위한 요건

② ㉠ 행정행위가 주체·내용·절차와 형식의 요건을 모두 갖추고(내부적 성립요건), ㉡ 외부에 공식적으로 표시되면(외부적 성립요건)❷ 행정행위가 성립(존재)한 것으로 인정됨 ➡ "행정청의 의사를 공식적인 방법으로 외부에 표시하였는지 여부를 기준으로 성립여부를 판단"

③ [외부적 성립의 효과] 행정청은 직권취소나 철회의 사유가 없는 한 행정행위를 자유롭게 직권취소나 철회를 할 수 없게 됨 ➡ "행정청의 의사가 외부에 표시되어 행정청이 자유롭게 취소·철회할 수 없는 구속을 받게 되는 때에 처분은 성립"

④ [요건 결여 시] 성립요건이 결여되면 행정행위가 존재하지 않는 것('부존재')으로 취급됨 ➡ 존재 여부는 무효등확인소송으로 다툼(부작위위법확인소송×)

⑤ 내부전산망에 입력은 되었으나 아직 통지되지 않은 입국금지결정(유승준 사건) ➡ 외부적 성립× 병무청장의 요청에 따라 법무부장관이 인기가수 유승준의 입국금지결정을 하고 이를 내부전산망인 '출입국관리정보시스템'에 입력하였으나 상대방에 통지하지 않은 경우에는, 그 입국금지결정은 항고소송의 대상이 되는 처분에 해당하지 않음(2017두38874) ➡ 입국금지결정을 내부전산망인 '출입국관리정보시스템'에 입력하였다 하더라도 그것은 단순히 행정내부적 결정의 '행정내부적 관리행위'에 불과하고, 공식적인 외부 표시로 볼 수는 없다고 하였음

---

❶ [용어사용의 혼선] '성립요건'과 '적법요건'을 동의어로 사용하는 학자들도 있다. 그 경우에는 적법요건이라는 개념을 별도로 설정하지 않고, 성립요건이라는 목차 아래 양자를 통합하여 다룬다. 또 성립요건을 적법요건과 효력발생요건을 통틀어 일컫는 개념으로 사용하는 학자들도 있다. 이 책에서는 셋을 구분하기로 한다.

❷ [더 들어가기] 외부적 성립요건과 아래에서 다루는 효력발생요건인 통지가 다른 것인지, 다르다면 어떻게 다른 것인지에 대해서는 논란이 있다.

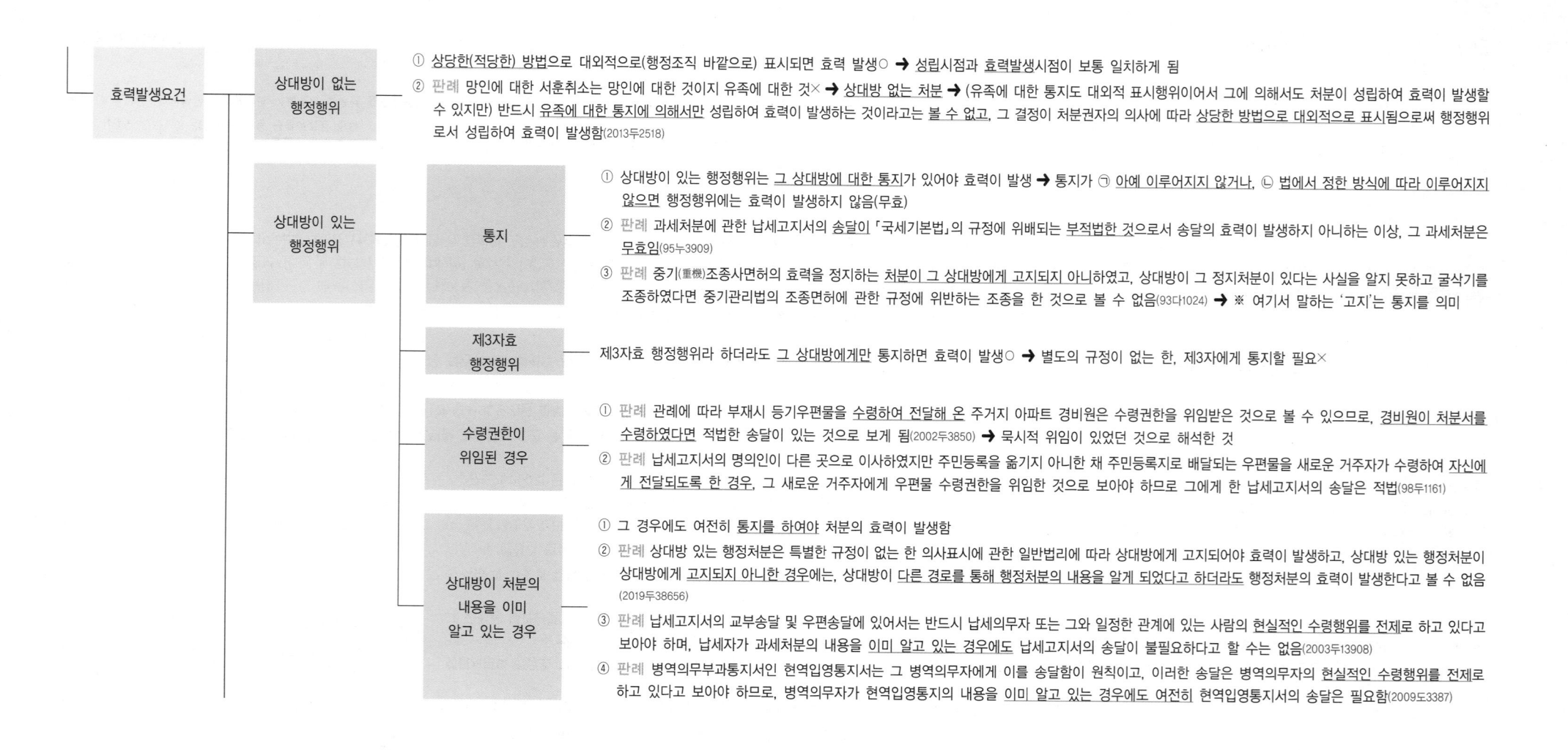

효력발생요건

상대방이 없는 행정행위

① 상당한(적당한) 방법으로 대외적으로(행정조직 바깥으로) 표시되면 효력 발생○ ➜ 성립시점과 효력발생시점이 보통 일치하게 됨

② 판례 망인에 대한 서훈취소는 망인에 대한 것이지 유족에 대한 것× ➜ 상대방 없는 처분 ➜ (유족에 대한 통지도 대외적 표시행위이어서 그에 의해서도 처분이 성립하여 효력이 발생할 수 있지만) 반드시 유족에 대한 통지에 의해서만 성립하여 효력이 발생하는 것이라고는 볼 수 없고, 그 결정이 처분권자의 의사에 따라 상당한 방법으로 대외적으로 표시됨으로써 행정행위로서 성립하여 효력이 발생함(2013두2518)

상대방이 있는 행정행위

통지

① 상대방이 있는 행정행위는 그 상대방에 대한 통지가 있어야 효력이 발생 ➜ 통지가 ⊙ 아예 이루어지지 않거나, ⓒ 법에서 정한 방식에 따라 이루어지지 않으면 행정행위에는 효력이 발생하지 않음(무효)

② 판례 과세처분에 관한 납세고지서의 송달이 「국세기본법」의 규정에 위배되는 부적법한 것으로서 송달의 효력이 발생하지 아니하는 이상, 그 과세처분은 무효임(95누3909)

③ 판례 중기(重機)조종사면허의 효력을 정지하는 처분이 그 상대방에게 고지되지 아니하였고, 상대방이 그 정지처분이 있다는 사실을 알지 못하고 굴삭기를 조종하였다면 중기관리법의 조종면허에 관한 규정에 위반하는 조종을 한 것으로 볼 수 없음(93다1024) ➜ ※ 여기서 말하는 '고지'는 통지를 의미

제3자효 행정행위

제3자효 행정행위라 하더라도 그 상대방에게만 통지하면 효력이 발생○ ➜ 별도의 규정이 없는 한, 제3자에게 통지할 필요×

수령권한이 위임된 경우

① 판례 관례에 따라 부재시 등기우편물을 수령하여 전달해 온 주거지 아파트 경비원은 수령권한을 위임받은 것으로 볼 수 있으므로, 경비원이 처분서를 수령하였다면 적법한 송달이 있는 것으로 보게 됨(2002두3850) ➜ 묵시적 위임이 있었던 것으로 해석한 것

② 판례 납세고지서의 명의인이 다른 곳으로 이사하였지만 주민등록을 옮기지 아니한 채 주민등록지로 배달되는 우편물을 새로운 거주자가 수령하여 자신에게 전달되도록 한 경우, 그 새로운 거주자에게 우편물 수령권한을 위임한 것으로 보아야 하므로 그에게 한 납세고지서의 송달은 적법(98두1161)

상대방이 처분의 내용을 이미 알고 있는 경우

① 그 경우에도 여전히 통지를 하여야 처분의 효력이 발생함

② 판례 상대방 있는 행정처분은 특별한 규정이 없는 한 의사표시에 관한 일반법리에 따라 상대방에게 고지되어야 효력이 발생하고, 상대방 있는 행정처분이 상대방에게 고지되지 아니한 경우에는, 상대방이 다른 경로를 통해 행정처분의 내용을 알게 되었다고 하더라도 행정처분의 효력이 발생한다고 볼 수 없음(2019두38656)

③ 판례 납세고지서의 교부송달 및 우편송달에 있어서는 반드시 납세의무자 또는 그와 일정한 관계에 있는 사람의 현실적인 수령행위를 전제로 하고 있다고 보아야 하며, 납세자가 과세처분의 내용을 이미 알고 있는 경우에도 납세고지서의 송달이 불필요하다고 할 수는 없음(2003두13908)

④ 판례 병역의무부과통지서인 현역입영통지서는 그 병역의무자에게 이를 송달함이 원칙이고, 이러한 송달은 병역의무자의 현실적인 수령행위를 전제로 하고 있다고 보아야 하므로, 병역의무자가 현역입영통지의 내용을 이미 알고 있는 경우에도 여전히 현역입영통지서의 송달은 필요함(2009도3387)

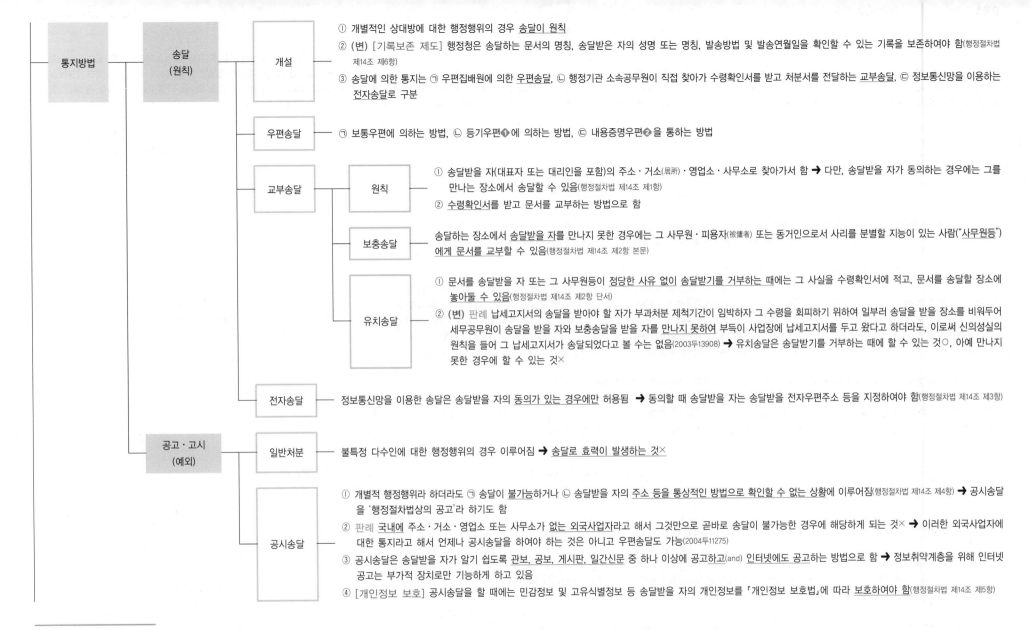

통지방법 ─ 송달 ─ 개설
(원칙)

① 개별적인 상대방에 대한 행정행위의 경우 송달이 원칙
② (변) [기록보존 제도] 행정청은 송달하는 문서의 명칭, 송달받은 자의 성명 또는 명칭, 발송방법 및 발송연월일을 확인할 수 있는 기록을 보존하여야 함(행정절차법
   제14조 제6항)
③ 송달에 의한 통지는 ㉠ 우편집배원에 의한 우편송달, ㉡ 행정기관 소속공무원이 직접 찾아가 수령확인서를 받고 처분서를 전달하는 교부송달, ㉢ 정보통신망을 이용하는
   전자송달로 구분

우편송달 ─ ㉠ 보통우편에 의하는 방법, ㉡ 등기우편❶에 의하는 방법, ㉢ 내용증명우편❷을 통하는 방법

교부송달 ─ 원칙

① 송달받을 자(대표자 또는 대리인을 포함)의 주소·거소(居所)·영업소·사무소로 찾아가서 함 ➜ 다만, 송달받을 자가 동의하는 경우에는 그를
   만나는 장소에서 송달할 수 있음(행정절차법 제14조 제1항)
② 수령확인서를 받고 문서를 교부하는 방법으로 함

보충송달 ─ 송달하는 장소에서 송달받을 자를 만나지 못한 경우에는 그 사무원·피용자(被傭者) 또는 동거인으로서 사리를 분별할 지능이 있는 사람("사무원등")
   에게 문서를 교부할 수 있음(행정절차법 제14조 제2항 본문)

유치송달

① 문서를 송달받을 자 또는 그 사무원등이 정당한 사유 없이 송달받기를 거부하는 때에는 그 사실을 수령확인서에 적고, 문서를 송달할 장소에
   놓아둘 수 있음(행정절차법 제14조 제2항 단서)
② (변) 판례 납세고지서의 송달을 받아야 할 자가 부과처분 제척기간이 임박하자 그 수령을 회피하기 위하여 일부러 송달을 받을 장소를 비워두어
   세무공무원이 송달을 받을 자와 보충송달을 받을 자를 만나지 못하여 부득이 사업장에 납세고지서를 두고 왔다고 하더라도, 이로써 신의성실의
   원칙을 들어 그 납세고지서가 송달되었다고 볼 수는 없음(2003두13908) ➜ 유치송달은 송달받기를 거부하는 때에 할 수 있는 것○, 아예 만나지
   못한 경우에 할 수 있는 것✕

전자송달 ─ 정보통신망을 이용한 송달은 송달받을 자의 동의가 있는 경우에만 허용됨 ➜ 동의할 때 송달받을 자는 송달받을 전자우편주소 등을 지정하여야 함(행정절차법 제14조 제3항)

공고·고시 ─ 일반처분 ─ 불특정 다수인에 대한 행정행위의 경우 이루어짐 ➜ 송달로 효력이 발생하는 것✕
(예외)

공시송달

① 개별적 행정행위라 하더라도 ㉠ 송달이 불가능하거나 ㉡ 송달받을 자의 주소 등을 통상적인 방법으로 확인할 수 없는 상황에 이루어짐(행정절차법 제14조 제4항) ➜ 공시송달
   을 '행정절차법상의 공고'라 하기도 함
② 판례 국내에 주소·거소·영업소 또는 사무소가 없는 외국사업자라고 해서 그것만으로 곧바로 송달이 불가능한 경우에 해당하게 되는 것✕ ➜ 이러한 외국사업자에
   대한 통지라고 해서 언제나 공시송달을 하여야 하는 것은 아니고 우편송달도 가능(2004두11275)
③ 공시송달은 송달받을 자가 알기 쉽도록 관보, 공보, 게시판, 일간신문 중 하나 이상에 공고하고(and) 인터넷에도 공고하는 방법으로 함 ➜ 정보취약계층을 위해 인터넷
   공고는 부가적 장치로만 기능하게 하고 있음
④ [개인정보 보호] 공시송달을 할 때에는 민감정보 및 고유식별정보 등 송달받을 자의 개인정보를 「개인정보 보호법」에 따라 보호하여야 함(행정절차법 제14조 제5항)

❶ 접수와 배달을 우체국이 보증하는 우편을 말한다.
❷ 발송인이 수취인에게 어떠한 내용의 우편을 보냈는지를 우체국이 보증하는 우편을 말한다.

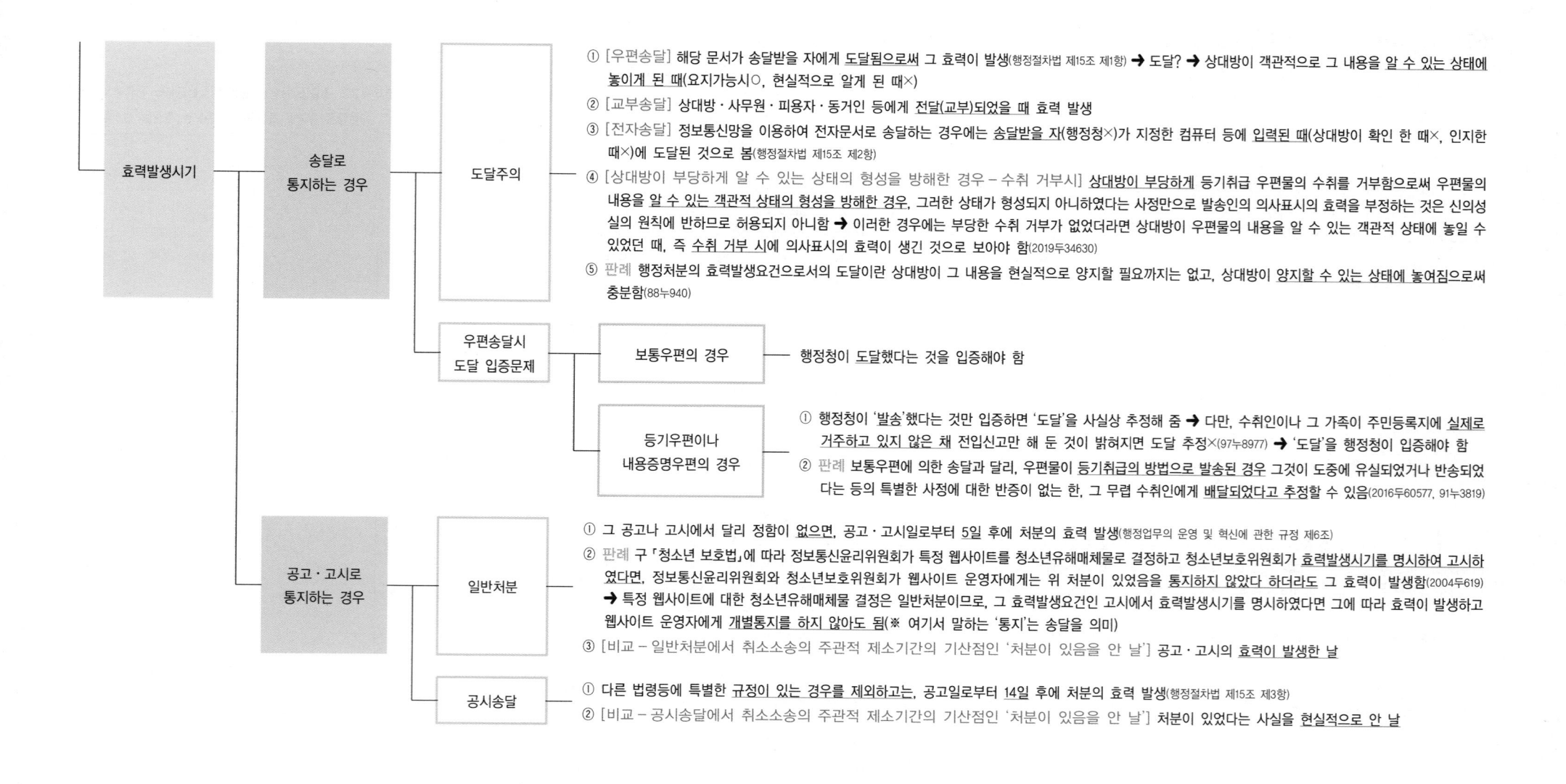

효력발생시기

송달로 통지하는 경우

도달주의

① [우편송달] 해당 문서가 송달받을 자에게 도달됨으로써 그 효력이 발생(행정절차법 제15조 제1항) ➜ 도달? ➜ 상대방이 객관적으로 그 내용을 알 수 있는 상태에 놓이게 된 때(요지가능시○, 현실적으로 알게 된 때×)

② [교부송달] 상대방·사무원·피용자·동거인 등에게 전달(교부)되었을 때 효력 발생

③ [전자송달] 정보통신망을 이용하여 전자문서로 송달하는 경우에는 송달받을 자(행정청×)가 지정한 컴퓨터 등에 입력된 때(상대방이 확인한 때×, 인지한 때×)에 도달된 것으로 봄(행정절차법 제15조 제2항)

④ [상대방이 부당하게 알 수 있는 상태의 형성을 방해한 경우 – 수취 거부시] 상대방이 부당하게 등기취급 우편물의 수취를 거부함으로써 우편물의 내용을 알 수 있는 객관적 상태의 형성을 방해한 경우, 그러한 상태가 형성되지 아니하였다는 사정만으로 발송인의 의사표시의 효력을 부정하는 것은 신의성실의 원칙에 반하므로 허용되지 아니함 ➜ 이러한 경우에는 부당한 수취 거부가 없었더라면 상대방이 우편물의 내용을 알 수 있는 객관적 상태에 놓일 수 있었던 때, 즉 수취 거부 시에 의사표시의 효력이 생긴 것으로 보아야 함(2019두34630)

⑤ 판례 행정처분의 효력발생요건으로서의 도달이란 상대방이 그 내용을 현실적으로 양지할 필요까지는 없고, 상대방이 양지할 수 있는 상태에 놓여짐으로써 충분함(88누940)

우편송달시 도달 입증문제

보통우편의 경우 — 행정청이 도달했다는 것을 입증해야 함

등기우편이나 내용증명우편의 경우

① 행정청이 '발송'했다는 것만 입증하면 '도달'을 사실상 추정해 줌 ➜ 다만, 수취인이나 그 가족이 주민등록지에 실제로 거주하고 있지 않은 채 전입신고만 해 둔 것이 밝혀지면 도달 추정×(97누8977) ➜ '도달'을 행정청이 입증해야 함

② 판례 보통우편에 의한 송달과 달리, 우편물이 등기취급의 방법으로 발송된 경우 그것이 도중에 유실되었거나 반송되었다는 등의 특별한 사정에 대한 반증이 없는 한, 그 무렵 수취인에게 배달되었다고 추정할 수 있음(2016두60577, 91누3819)

공고·고시로 통지하는 경우

일반처분

① 그 공고나 고시에서 달리 정함이 없으면, 공고·고시일로부터 5일 후에 처분의 효력 발생(행정업무의 운영 및 혁신에 관한 규정 제6조)

② 판례 구「청소년 보호법」에 따라 정보통신윤리위원회가 특정 웹사이트를 청소년유해매체물로 결정하고 청소년보호위원회가 효력발생시기를 명시하여 고시하였다면, 정보통신윤리위원회와 청소년보호위원회가 웹사이트 운영자에게는 위 처분이 있었음을 통지하지 않았다 하더라도 그 효력이 발생함(2004두619) ➜ 특정 웹사이트에 대한 청소년유해매체물 결정은 일반처분이므로, 그 효력발생요건인 고시에서 효력발생시기를 명시하였다면 그에 따라 효력이 발생하고 웹사이트 운영자에게 개별통지를 하지 않아도 됨(※ 여기서 말하는 '통지'는 송달을 의미)

③ [비교 – 일반처분에서 취소소송의 주관적 제소기간의 기산점인 '처분이 있음을 안 날'] 공고·고시의 효력이 발생한 날

공시송달

① 다른 법령등에 특별한 규정이 있는 경우를 제외하고는, 공고일로부터 14일 후에 처분의 효력 발생(행정절차법 제15조 제3항)

② [비교 – 공시송달에서 취소소송의 주관적 제소기간의 기산점인 '처분이 있음을 안 날'] 처분이 있었다는 사실을 현실적으로 안 날

행정행위의 내용 확정

행정청이 문서에 의하여 처분을 한 경우, ㉠ 처분서의 문언이 불분명하다는 등의 특별한 사정이 없는 한 원칙적으로 그 처분서의 문언에 따라 어떤 처분을 하였는지 확정하여야 하나, ㉡ 그 처분서의 문언만으로는 행정청이 어떤 처분을 하였는지 불분명하다는 등 특별한 사정이 있는 때에는 처분 경위나 처분 이후의 상대방의 태도 등 다른 사정을 고려하여 처분서의 문언과 달리 그 처분의 내용을 해석할 수 있음(2009두18035) ➜ [사례] 산지전용허가 허가증의 산지전용목적란에는 그 목적이 '창고부지조성'으로 되어 있으나, 허가증의 교부통지서에는 산지전용허가의 목적이 '창고'로 되어 있었고, 허가신청인이 산지전용기간에 대한 연장신청을 하면서 그 연장을 구하는 기간 내에 창고의 건축공사를 완료하겠다는 내용의 사업추진계획서를 제출했던 경우라면, 산지전용허가의 목적사업을 '창고부지조성'이 아니라 '창고건축'으로 보아야 함

행정행위의 하자

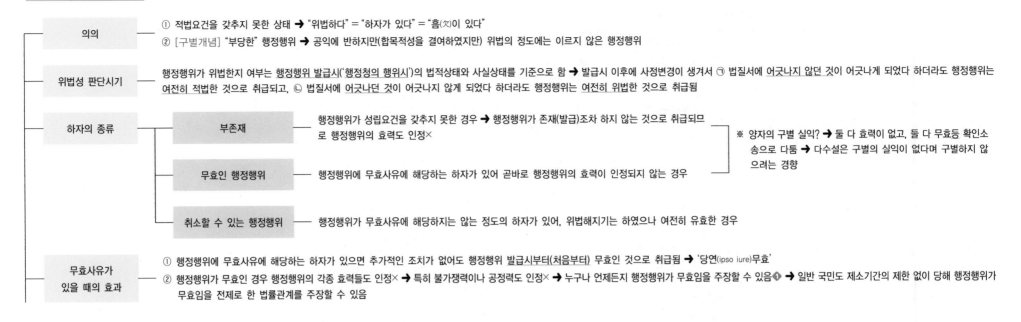

| 의의 | ① 적법요건을 갖추지 못한 상태 ➜ "위법하다" = "하자가 있다" = "흠(疵)이 있다"
② [구별개념] "부당한" 행정행위 ➜ 공익에 반하지만(합목적성을 결여하였지만) 위법의 정도에는 이르지 않은 행정행위 |

위법성 판단시기
행정행위가 위법한지 여부는 행정행위 발급시('행정청의 행위시')의 법적상태와 사실상태를 기준으로 함 ➜ 발급시 이후에 사정변경이 생겨서 ㉠ 법질서에 어긋나지 않던 것이 어긋나게 되었다 하더라도 행정행위는 여전히 적법한 것으로 취급되고, ㉡ 법질서에 어긋나던 것이 어긋나지 않게 되었다 하더라도 행정행위는 여전히 위법한 것으로 취급됨

하자의 종류

부존재
행정행위가 성립요건을 갖추지 못한 경우 ➜ 행정행위가 존재(발급)조차 하지 않는 것으로 취급되므로 행정행위의 효력도 인정×

무효인 행정행위
행정행위에 무효사유에 해당하는 하자가 있어 곧바로 행정행위의 효력이 인정되지 않는 경우

취소할 수 있는 행정행위
행정행위가 무효사유에 해당하지는 않는 정도의 하자가 있어, 위법해지기는 하였으나 여전히 유효한 경우

※ 양자의 구별 실익? ➜ 둘 다 효력이 없고, 둘 다 무효등 확인소송으로 다툼 ➜ 다수설은 구별의 실익이 없다며 구별하지 않으려는 경향

무효사유가 있을 때의 효과
① 행정행위에 무효사유에 해당하는 하자가 있으면 추가적인 조치가 없어도 행정행위 발급시부터(처음부터) 무효인 것으로 취급됨 ➜ '당연(ipso iure)무효'
② 행정행위가 무효인 경우 행정행위의 각종 효력들도 인정× ➜ 특히 불가쟁력이나 공정력도 인정× ➜ 누구나 언제든지 행정행위가 무효임을 주장할 수 있음❶ ➜ 일반 국민도 제소기간의 제한 없이 당해 행정행위가 무효임을 전제로 한 법률관계를 주장할 수 있음

---

❶ [더 들어가기] 실제로 행정행위가 무효인지 여부는 소송을 통해 따져보아야 할 문제이지만, 만일 행정행위가 무효인 것이 참이라면, 거기에는 공정력이 인정되지 않을 것이므로, '어떤 행정행위가 무효라고 생각해서 그에 따르지 않는다'는 논변은 행정법적으로 타당한 논변이 된다. 따라서 그러한 주장을 누구든지, 그리고 어떤 소송에서든지, 기간제한 없이 할 수 있게 된다.

무효사유·취소사유 구별기준	학설	① 구별 기준에 대한 명문의 규정 존재× ② 중대·명백설, 조사의무설, 중대설, 명백성 보충요건설 등이 대립 ➔ 특히 명백성 요건의 요구와 관련해서 다투고 있음

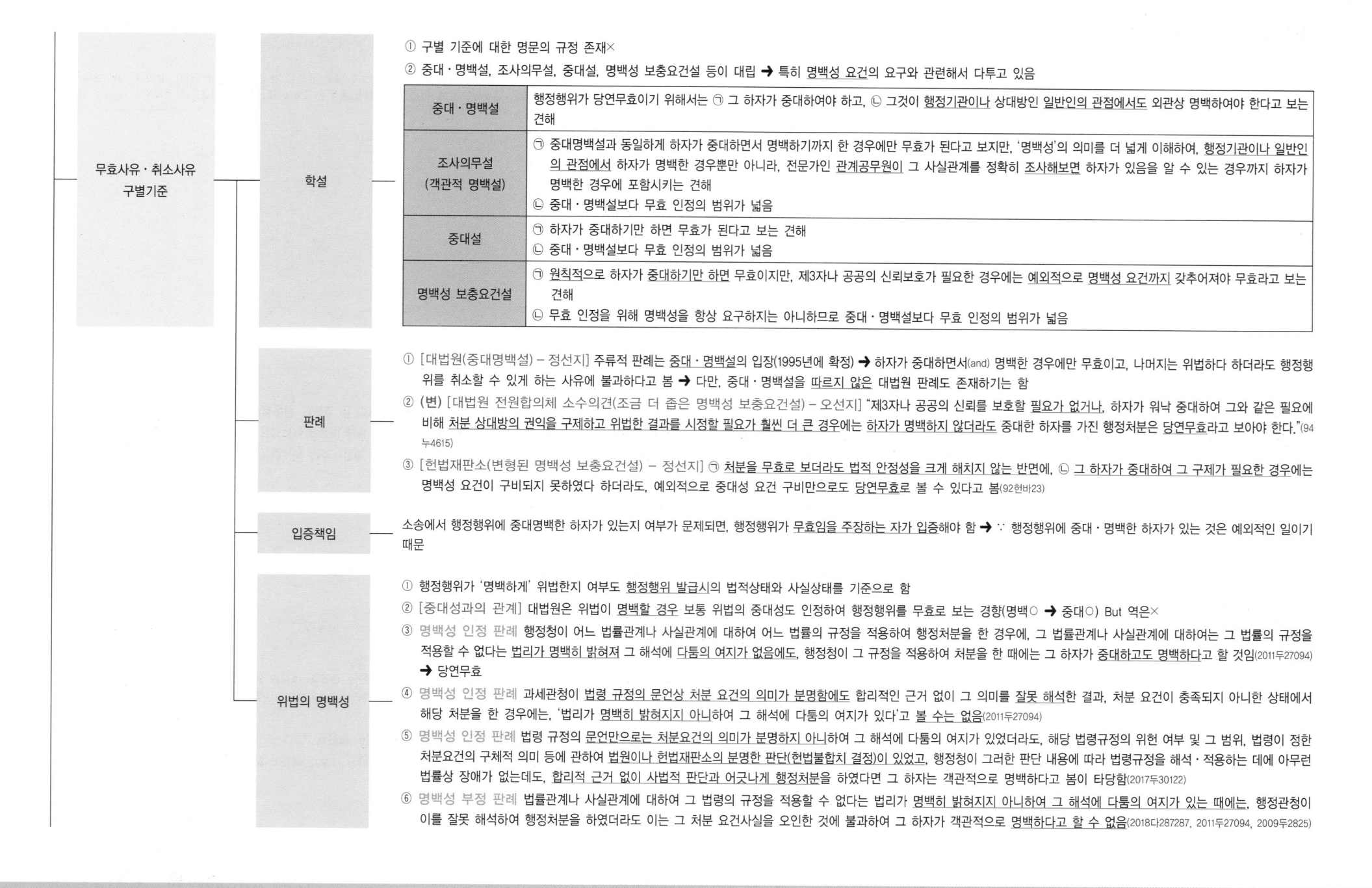

① 구별 기준에 대한 명문의 규정 존재×

② 중대·명백설, 조사의무설, 중대설, 명백성 보충요건설 등이 대립 ➔ 특히 명백성 요건의 요구와 관련해서 다투고 있음

[학설]

중대·명백설	행정행위가 당연무효이기 위해서는 ⑦ 그 하자가 중대하여야 하고, ⓒ 그것이 행정기관이나 상대방인 일반인의 관점에서도 외관상 명백하여야 한다고 보는 견해
조사의무설 (객관적 명백설)	⑦ 중대명백설과 동일하게 하자가 중대하면서 명백하기까지 한 경우에만 무효가 된다고 보지만, '명백성'의 의미를 더 넓게 이해하여, 행정기관이나 일반인의 관점에서 하자가 명백한 경우뿐만 아니라, 전문가인 관계공무원이 그 사실관계를 정확히 조사해보면 하자가 있음을 알 수 있는 경우까지 하자가 명백한 경우에 포함시키는 견해 ⓒ 중대·명백설보다 무효 인정의 범위가 넓음
중대설	⑦ 하자가 중대하기만 하면 무효가 된다고 보는 견해 ⓒ 중대·명백설보다 무효 인정의 범위가 넓음
명백성 보충요건설	⑦ 원칙적으로 하자가 중대하기만 하면 무효이지만, 제3자나 공공의 신뢰보호가 필요한 경우에는 예외적으로 명백성 요건까지 갖추어져야 무효라고 보는 견해 ⓒ 무효 인정을 위해 명백성을 항상 요구하지는 아니하므로 중대·명백설보다 무효 인정의 범위가 넓음

[판례]

① [대법원(중대명백설) – 정선지] 주류적 판례는 중대·명백설의 입장(1995년에 확정) ➔ 하자가 중대하면서(and) 명백한 경우에만 무효이고, 나머지는 위법하다 하더라도 행정행위를 취소할 수 있게 하는 사유에 불과하다고 봄 ➔ 다만, 중대·명백설을 따르지 않은 대법원 판례도 존재하기는 함

② **(변)** [대법원 전원합의체 소수의견(조금 더 좁은 명백성 보충요건설) – 오선지] "제3자나 공공의 신뢰를 보호할 필요가 없거나, 하자가 워낙 중대하여 그와 같은 필요에 비해 처분 상대방의 권익을 구제하고 위법한 결과를 시정할 필요가 훨씬 더 큰 경우에는 하자가 명백하지 않더라도 중대한 하자를 가진 행정처분은 당연무효라고 보아야 한다."(94누4615)

③ [헌법재판소(변형된 명백성 보충요건설) – 정선지] ⑦ 처분을 무효로 보더라도 법적 안정성을 크게 해치지 않는 반면에, ⓒ 그 하자가 중대하여 그 구제가 필요한 경우에는 명백성 요건이 구비되지 못하였다 하더라도, 예외적으로 중대성 요건 구비만으로도 당연무효로 볼 수 있다고 봄(92헌바23)

[입증책임]

소송에서 행정행위에 중대명백한 하자가 있는지 여부가 문제되면, 행정행위가 무효임을 주장하는 자가 입증해야 함 ➔ ∵ 행정행위에 중대·명백한 하자가 있는 것은 예외적인 일이기 때문

[위법의 명백성]

① 행정행위가 '명백하게' 위법한지 여부도 행정행위 발급시의 법적상태와 사실상태를 기준으로 함

② [중대성과의 관계] 대법원은 위법이 명백할 경우 보통 위법의 중대성도 인정하여 행정행위를 무효로 보는 경향(명백○ ➔ 중대○) But 역은×

③ 명백성 인정 판례 행정청이 어느 법률관계나 사실관계에 대하여 어느 법률의 규정을 적용하여 행정처분을 한 경우에, 그 법률관계나 사실관계에 대하여는 그 법률의 규정을 적용할 수 없다는 법리가 명백히 밝혀져 그 해석에 다툼의 여지가 없음에도, 행정청이 그 규정을 적용하여 처분을 한 때에는 그 하자가 중대하고도 명백하다고 할 것임(2011두27094) ➔ 당연무효

④ 명백성 인정 판례 과세관청이 법령 규정의 문언상 처분 요건의 의미가 분명함에도 합리적인 근거 없이 그 의미를 잘못 해석한 결과, 처분 요건이 충족되지 아니한 상태에서 해당 처분을 한 경우에는, '법리가 명백히 밝혀지지 아니하여 그 해석에 다툼의 여지가 있다'고 볼 수는 없음(2011두27094)

⑤ 명백성 인정 판례 법령 규정의 문언만으로는 처분요건의 의미가 분명하지 아니하여 그 해석에 다툼의 여지가 있었더라도, 해당 법령규정의 위헌 여부 및 그 범위, 법령이 정한 처분요건의 구체적 의미 등에 관하여 법원이나 헌법재판소의 분명한 판단(헌법불합치 결정)이 있었고, 행정청이 그러한 판단 내용에 따라 법령규정을 해석·적용하는 데에 아무런 법률상 장애가 없는데도, 합리적 근거 없이 사법적 판단과 어긋나게 행정처분을 하였다면 그 하자는 객관적으로 명백하다고 봄이 타당함(2017두30122)

⑥ 명백성 부정 판례 법률관계나 사실관계에 대하여 그 법령의 규정을 적용할 수 없다는 법리가 명백히 밝혀지지 아니하여 그 해석에 다툼의 여지가 있는 때에는, 행정관청이 이를 잘못 해석하여 행정처분을 하였더라도 이는 그 처분 요건사실을 오인한 것에 불과하여 그 하자가 객관적으로 명백하다고 할 수 없음(2018다287287, 2011두27094, 2009두2825)

	① 판례 ⑤ 하자 있는 행정처분이 당연무효가 되기 위하여는 그 하자가 법규의 중요한 부분을 위반한 중대한 것으로서 객관적으로 명백한 것이어야 하며, ⓒ 하자가 중대하고 명백한 것인지 여부를 판별함에 있어서는 구체적 사안 자체의 특수성도 고려함과 동시에 법규의 목적, 의미, 기능 등을 목적론적으로 고찰함을 요함(2007다24640, 2005두5741)
	② 판례 하자가 명백하다고 하기 위하여는 그 사실관계 오인의 근거가 된 자료가 외형상 상태성을 결여하거나 객관적으로 그 성립이나 내용의 진정을 인정할 수 없는 것임이 명백한 경우라야 할 것이고, 사실관계의 자료를 정확히 조사하여야 비로소 그 하자 유무가 밝혀질 수 있는 경우라면 이러한 하자는 외관상 명백하다고 할 수는 없을 것임(2002다68485, 91누6863) ➜ 조사의무설을 배척한 판례
중대·명백설 관련 판례	③ (변) 구체적 적용 – 경제성 내지 사업성을 결여한 공공사업의 경우 공공사업의 경제성 내지 사업성의 결여로 인하여 행정처분이 무효로 되기 위하여는 공공사업을 시행함으로 인하여 얻는 이익에 비하여 공공사업에 소요되는 비용이 훨씬 커서 이익과 비용이 현저하게 균형을 잃음으로써, 사회통념에 비추어 행정처분으로 달성하고자 하는 사업목적을 실질적으로 실현할 수 없는 정도에 이르렀다고 볼 정도로 과다한 비용과 희생이 요구되는 등 그 하자가 중대하여야 할 뿐만 아니라, 그러한 사정이 객관적으로 명백한 경우라야 함(2006두330)
	④ 구체적 적용 – 위법한 시행령이나 시행규칙을 적용한 행정처분의 경우 위법·무효인 시행령이나 시행규칙의 규정을 적용한 하자 있는 행정처분이 당연무효로 되려면, 그 규정이 행정처분의 중요한 부분에 관한 것이어서, 결과적으로 그에 따른 행정처분의 중요한 부분에 하자가 있는 것으로 귀착되고 또한 그 규정의 위법성이 객관적으로 명백하여 그에 따른 행정처분의 하자가 객관적으로 명백한 것으로 귀착되어야 함(2007두26285)
	⑤ (변) 중대명백설을 따르지 않은 대법원 판례 부동산에 관한 취득세를 신고하였으나 부동산매매계약이 해제됨에 따라 소유권 취득의 요건을 갖추지 못한 경우에는, 그 하자가 중대하지만 외관상 명백하지 않다 하더라도 그 신고는 무효(2008두11716) ➜ 제3자 보호가 특별히 문제되지 않는 경우임을 논거로 들어 곧바로 무효라 보았음(※ 대법원은 납세신고에도 공정력이 있는 것처럼 취급하여 중대·명백한 하자가 있는 경우에만 무효로 보는 경향이 있는데, 그에 대한 예외임)

구별 실익	무효인 행정행위	취소할 수 있는 행정행위
공통점	① 위법여부는 행정행위의 주체, 내용, 절차, 형식상의 적법요건 충족여부를 기준으로 판단 ② 행정행위 발급 당시의 법령과 사실관계를 기준으로 판단	
효력발생	처음부터 효력 발생×	권한있는 기관에 의해 취소되기 전까지는 효력 유지○
구성요건적 효력 및 선결문제	① 구성요건적 효력 발생× ② 효력유무가 선결문제인 소송에서 기타법원이 행정행위에 효력이 없음을 전제로 재판 가능○ ③ 위법여부가 선결문제인 소송에서 기타법원이 위법성 인정 가능○	① 구성요건적 효력 발생○ ② 효력유무가 선결문제인 소송에서 기타법원이 효력부인 가능× ③ 위법여부가 선결문제인 소송에서 기타법원이 위법성 인정 가능○
쟁송형태	무효확인심판, 무효확인소송	취소심판, 취소소송
쟁송제소기간 제한	제한×	제한○
사정재결·사정판결	가능×	가능○
행정심판전치	무효확인소송에서는 적용×	취소소송에서는 적용○
하자의 치유	인정×	인정○
하자있는 행정행위의 전환	인정○	인정되는지 여부에 대해 견해대립
하자의 승계	언제나 승계○	예외적인 경우에만 승계○
입증책임	무효라는 사정을 원고가 입증해야 함	행정행위가 적법하다는 사정을 피고가 입증해야 함
신뢰보호	무효인 행정행위에 대한 신뢰는 보호×	신뢰보호에 대한 요건을 구비한 경우 보호○
불가쟁력·불가변력	발생×	발생○

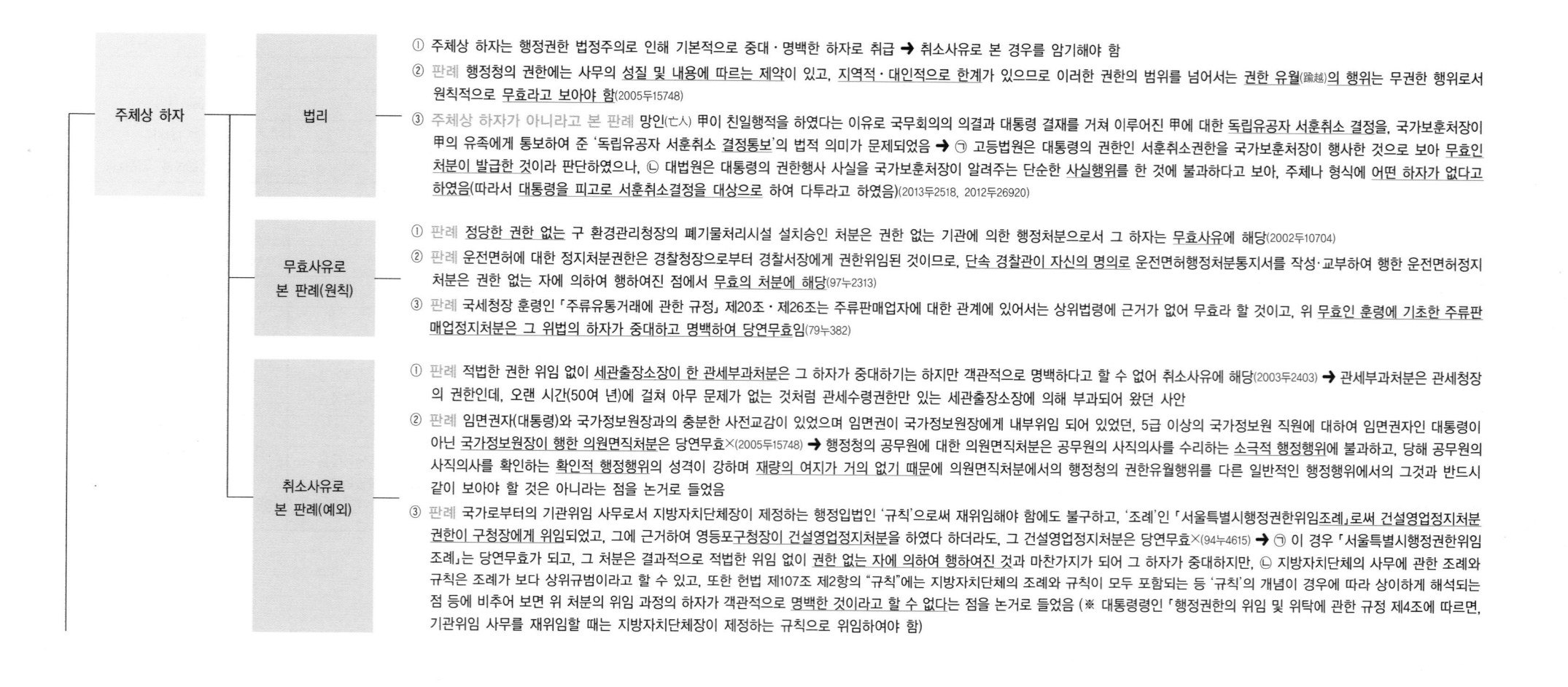

주체상 하자

법리

① 주체상 하자는 행정권한 법정주의로 인해 기본적으로 중대·명백한 하자로 취급 ➡ 취소사유로 본 경우를 암기해야 함

② 판례 행정청의 권한에는 사무의 성질 및 내용에 따르는 제약이 있고, 지역적·대인적으로 한계가 있으므로 이러한 권한의 범위를 넘어서는 권한 유월(踰越)의 행위는 무권한 행위로서 원칙적으로 무효라고 보아야 함(2005두15748)

③ 주체상 하자가 아니라고 본 판례 망인(亡人) 甲이 친일행적을 하였다는 이유로 국무회의의 의결과 대통령 결재를 거쳐 이루어진 甲에 대한 독립유공자 서훈취소 결정을, 국가보훈처장이 甲의 유족에게 통보하여 준 '독립유공자 서훈취소 결정통보'의 법적 의미가 문제되었음 ➡ ㉠ 고등법원은 대통령의 권한인 서훈취소권한을 국가보훈처장이 행사한 것으로 보아 무효인 처분이 발급된 것이라 판단하였으나, ㉡ 대법원은 대통령의 권한행사 사실을 국가보훈처장이 알려주는 단순한 사실행위를 한 것에 불과하다고 보아, 주체나 형식에 어떤 하자가 없다고 하였음(따라서 대통령을 피고로 서훈취소결정을 대상으로 하여 다투라고 하였음)(2013두2518, 2012두26920)

무효사유로 본 판례(원칙)

① 판례 정당한 권한 없는 구 환경관리청장의 폐기물처리시설 설치승인 처분은 권한 없는 기관에 의한 행정처분으로서 그 하자는 무효사유에 해당(2002두10704)

② 판례 운전면허에 대한 정지처분권한은 경찰청장으로부터 경찰서장에게 권한위임된 것이므로, 단속 경찰관이 자신의 명의로 운전면허행정처분통지서를 작성·교부하여 행한 운전면허정지처분은 권한 없는 자에 의하여 행하여진 점에서 무효의 처분에 해당(97누2313)

③ 판례 국세청장 훈령인 「주류유통거래에 관한 규정」 제20조·제26조는 주류판매업자에 대한 관계에 있어서는 상위법령에 근거가 없어 무효라 할 것이고, 위 무효인 훈령에 기초한 주류판매업정지처분은 그 위법의 하자가 중대하고 명백하여 당연무효임(79누382)

취소사유로 본 판례(예외)

① 판례 적법한 권한 위임 없이 세관출장소장이 한 관세부과처분은 그 하자가 중대하기는 하지만 객관적으로 명백하다고 할 수 없어 취소사유에 해당(2003두2403) ➡ 관세부과처분은 관세청장의 권한인데, 오랜 시간(50여 년)에 걸쳐 아무 문제가 없는 것처럼 관세수령권한만 있는 세관출장소장에 의해 부과되어 왔던 사안

② 판례 임면권자(대통령)와 국가정보원장과의 충분한 사전교감이 있었으며 임면권이 국가정보원장에게 내부위임 되어 있었던, 5급 이상의 국가정보원 직원에 대하여 임면권자인 대통령이 아닌 국가정보원장이 행한 의원면직처분은 당연무효×(2005두15748) ➡ 행정청의 공무원에 대한 의원면직처분은 공무원의 사직의사를 수리하는 소극적 행정행위에 불과하고, 당해 공무원의 사직의사를 확인하는 확인적 행정행위의 성격이 강하며 재량의 여지가 거의 없기 때문에 의원면직처분에서의 행정청의 권한유월행위를 다른 일반적인 행정행위에서의 그것과 반드시 같이 보아야 할 것은 아니라는 점을 논거로 들었음

③ 판례 국가로부터의 기관위임 사무로서 지방자치단체장이 제정하는 행정입법인 '규칙'으로써 재위임해야 함에도 불구하고, '조례'인 「서울특별시행정권한위임조례」로써 건설영업정지처분 권한이 구청장에게 위임되었고, 그에 근거하여 영등포구청장이 건설영업정지처분을 하였다 하더라도, 그 건설영업정지처분은 당연무효×(94누4615) ➡ ㉠ 이 경우 「서울특별시행정권한위임조례」는 당연무효가 되고, 그 처분은 결과적으로 적법한 위임 없이 권한 없는 자에 의하여 행하여진 것과 마찬가지가 되어 그 하자가 중대하지만, ㉡ 지방자치단체의 사무에 관한 조례와 규칙은 조례가 보다 상위규범이라고 할 수 있고, 또한 헌법 제107조 제2항의 "규칙"에는 지방자치단체의 조례와 규칙이 모두 포함되는 등 '규칙'의 개념이 경우에 따라 상이하게 해석되는 점 등에 비추어 보면 위 처분의 위임 과정의 하자가 객관적으로 명백한 것이라고 할 수 없다는 점을 논거로 들었음 (※ 대통령령인 「행정권한의 위임 및 위탁에 관한 규정 제4조에 따르면, 기관위임 사무를 재위임할 때는 지방자치단체장이 제정하는 규칙으로 위임하여야 함)

내용상 하자	법리	① 내용상 하자는 중대하면서 명백하기가 쉽지 않음 ➜ 무효사유로 본 경우를 암기해야 함 ② 다만, 대법원은 ㉠ 잘못된 객체에 부과된 행정행위, ㉡ 사실상·법률상 실현 불가능한 행정행위, ㉢ 내용이 불분명한 행정행위의 경우에는 중대·명백 여부를 따지지 않고 무효로 보는 경향이 있음
	취소사유로 본 판례(원칙)	(변) 판례 정규공무원으로 임용된 A가 정규임용시에는 아무런 임용결격사유가 없었지만 그 이전에 시보로 임용될 당시 국가공무원법에서 정한 임용결격사유가 있었던 경우 ➜ 시보임용처분은 당연무효○, 정규공무원 임용처분은 당연무효×(98두12932) ➜ 무효인 시보경력을 경력으로 보고 임용한 정규공무원 임용처분에는, 위법하지만 취소사유에 해당하는 하자만 있는 것으로 봄
	무효사유로 본 판례(예외)	① 판례 체납자 아닌 제3자 소유의 물건에 대한 압류처분은 하자가 객관적으로 명백한 것인지 여부와 관계없이, 처분의 내용이 법률상 실현될 수 없는 것이어서 당연무효(92누12117) ② 판례 적법한 건축물에 대한 철거명령은 그 하자가 중대하고 명백하여 당연무효라고 할 것이고, 그 후행행위인 건축물철거대집행계고처분 역시 당연무효(97누6780) ③ 판례 부동산을 양도한 사실이 없음에도 세무당국이 부동산을 양도한 것으로 오인하여 양도소득세를 부과하였다면, 그 부과처분은 착오에 의한 행정처분으로서, 그 표시된 내용에 중대하고 명백한 하자가 있어 당연무효(83누179, 80누393) ➜ 착오에 의한 처분은 보통 유효하다고 보지만, 이 경우는 잘못된 객체에 부과된 실현불가능한 처분이기 때문에 무효로 본 것 ④ 판례 「개발이익 환수에 관한 법률」상 개발부담금 납부의무자가 아닌 조합원들에 대한 개발부담금 부과처분은 그 하자가 중대하고도 명백하여 무효(95다30390) ⑤ 판례 조세에 관한 소멸시효가 완성되면 국가의 조세부과권과 납세의무자의 납세의무는 당연히 소멸한다 할 것이므로 소멸시효 완성 후에 부과된 부과처분은 납세의무 없는 자에 대하여 부과처분을 한 것으로서 그와 같은 하자는 중대하고 명백하여 그 처분의 효력은 당연무효(83누655) ⑥ 판례 국세부과의 제척기간이 지난 다음에 이루어진 부과처분은 무효임(2016두62726) ➜ ∵ 제척기간이 도과한 경우에는 그 권리가 소멸하게 되기 때문 ⑦ 판례 취소판결의 기속력에 위반하여 행해진 행정처분은 하자가 중대하고 명백하여 당연무효(90누3560) ➜ 판결의 실효성 확보목적 ⑧ 판례 임용당시 공무원임용결격사유가 있었다면, 비록 국가의 과실에 의하여 임용결격자임을 밝혀내지 못하였다 하더라도 그 임용행위는 당연무효(86누459) ⑨ 판례 국토계획법령이 정하고 있는 도시계획시설사업의 대상 토지의 소유와 동의요건을 갖추지 못하였는데도 A회사를 사업시행자로 지정한 하자는 동법령이 정하고 있는 법규의 중요한 부분을 위반한 것으로서 그 하자는 중대하다고 보아야 함(2016두35120) ➜ 위 소유와 동의요건은 사기업이 행하는 도시·군계획시설사업이, 공익사업을 가장한 사기업을 위한 영리사업으로 변질되는 것을 막기 위한 중요요건이라 보았음 ➜ ※ 도로, 철도, 공원 등의 기반시설 중 도시관리계획으로 결정된 시설을 "도시계획시설"이라 함 ⑩ 판례 취소판결 후에 그 취소된 처분을 대상으로 하는 처분은 당연히 무효 ➜ 판결로 취소된 과세처분을 대상으로 하는 경정처분은 당연무효의 처분임(88다카16096)

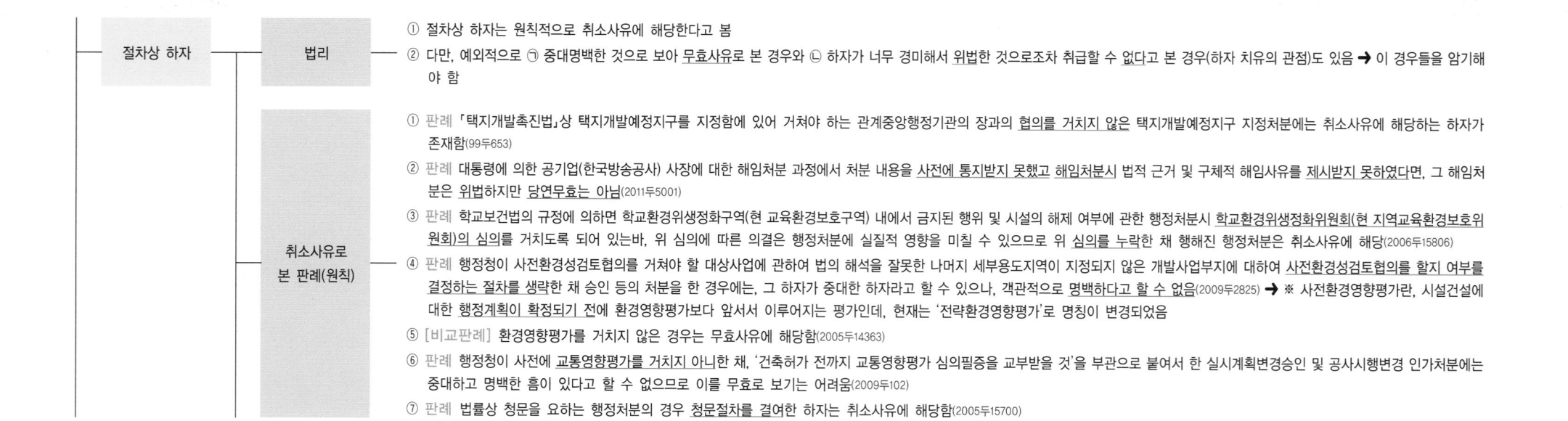

절차상 하자 — 법리

① 절차상 하자는 원칙적으로 취소사유에 해당한다고 봄

② 다만, 예외적으로 ㉠ 중대명백한 것으로 보아 무효사유로 본 경우와 ㉡ 하자가 너무 경미해서 위법한 것으로조차 취급할 수 없다고 본 경우(하자 치유의 관점)도 있음 ➜ 이 경우들을 암기해야 함

절차상 하자 — 취소사유로 본 판례(원칙)

① 판례 「택지개발촉진법」상 택지개발예정지구를 지정함에 있어 거쳐야 하는 관계중앙행정기관의 장과의 협의를 거치지 않은 택지개발예정지구 지정처분에는 취소사유에 해당하는 하자가 존재함(99두653)

② 판례 대통령에 의한 공기업(한국방송공사) 사장에 대한 해임처분 과정에서 처분 내용을 사전에 통지받지 못했고 해임처분시 법적 근거 및 구체적 해임사유를 제시받지 못하였다면, 그 해임처분은 위법하지만 당연무효는 아님(2011두5001)

③ 판례 학교보건법의 규정에 의하면 학교환경위생정화구역(현 교육환경보호구역) 내에서 금지된 행위 및 시설의 해제 여부에 관한 행정처분시 학교환경위생정화위원회(현 지역교육환경보호위원회)의 심의를 거치도록 되어 있는바, 위 심의에 따른 의결은 행정처분에 실질적 영향을 미칠 수 있으므로 위 심의를 누락한 채 행해진 행정처분은 취소사유에 해당(2006두15806)

④ 판례 행정청이 사전환경성검토협의를 거쳐야 할 대상사업에 관하여 법의 해석을 잘못한 나머지 세부용도지역이 지정되지 않은 개발사업부지에 대하여 사전환경성검토협의를 할지 여부를 결정하는 절차를 생략한 채 승인 등의 처분을 한 경우에는, 그 하자가 중대한 하자라고 할 수 있으나, 객관적으로 명백하다고 할 수 없음(2009두2825) ➜ ※ 사전환경영향평가란, 시설건설에 대한 행정계획이 확정되기 전에 환경영향평가보다 앞서서 이루어지는 평가인데, 현재는 '전략환경영향평가'로 명칭이 변경되었음

⑤ [비교판례] 환경영향평가를 거치지 않은 경우는 무효사유에 해당함(2005두14363)

⑥ 판례 행정청이 사전에 교통영향평가를 거치지 아니한 채, '건축허가 전까지 교통영향평가 심의필증을 교부받을 것'을 부관으로 붙여서 한 실시계획변경승인 및 공사시행변경 인가처분에는 중대하고 명백한 흠이 있다고 할 수 없으므로 이를 무효로 보기는 어려움(2009두102)

⑦ 판례 법률상 청문을 요하는 행정처분의 경우 청문절차를 결여한 하자는 취소사유에 해당함(2005두15700)

무효사유로 본 판례(예외1)	① **잘못 구성된 입지선정위원회의 의결을 토대로 발급된 폐기물처리시설 입지결정처분** 구「폐기물처리시설 설치촉진 및 주변지역 지원 등에 관한 법률」에 정한 입지선정위원회가 그 구성방법 및 절차에 관한 같은 법 시행령의 규정에 위배하여 군수와 주민대표가 선정·추천한 전문가를 포함시키지 않은 채 임의로 구성되어 의결을 한 경우, 그에 터 잡아 이루어진 폐기물처리시설 입지결정처분의 하자는 중대한 것이고 객관적으로도 명백하므로 무효사유에 해당(2006두20150) ➔ 주체상의 하자가 결부된 것이기도 함 ② **환경영향평가를 거치지 않은 경우** 환경영향평가를 거쳐야 할 대상사업에 대하여 환경영향평가를 거치지 아니하였음에도 불구하고 승인 등 처분이 이루어진 경우 그 승인 등 처분은 무효가 됨(2005두 14363) ➔ 법규의 중요한 부분을 위반한 중대한 것으로서 객관적으로도 명백한 것이라고 보았음 ③ **인사교류의 권고가 생략된 인사교류** 도지사의 인사교류안 작성과 그에 따른 인사교류의 권고가 전혀 이루어지지 않은 상태에서 그 관할구역 내 시장(市長)이 행한 인사교류에 관한 처분은 당연무효임(2004두10968) ➔ ∵ 헌법상 보장되는 공무원의 지위를, 법적 절차를 위반하여 위태롭게 하는 것이기 때문(※ 지방공무원법에 따르면 기초자치단체장인 시장의 인사교류에 관한 처분은 상급 지방자치단체인 시·도지사의 인사교류권고를 기반으로 하여야 함) ④ **기본재산을 탈법적으로 처분하려는 시도가 있었던 경우** 학교법인의 이사장이 학교법인의 기본재산 교환허가신청을 함에 있어서 이사회의 승인의결을 받음이 없이 이사회 회의록 사본을 위조하여 이를 교환허가신청서에 첨부하였는데, 이를 토대로 학교법인의 감독청인 부산시교육위원회가 행한 학교법인 기본재산 교환허가처분은 당연무효(81누275 전원합의체) ➔ 기본재산을 건드리는 일은 엄격하게 취급하는 경향 ⑤ **공람절차를 생략한 환지예정지 지정처분** 환지계획 인가 후에, 당초의 환지계획에 대한 공람과정에서 토지소유자 등 이해관계인이 제시한 의견에 따라 수정하고자 하는 내용에 대하여 다시 공람절차 등을 밟지 아니한 채, 수정된 내용에 따라 한 환지예정지 지정처분은, 환지계획에 따르지 아니한 것이거나 환지계획을 적법하게 변경하지 아니한 채 이루어진 것이어서 당연무효(97누6889) ➔ ∵ 수립된 환지계획과 다른 내용의 환지예정지 지정처분 또는 환지처분은 무효로 보는데, 공람된 내용과 다른 내용의 환지예정지 지정처분은 수립된 환지계획과 다른 내용의 환지예정지 지정처분이기 때문 ➔ ※ 환지는 환지계획의 수립 (➔ 환지예정지 지정) ➔ 환지처분의 순서로 이루어지고, 환지계획의 수립은 환지계획의 작성 ➔ 행정청의 인가 ➔ 공람의 형태로 이루어지는데, 공람과정에서 환지계획을 수정하였다면 수정된 내용에 대해 다시 인가를 받고 다시 공람을 거쳐야 함 ⑥ **환지변경처분** 일단 확정되어 효력이 발생한 환지처분에 대하여 이루어진 환지변경처분은 당연무효(91누8227) ➔ 환지에는 다수의 이해관계인이 결부되어 있어, 이해관계인들의 공람과 이의제기 절차를 거친 환지계획과 다른 내용으로 환지가 이루어지는 것을 허용하지 않으려는 것 ➔ 환지변경처분이라는 것은 개념 자체로 허용× ⑦ **과세전적부심사청구의 생략** 과세예고 통지 후 과세전적부심사 청구나 그에 대한 결정이 있기도 전에 이루어진 과세처분은 절차상 하자가 중대하고도 명백하여 무효임(2016두49228) ➔ ∵ 과세전적부심사 제도 자체를 형해화(形骸化)시킬 뿐만 아니라 과세전적부심사 결정과 과세처분 사이의 관계 및 그 불복절차를 불분명하게 할 우려가 있기 때문
하자가 경미하여 위법한 것으로조차 취급되지 않는다고 본 판례(예외2)❶	① **환경영향평가 다소부실** 환경영향평가법령에서 정한 환경영향평가를 거쳐야 할 대상사업에 대하여 그러한 환경영향평가를 거쳤다면, 비록 그 환경영향평가의 내용이 다소 부실하다 하더라도, 그 부실의 정도가 환경영향평가제도를 둔 입법 취지를 달성할 수 없을 정도이어서 환경영향평가를 하지 아니한 것과 다를 바 없는 정도의 것이 아닌 이상, 그 부실로 인하여 당연히 당해 승인 등 처분이 위법하게 되는 것×(99두9902) ➔ 취소사유에도 해당× ② **사전환경성검토 다소부실** 구 환경정책기본법 제25조의2에 따라 사전환경성검토를 거쳐야 하는 행정계획이나 개발사업에 대하여 ㉠ 사전환경성검토를 거치지 아니하였는데도 행정계획을 수립하거나 개발사업에 대하여 허가 또는 승인 등을 하였다면 그 처분은 위법하다 할 것이나, ㉡ 그러한 절차를 거쳤다면, 비록 그 사전환경성검토의 내용이 다소 부실하다 하더라도 그 부실의 정도가 사전환경성검토 제도를 둔 입법 취지를 달성할 수 없을 정도이어서 사전환경성검토를 하지 아니한 것과 다를 바 없는 정도의 것이 아닌 이상, 그 부실은 당해 처분에 재량권 일탈·남용의 위법이 있는지 여부를 판단하는 하나의 요소로 됨에 그칠 뿐, 그 부실로 인하여 당연히 당해 처분이 위법하게 되는 것×(2012두4616) ③ **민원조정위원회 개최시 회의일정 사전통지 누락** 민원사무를 처리하는 행정기관이 민원 1회 방문 처리제를 시행하는 절차의 일환으로 민원사항의 심의·조정을 위한 민원조정위원회를 개최하면서 민원인에게 회의일정을 사전통지하지 않은 사정만으로 곧바로 민원사항에 대한 행정기관의 장의 거부처분에 취소사유에 이를 정도의 흠이 존재한다고 보기는 어려움 ➔ 이러한 하자는 재량권 일탈·남용 심사에서의 고려요소에 불과하다고 보았음(2013두1560) ➔ 민원 1회 방문 처리제는 침익적 처분에 대한 사전절차가 아니라, 민원인이 요구한 행정작용에 대한 심의 절차라는 점에서 행정절차법상 침익적 처분절차인 사전통지의 누락과 달리 취급하고 있음

---

❶ 정확히 말하면, 이 사안들은 하자의 치유가 인정된 사안들이다. 하자가 취소를 요하지 않을 정도로 경미한 경우, 그 성립 당시의 하자에도 불구하고 이를 처음부터(소급효) 적법한 것처럼 다루는 것도 하자의 치유에 해당한다. 하자의 치유에 대해서는 뒤에서 다룬다.

형식상 하자 (방식상 하자)	법리	① 대법원은 형식상의 하자의 경우 언제나 중대·명백한 하자로 취급
		② 문서로 하지 않은 행정행위(행정절차법 제24조 위반) or 서명날인을 하지 않은 행정행위 ➜ 무효
	무효사유로 본 판례	① 판례 집합건물 중 일부 구분건물의 소유자에 대하여, 관할 소방서장이 「소방시설 설치유지 및 안전관리에 관한 법률」상의 소방시설 불량사항에 관한 시정·보완명령을 문서로 하지 않고 구술로 고지한 것은, 신속을 요하거나 경미한 경우가 아닌 한❶, 「행정절차법」을 위반한 것으로 하자가 중대하고 명백하여 당연무효임(2011도11109)
		② 판례 면허관청이 운전면허정지처분을 하면서 통지서에 의하여 면허정지사실을 통지하지 아니하거나, 처분집행예정일 7일 전까지 이를 발송하지 아니한 경우에는 절차와 형식을 갖추지 아니한 조치로서 그 효력이 없고, 이와 같은 법리는 면허관청이 임의로 출석한 상대방의 편의를 위하여 구두로 면허정지사실을 알렸다고 하더라도 마찬가지임(95누17823)

---

❶ 신속을 요하거나 경미한 경우에는 예외적으로 처분을 문서로 하지 않을 수 있는데, 뒤에서 다룬다.

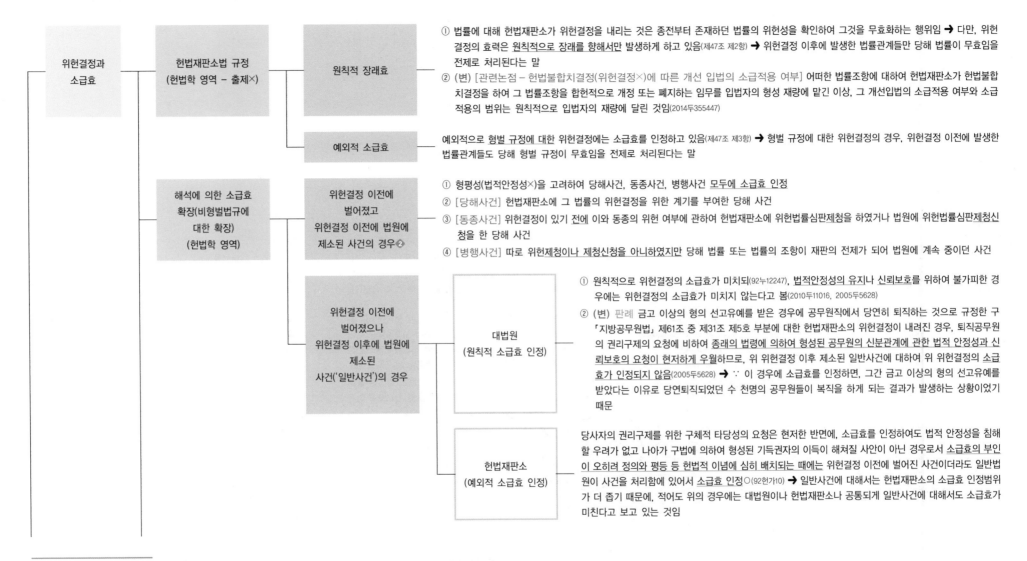

위헌결정과 소급효

헌법재판소법 규정 (헌법학 영역 - 출제×)

원칙적 장래효

① 법률에 대해 헌법재판소가 위헌결정을 내리는 것은 종전부터 존재하던 법률의 위헌성을 확인하여 그것을 무효화하는 행위임 ➔ 다만, 위헌결정의 효력은 <u>원칙적으로 장래를 향해서만</u> 발생하게 하고 있음(제47조 제2항) ➔ 위헌결정 이후에 발생한 법률관계들만 당해 법률이 무효임을 전제로 처리된다는 말

② (변) [관련논점 – 헌법불합치결정(위헌결정×)에 따른 개선 입법의 소급적용 여부] 어떠한 법률조항에 대하여 헌법재판소가 헌법불합치결정을 하여 그 법률조항을 합헌적으로 개정 또는 폐지하는 임무를 입법자의 형성 재량에 맡긴 이상, 그 개선입법의 소급적용 여부와 소급적용의 범위는 원칙적으로 입법자의 재량에 달린 것임(2014두355447)

예외적 소급효

예외적으로 형벌 규정에 대한 위헌결정에는 소급효를 인정하고 있음(제47조 제3항) ➔ 형벌 규정에 대한 위헌결정의 경우, 위헌결정 이전에 발생한 법률관계들도 당해 형벌 규정이 무효임을 전제로 처리된다는 말

해석에 의한 소급효 확장(비형벌법규에 대한 확장) (헌법학 영역)

위헌결정 이전에 벌어졌고 위헌결정 이전에 법원에 제소된 사건의 경우②

① 형평성(법적안정성×)을 고려하여 당해사건, 동종사건, 병행사건 모두에 소급효 인정

② [당해사건] 헌법재판소에 그 법률의 위헌결정을 위한 계기를 부여한 당해 사건

③ [동종사건] 위헌결정이 있기 전에 이와 동종의 위헌 여부에 관하여 헌법재판소에 위헌법률심판제청을 하였거나 법원에 위헌법률심판제청신청을 한 당해 사건

④ [병행사건] 따로 위헌제청이나 제청신청을 아니하였지만 당해 법률 또는 법률의 조항이 재판의 전제가 되어 법원에 계속 중이던 사건

위헌결정 이전에 벌어졌으나 위헌결정 이후에 법원에 제소된 사건('일반사건')의 경우

대법원 (원칙적 소급효 인정)

① 원칙적으로 위헌결정의 소급효가 미치되(92누12247), 법적안정성의 유지나 신뢰보호를 위하여 불가피한 경우에는 위헌결정의 소급효가 미치지 않는다고 봄(2010두11016, 2005두5628)

② (변) 판례 금고 이상의 형의 선고유예를 받은 경우에 공무원직에서 당연히 퇴직하는 것으로 규정한 구 「지방공무원법」 제61조 중 제31조 제5호 부분에 대한 헌법재판소의 위헌결정이 내려진 경우, 퇴직공무원의 권리구제의 요청에 비하여 종래의 법령에 의하여 형성된 공무원의 신분관계에 관한 법적 안정성과 신뢰보호의 요청이 현저하게 우월하므로, 위 위헌결정 이후 제소된 일반사건에 대하여 위 위헌결정의 소급효가 인정되지 않음(2005두5628) ➔ ∵ 이 경우에 소급효를 인정하면, 그간 금고 이상의 형의 선고유예를 받았다는 이유로 당연퇴직되었던 수 천명의 공무원들이 복직을 하게 되는 결과가 발생하는 상황이었기 때문

헌법재판소 (예외적 소급효 인정)

당사자의 권리구제를 위한 구체적 타당성의 요청은 현저한 반면에, 소급효를 인정하여도 법적 안정성을 침해할 우려가 없고 나아가 구법에 의하여 형성된 기득권자의 이득이 해쳐질 사안이 아닌 경우로서 <u>소급효의 부인</u>이 오히려 정의와 평등 등 헌법적 이념에 심히 배치되는 때에는 위헌결정 이전에 벌어진 사건이더라도 일반법원이 사건을 처리함에 있어서 <u>소급효 인정</u>○(92헌가10) ➔ 일반사건에 대해서는 헌법재판소의 소급효 인정범위가 더 좁기 때문에, 적어도 위의 경우에는 대법원이나 헌법재판소나 공통되게 일반사건에 대해서도 소급효가 미친다고 보고 있는 것임

---

❶ 이 주제는 행정행위에 존재하는 <u>내용상의 하자가</u> 무효사유로 취급되어야 하는지, 취소사유로 취급되어야 하는지와 관련된 특수논점이다.

❷ [헌법] 이를 이해하기 위해서는 헌법적 배경지식이 필요하다. 헌법재판소가 관장하는 사건 중 하나인 위헌법률심판은, 법적 분쟁이 발생하여 일반법원에 소송이 제기된 상황에서, 그 사건에 적용되는 '법률'이 위헌인지 여부에 대한 헌법재판소의 판단을 법관이 구해온 경우에 이루어지는 재판이다. ① 사건을 담당하는 법관이 직접 위헌법률심판제청을 하는 경우도 있고, ② 그 사건의 당사자들이 법관에 대하여 위헌법률심판제청을 해달라는 신청을 하고, 법관이 그에 따라 위헌법률심판제청을 하는 경우도 있다.

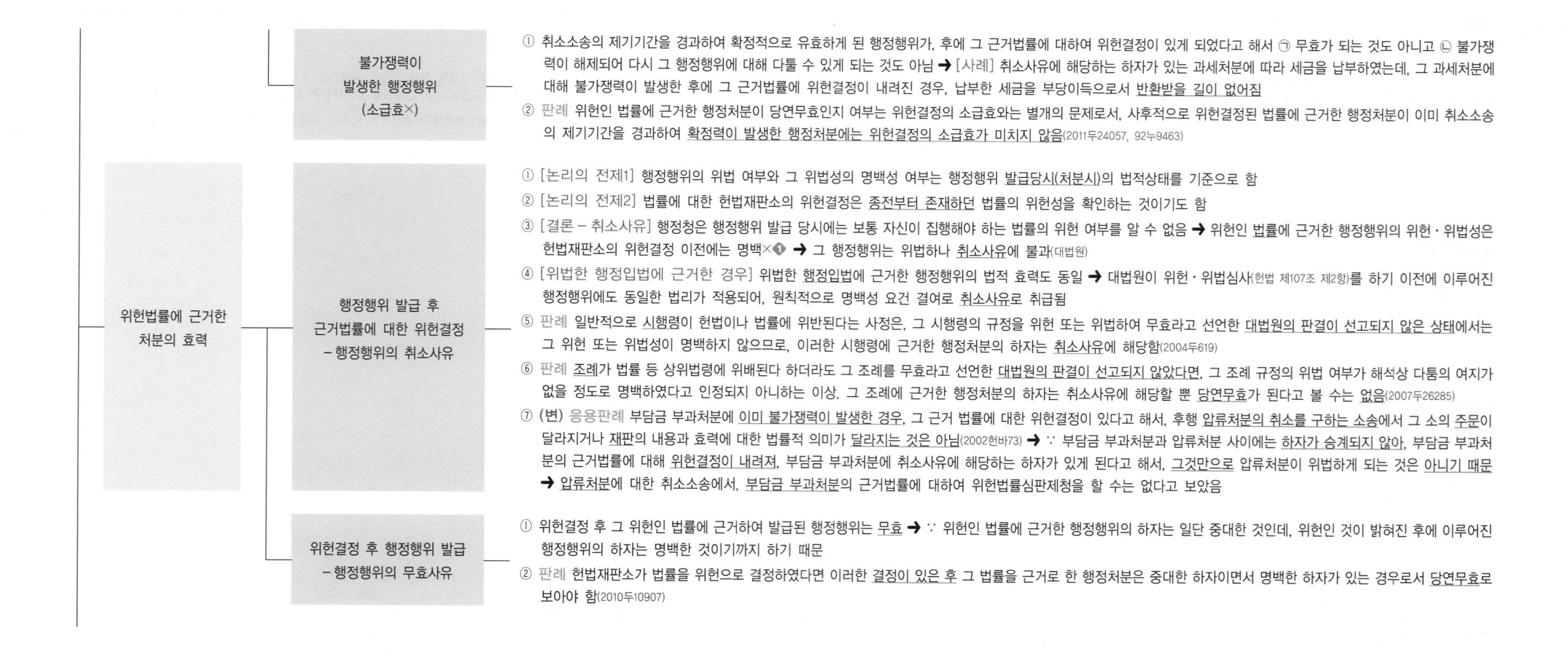

불가쟁력이 발생한 행정행위 (소급효×)

① 취소소송의 제기기간을 경과하여 확정적으로 유효하게 된 행정행위가, 후에 그 근거법률에 대하여 위헌결정이 있게 되었다고 해서 ㉠ 무효가 되는 것도 아니고 ㉡ 불가쟁력이 해제되어 다시 그 행정행위에 대해 다툴 수 있게 되는 것도 아님 → [사례] 취소사유에 해당하는 하자가 있는 과세처분에 따라 세금을 납부하였는데, 그 과세처분에 대해 불가쟁력이 발생한 후에 그 근거법률에 위헌결정이 내려진 경우, 납부한 세금을 부당이득으로서 반환받을 길이 없어짐

② 판례 위헌인 법률에 근거한 행정처분이 당연무효인지 여부는 위헌결정의 소급효와는 별개의 문제로서, 사후적으로 위헌결정된 법률에 근거한 행정처분이 이미 취소소송의 제기기간을 경과하여 확정력이 발생한 행정처분에는 위헌결정의 소급효가 미치지 않음(2011두24057, 92누9463)

행정행위 발급 후 근거법률에 대한 위헌결정 – 행정행위의 취소사유

① [논리의 전제1] 행정행위의 위법 여부와 그 위법성의 명백성 여부는 행정행위 발급당시(처분시)의 법적상태를 기준으로 함

② [논리의 전제2] 법률에 대한 헌법재판소의 위헌결정은 종전부터 존재하던 법률의 위헌성을 확인하는 것이기도 함

③ [결론 – 취소사유] 행정청은 행정행위 발급 당시에는 보통 자신이 집행해야 하는 법률의 위헌 여부를 알 수 없음 → 위헌인 법률에 근거한 행정행위의 위헌·위법성은 헌법재판소의 위헌결정 이전에는 명백×❶ → 그 행정행위는 위법하나 취소사유에 불과(대법원)

④ [위법한 행정입법에 근거한 경우] 위법한 행정입법에 근거한 행정행위의 법적 효력도 동일 → 대법원이 위헌·위법심사(헌법 제107조 제2항)를 하기 이전에 이루어진 행정행위에도 동일한 법리가 적용되어, 원칙적으로 명백성 요건 결여로 취소사유로 취급됨

⑤ 판례 일반적으로 시행령이 헌법이나 법률에 위반된다는 사정은, 그 시행령의 규정을 위헌 또는 위법하여 무효라고 선언한 대법원의 판결이 선고되지 않은 상태에서는 그 위헌 또는 위법성이 명백하지 않으므로, 이러한 시행령에 근거한 행정처분의 하자는 취소사유에 해당함(2004두619)

⑥ 판례 조례가 법률 등 상위법령에 위배된다 하더라도 그 조례를 무효라고 선언한 대법원의 판결이 선고되지 않았다면, 그 조례 규정의 위법 여부가 해석상 다툼의 여지가 없을 정도로 명백하였다고 인정되지 아니하는 이상, 그 조례에 근거한 행정처분의 하자는 취소사유에 해당할 뿐 당연무효가 된다고 볼 수는 없음(2007두26285)

⑦ (변) 응용판례 부담금 부과처분에 이미 불가쟁력이 발생한 경우, 그 근거 법률에 대한 위헌결정이 있다고 해서, 후행 압류처분의 취소를 구하는 소송에서 그 소의 주문이 달라지거나 재판의 내용과 효력에 대한 법률적 의미가 달라지는 것은 아님(2002헌바73) → ∵ 부담금 부과처분과 압류처분 사이에는 하자가 승계되지 않아, 부담금 부과처분의 근거법률에 대해 위헌결정이 내려져, 부담금 부과처분에 취소사유에 해당하는 하자가 있게 된다고 해서, 그것만으로 압류처분이 위법하게 되는 것은 아니기 때문 → 압류처분에 대한 취소소송에서, 부담금 부과처분의 근거법률에 대하여 위헌법률심판제청을 할 수는 없다고 보았음

위헌결정 후 행정행위 발급 – 행정행위의 무효사유

① 위헌결정 후 그 위헌인 법률에 근거하여 발급된 행정행위는 무효 → ∵ 위헌인 법률에 근거한 행정행위의 하자는 일단 중대한 것인데, 위헌인 것이 밝혀진 후에 이루어진 행정행위의 하자는 명백한 것이기까지 하기 때문

② 판례 헌법재판소가 법률을 위헌으로 결정하였다면 이러한 결정이 있은 후 그 법률을 근거로 한 행정처분은 중대한 하자이면서 명백한 하자가 있는 경우로서 당연무효로 보아야 함(2010두10907)

위헌법률에 근거한 처분의 효력

---

❶ 위헌인 것은 언제나 당연히 위법인 것이기도 하다.

위헌결정 후 그 위헌인 법률에 근거한 처분의 집행	① [대법원] 근거법률이 위헌으로 결정되기 전에 이미 발급된 처분(a)이라 할지라도 위헌결정이 난 후에는, ㉠ 그 처분의 집행(b)이나, ㉡ 그 처분의 집행력을 유지하기 위한 행위(c)는 위헌결정의 기속력에 위반되어 허용되지 않음 ➜ 설사 위헌결정이 내려지기 전에 그 처분(a)에 대해 불가쟁력이 발생해서 처분(a)의 효력이 쟁송취소 될 가능성이 차단되었다 하더라도 마찬가지(2001두2959) ➜ 그 행위들(b, c)을 하였다면 무효라 봄(2010두10907 전원합의체)

① [대법원] 근거법률이 위헌으로 결정되기 전에 이미 발급된 처분(a)이라 할지라도 위헌결정이 난 후에는, ㉠ 그 처분의 집행(b)이나, ㉡ 그 처분의 집행력을 유지하기 위한 행위(c)는 위헌결정의 기속력에 위반되어 허용되지 않음 ➜ 설사 위헌결정이 내려지기 전에 그 처분(a)에 대해 불가쟁력이 발생해서 처분(a)의 효력이 쟁송취소 될 가능성이 차단되었다 하더라도 마찬가지(2001두2959) ➜ 그 행위들(b, c)을 하였다면 무효라 봄(2010두10907 전원합의체)

② [헌법재판소] 이 경우는 대법원처럼 과세처분의 효력은 잔존하는데도 강제징수는 못 들어간다는 이상한 법리를 전개할 것이 아니라, 예외적으로 명백성 보충요건설을 취하여 과세처분 자체를 무효로 보아야 한다면서, 이 경우에는 불확실한 법률관계의 해소를 위한 무효확인소송을 제기하는 방법으로 구제받아야 한다고 봄

③ 대법원 판례 조세 부과의 근거가 되었던 법률규정(⑩ 법인세법)이 위헌으로 선언된 경우, 비록 그에 기한 과세처분이 위헌결정 전에 이루어졌고, 과세처분에 대한 제소기간이 이미 경과하여 조세채권이 확정되었으며, 조세채권의 집행을 위한 체납처분의 근거 규정(⑩ 국세징수법) 자체에 대하여는 따로 위헌결정이 내려진 바 없다고 하더라도, 위와 같은 위헌결정 이후에 조세채권의 집행을 위한 새로운 체납처분에 착수하거나 이를 속행하는 것은 더 이상 허용되지 않고, 나아가 이러한 위헌결정의 효력에 위배하여 이루어진 체납처분은 그 사유만으로 하자가 중대하고 객관적으로 명백하여 당연무효 ➜ 무효확인소송으로 다툴 수 있음(2010두10907 전원합의체) ➜ (변) [대법원 전원합의체 소수의견 – 오선지] 과세처분 근거규정에 대한 위헌결정의 기속력은 압류처분과는 무관하므로, 위헌결정 이후에 이루어진 후속처분을 무효로 보아서는 아니 되고, 과세처분의 하자가 승계가 되는 경우도 아니므로 위헌결정 이후의 체납처분을 위법하다고 볼 수 없음

④ 대법원 판례 법률이 위헌으로 선언된 경우, 위헌결정 전에 이미 형성된 법률관계에 기한 후속처분은 새로운 위헌적 법률관계를 생성·확대하는 것이 되기 때문에 당연무효로 보아야 함(2010두10907 전원합의체)

⑤ 대법원 판례 위헌결정 이전에 이미 부담금 부과처분과 압류처분 및 이에 기한 압류등기가 이루어지고 위의 각 처분이 확정되었다고 하여도, 부담금 부과처분의 근거법률에 대해 위헌결정이 있은 이후에는 ㉠ 별도의 행정처분인 매각처분, 분배처분 등 후속 체납처분절차를 진행할 수 없는 것은 물론이고, ㉡ 특별한 사정이 없는 한 기존의 압류등기나 교부청구만으로는 다른 사람에 의하여 개시된 경매절차에서 배당을 받을 수도 없음(2001두2959)

⑥ 헌법재판소 판례 행정처분 자체의 효력이 쟁송기간 경과 후에도 존속 중인 경우, 특히 그 처분이 위헌법률에 근거하여 내려진 것이고 그 행정처분의 목적달성을 위하여서는 후행 행정처분이 필요한데 후행 행정처분은 아직 이루어지지 않은 경우 ➜ 처분을 무효로 보더라도 법적 안정성을 크게 해치지 않는 반면, 그 하자가 중대하여 그 구제가 필요한 경우에 해당 ➜ 명백성 요건이 구비되지 못하였다 하더라도, 예외적으로 중대성 요건 구비만으로도 당연무효 ➜ 취소소송에 대한 쟁송기간 경과 후라도 무효확인을 구할 수 있음(92헌바23)

위헌결정 이전에 세금을 납부하고 다투지 않은 자의 구제

① [상황] 甲이 A법률에 근거하여 조세·부담금 부과처분을 받음 ➜ 甲이 세금을 납부함 ➜ 제소기간 도과로 부과처분에 불가쟁력 발생 ➜ 처분 이후에 처분의 근거가 되었던 A법률의 규정이 헌법재판소에 의해 위헌으로 결정됨

② [대법원의 처리] 조세·부담금 부과처분은 취소사유 ➜ But ㉠ 불가쟁력이 발생하였으므로 취소소송 제기×, ㉡ 처분이 아직 유효하므로 부당이득반환청구도 가능×, ㉢ 부과처분에 대해 무효확인소송을 제기하더라도 기각판결❶ ➜ [비판] 국세행정에 끝까지 협력 안 하려던 놈이 더 유리하네?

국가배상청구

① [배경지식] 행정행위로 인하여 피해가 발생한 경우에, 국가배상청구권이 성립하기 위해서는 ㉠ 공무원의 직무관련 행정행위로 인하여 피해를 입었을 것, ㉡ 그 직무관련 행정행위가 위법할 것, ㉢ 공무원이 그 행정행위를 고의나 과실로 하였을 것의 요건을 갖추어야 함(뒤에서 다룸)

② 처분이 있고 난 후에 처분의 근거가 된 법률에 대한 위헌결정이 있었다고 해서, 그것만으로 위헌결정이 있기 전에 그 법률을 적용해서 처분을 한 공무원에게 국가배상청구권의 성립요건인 고의나 과실이 있었다고 단정할 수는 없음(2006헌바72) ➜ 처분이 있고 난 후에 위헌결정이 있었다는 이유만으로는 국가배상청구 인정×

---

❶ 무효확인소송의 경우에는 제소기간이 소송요건이 아니므로, 본안판단에는 들어갈 수 있지만, 무효확인소송에서 인용판결을 받기 위해서는 처분에 무효사유에 해당하는 하자가 있어야 하는데 없기 때문에, 기각판결이 내려진다.

하자의 치유

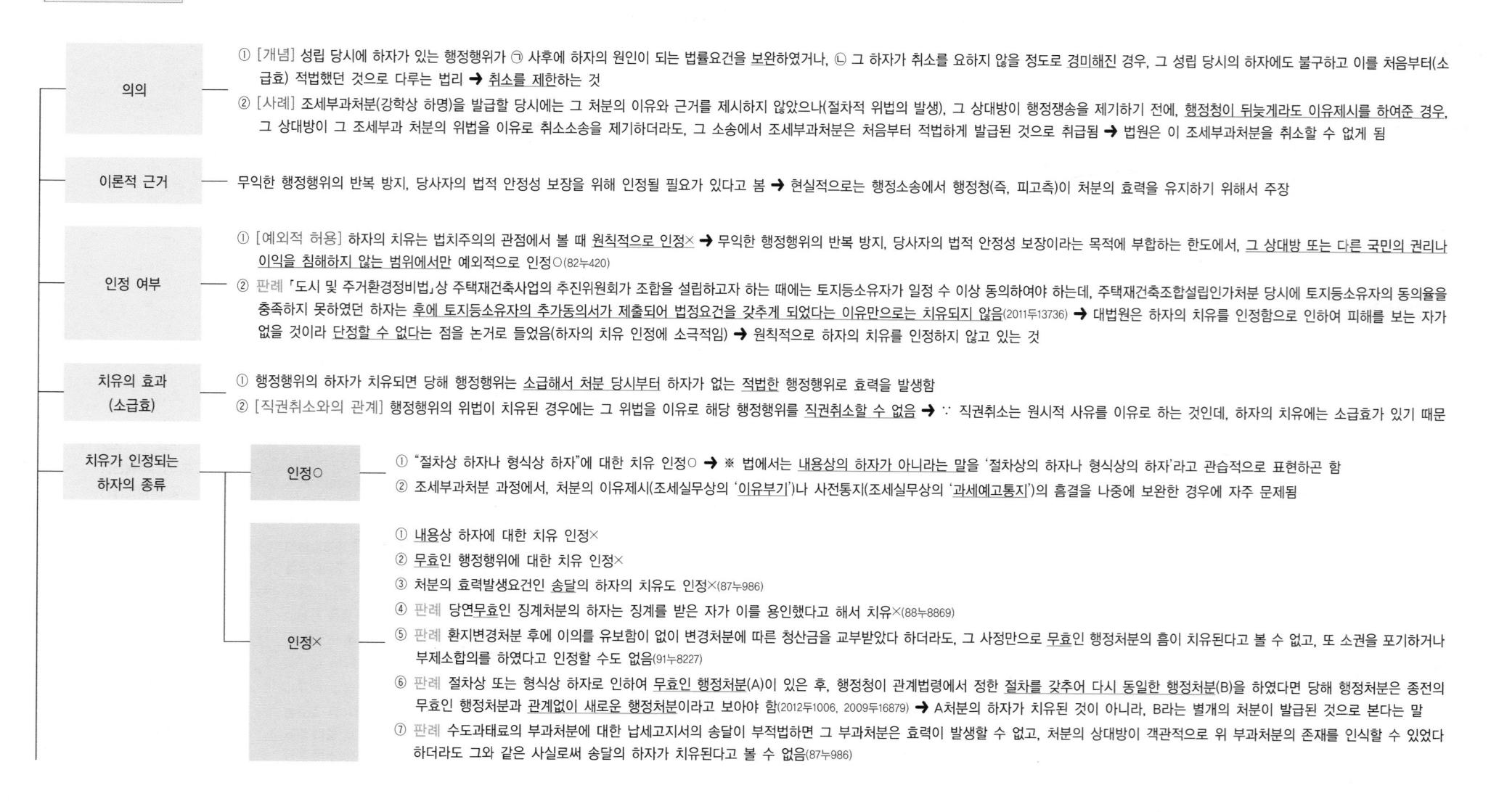

의의

① [개념] 성립 당시에 하자가 있는 행정행위가 ㉠ 사후에 하자의 원인이 되는 법률요건을 보완하였거나, ㉡ 그 하자가 취소를 요하지 않을 정도로 경미해진 경우, 그 성립 당시의 하자에도 불구하고 이를 처음부터(소급효) 적법했던 것으로 다루는 법리 ➜ **취소를 제한하는 것**

② [사례] 조세부과처분(강학상 하명)을 발급할 당시에는 그 처분의 이유와 근거를 제시하지 않았으나(절차적 위법의 발생), 그 상대방이 행정쟁송을 제기하기 전에, 행정청이 뒤늦게라도 이유제시를 하여준 경우, 그 상대방이 그 조세부과 처분의 위법을 이유로 취소소송을 제기하더라도, 그 소송에서 조세부과처분은 처음부터 적법하게 발급된 것으로 취급됨 ➜ 법원은 이 조세부과처분을 취소할 수 없게 됨

이론적 근거

무익한 행정행위의 반복 방지, 당사자의 법적 안정성 보장을 위해 인정될 필요가 있다고 봄 ➜ 현실적으로는 행정소송에서 행정청(즉, 피고측)이 처분의 효력을 유지하기 위해서 주장

인정 여부

① [예외적 허용] 하자의 치유는 법치주의의 관점에서 볼 때 원칙적으로 인정× ➜ 무익한 행정행위의 반복 방지, 당사자의 법적 안정성 보장이라는 목적에 부합하는 한도에서, 그 상대방 또는 다른 국민의 권리나 이익을 침해하지 않는 범위에서만 예외적으로 인정○(82누420)

② 판례 「도시 및 주거환경정비법」상 주택재건축사업의 추진위원회가 조합을 설립하고자 하는 때에는 토지등소유자가 일정 수 이상 동의하여야 하는데, 주택재건축조합설립인가처분 당시에 토지등소유자의 동의율을 충족하지 못하였던 하자는 후에 토지등소유자의 추가동의서가 제출되어 법정요건을 갖추게 되었다는 이유만으로는 치유되지 않음(2011두13736) ➜ 대법원은 하자의 치유를 인정함으로 인하여 피해를 보는 자가 없을 것이라 단정할 수 없다는 점을 논거로 들었음(하자의 치유 인정에 소극적임) ➜ 원칙적으로 하자의 치유를 인정하지 않고 있는 것

치유의 효과 (소급효)

① 행정행위의 하자가 치유되면 당해 행정행위는 소급해서 처분 당시부터 하자가 없는 적법한 행정행위로 효력을 발생함

② [직권취소와의 관계] 행정행위의 위법이 치유된 경우에는 그 위법을 이유로 해당 행정행위를 직권취소할 수 없음 ➜ ∵ 직권취소는 원시적 사유를 이유로 하는 것인데, 하자의 치유에는 소급효가 있기 때문

치유가 인정되는 하자의 종류

인정○

① "절차상 하자나 형식상 하자"에 대한 치유 인정○ ➜ ※ 법에서는 내용상의 하자가 아니라는 말을 '절차상의 하자나 형식상의 하자'라고 관습적으로 표현하곤 함

② 조세부과처분 과정에서, 처분의 이유제시(조세실무상의 '이유부기')나 사전통지(조세실무상의 '과세예고통지')의 흠결을 나중에 보완한 경우에 자주 문제됨

인정×

① 내용상 하자에 대한 치유 인정×

② 무효인 행정행위에 대한 치유 인정×

③ 처분의 효력발생요건인 송달의 하자의 치유도 인정×(87누986)

④ 판례 당연무효인 징계처분의 하자는 징계를 받은 자가 이를 용인했다고 해서 치유×(88누8869)

⑤ 판례 환지변경처분 후에 이의를 유보함이 없이 변경처분에 따른 청산금을 교부받았다 하더라도, 그 사정만으로 무효인 행정처분의 흠이 치유된다고 볼 수 없고, 또 소권을 포기하거나 부제소합의를 하였다고 인정할 수도 없음(91누8227)

⑥ 판례 절차상 또는 형식상 하자로 인하여 무효인 행정처분(A)이 있은 후, 행정청이 관계법령에서 정한 절차를 갖추어 다시 동일한 행정처분(B)을 하였다면 당해 행정처분은 종전의 무효인 행정처분과 관계없이 새로운 행정처분이라고 보아야 함(2012두1006, 2009두16879) ➜ A처분의 하자가 치유된 것이 아니라, B라는 별개의 처분이 발급된 것으로 본다는 말

⑦ 판례 수도과태료의 부과처분에 대한 납세고지서의 송달이 부적법하면 그 부과처분은 효력이 발생할 수 없고, 처분의 상대방이 객관적으로 위 부과처분의 존재를 인식할 수 있었다 하더라도 그와 같은 사실로써 송달의 하자가 치유된다고 볼 수 없음(87누986)

허용 시기		① [쟁송제기이전시설] 하자의 치유는 그 상대방인 국민이 행정심판을 청구하거나 행정소송을 제기하기 전까지만 가능 ➡ ∵ 쟁송제기 이후에도 하자의 치유를 인정하면, ⊙ 본래 이겼어야 할 쟁송에서 국민이 지는 결과가 발생하게 되고, ⓒ 행정청도 쟁송이 제기되면 그때 가서 보완하면 된다는 생각으로 행정작용을 방만하게 할 우려가 있기 때문 ② [쟁송제기 이후에 하자를 시정한 경우] 행정청이 하자가 치유되었음을 주장하더라도, 법원은 당해 행정행위를 위법한 것으로 취급하여 취소함 ③ 판례 처분에 대한 불복 여부의 결정 및 불복신청에 편의를 줄 수 있는 상당한 기간 내에 행정청이 처분의 보정행위를 한 경우에만 그 하자가 치유됨(83누393) ➡ 이 판시를 토대로 학자들은 대법원도 쟁송제기이전시설을 취하고 있다고 봄 ④ 판례 이미 항고소송이 계속 중인 단계에서 납세고지서의 세액산출근거를 밝히는 보정통지를 하였다 하여 그 위법성이 이로써 치유된다고 할 수 없음(83누404) ⑤ 판례 과세관청이 취소소송 계속 중에 납세고지서의 세액산출근거를 밝히는 등 보정통지를 하였다 하여, 이것을 종전의 위법한 부과처분을 스스로 취소하고 새로운 부과처분을 한 것으로 볼 수는 없으므로, 이미 항고소송이 계속 중인 단계에서 위와 같은 보정통지를 하였다 하여 그 위법성이 이로써 치유된다고 할 수 없음(83누404) ⑥ 판례 세액산출근거가 누락된 납세고지서에 의한 과세처분에 대하여 상고심 계류 중 세액산출근거의 통지가 행하여졌다고 하더라도 이로써 과세처분의 위법성이 치유된다고 볼 수 없음(83누393) ⑦ [비교1] 처분사유 추가·변경, 소의 변경, 피고경정 ➡ 사실심변론종결시까지 가능 ⑧ [비교2] 처분에 대한 처분청의 직권취소와 철회 ➡ 사실심변론종결 후에도 가능
하자 치유 부정 판례 (원칙적)		① 판례 납세의무자가 사실상 과세표준과 세액 등을 알고 쟁송에 이르렀다고 해서 통지사항의 일부를 결여한 부과처분의 하자가 치유되는 것×(95누1729, 83누679) ➡ ∵ 이유제시의 취지는 그 상대방에게 처분의 내용을 상세히 알려 불복 여부의 결정 기회 및 그 불복신청의 편의를 제공하려는 것인데, 행정청에 의하여 그것이 침해되었다는 점은 여전하기 때문 ② 판례 주류판매면허의 취소처분에는 그 근거가 되는 법령이나 취소권유보의 부관 등을 명시하여야 함은 물론 처분을 받은 자가 어떠한 위반사실에 대하여 당해 처분이 있었는지를 알 수 있을 정도로 사실을 적시할 것을 요하며, 이와 같은 취소처분의 근거와 위반사실의 적시를 빠뜨린 하자는 피처분자가 처분 당시 그 취지를 알고 있었거나 그 후 알게 되었다 하여도 치유될 수 없음(90누1786) ③ 판례 장기간의 세액산출근거가 기재되지 아니한 납세고지서에 의하여 이루어진 과세처분은 강행법규에 위반하여 취소대상이 된다 할 것이므로, 이와 같은 하자는 납세의무자가 전심절차에서 이를 주장하지 아니하였거나, 그 후 부과된 세금을 자진납부하였다거나 또는 조세채권의 소멸시효기간이 만료되었다 하여 치유되는 것×(84누431) ④ 판례 인근주민의 동의를 받아야 하는 요건을 결여하였다는 이유로 경원관계에 있는 자가 제기한 허가처분의 취소소송에서, 허가처분을 받은 자가 사후 동의를 받은 경우에 하자의 치유를 인정하는 것은 경원자인 원고에게 불이익하게 되므로 이를 허용할 수 없음(91누13274)
하자 치유 인정 판례 (예외적)	피해가 없기 때문에 치유를 인정한 사례	① 판례 납세고지서에 증여세의 과세표준과 세액의 산출근거가 기재되어 있지 않더라도, 과세처분에 앞서 납세의무자에게 보낸 과세관청의 과세예고통지서에 과세표준과 세액의 산출근거 등 납세고지서의 필요적 기재사항이 이미 모두 기재되어 있어, 납세의무자가 불복 여부의 결정 및 불복신청에 전혀 지장을 받지 않았다는 것이 명백하다면, 납세고지의 하자는 치유될 수 있음(99두8039, 96누12634) ➡ 본처분서에 이유가 제시되어 있지 않더라도, 사전통지서에 이유가 제시되어 있다면, 이유제시를 한 것으로 볼 수 있다는 말이기도 함 ② 판례 당초 개발부담금 부과처분시 발부한 납부고지서에 개발부담금의 산출근거를 누락시켰지만, 그 이전에 개발부담금 예정변경통지를 하면서 산출근거가 기재되어 있는 개발부담금산정내역서를 첨부하여 통지하였다면, 그와 같은 납부고지서의 하자는 위 예정변경통지에 의하여 보완 또는 치유됨(97누2153) ③ 판례 행정청이 청문서 도달기간을 다소 어겼다 하더라도, 당사자가 이에 대하여 이의하지 아니한 채 스스로 청문일에 출석하여 그 의견을 진술하고 변명하는 등 방어의 기회를 충분히 가졌다면 청문서 도달기간을 준수하지 아니한 하자는 치유됨(92누2844) ➡ ∵ 청문제도의 취지는 처분의 상대방에게 미리 변명과 유리한 자료를 제출할 기회를 부여함으로써 부당한 권리침해를 예방하려는 데에 있는데, 이 경우에는 그 상대방의 권리침해가 발생하지 않았기 때문 ④ 판례 부과처분 전에 교부된 부담금예정통지서에 납부고지서의 필요적 기재사항이 제대로 기재되어 있다면, 납부고지서에 일부 기재사항이 누락된 하자는 치유될 수 있음(97누3930)
	하자가 경미하여 치유를 인정한 사례 (앞에서 다룬 판례들)	① 판례 환경영향평가법령에서 정한 환경영향평가를 거쳐야 할 대상사업에 대하여 그러한 환경영향평가를 거쳤다면, 비록 그 환경영향평가의 내용이 다소 부실하다 하더라도, 그 부실의 정도가 환경영향평가제도를 둔 입법 취지를 달성할 수 없을 정도이어서 환경영향평가를 하지 아니한 것과 다를 바 없는 정도의 것이 아닌 이상, 그 부실로 인하여 당연히 당해 승인 등 처분이 위법하게 되는 것×(99두9902) ② 판례 민원사무를 처리하는 행정기관이 민원 1회 방문 처리제를 시행하는 절차의 일환으로 민원사항의 심의·조정을 위한 민원조정위원회를 개최하면서 민원인에게 회의일정을 사전통지하지 않은 사정만으로 곧바로 민원사항에 대한 행정기관의 장의 거부처분에 취소사유에 이를 정도의 흠이 존재한다고 보기는 어려움 ➡ 이러한 하자는 재량권 일탈·남용 심사에서의 고려요소에 불과하다고 보았음(2013두1560) ➡ 민원 1회 방문 처리제는 침익적 처분에 대한 사전절차가 아니라, 민원인이 요구한 행정작용에 대한 심의 절차라는 점에서 행정절차법상 침익적 처분절차인 사전통지의 누락과 달리 취급하고 있음

하자 있는 행정행위의 전환

의의

① 어떤 행정행위가 본래 행정청이 의도한 행정행위(A)로서의 적법요건은 갖추지 못하고 있지만, 그것이 다른 행정행위(B)로서의 적법요건은 충족하고 있는 경우에, 그것에 다른 행정행위(B)로서의 효력을 인정하여, 그 행정행위의 효력을 유지하는 법리 ➜ 민법에서 차용해 온 법리(민법 제138조)

② [사례] 甲이 A건물에 대한 건축허가를 신청해 놓고 사망하였는데, 행정청이 이를 모르고 甲에 대하여 건축허가를 발급한 경우(이 경우 건축허가는 무효임), 이 건축허가를 처음부터 甲이 아니라 甲의 상속인인 乙에 대하여 발급된 것으로 취급하여 이를 유효로 보는 것

③ 판례 귀속재산을 불하받은 자(甲)가 사망한 후에 그에 대하여 한 불하처분은 사망자에 대한 행정처분이므로 무효이지만, 甲에 대한 그 취소처분을 수불하자의 상속인(乙)에게 송달한 때에는 그 송달시에 그 상속인 乙에 대하여 다시 그 불하처분을 취소한다는 새로운 행정처분을 한 것으로 봄(68누190) ➜ 송달이 2번 있었던 경우이어서, 행정행위의 전환 사례에 정확하게 해당하는 것은 아님

이론적 근거

행정의 법적 안정성을 도모하고, 무익한 행정행위의 반복 방지를 위해 인정할 필요가 있다고 봄

허용범위

① [예외적 허용] 하자있는 행정행위의 전환은 행정행위의 성질이나 법치주의의 관점에서 볼 때 원칙적으로 허용될 수 없는 것이지만, 행정행위의 무용한 반복을 피하고 당사자의 법적 안정성을 위해 이를 허용하는 때에도 국민의 권리와 이익을 침해하지 않는 범위에서 구체적 사정에 따라 합목적적으로 인정 될 수 있음(82누420)

② [무효인 행정행위] 취소할 수 있는 행정행위에는 허용×(多數說) ➜ ∵ 취소할 수 있는 행정행위는 일단은 여전히 그 행정행위로서(A) 효력이 있는 것이어서 그것의 효력을 함부로 없는 것으로 취급할 수는 없기 때문

법적 성질 (출제×)

㉠ 과거에 B가 있었던 것으로 취급하기로 하는 법원의 법률관계 취급 방법? or ㉡ B에 대한 효력을 부여하는 행정청의 행정행위? ➜ 깔끔하게 정리가 안 된 상태❶

전환요건

① A와 B 사이에 요건·효과·목적에 있어서 실질적으로 공통성이 있어야 함 ➜ [사례] 조세부과처분을 입영통지처분으로 전환하는 것은×

② 하자 있는 A가 B로서의 성립·적법·효력요건을 갖고 있어야 함

③ 그 전환을 인정함으로 인하여 행정청이 행정행위를 한 본래의 의도에 반하게 되어서는 안 됨 ➜ ∵ 전환은 행정청에게 편의를 주는 것이기 때문

④ 당사자에게 원래의 행정행위보다 더 불리한 효과를 수반해서는 안 됨

⑤ 제3자의 권리를 침해해서는 안 됨

전환의 효과

① 전환이 있으면, 소급하여 A가 발급된 때부터 적법하게 B가 발급된 것으로 취급

② 다만, 제소기간은 B로의 전환행위가 있음을 안 날로부터 90일

③ 만일 이미 A에 대한 소송이 계속 중이었다면 처분변경으로 인한 소 변경(행정소송법 제22조) 가능(뒤에서 다룸)

---

❶ 민법에서 끌어 오긴 했으나 행정법학계에서 아직 정리가 안 된 것이다.

행정행위의 폐지(직권취소와 철회)

구분	직권❶취소	철회
의의	원시적❷ 사유를 이유로 행정행위의 효력을 소멸시키는 행정행위	후발적 사유를 이유로 행정행위의 효력을 소멸시키는 행정행위
법적 성질	① 직권취소나 철회 자체가 독자적인 행정행위이기도 함 ➔ ㉠ 「행정절차법」상의 처분 절차를 준수해야 함(특히 수익적 행위의 직권취소는 상대방에게 침해적 효과를 발생시키므로 「행정절차법」에 따른 사전통지, 의견청취의 절차를 거쳐야 함), ㉡ 신뢰보호원칙이나 비례원칙과 같은 행정법의 일반원칙도 준수하여야 함 ② 이론상의 개념 ➔ 실정법에서는 '취소'와 '철회'를 표현상으로 구분하지 않음 ➔ ㉲ 음주운전을 이유로 한 운전면허 '취소'는 강학상 철회임	
사유	① 원시적(原始的) 사유 ➔ 행정행위 발급시부터 법에 어긋났거나 부당했던 경우❸(위법한 경우만×) ② 단순한 내심의 의사만으로는 취소사유에 해당× ③ 판례 공장의 용도뿐만 아니라 공장 외의 용도로도 활용할 내심의 의사가 있었다고 하더라도 그 사유만으로는 공장등록취소사유가 되지 않음(2003두4669) ➔ 공장등록을 받은 자가 공장을 공장 외의 용도로 활용한 경우가 법령상 공장등록 취소사유로 규정되어 있었던 사안 ④ 판례 지방병무청장은 군의관의 신체등위판정이 금품수수에 따라 위법 또는 부당하게 이루어졌다고 인정하는 경우, 그 신체등위판정을 기초로 자신이 한 병역처분을 직권으로 취소할 수 있음(2001두9653)	① 후발적(後發的) 사유 ➔ 행정행위 발급 후에 법령이 개정되거나 사정변경이 발생한 경우, 중대한 공익상의 필요가 발생한 경우, 부담으로 부과된 의무를 불이행한 경우 등 ② 판례 수익적 행정행위에 대한 폐지의 경우 ㉠ 법령에 명시적인 규정이 있거나 ㉡ 행정행위의 부관으로 그 철회권이 유보되어 있는 경우, ㉢ 또는 원래의 행정행위를 존속시킬 필요가 없게 된 법령등의 변경이나 사정변경이 생겼거나 ㉣ 또는 중대한 공익상의 필요가 발생한 경우 등의 예외적인 경우에만 허용됨(2004두11954)
권한자	① 처분청(처분권한자×), 감독청(?)❹ ② 판례 권한 없는 행정기관이 한 당연무효인 행정처분을 취소할 수 있는 권한은 당해 행정처분을 한 처분청에게 속하고, 당해 행정처분을 할 수 있는 적법한 권한을 가지는 행정청에게 그 취소권이 귀속되는 것이 아님(84누463)	처분청(처분권한자×)
별도의 법적 근거 요부(要否)	① 행정행위와 별도로 법적 근거 필요×(多, 判) ➔ But 「행정기본법」 제18조(직권취소)와 제19조(철회)에 일반적 근거규정을 두었기 때문에 무의미한 논쟁이 되어 버림 ② 판례 행정행위를 한 처분청은 그 처분 당시에 그 행정처분에 별다른 하자가 없었고 또 그 처분 후에 이를 철회 또는 변경할 별도의 법적 근거가 없다 하더라도, 원래의 처분을 그대로 존속시킬 필요가 없게 된 사정변경이 생겼거나 또는 중대한 공익상의 필요가 발생한 경우에는 별개의 행정행위로 이를 철회하거나 변경할 수 있음(2003두10251, 95누1194)	
방법	명시적으로 행해질 수도 있고 묵시적(㉲ 종전 행정행위와 양립할 수 없는 새로운 행정행위를 발급)으로도 행해질 수 있음	

---

❶ 행정심판이나 행정소송을 통한 (쟁송)취소와 구분하기 위해 앞에 '직권'이라는 표현을 붙인다. 직권취소는 당해 행정행위를 한 행정청이 스스로의 행위를 거두어 들이는 것이다.

❷ 원시적이란 '행정행위 발급 당시부터 존재하던'이라는 의미이고, 후발적이란 '행정행위 발급 이후에 발생한'이라는 의미이다.

❸ ① 행정행위(처분)에 위법성이 있는지 여부를 판단하는 기준시는 행위시(처분시)이다. 따라서 직권취소 사유 중 처음부터 법령에 어긋났음을 이유로 하는 경우를 '위법성을 이유로 행정행위의 효력을 거두어 들이는 행정행위'라 표현하기도 한다. ② 반면, 철회는 원시적 사유를 이유로 하는 것이 아니기 때문에 '위법성'을 이유로 한다고 표현하지 않는다.

❹ 처분청이 아닌 기관은 법적으로 문제가 없는 한(즉, 위법한 사유가 없는 한) 본래 타기관의 처분에 간여할 수 없는 것이므로, ㉠ 감독청이 직권취소를 할 수 있는지에 대해서는 논의가 있지만, ㉡ 철회에 대해서는 이견 없이 감독청이 하는 것은 불가능하다고 본다.

구분		직권취소	철회
제한	침익적 행정행위	제한 없이 직권취소와 철회 가능(자유로움) ➡ ∵ 상대방에게도 손해되는 것이 없기 때문	
	수익적 행정행위	① 폐지사유가 존재한다 하더라도, 상대방의 신뢰를 보호해야 할 필요가 있기 때문에 다시 이익형량에 의한 제한이 뒤따름 ➡ 수익적 행정행위의 폐지는 명시적 규정이 없는 한 재량행위 ② [비교] 이 제한 법리는 쟁송취소에는 적용×(2018두104) ➡ 쟁송취소의 경우 위법하면 바로 취소 ③ ㉠ 철회권 유보나 ㉡ 부담의 불이행에 따른 철회를 할 때에도 수익적 행정행위를 철회하는 경우에는 이익형량에 의한 제한을 받게 됨 ④ 폐지사유가 존재하는지 여부(예 만 17세의 甲에게 운전면허가 발급된 경우)와 그에 따라 행해진 폐지가 적법한지(예 이미 운전면허가 발급된지 5년이 흐른 경우)는 별개의 문제 ⑤ [이익형량 배제사유] ㉠ 거짓이나 그 밖의 부정한 방법으로 처분을 받은 경우, ㉡ 당사자가 처분의 위법성을 알고 있었거나 중대한 과실(경과실×)로 알지 못한 경우에는 이익형량을 하지 않고 직권취소가 능○(행정기본법 제18조 제2항 단서) ➡ ∵ 보호할 가치가 없는 이익이기 때문 ⑥ [사례] 식품접객업자인 甲이 청소년에게 주류를 제공한 것이 인정되더라도, 영업허가취소처분으로 인하여 甲이 입게 되는 불이익이 공익상 필요보다 막대한 경우에는 영업허가취소처분이 위법하다고 인정될 수 있음 ⑦ [사례] 당사자의 부정한 방법에 의한 신청행위를 이유로 수익적 행정처분을 직권취소하는 경우, 당사자는 처분에 관한 신뢰이익을 원용할 수 없음은 물론 행정청이 이를 고려하지 아니하였다고 하여도 재량권의 일탈·남용× ⑧ [운전면허 취소의 특수성 – 음주운전 엄벌] 운전면허를 받은 사람이 음주운전을 한 경우에 운전면허의 취소 여부는 행정청의 재량행위이나, 음주운전으로 인한 교통사고를 방지할 공익상의 필요는 더욱 중시되어야 하고, 운전면허의 취소에서는 일반의 수익적 행정행위의 취소와는 달리, 취소로 인하여 입게 될 당사자의 불이익(사익)보다는 이를 방지하여야 하는 일반예방적 측면(공익)이 더욱 강조되어야 함(2017두67476) ⑨ 판례 수익적 행정행위에 대한 취소권 등의 행사는 기득권 침해를 정당화할 만한 중대한 공익상의 필요 또는 제3자의 이익(공익상의 필요만×)을 보호할 필요가 있고, 이를 상대방이 받는 불이익과 비교·교량하여 볼 때 공익상의 필요 등이 상대방이 입을 불이익을 정당화할 만큼 강한 경우에 한하여 허용(2021두34732) ➡ 폐지의 필요성에 대한 입증책임은 기존 이익과 권리를 침해하는 처분(즉, 직권취소 또는 철회)을 한 행정청이 부담(2014두9226) ⑩ 판례 건축허가를 받은 자가 법정 착수기간이 지나 공사에 착수하였다 하더라도, 특별한 공익상 필요가 인정되지 않는 한 착공일이 늦었다는 이유만으로 건축허가를 취소할 수는 없음(2012두22973, 85누93) ➡ 추가로 이익형량을 하여 공익이 더 중하다고 판단되는 경우에만 할 수 있다는 말 ⑪ 신뢰보호원칙 위반 인정례 택시운전기사가 운전면허정지 기간 중에 운전행위를 하다가 적발되어, 형사처벌을 받았으나 행정청으로부터 아무런 행정조치가 없어 안심하고 계속 운업업무에 종사하고 있던 중, 행정청이 위 위반행위가 있은 이후에 장기간에 걸쳐 아무런 행정조치를 취하지 않은 채 방치하고 있다가 3년여가 지난 후에 이를 이유로 운전면허를 취소하는 행정처분을 하였다면, 이는 신뢰보호의 원칙에 위배됨(87누373) ⑫ 신뢰보호원칙 위반 부정례 교통사고가 일어난 지 1년 10개월이 지난 뒤 그 교통사고를 일으킨 택시에 대하여 운송사업면허를 취소한 경우, 택시운송사업자로서는 자동차운수사업법의 내용을 잘 알고 있어 교통사고를 낸 택시에 대하여 운송사업면허가 취소될 가능성을 예상할 수 있었으므로, 별다른 행정조치가 없을 것으로 자신이 믿고 있었다 하여도 신뢰의 이익을 주장할 수는 없음(88누6283)

구분	직권취소	철회
효과 (별도의 법령규정이 없는 경우)	① [원칙] 소급효 ② [예외] 당사자의 신뢰를 보호할 가치가 있는 등 정당한 사유가 있는 경우에는 장래효 가능(행정기본법 제18조 제1항 단서) ➡ 예 법령에 어긋남에도 불구하고 행정청이 실수로 발급했던 영업허가를 후에 취소하는 경우 ③ 판례 행정청이 의료법인의 이사에 대한 이사취임승인취소처분(제1처분)을 직권으로 취소(제2처분)하면 이사의 지위가 소급하여 회복됨 ➡ 그 결과 위 제1처분과 제2처분 사이에 법원에 의하여 선임결정된 임시이사들의 지위는 법원의 해임결정이 없더라도 당연히 소멸(96누3401) ➡ ∵ 임시이사의 지위는 이사취임승인취소처분이 유효함을 전제로 하는 것이기 때문	① [원칙] 장래효 ② [예외] 별도의 규정이 없다면, 소급효를 인정하지 않으면 철회의 의미가 없게 되는 특별한 경우에만 소급효 가능(通說) ③ 판례 甲이 「영유아보육법」에 따라 보건복지부장관의 평가인증을 받아 어린이집을 설치·운영하면서 부정한 방법으로 보조금을 교부받아 사용하였고, 이에 보건복지부장관이 관련 법령에 따라 평가인증을 취소한 경우 ➡ ㉠ 이때 평가인증의 취소는 강학상 철회에 해당하며, ㉡ 행정청이 평가인증 취소처분을 하면서 별도의 법적 근거 없이는 평가인증의 효력을 취소사유 발생일로 소급하여 상실시킬 수 없음(2015두58195)
직권취소의 직권취소나 철회의 직권취소 가부 (행정행위의 부활, 소생 가부)	① [논점] 어떤 행정행위에 대해 직권취소(철회)가 이루어졌으나, 행정청이 그 원행정행위를 다시 발급하기를 원하는 경우에, 행정행위를 새로 발급하지 않고, 간편하게 직권취소(철회)의 직권취소의 방법으로 원행정행위를 되살리는 것이 가능한지가 법적안정성과 관련하여 문제가 됨 ➡ 허용되지 않을 경우 「행정절차법」상 처분 절차를 다시 밟아, 행정행위를 새로 발급하는 수밖에 없음	
	② [원행정행위가 침익적인 경우] 가능× ➡ ∵ 법적 안정성을 해치면서(and) 국민에게 불리하기까지 한 결과가 되기 때문	
	③ [원행정행위가 수익적인 경우] 그 사이에 새로운 이해관계인이 생기지 않았다면 가능 ➡ ∵ 법적 안정성을 해치지만(But) 국민에게 유리한 결과가 되기 때문	
	④ 판례 – 침익 국세기본법상 상속세부과처분의 취소에 하자가 있는 경우, 부과의 취소의 취소에 대하여는 법률이 명문으로 그 취소요건이나 그에 대한 불복절차에 대하여 따로 규정을 두고 있지 않다면, 과세관청은 부과의 취소를 다시 취소함으로써 원부과처분을 소생시킬 수는 없고, 납세의무자에게 종전의 과세대상에 대한 납부의무를 지우려면 다시 법률에서 정한 부과절차에 좇아 동일한 내용의 새로운 처분을 하는 수밖에 없음(94누7027)	
	⑤ 판례 – 침익 지방병무청장이 재신체검사 등을 거쳐 현역병입영대상편입처분을 보충역편입처분이나 제2국민역편입처분으로 변경하거나, 보충역편입처분을 제2국민역편입처분으로 변경한 경우, 그 새로운 병역처분에 불가쟁력이 발생한 후에, 그 새로운 병역처분의 성립에 하자가 있음을 이유로 하여 이를 취소한다고 하더라도 종전의 병역처분의 효력이 되살아난다고 할 수 없음(2001두9653) ➡ ∵ 현역병입영대상편입처분이나 보충역편입처분은 침익적 처분이고, 변경처분은 일부직권취소의 일종으로 취급되기 때문 ➡ 두번째 직권취소로 인하여 새로운 병역처분의 효력까지 사라지는 데 그침	
	⑥ 판례 – 수익 수익적 행정행위에 대한 철회가 취소되면 당해 수익적 행정행위는 처음부터 소급하여 다시 효력을 갖게 됨(93도277)	
	⑦ 판례 – 수익 But 새로운 이해관계인 생김 광업권 허가에 대한 취소처분을 한 후 적법한 광업권 설정의 선출원이 있었던 경우에는, 취소처분을 취소하여 광업권을 복구시키는 조처는 위법함(67누126) ➡ ∵ 광업권 허가에 대한 취소를 하였다가 다시 그에 대한 취소를 하기 전에 제3자가 결부된 상황이기 때문	

직권취소 관련 특수 논점

급부처분의 소급적 취소 후 환수처분

① [문제상황] 행정청이 급부처분(⑩ 노령연금지급결정, 요양급여지급결정)을 하고 그에 따라 주었던 급부(⑪ 돈, 쌀)를, 급부처분을 직권취소하고 돌려받으려 할 때 벌어지는 문제

② [배경지식 – 출제×] 법리적으로는 직권취소가 있었으므로 곧바로 부당이득반환청구를 하여(거부하면 부당이득반환청구소송을 제기하여) 급부를 돌려받을 수도 있지만, 개별법령에서 추가로 환수처분이라는 별도의 처분을 하고, 거부시 자력구제의 일환으로 강제징수를 하는 방식으로 급부를 돌려받도록 규정하고 있는 경우가 있음

③ [법리] 위법한 계속적 급부결정이 직권취소된 경우, 상대방에게 귀책사유가 없다면 신뢰보호를 위해 이미 수여된 급부는 반환할 필요가 없다고 봄 ➜ 이를 위해 대법원은 급부처분 직권취소의 위법성과 환수처분(및 그에 따른 강제징수)의 위법성을 별도로 판단하고 있음 ➜ 각 위법성은 이익형량으로 별개로 판단

④ 판례 잘못 지급된 보상금에 해당하는 금액의 징수처분을 해야 할 공익상 필요가 당사자가 입게 될 불이익을 정당화할 만큼 강한 경우에 한하여, 보상금을 받은 당사자로부터 오지급금액의 환수처분이 가능함(2012두17186)

⑤ 판례 「국민연금법」상 연금 지급결정을 취소(A)하는 처분과, 그 처분에 기초하여 잘못 지급된 급여액에 해당하는 금액을 환수하는 처분(B)이 적법한지를 판단하는 경우, 비교·교량할 각 사정이 동일하다고 할 수 없으므로, 연금 지급결정을 취소하는 처분(A)이 적법하다고 하여 환수처분(B)도 반드시 적법하다고 판단하여야 하는 것×(2015두43971)

⑥ 판례 특례노령연금 수급요건을 본래 충족하였으나, 출생연월일 정정으로 수급요건을 충족하지 못하게 된 자에 대하여 ㉠ 지급결정을 소급적으로 직권취소(A)하는 결정은 적법하지만, ㉡ 이미 지급된 급여를 환수하는 처분(B)은 위법(2015두43971)

⑦ 판례 「산업재해보상법」상 각종 보험급여 등의 지급결정을 변경 또는 취소하는 처분(A)과, 그 처분에 터잡아 잘못 지급된 보험급여액에 해당하는 금액을 징수하는 처분(B)이 적법한지를 판단하는 경우, 지급결정을 변경 또는 취소하는 처분(A)이 적법하다고 해서 그에 터잡은 징수처분(B)도 적법하다고 판단해야 하는 것×(2013두27159) ➜ 출장 중 교통사고로 甲이 사망하자, 근로복지공단이 그의 아내 乙에게 산업재해로 인한 사망이라는 이유로 요양급여를 지급하여 왔는데, 후에 甲이 음주운전으로 사망한 사실이 밝혀지자 근로복지공단이 乙에 대한 요양급여 지급결정을 취소하고, 이미 지급된 보험급여를 부당이득이라는 이유로 징수처분을 했던 사건

취소소송 진행 중 직권취소 가부

① [가능○] 직권취소와 쟁송취소는 상호 무관 ➜ 처분에 대한 쟁송이 진행 중이라 하더라도, 실권의 법리나 신뢰보호의 원칙에 반하지 않는다면, 그와 무관하게 행정청은 처분을 직권취소 할 수 있음(※ 행정소송법 제18조 제3항 제3호, 제22조 제1항도 이것이 가능함을 전제로 '처분변경으로 인한 소의 변경'에 관하여 규정하고 있음) ➜ 심지어 취소소송에 대한 사실심 변론종결 후에도 직권취소 가능

② 판례 행정행위의 위법여부에 대하여 취소소송이 이미 진행 중이라 하더라도, 신뢰보호 원칙에 반한다는 등의 특별한 사정이 없는 한 그와 별개로 처분청은 위법을 이유로 그 행정행위를 직권취소할 수 있음(2016두56721, 2003두5686)

③ 판례 과세처분에 대한 쟁송이 진행 중에 과세관청이 그 과세처분의 납부고지 절차상의 하자를 발견한 경우에는 위 과세처분을 취소하고 절차상의 하자를 보완하여 다시 동일한 내용의 과세처분을 할 수 있고, 이와 같은 새로운 처분이 행정행위의 불가쟁력이나 불가변력에 저촉되는 것은 아님(2004두3656)

④ 판례 변상금 부과처분에 대한 취소소송이 진행 중이라도 그 부과권자는 위법한 처분을 스스로 취소하고 그 하자를 보완하여 다시 적법한 부과처분을 할 수도 있음(2003두5686) ➜ 국유재산법상 변상금부과처분(변상금부과권의 행사)에 대한 취소소송이 진행되는 동안에도 그 부과권의 소멸시효는 진행됨(∵ 취소소송이 제기되었다고 해서 변상금부과권 행사의 길이 막히는 것이 아니라, 변상금부과처분을 직권취소하면 다시 변상금부과권 행사 행위인 변상금부과처분을 할 수 있는 것이기 때문)

철회 관련 특수 논점

철회의무

① [원칙 – 재량] 자신이 발급한 행정행위를 철회할지 여부에 대해서는 처분청이 재량을 가짐

② [예외 – 의무] 사정변경으로 인하여 더 이상 원행정행위가 필요하지 않게 되었음에도 불구하고, 그 존속으로 인하여 국민의 중대한 기본권이 침해되고 있는 경우에는, 처분청은 원행정행위를 철회해야 할 의무를 부담함

③ 판례 사업계획승인을 존속하기 어려운 사정의 변경이 있거나 사업계획승인을 취소할 중대한 공익상의 필요가 있음에도 불구하고, 구 「주택법」상 규정된 취소사유에 해당하지 않는다는 이유로, 사업계획승인 취소신청을 거부한 행정청의 처분은 「주택법」에 위반되는 것은 아니지만, 재량권 일탈·남용의 위법이 있음(2020두46004)

일부 직권취소 및 일부 철회

① 외형상 하나의 행정행위라 하더라도 가분성이 있거나 일부가 특정될 수 있는 경우, 일부에 대한 직권취소나 철회로도 목적을 달성할 수 있다면, ㉠ 일부 직권취소나 일부 철회가 가능할 뿐만 아니라, ㉡ 오히려 전부에 대한 직권취소나 철회는 허용되지 않고, 일부 직권취소나 일부 철회를 하여야 한다고 봄(의무)

② [취소판결과의 비교] 이러한 법리는 쟁송취소의 경우에도 동일하게 적용됨 But 소송을 통하여 일부 취소(무효확인)판결을 받기 위해서는 기속행위이기까지 해야 함 ➜ 재량행위에 대해서는 일부 취소(무효확인)판결을 할 수 없다고 봄

③ 일부 직권취소 또는 일부 철회시에도, 그 대상이 되는 행정행위가 수익적 행정행위인 경우에는, 이익형량에 의한 제한이 뒤따름

④ 판례 마을버스 운수업자가 유류사용량을 실제보다 부풀려 유가보조금을 과다 지급받은 데 대하여, 관할 행정청이 부정수급기간 동안 지급된 유가보조금 전액을 회수하는 내용의 처분을 한 것은, '거짓이나 부정한 방법으로 지급받은 보조금'에 대하여 반환할 것을 명하는 것일 뿐만 아니라 '정상적으로 지급받은 보조금'까지 반환하도록 명할 수 있는 것이어서 위법함(2011두3388) ➜ 일부 직권취소에 대한 판례로서, 일부 직권취소의 요건을 구비한 경우에는 전부 직권취소를 하는 것은 위법하다고 봄

⑤ 판례 도로관리청이 도로점용허가를 함에 있어서 특별사용의 필요가 없는 부분을 도로점용허가의 점용장소 및 점용면적으로 포함한 흠이 있고, 그로 인하여 점용료 부과처분에도 흠이 있게 된 경우, 흠 있는 부분에 대한 점용허가를 취소할 수 있고, 그에 해당하는 점용료를 감액하는 처분도 할 수 있음 ➜ 점용료 감액처분은 당초 처분 자체를 일부 직권취소하는 변경처분에 해당(흠의 치유×) ➜ 점용료 부과처분에 그에 대한 취소소송 계속 중에도 도로관리청으로서는 도로점용료를 감액하는 처분을 할 수 있음(2016두56721)

⑥ 판례 도로관리청이 도로점용허가 중 특별사용의 필요가 없는 부분을 소급적으로 직권취소하는 경우, 취소하여야 할 공익상 필요와 그 취소로 당사자가 입을 기득권 및 신뢰보호와 법률생활 안정의 침해 등 불이익을 비교·교량한 후 공익상 필요가 당사자의 기득권 침해 등 불이익을 정당화할 수 있을 만큼 강한 경우여야 함(2016두56721)

복수운전면허 취소문제

① [원칙] 한 사람이 여러 종류의 자동차 운전면허를 취득하는 경우뿐 아니라 이를 취소 또는 정지함에 있어서도 서로 별개의 것으로 취급하는 것이 원칙임(2012두1891)

② 한 사람이 여러 종류의 자동차 운전면허를 취득하는 경우 1개의 운전면허증을 발급하고 그 운전면허증의 면허번호는 최초로 부여한 면허번호로 하여 이를 통합관리하고 있다고 하더라도, 서로 별개의 것으로 취급하는 것이 원칙임(95누8850) ➜ 이는 자동차 운전면허증 및 그 면허번호 관리상의 편의를 위한 것에 불과하다고 봄

③ [예외] 다만, 취소사유가 특정 면허에 관한 것이 아니고 다른 면허와 공통된 것이거나 운전면허를 받은 사람에 관한 것일 경우에는 여러 면허를 전부 취소할 수도 있음(2012두1891)

참고사항		
운전면허의 구분		**운전할 수 있는 차의 종류**
제1종	대형면허	승용차, 승합차, 원동기장치자전거 등
	보통면허	승용차, 승차정원 15인 이하의 승합차, 원동기장치자전거 등
	소형면허	3륜 화물차, 3륜 승용차, 원동기장치자전거 등
	특수면허	대형견인차, 소형견인차, 구난차, 제2종 보통면허로 운전할 수 있는 차량 등
제2종	보통면허	승용차, 승차정원 10인 이하의 승합차, 원동기장치자전거 등
	소형면허	이륜자동차, 원동기장치자전거 등
	원동기장치자전거면허	원동기장치자전거(배기량 125cc이하 이륜자동차를 뜻함)

④ 판례 제1종 보통면허로 운전할 수 있는 차량(승용차)을 음주운전한 경우 제1종 보통면허의 취소 외에 동일인이 소지하고 있는 ㉠ 제1종 대형면허와 ㉡ 원동기장치자전거면허도 취소할 수 있음(94누9672) ➜ ∵ 제1종 대형면허를 취소하지 않으면 여전히 제1종 보통면허로 운전할 수 있는 차량을 운전할 수 있고, 원동기장치자전거면허는 제1종 보통면허에 포함되어 있기 때문

⑤ 판례 제1종 대형면허로 운전할 수 있는 차량(승용차)을 운전면허 정지기간 중에 운전한 경우, 제1종 보통면허까지 취소할 수 있음(2004두12452) ➜ ∵ 제1종 대형면허는 제1종 보통면허를 포함하기 때문

⑥ 판례 제1종 보통, 대형 및 특수 면허를 가지고 있는 자가 레커차량을 음주운전한 행위는 '제1종 특수면허'의 취소사유에 해당될 뿐 '제1종 보통 및 대형 면허'의 취소사유는 아님(95누8850) ➜ ∵ 제1종 보통 및 대형면허를 취소하지 않아도, 레커차량을 운전하는 것은 불가능해지기 때문 ➜ 행정청이 모두 취소한 경우 법원은 제1종 보통 및 대형면허에 대한 취소부분은 취소해야 함

⑦ 판례 이륜자동차로서 제2종 소형면허를 가진 사람만이 운전할 수 있는 오토바이를 음주운전한 사유만 가지고서는 제1종 대형면허나 보통면허의 취소나 정지를 할 수 없음(91누8289)

행정행위의 실효

의의

① 하자 없이 유효하게 성립한 행정행위의 효력이, 사후에 발생한 일정한 사정으로 말미암아 장래를 향하여 당연히(ipso iure) 소멸되는 것

② [사례] 허가 받은 영업을 영업주가 자진폐업하면 영업허가라는 행정행위의 효력은 당연히 상실됨, 의사가 사망하면 그에 대하여 발급되어 있던 의사면허의 효력은 당연히 상실됨

비교개념

① [당연무효] 행정행위에 중대·명백한 하자가 존재하는 경우로서 처음부터 효력이 없음 ➜ 반면, 실효는 실효사유가 발생한 시점부터 효력이 상실됨

② [직권취소나 철회] 사유가 발생했어도 직권취소나 철회라는 추가적인 행위를 하여야 효력이 상실됨 ➜ 반면, 실효는 실효사유가 발생하면 그 자체로 곧바로 효력이 상실됨

실효사유

해제조건의 성취, 종기(終期)의 도래, 행정행위의 대상 소멸, 행정행위의 목적 달성, 상대방의 사망 등

후속행위 처분성

① 실효에 따른 후속행위는 처분×, 단순한 사실행위○ ➜ ∵ 실효사유가 있으면 그 자체로 행정행위의 효력이 상실되는 것이지, 그 후속행위로 인해 효력이 상실되는 것이 아니기 때문

② 판례 영업허가처분을 받은 자가 그 영업을 자진폐업한 경우에는 그로써 영업허가도 당연히 실효된다고 할 것이고, 이 경우에 이루어지는 허가 행정청의 영업허가 취소처분은 허가가 실효되었음을 확인하는 것에 불과함(80누593) ➜ 이름만 '처분'일 뿐 처분이 아니라는 말

③ [비교판례] 장기요양기관의 폐업신고와 노인의료복지시설의 폐지신고, 행정청이 관계 법령이 규정한 요건에 맞는지를 심사한 후 수리하는 이른바 '수리를 필요로 하는 신고'에 해당함(2018두33593)

(변) 자진폐업 후의 재개업신고

영업의 자진폐업 후에 재개업신고를 한 경우, 종전 영업에 대한 허가는 이미 효력이 상실되었으므로, 새로운 영업허가의 신청을 한 것으로 봄(83누412) ➜ 다시 처음부터 허가 절차를 밟아야 함(※ 재개업신고는 '휴업'신고에 뒤따르는 절차임)

하자의 승계

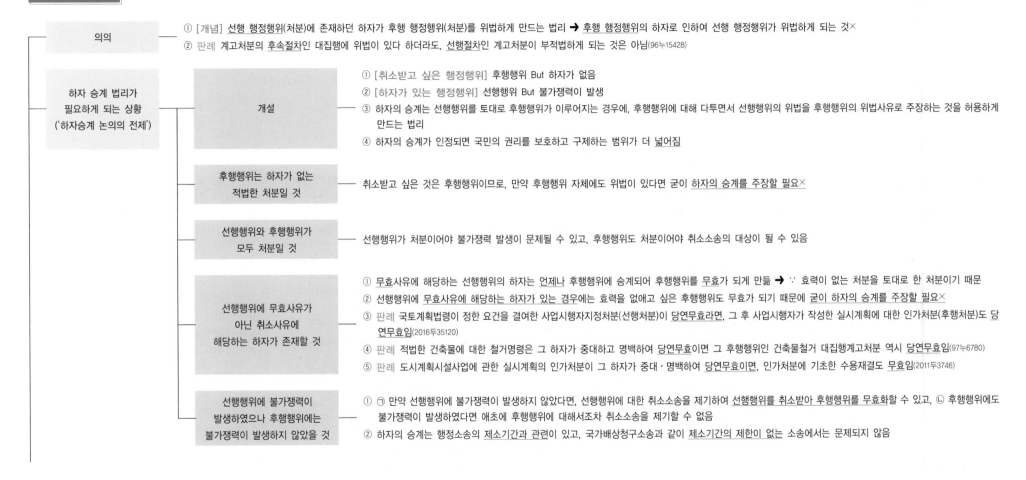

의의

① [개념] 선행 행정행위(처분)에 존재하던 하자가 후행 행정행위(처분)를 위법하게 만드는 법리 ➜ 후행 행정행위의 하자로 인하여 선행 행정행위가 위법하게 되는 것×

② 판례 계고처분의 후속절차인 대집행에 위법이 있다 하더라도, 선행절차인 계고처분이 부적법하게 되는 것은 아님(96누15428)

하자 승계 법리가 필요하게 되는 상황 ('하자승계 논의의 전제')

개설

① [취소받고 싶은 행정행위] 후행행위 But 하자가 없음

② [하자가 있는 행정행위] 선행행위 But 불가쟁력이 발생

③ 하자의 승계는 선행행위를 토대로 후행행위가 이루어지는 경우에, 후행행위에 대해 다투면서 선행행위의 위법을 후행행위의 위법사유로 주장하는 것을 허용하게 만드는 법리

④ 하자의 승계가 인정되면 국민의 권리를 보호하고 구제하는 범위가 더 넓어짐

후행행위는 하자가 없는 적법한 처분일 것

취소받고 싶은 것은 후행행위이므로, 만약 후행행위 자체에도 위법이 있다면 굳이 하자의 승계를 주장할 필요×

선행행위와 후행행위가 모두 처분일 것

선행행위가 처분이어야 불가쟁력 발생이 문제될 수 있고, 후행행위도 처분이어야 취소소송의 대상이 될 수 있음

선행행위에 무효사유가 아닌 취소사유에 해당하는 하자가 존재할 것

① 무효사유에 해당하는 선행행위의 하자는 언제나 후행행위에 승계되어 후행행위를 무효가 되게 만듦 ➜ ∵ 효력이 없는 처분을 토대로 한 처분이기 때문

② 선행행위에 무효사유에 해당하는 하자가 있는 경우에는 효력을 없애고 싶은 후행행위도 무효가 되기 때문에 굳이 하자의 승계를 주장할 필요×

③ 판례 국토계획법령이 정한 요건을 결여한 사업시행자지정처분(선행처분)이 당연무효라면, 그 후 사업시행자가 작성한 실시계획에 대한 인가처분(후행처분)도 당연무효임(2016두35120)

④ 판례 적법한 건축물에 대한 철거명령은 그 하자가 중대하고 명백하여 당연무효이면 그 후행행위인 건축물철거 대집행계고처분 역시 당연무효임(97누6780)

⑤ 판례 도시계획시설사업에 관한 실시계획의 인가처분이 그 하자가 중대·명백하여 당연무효이면, 인가처분에 기초한 수용재결도 무효임(2011두3746)

선행행위에 불가쟁력이 발생하였으나 후행행위에는 불가쟁력이 발생하지 않았을 것

① ㉠ 만약 선행행위에 불가쟁력이 발생하지 않았다면, 선행행위에 대한 취소소송을 제기하여 선행행위를 취소받아 후행행위를 무효화할 수 있고, ㉡ 후행행위에도 불가쟁력이 발생하였다면 애초에 후행행위에 대해서조차 취소소송을 제기할 수 없음

② 하자의 승계는 행정소송의 제소기간과 관련이 있고, 국가배상청구소송과 같이 제소기간의 제한이 없는 소송에서는 문제되지 않음

| 하자의 승계를 인정할 경우 발생하는 문제점 | 행정행위가 연속으로 행해진 경우에도, 행정행위별로 제소기간 내에 취소소송을 제기하여 다투는 것이 원칙 ➜ 하자의 승계를 인정할 경우 <u>제소기간의 제한을 둔 취지가 몰각됨</u> |

| 하자의 승계 인정 여부 | ⊙ 제소기간의 제한을 둔 규정의 취지상, 하자의 승계는 <u>인정할 수 없는 것이 원칙</u>이지만, ⓛ 행정권에 대한 사인의 권익보호와 적정행정의 유지에 대한 요청을 이유로 예외적으로는 하자의 승계를 인정하여야 한다고 봄 ➜ <u>어떤 조건하에서 그 예외를 인정할 것인지에 대해 논의가 벌어짐('하자 승계에 관한 논의')</u> |

| 학설 | 하자 승계론 | 선행 행정행위와 후행 행정행위가 결합하여 하나의 법률효과를 완성하는 경우(에 잘못 부여된 안경사 면허를 박탈한다는 하나의 법률효과를 발생시키기 위하여 결합된, 안경사국가시험 합격무효처분과 그에 따른 안경사 면허취소처분)에는 하자의 승계를 인정하여야 한다고 봄 |
| | (변) 구속력 이론 (규준력 이론) (기결력 이론) | ① [개념] 행정행위를 통해 내려진 결정의 내용은 특별한 사정이 없는 한 선취된 것(확정된 것)으로서, 행정행위에 불가쟁력이 발생된 단계에서는 그 내용을 문제 삼을 수 없도록 후속의 행위들을 구속하는 힘을 갖는데, 이를 구속력이라 하고, 행정행위에 이러한 효력이 있다고 주장하는 이론을 '구속력 이론'이라 함
② [원칙] 구속력은 아래의 <u>객관적 한계, 주관적 한계, 시간적 한계</u> 내에서 발생하는데, 이 세 가지 한계 모두의 범위 내에 드는 경우 행정행위는 후속 행위들을 구속함 ➜ <u>구속력의 범위 내에 들면 하자 승계 주장을 못함</u> |

중간 표:

사물적 한계(객관적 한계)	선행행위의 구속력은 선행행위와 후행행위가 동일한 목적을 추구하며, 법적 효과가 궁극적으로 일치되는 경우에 인정됨
대인적 한계(주관적 한계)	선행행위의 구속력은 선행행위의 상대방과 후행행위의 상대방이 일치하는 경우에 인정됨
시간적 한계	선행행위의 구속력은 선행행위의 사실 및 법적 상태가 유지되는 한도 내에서만 인정됨

③ [예외] 그 모두의 범위 내에 들어가는 경우라 하더라도, 선행의 행정행위만 있었던 상태에서는 후속 행위로 인한 결과를 개인이 <u>예견할 수 없었거나</u>, 선행 행정행위의 하자를 이유로 후속 행위의 위법성을 다투지 못하게 하면 이를 수인(受忍)할 수 없다고 볼만한 때에는, 개인의 권리보호의 관점에서 <u>선행 행정행위의 구속력이 차단됨</u> ➜ 하자 승계 주장을 할 수 있음

| 대법원의 태도 (둘 다 수용) | ① [하나의 법률 효과완성] 두 처분이 결합하여 하나의 법률효과를 완성하는 경우에는 하자가 승계된다고 봄
② [별개의 효과 But 수인가능성×, 예측가능성×] 또 두 처분이 서로 <u>별개의 법률효과를 완성하는 경우</u>라 하더라도, 선행처분에 대하여 불가쟁력이 발생하였다는 이유로 선행처분에 존재하는 위법성을 문제삼지 못하게 할 경우(하자승계를 인정하지 않을 경우), 그것이 국민에게 수인한도를 넘는 불이익(가혹함)을 가져오고, 그 결과가 예측가능한 것이 아닌 경우에는 선행처분의 후행처분에 대한 구속력을 인정할 수 없으므로 그 때에도 <u>예외적으로</u> 하자가 승계된다고 봄 |

승계부정판례

① 건물 철거명령 ➔ 대집행의 계고 건물 철거명령과 후행 대집행의 계고 사이에는 하자가 승계되지 않음(81누293)

② 조세부과처분(과세처분) ➔ 독촉·압류·매각·청산처분 조세부과처분에 존재하는 취소사유인 하자는 후행 강제징수절차인 독촉·압류·매각·청산 절차에 승계되지 않음(87누383, 4292행상73) ➔ 단, 조세부과처분이 무효라면 그로써 압류 등 체납처분의 효력을 다툴 수 있음(87누383)

③ 공무원 직위해제처분 ➔ 직권면직처분 경찰공무원법상 직위해제처분과 면직처분은 후자가 전자의 처분을 전제로 한 것이기는 하나, 각각 단계적으로 별개의 법률효과를 발생하는 행정처분이어서 선행 직위해제처분의 위법사유가 면직처분에는 승계되지 아니함(84누191)

④ 표준지공시지가 결정 ➔ 개별공시지가 결정 표준지로 선정된 토지의 공시지가에 대하여 불복하기 위해서는 처분청을 상대로 그 표준지공시지가결정의 취소를 구하는 행정소송을 제기하여야 하고, 그러한 소송절차를 밟지 아니한 채 개별토지가격결정을 다투는 소송에서 그 개별토지가격 산정의 기초가 된 표준지공시지가의 위법성을 다툴 수는 없음(95누11931)

⑤ 보충역편입처분 ➔ 공익근무요원소집처분 「병역법」상 보충역편입처분과 공익근무요원소집처분이 각각 단계적으로 별개의 법률효과를 발생하는 독립된 행정처분이므로, 불가쟁력이 생긴 보충역편입처분의 위법을 이유로 공익근무요원소집처분의 효력을 다툴 수 없음(2001두5422)

⑥ 도시계획결정 ➔ 수용재결처분 법률에 규정된 공청회를 열지 아니한 하자가 있는 도시계획결정에 불가쟁력이 발생하였다면, 당해 도시계획결정이 당연무효가 아닌 이상 그 하자를 이유로 후행하는 수용재결처분의 취소를 구할 수는 없음(87누947)

⑦ (구)토지수용법상의 사업인정 ➔ 토지수용재결 선행 사업인정과 후행 수용재결 사이에는 하자가 승계되지 않음(91누4324)

⑧ 토지구획정리사업 시행인가처분 ➔ 환지청산금부과처분 토지구획정리사업 시행 후 시행인가처분의 하자가 취소사유에 불과하다면, 사업 시행 후 시행인가처분의 하자를 이유로 환지청산금 부과처분의 효력을 다툴 수 없음(2002두424)

⑨ 사업시행계획 ➔ 관리처분계획 「도시 및 주거환경정비법」상 사업시행계획에 관한 취소사유인 하자는 관리처분계획에 승계되지 않음(2010두13463)

⑩ 도시·군계획시설결정 ➔ 실시계획인가 「국토의 계획 및 이용에 관한 법률」상 도시·군계획시설결정과 실시계획인가는 별도의 요건과 절차에 따라 별개의 법률효과를 발생시키는 독립적인 행정처분이므로, 선행처분인 도시·군계획시설결정에 하자가 있더라도 그것이 당연무효가 아닌 한 원칙적으로 후행처분인 실시계획인가에 승계되지 않음(2016두49938)

⑪ 국제항공노선 운수권 배분 실효처분 및 노선면허거부처분 ➔ 노선면허처분 선행처분인 국제항공노선 운수권 배분 실효처분 및 노선면허거부처분에 대하여 이미 불가쟁력이 생겨 그 효력을 다툴 수 없게 되었다면, 후행처분인 노선면허처분을 다투는 단계에서 선행처분의 하자를 다툴 수 없음(2003두3123)

⑫ 다른 공동상속인들에 대한 과세처분 ➔ 연대납부의무 징수처분 납세고지서에 공동상속인들이 납부할 총세액 등과 공동상속인들 각자가 납부할 상속세액 등을 기재한 연대납세의무자별 고지세액 명세서를 첨부하여 공동상속인들 각자에게 고지하였다면, 연대납부의무의 징수처분을 받은 공동상속인들 중 1인은 다른 공동상속인들에 대한 과세처분 자체에 취소사유가 있다는 이유만으로는 그 징수처분의 취소를 구할 수 없음(98두9530)

⑬ 조합설립추진위원회 구성승인처분 ➔ 조합설립인가 조합설립추진위원회 구성승인처분에 하자가 있는 경우라고 해도, 그것이 무효라는 등의 특별한 사정이 없는 한 그것만으로 조합설립인가처분은 위법한 것이 되지 않음(2011두8291)

⑭ 소득금액변동통지 ➔ 소득세 납세고지처분(징수처분) 선행처분인 소득금액변동통지에 하자가 존재하더라도, 당연무효 사유에 해당하지 않는 한, 그 하자는 후행처분인 소득세 납세고지처분에 그대로 승계× ➔ 원천징수의무자인 법인은 원천징수하는 소득세의 납세의무에 관하여는 이를 확정하는 소득금액변동통지에 대한 항고소송으로 다투어야 하고, 소득금액변동통지가 당연무효가 아닌 한, 징수처분에 대한 항고소송에서 이를 다툴 수는 없음(2009두14439)

⑮ 신고납세방식의 취득세의 신고행위 ➔ 징수처분 신고납세방식을 채택하고 있는 취득세에 있어서 과세관청이 납세의무자의 신고에 의하여 취득세의 납세의무가 확정된 것으로 보고 그 이행을 명하는 징수처분으로 나아간 경우, 납세의무자의 신고행위에 하자가 존재하더라도 그 하자가 당연무효사유에 해당하지 않는 한, 그 하자가 후행처분인 징수처분에 그대로 승계되지는 않음(2005두14394)

⑯ 공인중개사 업무정지처분 ➔ 공인중개사무소 개설등록취소처분 비록 공인중개사무소 개설등록취소처분이 업무정지처분을 전제로 하지만, 양 처분은 그 내용과 효과를 달리하는 독립된 행정처분으로서, 원고는 선행처분이 당연무효가 아닌 이상 그 하자를 이유로 후행처분의 효력을 다툴 수 없음(2017두40372)

| 승계인정판례 | 결합하여 하나의
효과
완성 이유 | ① 귀속재산의 임대처분 → 매각처분 귀속재산의 임대처분과 후행 매각(불하)처분 사이에는 하자가 승계됨(62누215) → 귀속재산 임대처분과 매각처분은 법률효과가 서로 다른 것이나, 귀속재산을 임대받은 자에게 후에 매각까지 하는 관행이 있었기 때문에 대법원이 현실적으로 동일한 법률효과를 완성하는 것이라 본 것으로 해석되고 있음
② 강제징수의 각 절차 독촉·압류·매각·청산 사이에는 하자가 승계됨(81누612) → 미납 국세의 충당을 위한 행위들
③ 독촉 → 징수처분 「국세징수법」에 의한 가산금과 중가산금의 납부독촉에 절차상 하자가 있는 경우 그 징수처분에 대하여 취소소송에 의한 불복이 가능함(86누147) → ∵ 강제징수 절차 사이에 하자가 승계되는 것이기 때문
④ 대집행의 각 절차 계고·통지·실행·비용징수 사이에는 하자가 승계됨(95누12507, 93누14271) → 위법 건축물의 철거를 위한 행위들
⑤ 한지(限地)의사시험자격인정 → 한지의사면허처분 한지의사시험자격인정과 한지의사면허처분은 한지의사자격 부여라는 하나의 법률효과를 발생시키기 위해 서로 결합된 관계에 있으므로 하자의 승계가 인정됨(75누123) → ※ 한지(限地)의사면허는 일정 지역 내에서만 개업이 가능한 의사면허
⑥ 안경사국가시험 합격무효처분 → 안경사 면허취소처분 안경사시험 합격무효처분과 안경사면허 취소처분은 안경사 국가시험에 합격한 자에게 주었던 안경사면허를 박탈한다는 하나의 법률효과를 발생시키기 위하여 서로 결합된 선행처분과 후행처분의 관계에 있음(92누4567)
⑦ (암매장)분묘개장명령 → 계고처분(4293행상31) → 1961년 판례 |
| | 수인한도초과
및
예측가능성 없음
이유 | ① 개별공시지가결정 → 양도소득세 과세처분 개별공시지가결정과 양도소득세부과처분은 서로 결합하여 하나의 효과를 완성하는 경우가 아니지만, 위법한 개별공시지가결정에 대하여 그 정해진 시정절차를 통하여 시정하도록 요구하지 아니하였다는 이유로 위법한 개별공시지가를 기초로 한 과세처분 등 후행 행정처분에서 개별공시지가결정의 위법을 주장할 수 없도록 하는 것은, 수인한도를 넘는 불이익이 강요되는 경우로서 개별공시지가결정의 위법을 양도소득세부과처분의 위법사유로 주장할 수 있음(93누8542) → ※ 토지 양도에 따른 양도소득세는 개별공시지가를 기준으로 하여 산정됨
② [비교판례] 재조사청구로 다투었던 경우에는 하자의 승계 인정× 쟁송제기 기간이 경과한 개별공시지가결정에 기초한 양도소득세부과처분에 대하여 취소소송을 제기한 경우에, 양도소득세 산정의 기초가 되는 개별공시지가결정에 대하여 한 재조사청구를 통해 다투고 그에 따른 감액조정결정을 통지받고서도 더이상 다투지 않은 경우라면 개별공시지가결정의 위법을 양도소득세부과처분의 위법사유로 주장할 수 없음(96누6059) → ∵ 하자승계를 인정하지 않는다 하더라도 이미 충분히 국민에게 방어의 기회가 부여된 것이기 때문
③ 표준지공시지가결정 → 수용재결 등 후행행정처분 표준지공시지가결정이 위법한 경우에는 그 자체를 행정소송의 대상이 되는 행정처분으로 보아 그 위법 여부를 다툴 수도 있고, 수용보상금의 증액을 구하는 소송에서 선행처분으로서 그 수용대상 토지 가격 산정의 기초가 된 (비교)표준지공시지가결정의 위법을 독립한 사유로 주장할 수 있음(2007두13845) → ∵ 표준지공시지가결정만 있는 상태에서는 그것이 어떤 토지에 대한 표준지가 될지 알 수 없어 개별통지가 이루어지지 않을뿐더러, 수용재결이 이루어지는 것은 이례적인 일이기 때문
④ 친일반민족행위자로 결정한 친일반민족행위 진상규명위원회의 최종발표 → 지방보훈청장의 독립유공자법 적용배제자 결정 일제강점하 반민족행위 진상규명에 관한 특별법에 따른 甲에 대한 친일반민족행위자 결정과 독립유공자 예우에 관한 법률에 의한 그 유가족 乙에 대한 법적용 배제자결정은 별개의 법률효과를 목적으로 하는 처분이지만, 각 결정 사이에 하자의 승계가 인정됨(2012두6964) → ∵ 유가족 乙에게는 甲에 대한 친일반민족행위자 결정을 통지하지도 않았고, 선행행위가 있으면 당연히 후행행위도 있게 되는 경우라고 예상하기도 쉽지 않은 경우이었기 때문 |

행정행위의 부관(附款)

의의

① [개념] 행정행위에 부가(附加)되는 약관(約款) ➔ 엄밀한 정의에 대해서는 논쟁이 있음(출제×)

② [정의1 – 종래 다수설] "주된 행정행위의 효과를 제한하기 위하여 주된 행정행위의 의사표시에 붙여진 종된 의사표시"

③ [정의2 – 새로운 견해] "주된 행정행위의 효과를 제한 또는 보충하기 위하여 부가된 종된 규율"

④ 행정의 탄력성을 보장하는 기능을 함 ➔ [사례] 환경훼손 가능성이 있어 국립공원 내에 편의점 허가를 내주기 어려울 때, 행정청이 허가를 내주는 대신 점주로부터 점용료를 받아 환경보전비용으로 사용하여 환경훼손을 방지할 수 있음

⑤ 실정법에서는 단순히 '조건'이라 부르는 경우가 많음

구별 개념

법정부관

① [개념] 행정청의 의사가 아니라, 법령 규정 자체에 의하여 행정행위에 딸려 붙는 행정행위의 효과나 발급조건의 제한 ➔ 剛 어업면허는 수산업법 규정 자체에 의하여 유효기간이 10년으로 제한되는데, 그럼에도 불구하고 굳이 10년의 유효기간을 부가하여 어업면허를 발급하는 경우에 그 유효기간

② [부관에 관한 법리 적용×] 법정부관은 부관이 아니기 때문에 부관에 관한 법리 적용×

③ [불복방법] 행정청이 행정행위에 부가한 부관과 달리, 법률 및 법규명령에 대한 통제제도(剛 위헌법률심판청구, 헌법 제107조 제2항의 명령·규칙 심사제도)에 의해 통제됨

④ 법령의 해석상 당연한 것을 부관으로 붙인 경우 – 법정부관 사회복지법인의 임시이사를 선임하면서 임기를 '후임 정식이사가 선임될 때까지'로 기재한 것은, 근거 법률의 해석상 당연히 도출되는 사항을 주의적·확인적으로 기재한 이른바 '법정부관'일 뿐, 행정청의 의사에 따라 붙이는 본래 의미의 행정처분 부관이라고 볼 수 없음(2017다269152) ➔ ∵ 사회복지사업법 제20조 제2항에서 임시이사의 임기를 '이사의 결원으로 법인의 정상적인 운영이 어려워진 경우에 그 결원을 보충하기 위하여 선임'하는 것으로 규정하고 있었기 때문

⑤ 보존음료수 제조업 허가 사건 보존음료수 제조업 허가와 관련하여 "전량을 수출하거나 주한 외국인에게만 판매한다는 요건을 갖춘 경우에만 보존음료수제조업의 허가를 할 수 있다"라는 규정이 법령보충적 행정규칙인 보건복지부고시에 있었고, 이에 따라 보존음료수 제조업허가를 받은 자는 보존음료수 전량을 수출하거나 주한 외국인에게만 판매하여야 한다는 의무를 부과받았음 ➔ 법규명령의 성질을 갖는 고시에서 정하여진 허가기준에 따라 보존음료수 제조업의 허가에 부가된 조건은 법정부관으로서 행정행위에 부관을 부가할 수 있는 한계에 관한 일반적인 원칙이 적용×(92누1728)

(변) 수정부담 (수정허가)

① 당사자가 신청한 내용대로의 행정행위 발급을 거부하고, 그와 다른 내용의 행정행위를 발급해주는 수정부담(수정허가)은 부관에 해당×

② [부관과 수정부담의 차이] 부관은 신청한 행정행위를 발급해주면서 대신(Ja, aber) 무언가를 부가하는 것임에 반해, 수정부담은 신청한 행정행위의 발급을 거부하면서 대신(Nein, aber) 다른 행정행위를 하는 것이기 때문에, 다수설은 수정부담은 부관에 해당하지 않는다고 봄

③ [사례] 미국산 소고기 수입허가 신청에 대해 행정청이 호주산 소고기의 수입을 허가하는 경우가 이에 해당 ➔ 이를 '수입허가'를 해주기는 하되, 미국산이 아닌 호주산이라는 부관을 붙인 것이라 해석하여 행정행위에 부관이 부가된 것으로 해석하는 견해가 있으나, 오늘날의 통설은 이를, 신청한 허가의 발급을 거부하고 이와 별도의 다른 내용의 허가, 즉 수정허가를 발급한 것으로 이해함

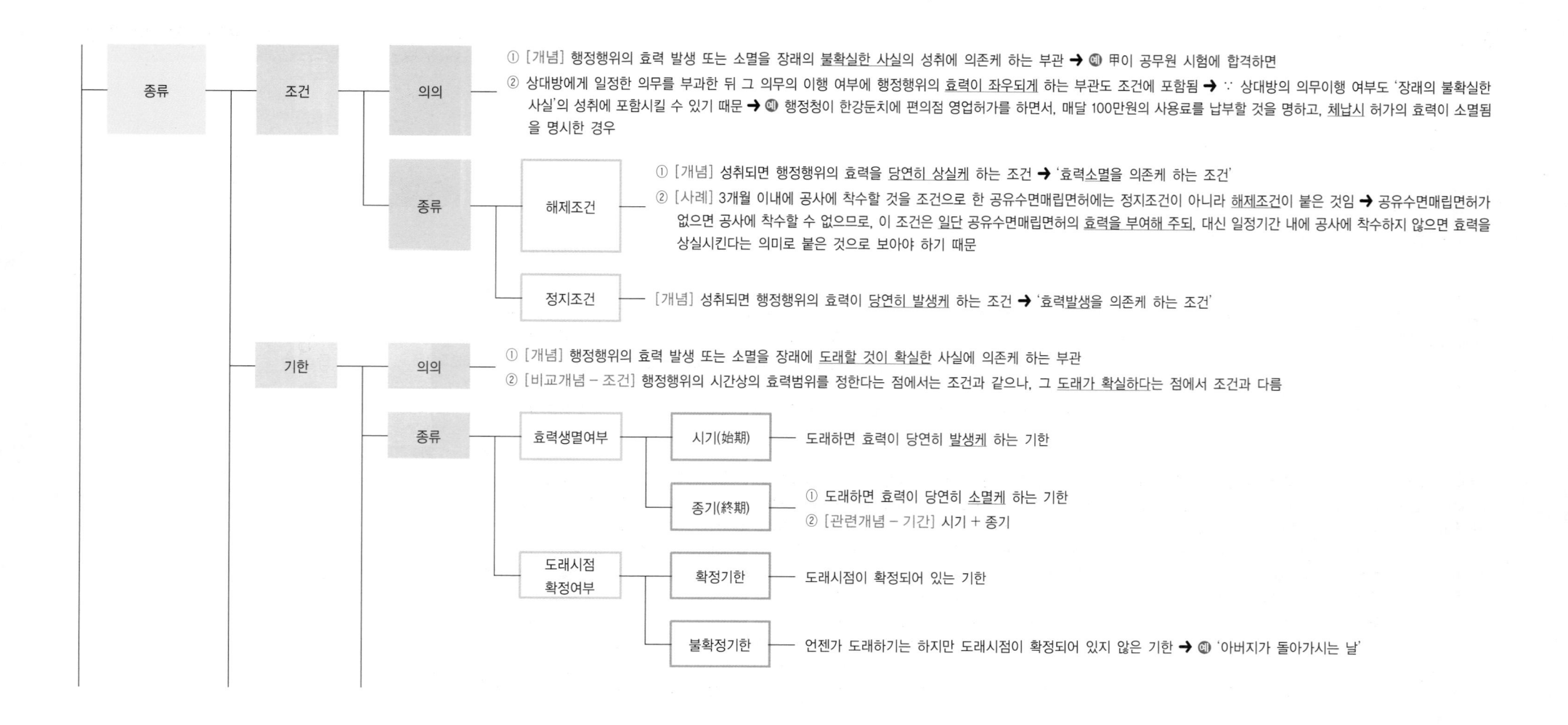

종류 — 조건 — 의의

① [개념] 행정행위의 효력 발생 또는 소멸을 장래의 불확실한 사실의 성취에 의존케 하는 부관 ➡ 예 甲이 공무원 시험에 합격하면

② 상대방에게 일정한 의무를 부과한 뒤 그 의무의 이행 여부에 행정행위의 효력이 좌우되게 하는 부관도 조건에 포함됨 ➡ ∵ 상대방의 의무이행 여부도 '장래의 불확실한 사실'의 성취에 포함시킬 수 있기 때문 ➡ 예 행정청이 한강둔치에 편의점 영업허가를 하면서, 매달 100만원의 사용료를 납부할 것을 명하고, 체납시 허가의 효력이 소멸됨을 명시한 경우

조건 — 종류 — 해제조건

① [개념] 성취되면 행정행위의 효력을 당연히 상실케 하는 조건 ➡ '효력소멸을 의존케 하는 조건'

② [사례] 3개월 이내에 공사에 착수할 것을 조건으로 한 공유수면매립면허에는 정지조건이 아니라 해제조건이 붙은 것임 ➡ 공유수면매립면허가 없으면 공사에 착수할 수 없으므로, 이 조건은 일단 공유수면매립면허의 효력을 부여해 주되, 대신 일정기간 내에 공사에 착수하지 않으면 효력을 상실시킨다는 의미로 붙은 것으로 보아야 하기 때문

정지조건

[개념] 성취되면 행정행위의 효력이 당연히 발생케 하는 조건 ➡ '효력발생을 의존케 하는 조건'

기한 — 의의

① [개념] 행정행위의 효력 발생 또는 소멸을 장래에 도래할 것이 확실한 사실에 의존케 하는 부관

② [비교개념 – 조건] 행정행위의 시간상의 효력범위를 정한다는 점에서는 조건과 같으나, 그 도래가 확실하다는 점에서 조건과 다름

기한 — 종류 — 효력생멸여부 — 시기(始期)

도래하면 효력이 당연히 발생케 하는 기한

종기(終期)

① 도래하면 효력이 당연히 소멸케 하는 기한

② [관련개념 – 기간] 시기 + 종기

도래시점 확정여부 — 확정기한

도래시점이 확정되어 있는 기한

불확정기한

언젠가 도래하기는 하지만 도래시점이 확정되어 있지 않은 기한 ➡ 예 '아버지가 돌아가시는 날'

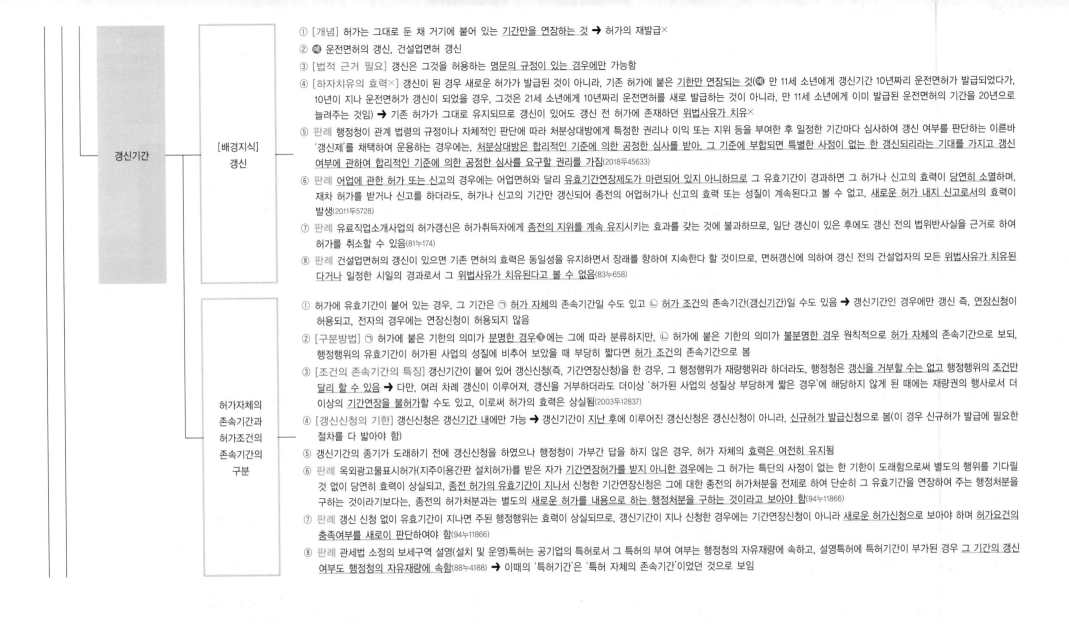

갱신기간

[배경지식] 갱신

① [개념] 허가는 그대로 둔 채 거기에 붙어 있는 기간만을 연장하는 것 ➡ 허가의 재발급×

② 📵 운전면허의 갱신, 건설업면허 갱신

③ [법적 근거 필요] 갱신은 그것을 허용하는 명문의 규정이 있는 경우에만 가능함

④ [하자치유의 효력×] 갱신이 된 경우 새로운 허가가 발급된 것이 아니라, 기존 허가에 붙은 기한만 연장되는 것(📵 만 11세 소년에게 갱신기간 10년짜리 운전면허가 발급되었다가, 10년이 지나 운전면허가 갱신이 되었을 경우, 그것은 21세 소년에게 10년짜리 운전면허를 새로 발급하는 것이 아니라, 만 11세 소년에게 이미 발급된 운전면허의 기간을 20년으로 늘려주는 것임) ➡ 기존 허가가 그대로 유지되므로 갱신이 있어도 갱신 전 허가에 존재하던 위법사유가 치유×

⑤ 판례 행정청이 관계 법령의 규정이나 자체적인 판단에 따라 처분상대방에게 특정한 권리나 이익 또는 지위 등을 부여한 후 일정한 기간마다 심사하여 갱신 여부를 판단하는 이른바 '갱신제'를 채택하여 운용하는 경우에는, 처분상대방은 합리적인 기준에 의한 공정한 심사를 받아, 그 기준에 부합되면 특별한 사정이 없는 한 갱신되리라는 기대를 가지고 갱신 여부에 관하여 합리적인 기준에 의한 공정한 심사를 요구할 권리를 가짐(2018두45633)

⑥ 판례 어업에 관한 허가 또는 신고의 경우에는 어업면허와 달리 유효기간연장제도가 마련되어 있지 아니하므로 그 유효기간이 경과하면 그 허가나 신고의 효력이 당연히 소멸하며, 재차 허가를 받거나 신고를 하더라도, 허가나 신고의 기간만 갱신되어 종전의 어업허가나 신고의 효력 또는 성질이 계속된다고 볼 수 없고, 새로운 허가 내지 신고로서의 효력이 발생(2011두5728)

⑦ 판례 유료직업소개사업의 허가갱신은 허가취득자에게 종전의 지위를 계속 유지시키는 효과를 갖는 것에 불과하므로, 일단 갱신이 있은 후에도 갱신 전의 법위반사실을 근거로 하여 허가를 취소할 수 있음(81누174)

⑧ 판례 건설업면허의 갱신이 있으면 기존 면허의 효력은 동일성을 유지하면서 장래를 향하여 지속한다 할 것이므로, 면허갱신에 의하여 갱신 전의 건설업자의 모든 위법사유가 치유된다거나 일정한 시일의 경과로서 그 위법사유가 치유된다고 볼 수 없음(83누658)

허가자체의 존속기간과 허가조건의 존속기간의 구분

① 허가에 유효기간이 붙어 있는 경우, 그 기간은 ㉠ 허가 자체의 존속기간일 수도 있고 ㉡ 허가 조건의 존속기간(갱신기간)일 수도 있음 ➡ 갱신기간인 경우에만 갱신 즉, 연장신청이 허용되고, 전자의 경우에는 연장신청이 허용되지 않음

② [구분방법] ㉠ 허가에 붙은 기한의 의미가 분명한 경우❶에는 그에 따라 분류하지만, ㉡ 허가에 붙은 기한의 의미가 불분명한 경우 원칙적으로 허가 자체의 존속기간으로 보되, 행정행위의 유효기간이 허가된 사업의 성질에 비추어 보았을 때 부당히 짧다면 허가 조건의 존속기간으로 봄

③ [조건의 존속기간의 특징] 갱신기간이 붙어 있어 갱신신청(즉, 기간연장신청)을 한 경우, 그 행정행위가 재량행위라 하더라도, 행정청은 갱신을 거부할 수는 없고 행정행위의 조건만 달리 할 수 있음 ➡ 다만, 여러 차례 갱신이 이루어져, 갱신을 거부하더라도 더이상 '허가된 사업의 성질상 부당하게 짧은 경우'에 해당하지 않게 된 때에는 재량권의 행사로서 더 이상의 기간연장을 불허가할 수도 있고, 이로써 허가의 효력은 상실됨(2003두12837)

④ [갱신신청의 기한] 갱신신청은 갱신기간 내에만 가능 ➡ 갱신기간이 지난 후에 이루어진 갱신신청은 갱신신청이 아니라, 신규허가 발급신청으로 봄(이 경우 신규허가 발급에 필요한 절차를 다 밟아야 함)

⑤ 갱신기간의 종기가 도래하기 전에 갱신신청을 하였으나 행정청이 가부간 답을 하지 않은 경우, 허가 자체의 효력은 여전히 유지됨

⑥ 판례 옥외광고물표시허가(지주이용간판 설치허가)를 받은 자가 기간연장허가를 받지 아니한 경우에는 그 허가는 특단의 사정이 없는 한 기한이 도래함으로써 별도의 행위를 기다릴 것 없이 당연히 효력이 상실되고, 종전 허가의 유효기간이 지나서 신청한 기간연장신청은 그에 대한 종전의 허가처분을 전제로 하여 단순히 그 유효기간을 연장하여 주는 행정처분을 구하는 것이라기보다는, 종전의 허가처분과는 별도의 새로운 허가를 내용으로 하는 행정처분을 구하는 것이라고 보아야 함(94누11866)

⑦ 판례 갱신 신청 없이 유효기간이 지나면 주된 행정행위는 효력이 상실되므로, 갱신기간이 지나 신청한 경우에는 기간연장신청이 아니라 새로운 허가신청으로 보아야 하며 허가요건의 충족여부를 새로이 판단하여야 함(94누11866)

⑧ 판례 관세법 소정의 보세구역 설영(설치 및 운영)특허는 공기업의 특허로서 그 특허의 부여 여부는 행정청의 자유재량에 속하고, 설영특허에 특허기간이 부가된 경우 그 기간의 갱신 여부도 행정청의 자유재량에 속함(88누4188) ➡ 이때의 '특허기간'은 '특허 자체의 존속기간'이었던 것으로 보임

---

❶ 허가에 붙은 기한의 의미가 분명한 경우란 예컨대, 한강 둔치에 편의점 허가를 내주면서 '① 최대기한 : 3년, ② 허가조건 : 1년간 매월 200만 원'과 같은 식으로 기한을 붙인 경우를 말한다.

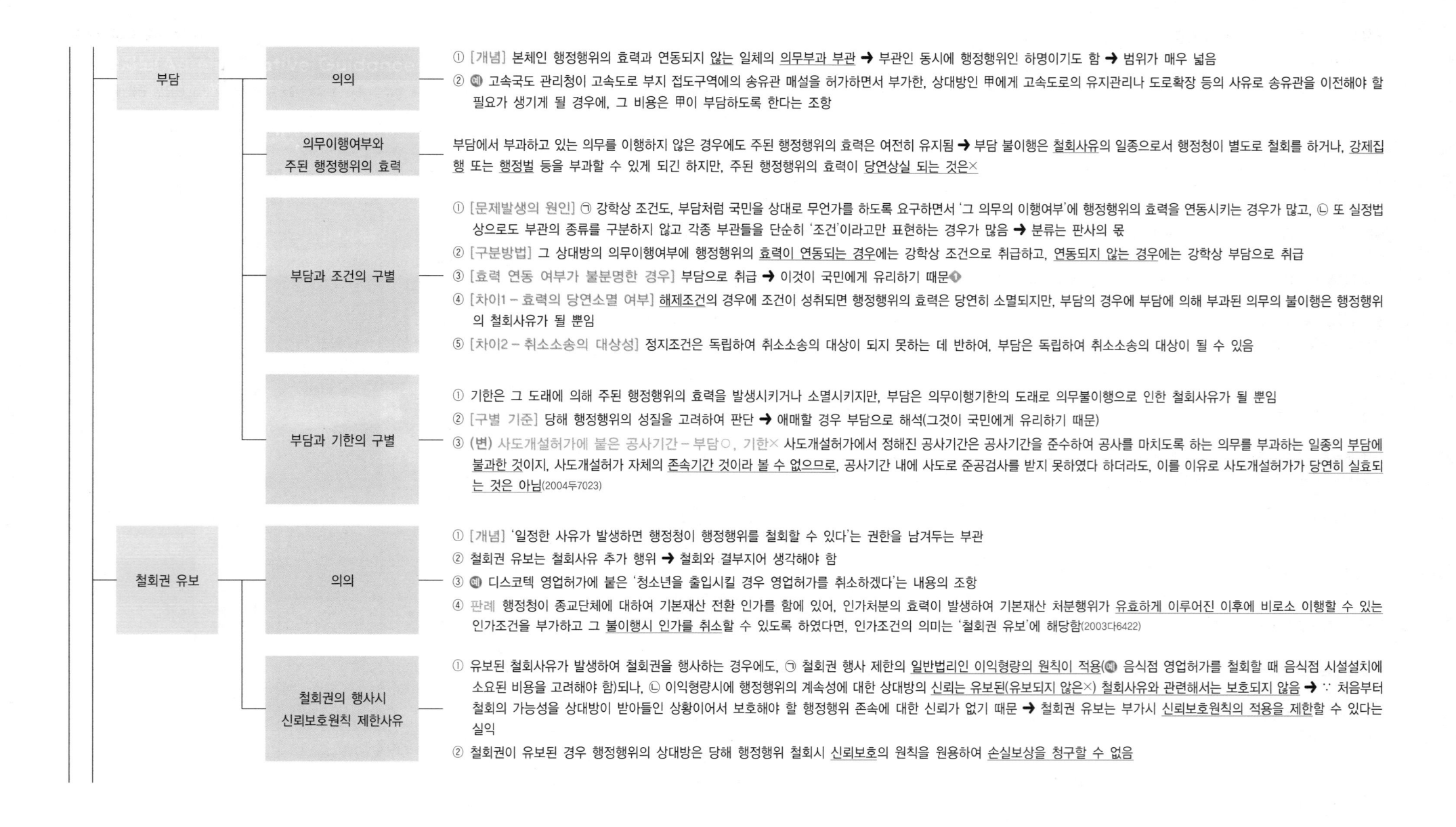

부담

의의

① [개념] 본체인 행정행위의 효력과 연동되지 않는 일체의 <u>의무부과 부관</u> → 부관인 동시에 행정행위인 하명이기도 함 → 범위가 매우 넓음

② ㉇ 고속국도 관리청이 고속도로 부지 접도구역에의 송유관 매설을 허가하면서 부가한, 상대방인 甲에게 고속도로의 유지관리나 도로확장 등의 사유로 송유관을 이전해야 할 필요가 생기게 될 경우에, 그 비용은 甲이 부담하도록 한다는 조항

의무이행여부와 주된 행정행위의 효력

부담에서 부과하고 있는 의무를 이행하지 않은 경우에도 주된 행정행위의 효력은 여전히 유지됨 → 부담 불이행은 <u>철회사유</u>의 일종으로서 행정청이 별도로 철회를 하거나, 강제집행 또는 행정벌 등을 부과할 수 있게 되긴 하지만, 주된 행정행위의 효력이 당연상실 되는 것은×

부담과 조건의 구별

① [문제발생의 원인] ㉠ 강학상 조건도, 부담처럼 국민을 상대로 무언가를 하도록 요구하면서 '그 의무의 이행여부'에 행정행위의 효력을 연동시키는 경우가 많고, ㉡ 또 실정법 상으로도 부관의 종류를 구분하지 않고 각종 부관들을 단순히 '조건'이라고만 표현하는 경우가 많음 → 분류는 판사의 몫

② [구분방법] 그 상대방의 의무이행여부에 행정행위의 <u>효력이 연동되는 경우</u>에는 강학상 조건으로 취급하고, <u>연동되지 않는 경우</u>에는 강학상 부담으로 취급

③ [효력 연동 여부가 불분명한 경우] 부담으로 취급 → 이것이 국민에게 유리하기 때문❶

④ [차이1 − 효력의 당연소멸 여부] 해제조건의 경우에 조건이 성취되면 행정행위의 효력은 당연히 소멸되지만, 부담의 경우에 부담에 의해 부과된 의무의 불이행은 행정행위의 철회사유가 될 뿐임

⑤ [차이2 − 취소소송의 대상성] 정지조건은 독립하여 취소소송의 대상이 되지 못하는 데 반하여, 부담은 독립하여 취소소송의 대상이 될 수 있음

부담과 기한의 구별

① 기한은 그 도래에 의해 주된 행정행위의 효력을 발생시키거나 소멸시키지만, 부담은 의무이행기한의 도래로 의무불이행으로 인한 철회사유가 될 뿐임

② [구별 기준] 당해 행정행위의 성질을 고려하여 판단 → 애매할 경우 부담으로 해석(그것이 국민에게 유리하기 때문)

③ (변) 사도개설허가에 붙은 공사기간 − 부담○, 기한× 사도개설허가에서 정해진 공사기간은 공사기간을 준수하여 공사를 마치도록 하는 의무를 부과하는 일종의 부담에 불과한 것이지, 사도개설허가 자체의 <u>존속기간 것이라 볼 수 없으므로</u>, 공사기간 내에 사도로 준공검사를 받지 못하였다 하더라도, 이를 이유로 사도개설허가가 <u>당연히 실효되는 것은 아님</u>(2004두7023)

철회권 유보

의의

① [개념] '일정한 사유가 발생하면 행정청이 행정행위를 철회할 수 있다'는 권한을 남겨두는 부관

② 철회권 유보는 철회사유 추가 행위 → 철회와 결부지어 생각해야 함

③ ㉇ 디스코텍 영업허가에 붙은 '청소년을 출입시킬 경우 영업허가를 취소하겠다'는 내용의 조항

④ 판례 행정청이 종교단체에 대하여 기본재산 전환 인가를 함에 있어, 인가처분의 효력이 발생하여 기본재산 처분행위가 <u>유효하게 이루어진 이후</u>에 비로소 이행할 수 있는 인가조건을 부가하고 그 <u>불이행시 인가를 취소</u>할 수 있도록 하였다면, 인가조건의 의미는 '철회권 유보'에 해당함(2003다6422)

철회권의 행사시 신뢰보호원칙 제한사유

① 유보된 철회사유가 발생하여 철회권을 행사하는 경우에도, ㉠ 철회권 행사 제한의 일반법리인 이익형량의 원칙이 적용(㉇ 음식점 영업허가를 철회할 때 음식점 시설설치에 소요된 비용을 고려해야 함)되나, ㉡ 이익형량시에 행정행위의 계속성에 대한 상대방의 <u>신뢰는 유보된</u>(유보되지 않은×) 철회사유와 관련해서는 보호되지 않음 → ∵ 처음부터 철회의 가능성을 상대방이 받아들인 상황이어서 보호해야 할 행정행위 존속에 대한 신뢰가 없기 때문 → 철회권 유보는 부가시 <u>신뢰보호원칙의 적용</u>을 제한할 수 있다는 실익

② 철회권이 유보된 경우 행정행위의 상대방은 당해 행정행위 철회시 <u>신뢰보호</u>의 원칙을 원용하여 <u>손실보상</u>을 청구할 수 없음

❶ 조건보다 부담으로 해석하는 것이 국민에게 유리한 이유는, 조건이나 부담이 보통 <u>수익적 행정행위</u>에 부가되기 때문이다. 부담으로 보아야 이 수익적 행정행위의 효력이 의무 이행 여부에 좌우되지 않게 된다.

법률효과의 일부배제	① [개념] 행정행위에 부가되어, 법률이 그 행정행위에 대하여 일반적으로 부여하고 있는 법률효과의 일부를 배제하는 부관 ② [부관성○] 부관의 일종으로 볼 것인지 견해가 대립하나, 우리 판례는 법률효과 일부배제는 행정행위의 내용상 제한이 아니라 **부관에 해당한다고 봄**(90누8503) ➜ 법률효과 일부배제가 있은 채 행정행위가 발급된 경우, 그것은 행정행위에 부관이 붙은 것(예 택시운송사업면허를 내주면서 대신 홀수 일에 운송사업을 할 수 있는 권한을 제한하는 것)이 아니라, 애초에 제한된 내용을 가진 행정행위를 발급한 것(예 짝수일에만 운송사업을 할 수 있는 택시운송사업면허를 발급한 것)이라 보는 견해도 있음 ③ 예 개인택시운송사업면허에 붙은 격일운행 조건, 버스노선지정, 대형마트 주말 영업금지, 공유수면매립준공인가지 중 일부의 국가귀속 등 ④ [법적 근거要] 법률규정의 효력을 제한하는 것이므로, 행정청이 해당 법률효과의 일부를 배제할 수 있다는 재량을 부여하는 **별도의 법률규정이 있는 경우에만 부가 가능**○ ⑤ 판례 지방국토관리청장이 공유수면매립지 일부에 대하여 한 국가 또는 직할시 귀속처분은, 매립의 면허를 받은 자의 매립지에 대한 소유권 취득을 규정한 「공유수면매립법」 제14조 효과의 일부를 배제하는 부관을 붙인 것임(93누2032)
부관 부가 방법	부관은 행정청이 행정행위를 하면서 일방적으로 그 내용을 정하여 부가할 수도 있지만, 부관을 부가하기 전에 상대방과 협의하여 부관의 내용을 협약의 형식으로 미리 정한 다음 행정행위를 하면서 그 협약을 부관으로 부가할 수도 있음(2005다65500) ➜ 다만, 후자의 방식을 따른 경우라 하더라도 위 협약의 실질은 부관이므로 그 협약에도 부관에 관한 법리가 적용○, 공법상 계약×

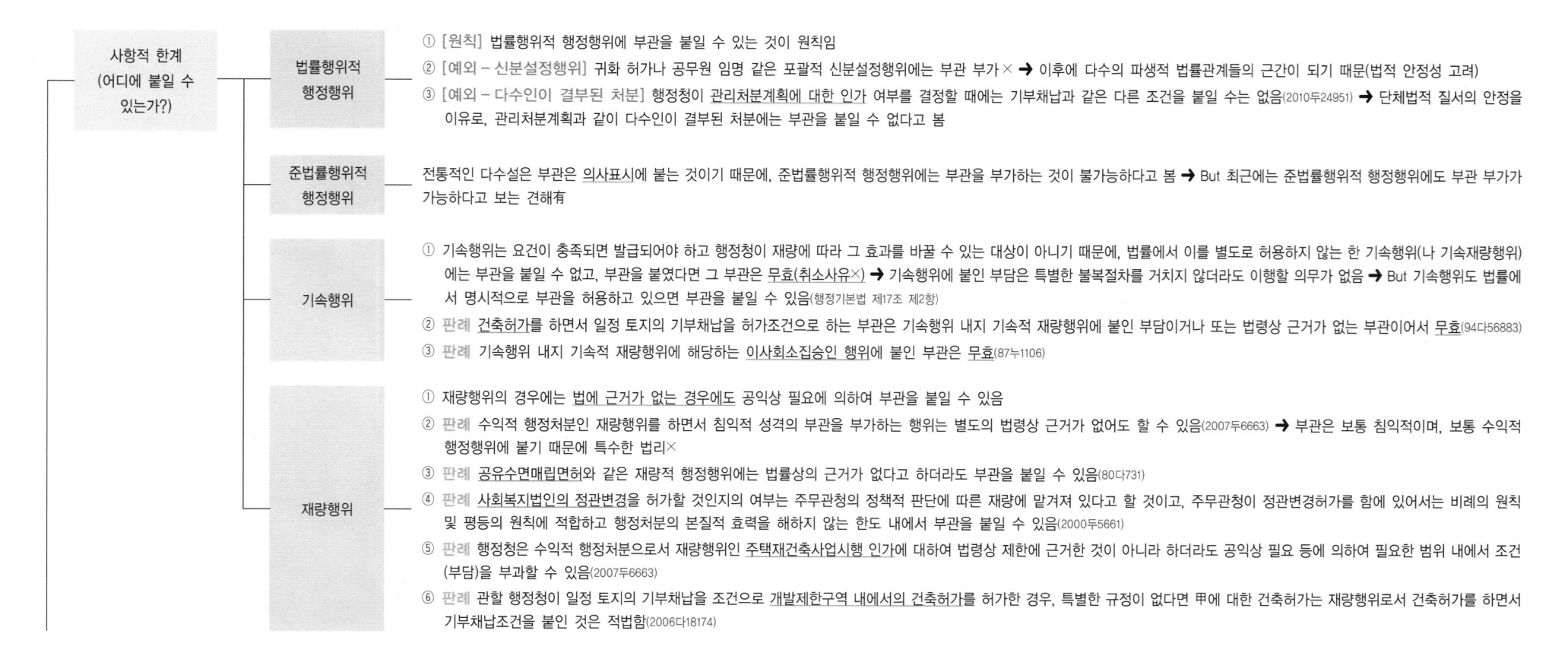

사항적 한계 (어디에 붙일 수 있는가?)

법률행위적 행정행위

① [원칙] 법률행위적 행정행위에 부관을 붙일 수 있는 것이 원칙임
② [예외 – 신분설정행위] 귀화 허가나 공무원 임명 같은 포괄적 신분설정행위에는 부관 부가× ➜ 이후에 다수의 파생적 법률관계들의 근간이 되기 때문(법적 안정성 고려)
③ [예외 – 다수인이 결부된 처분] 행정청이 관리처분계획에 대한 인가 여부를 결정할 때에는 기부채납과 같은 다른 조건을 붙일 수는 없음(2010두24951) ➜ 단체법적 질서의 안정을 이유로, 관리처분계획과 같이 다수인이 결부된 처분에는 부관을 붙일 수 없다고 봄

준법률행위적 행정행위

전통적인 다수설은 부관은 의사표시에 붙는 것이기 때문에, 준법률행위적 행정행위에는 부관을 부가하는 것이 불가능하다고 봄 ➜ But 최근에는 준법률행위적 행정행위에도 부관 부가가 가능하다고 보는 견해有

기속행위

① 기속행위는 요건이 충족되면 발급되어야 하고 행정청이 재량에 따라 그 효과를 바꿀 수 있는 대상이 아니기 때문에, 법률에서 이를 별도로 허용하지 않는 한 기속행위(나 기속재량행위)에는 부관을 붙일 수 없고, 부관을 붙였다면 그 부관은 무효(취소사유×) ➜ 기속행위에 붙인 부담은 특별한 불복절차를 거치지 않더라도 이행할 의무가 없음 ➜ But 기속행위도 법률에서 명시적으로 부관을 허용하고 있으면 부관을 붙일 수 있음(행정기본법 제17조 제2항)
② 판례 건축허가를 하면서 일정 토지의 기부채납을 허가조건으로 하는 부관은 기속행위 내지 기속적 재량행위에 붙인 부담이거나 또는 법령상 근거가 없는 부관이어서 무효(94다56883)
③ 판례 기속행위 내지 기속적 재량행위에 해당하는 이사회소집승인 행위에 붙인 부관은 무효(87누1106)

재량행위

① 재량행위의 경우에는 법에 근거가 없는 경우에도 공익상 필요에 의하여 부관을 붙일 수 있음
② 판례 수익적 행정처분인 재량행위를 하면서 침익적 성격의 부관을 부가하는 행위는 별도의 법령상 근거가 없어도 할 수 있음(2007두6663) ➜ 부관은 보통 침익적이며, 보통 수익적 행정행위에 붙기 때문에 특수한 법리×
③ 판례 공유수면매립면허와 같은 재량적 행정행위에는 법률상의 근거가 없다고 하더라도 부관을 붙일 수 있음(80다731)
④ 판례 사회복지법인의 정관변경을 허가할 것인지의 여부는 주무관청의 정책적 판단에 따른 재량에 맡겨져 있다고 할 것이고, 주무관청이 정관변경허가를 함에 있어서는 비례의 원칙 및 평등의 원칙에 적합하고 행정처분의 본질적 효력을 해하지 않는 한도 내에서 부관을 붙일 수 있음(2000두5661)
⑤ 판례 행정청은 수익적 행정처분으로서 재량행위인 주택재건축사업시행 인가에 대하여 법령상 제한에 근거한 것이 아니라 하더라도 공익상 필요 등에 의하여 필요한 범위 내에서 조건(부담)을 부과할 수 있음(2007두6663)
⑥ 판례 관할 행정청이 일정 토지의 기부채납을 조건으로 개발제한구역 내에서의 건축허가를 허가한 경우, 특별한 규정이 없다면 甲에 대한 건축허가는 재량행위로서 건축허가를 하면서 기부채납조건을 붙인 것은 적법함(2006다18174)

<table>
<tr>
<td>

내용적 한계
(어떤 내용을 담을 수 있는가?)

</td>
<td>

① 헌법이나 법률에 반하는 부관은 붙일 수 없음

② 행정법상의 일반원칙에 반해서도 안 됨 → **예** 행정청이 아파트 건설허가를 내주면서 그 아파트 건설과 전혀 관계없는 땅을 기부채납할 것을 요구하는 경우

③ 부관은 주된 행정행위가 추구하는 목적에 반하거나 그 본질적 효력을 해하여서는 안 됨(89누6808) → 이 경우 비례의 원칙 중 적정성에 반하여 위법하게 됨

④ 부담으로 의무를 부과할 경우 그 의무는 이행이 가능한 것이어야 함

⑤ [사법상 계약의 형식을 통한 잠탈 시도 – 허용×] 행정처분과 부관 사이에 실제적 관련성이 있다고 볼 수 없는 경우, 공무원이 위와 같은 공법상의 제한을 회피할 목적으로 행정처분의 상대방과 사이에 사법상 계약을 체결하는 형식을 취하였다 하더라도 그 계약은 위법하여 무효임(2007다63966)

⑥ 사례 주택건축허가를 하면서 영업목적으로만 사용할 것을 부관으로 정한 경우에, 이러한 부관은 주된 행정행위의 목적에 위배됨

⑦ 판례 기선선망어업의 허가를 하면서 운반선, 등선 등 부속선을 사용할 수 없도록 제한한 부관은 그 어업허가의 목적 달성을 사실상 어렵게 하여 그 본질적 효력을 해하는 것일 뿐만 아니라 「수산업법시행령」의 규정에도 어긋나는 것이므로 어업조정이나 기타 공익상 필요하다고 인정되는 사정이 없는 이상 위법함(89누6808)

⑧ 판례 건축행정청은 신청인의 건축계획상 하나의 대지로 삼으려고 하는 '하나 이상의 필지의 일부'가 관계법령상 토지분할이 가능한 경우인지를 심사하여 토지분할이 관계 법령상 제한에 해당되어 명백히 불가능하다고 판단되는 경우에는 토지분할 조건부 건축허가를 거부하여야 함(2015두47737) → 처분상대방이 객관적으로 이행할 수 없는 조건을 붙여 행정처분을 하는 것은 허용되지 않음

⑨ 판례 수익적 행정행위에 있어서는 법령에 특별한 근거 규정이 없다고 하더라도(법령에 특별한 근거규정이 있는 경우에만×) 그 부관으로서 부담을 붙일 수 있으나, 그러한 부담은 비례의 원칙, 부당결부 금지의 원칙에 위반되지 않아야 적법함(96다49650) → 수익적 행정행위라도 기속행위인 경우도 있기 때문에, 엄밀하게 말하면 일반화할 수 없는 판시이기는 함

</td>
</tr>
<tr>
<td>

법령개정과 부관의 효력

</td>
<td>

① 행정청이 수익적 행정처분을 하면서 부가한 부관은 처분 당시 법령을 기준으로 위법 여부를 판단하여야 함 → 부가 당시에는 문제가 없었으나 부가 이후에 법령 개정으로 행정청이 더 이상 부관을 붙일 수 없게 되었다 하더라도, 그것만으로는 부관의 효력 상실×, 위법한 것으로 취급되지도×

② 판례 행정처분의 상대방이 수익적 행정처분을 얻기 위하여, 행정청과 사이에 행정처분에 부가할 부담에 관한 협약을 체결하고 행정청이 수익적 행정처분을 하면서 협약상의 의무를 부담으로 부가하였으나, 부담의 전제가 된 주된 행정처분의 근거 법령이 개정됨으로써 행정청이 더이상 부관을 붙일 수 없게 된 경우에도 곧바로 협약의 효력이 소멸하는 것은 아님(2008다56262, 2005다65500)

③ 판례 고속국도 관리청이 고속도로 부지와 접도구역에 송유관 매설을 허가하면서, 상대방인 통신회사 甲과 체결한 협약에 따라, 송유관 시설을 이전하게 될 경우 그 비용을 甲이 부담하도록 하였는데, 그 후 도로법 시행규칙이 개정되어 접도구역에는 관리청의 허가 없이도 송유관을 매설할 수 있게 된 경우, 도로법 시행규칙의 개정으로 접도구역에는 관리청의 허가 없이 송유관을 매설할 수 있게 되었다 하더라도 위 협약 중 접도구역에 대한 부분의 효력이 소멸되는 것은 아님(2005다65500)

</td>
</tr>
<tr>
<td>

사후부관
(시간적 한계)
(나중에도 붙일 수 있는가?)

</td>
<td>

① [개념] 행정행위 발급 당시가 아니라 행정행위 발급 후에 부관을 붙이거나(사후부가), 이미 부가되어 있는 부관을 사후에 변경하는 것(사후변경) → 이러한 사후부관을 허용할 것인지가 문제됨

② 판례 ㉠ 법률에서 이를 허용하고 있거나, ㉡ 그 변경이 미리 유보되어 있는 경우, ㉢ 상대방의 동의가 있는 경우에 한하여 허용되는 것이 원칙, ㉣ 다만, 사정변경으로 인하여 당초에 부담을 부과한 목적을 달성할 수 없게 된 경우라면 그 목적달성에 필요한 범위 내에서 예외적으로 허용(2006두7973, 97누2627) → 현실적으로는 단순히 법유동사이지만, 원칙과 예외라는 표현을 사용했다는 점도 기억!

③ [행정기본법] 행정청은 ㉠ 법률에 근거가 있는 경우나, ㉡ 당사자의 동의가 있는 경우, ㉢ 사정이 변경되어 부관을 새로 붙이거나 종전의 부관을 변경하지 아니하면 해당 처분의 목적을 달성할 수 없다고 인정되는 경우에는, 처분을 한 후에도 부관을 새로 붙이거나 종전의 부관을 변경할 수 있음(제17조 제3항)

④ (변) 판례 익산시 주민들의 수에 비해 택시의 수가 너무 많아 수급불균형이 있자, 택시운송사업면허 발급권한을 가진 익산시장이, 일방적으로 택시면허를 취소하는 대신 관내 11개 택시 회사들과 3년에 걸쳐 자발적으로 업체별로 택시의 수를 감차하기로 하고, 불이행시 그때는 익산시장이 직권으로 면허를 취소하기로 하는 합의를 하였는데, 택시회사들이 이 합의를 불이행하자, 익산시장이 감차명령을 한 사건 → ㉠ 이 자발적 감차합의는 기존에 발급한 면허에 상대방의 동의에 근거한 사후부관(부담)을 부가한 것(공법상 계약×)이고, ㉡ 직권감차명령도 계약에 따른 권리의 행사가 아니라, 부담 불이행에 따른 철회로서 우월적 지위에서 행하는 처분에 해당○(2016두45028)

</td>
</tr>
</table>

위법한 부관에 대한 행정쟁송

독립쟁송가능성

① 부관만을 취소소송의 대상으로 삼는 것이 가능한지 학설상으로 문제됨 ➡ 대법원은 ㉠ 부담의 경우에만 독립쟁송을 허용하고, ㉡ 나머지 부관에 대해 취소소송을 제기한 경우 각하

② 판례 하천점용허가에 조건인 부관이 부가된 경우 해당 부관에 대해서는 독립적으로 소를 제기할 수 없음(91누1264)

③ 판례 기부채납 받은 행정재산에 대한 사용·수익허가에서 공유재산의 관리청이 정한 사용·수익허가의 기간은 그 허가의 효력을 제한하기 위한 행정행위의 부관으로서 이러한 사용·수익허가의 기간에 대해서는 독립하여 행정소송을 제기할 수 없음(99두509)

④ 판례 매립의 면허를 받은 자의 매립지에 대한 소유권 취득을 규정한 「공유수면매립법」 제14조 규정에도 불구하고, 지방국토관리청장이 한 공유수면매립준공인가 중 매립지 일부에 대하여 한 국가 또는 직할시 귀속처분은, 공유수면매립법 제14조의 효과를 일부 배제하는 부관을 붙인 것이므로, 이러한 행정행위의 부관에 대하여는 독립하여 행정소송의 대상으로 삼을 수 없음(93누2032, 90누8503)

⑤ 판례 행정청이 일정 토지의 기부채납을 조건으로 개발제한구역 내에서의 건축허가를 허가한 상황에서, 건축허가 자체는 적법하고 부담인 기부채납조건만이 취소사유에 해당하는 위법성이 있는 경우, 기부채납조건만을 대상으로 취소소송을 제기할 수 있음(2006다18174) ➡ 부담이라는 문구가 없어도, 효력 연동 유무에 대해 언급이 없다면 기부채납조건은 부담으로 보면 됨

⑥ (변) [관련논점 – 부담에서 정해진 바에 따른 의무의 이행을 요구하는 의사표시의 처분성] 어떠한 행정행위의 부관인 부담에 정해진 바에 따라 당해 행정청(건설부장관)이 아닌 다른 행정청(울산지방해운항만청장)이 그 부담상의 의무이행을 요구하는 의사표시를 하였을 경우, 이러한 행위가 당연히 또는 무조건으로 행정소송법상 항고소송의 대상이 되는 처분에 해당한다고 할 수는 없고, 그 의사표시 자체의 법령상 근거나 징수방법, 불복절차, 강제집행 등 성질을 별도로 따져보아야 함(91누1264) ➡ 건설부장관이 현대자동차에 대하여 공유수면매립면허를 하면서 부담으로 '울산지방해운항만청이 산정 결정한 납입고지서에 의하여 수토대금을 납부'하라는 부관을 붙였던 사건

독립취소가능성

① 부관부 행정행위 전체가 취소소송의 대상이 되었는데, 법원이 부관에만 위법성이 있다고 판단하는 경우, 본체인 행정행위는 그대로 둔 채 부관만을 법원이 취소하는 것이 가능한지가 학설상으로 문제됨

② [다수설] 부관이 본체인 행정행위에 대해 불가분적이지 않은 경우라면 독립취소가 가능하다고 봄

③ [대법원] 독립쟁송의 문제와 독립취소의 문제를 결부지어, 부담만 독립하여 취소소송의 대상이 될 수 있기 때문에, 부담에 대해서만 독립취소가 허용된다고 봄

④ [관련개념 – 부진정일부취소소송] 형식상으로는 부관부 행정행위 전체를 대상으로 하여 취소소송을 제기하면서도, 내용상 그 중 부관만을 취소하여 줄 것을 구하는 취소소송 ➡ 다수설은 이 개념을 인정하여, 부담 이외의 부관이라 하더라도 본체인 행정행위에 대해 불가분적이지 않으면 독립취소를 구할 수 있다는 입장 ➡ 판례는 인정×

부담 이외의 부관에 대한 쟁송방법

① 부담 이외의 부관에 대해 불만이 있는 경우, ㉠ 부관이 부가된 행정행위 전체의 취소를 구하는 취소소송을 제기하거나, ㉡ 행정청에 대하여 부관의 변경을 신청한 다음 그것을 거부하면 그 거부행위를 대상으로 하여 취소소송을 제기하는 것은 허용(89누6808)❶

② 판례 개발제한구역 내에서의 광산에 대한 개발행위 허가에서, 허가기간은 그 자체로서 항고소송의 대상이 될 수는 없지만, 그 기간의 연장신청 거부에 대해서는 항고소송을 청구할 수 있음(90누7920)

---

❶ [더 들어가기] 뒤에서 다루겠지만, 거부행위의 처분성이 인정되기 위해서는 신청권이 인정되어야 한다. 그러나 다행히도, 공무원 수험에서는 이 경우의 신청권에 대해서는 문제삼지 않고 있다.

▶ 부관의 하자 특수논점 ◀

부관의 위법성과 본체인 행정행위의 위법성

① 부관이 위법할 경우 그것에 의해 본체인 행정행위도 위법하게 되는지가 문제됨 ➡ 대법원은 ⊙ 부관이 그 부관부 행정행위의 본질적 요소인 경우 본체인 행정행위도 위법해지지만, ⓒ 본질적 요소가 아닌 경우는 본체인 행정행위는 위법해지지 않는다고 봄
② 판례 도로점용허가의 점용기간은 행정행위의 본질적인 요소에 해당한다고 볼 것이어서 부관인 점용 기간을 정함에 있어서 위법사유가 있다면 이로써 도로점용허가 처분 전부가 위법하게 됨(84누604)
③ 판례 공유재산의 관리청이 기부채납된 행정재산인 공원시설에 대하여 행하는 사용·수익 허가의 경우, 부관인 사용·수익 허가의 기간에 위법사유가 있다면 이로써 공원시설의 사용·수익 허가 전부가 위법하게 됨(99두509)

무효인 부담에 따른 이행행위의 효력 (별도 판단)

① [논의의 전제] 부담(예 기부채납을 요구하는 부담)은 그에 따른 이행행위(예 기부채납 즉, 증여계약)를 하게 된 동기(연유)로 기능함
② [배경지식1 – 민법] 부담에 따른 기부채납 즉, 증여계약의 법적 성질에 대해서는 논란 ➡ 판례는 사법상(私法上)의 계약(공법상 계약×, 처분×)으로 봄(92다4031)
③ [배경지식2 – 민법] 민법 제109조에 따르면 사법상의 행위(법률행위)를 하게 된 동기에 착오가 있었고, 그것이 법률행위의 중요한 부분이었던 경우에는 그 법률행위를 취소할 수 있음 ➡ 취소되기 전까지는 유효
④ [배경지식3 – 민법] 민법 제109조에 의한 취소와는 별개로, 사법상의 행위(법률행위)가 사회질서를 위반하거나 강행규정에 위반되면 무효임
⑤ [논점] 처분에 부가된 기부채납을 요구하는 부담에 따라, 처분을 발급받은 상대방이 기부채납을 하였는데, 그 부담이 무효이거나 취소된 경우, 그 기부채납의 효력은 어떻게 되는가?
⑥ [결론 – 독립설] 대법원은 부담은 공법상의 행위인 반면, 그 이행행위인 기부채납은 사법상의 행위로서 양자는 서로 독립된 별개의 행위라는 이유로, 부담이 무효이거나 취소되었다는 이유만으로는 그 이행행위가 당연히 무효로 되는 것은 아니라고 봄 ➡ 기부채납의 효력은 별도로 민법에 따라 판단해보아야 함 ➡ 기부채납은 민법 제109조에 의하여 취소되지 않았거나, 그리고 사회질서를 위반했거나 강행규정에 위반된다는 별도의 사정이 없다면 유효○
⑦ 부관 무효 ➡ 동기의 착오로서 이행행위의 취소는 가능○ But 그 이행행위가 당연히 무효가 되는 것× 행정처분에 붙인 부담(a)인 부관이 무효가 되면 본체인 행정처분 자체의 효력에도 영향이 있게 될 수는 있지만(영향이 없음×), 그 처분을 받은 사람이 부담(a)의 이행으로 사법상 매매 등의 법률행위(b)를 한 경우에는, 그 부관(a)은 특별한 사정이 없는 한 법률행위(b)를 하게 된 동기 내지 연유로 작용하였을 뿐이므로 이는 법률행위(b)의 취소사유가 될 수 있음은 별론으로 하고, 그 법률행위(b) 자체를 당연히 무효화하는 것은 아님(2006다18174)
⑧ 부관 무효 ➡ 동기의 착오로서 이행행위의 취소는 가능○ But 그 이행행위가 당연히 무효가 되는 것× 기속행위 내지 기속적 재량행위 행정처분에 부담인 부관을 붙인 경우 일반적으로 그 부관은 무효라 할 것이고, 그 부관의 무효화에 의하여 본체인 행정처분 자체의 효력에도 영향이 있게 될 수는 있지만, 그러한 사유는 그 처분을 받은 사람이 그 부담의 이행으로서의 증여의 의사표시를 하게 된 동기 내지 연유로 작용하였을 뿐이므로 취소사유가 될 수 있음은 별론으로 하고, 그 의사표시 자체를 당연히 무효화하는 것은 아님(98다51305)
⑨ 부관 무효 ➡ 그 이행행위가 당연히 무효가 되는 것× 기부채납조건이 중대하고 명백한 하자로 인하여 무효라 하더라도, 甲의 기부채납 이행으로 이루어진 토지의 증여는 그 자체로 사회질서 위반이나 강행규정 위반 등의 특별한 사정이 없는 한 유효함 ➡ 기부채납 계약에 따른 토지소유권의 취득을 법률상 원인없이 이루어진 부당이득이라 할 수 없음(2006다18174) ➡ 동기의 착오를 이유로 취소되었다는 등의 별도의 사정이 없는 한, 그 토지에 대한 소유권이전등기의 말소를 청구할 수×(94다56883)
⑩ [추가논점 – 부담이 아직 유효한 경우 ➡ 그 이행행위는 취소조차 불가능] 토지소유자가 토지형질변경행위허가에 붙은 기부채납의 부관에 따라 토지를 국가나 지방자치단체에 기부채납(증여)한 경우, 기부채납의 부관에 하자가 있었다 하더라도, 당연무효이거나 취소되지 아니한 이상, 원칙적으로 토지소유자는 위 부관으로 인하여 증여계약의 중요부분에 착오가 있음을 이유로 증여계약을 취소할 수 없음(98다53134) ➡ 부관에 효력이 없다면 동기의 착오가 있는 법률행위가 되어 민법 제109조에 따른 취소가 가능하겠지만, 부관이 유효라면 기부채납의 동기인 부관에 아무런 문제가 없는 경우이어서, 민법 제109조에 따른 취소가 불가능하다는 말

부담에 불가쟁력이 발생한 경우 이행행위에 대한 쟁송가부

① 하자 있는 부담에 불가쟁력이 발생하였어도, 그와 별개로 그 이행행위에 대해서는 다툴 수 있음 ➡ 쟁송가능성도 별개로 판단
② 판례 행정처분에 부가한 부담이 무효인 경우에도 그 부담의 이행으로 한 사법상 법률행위가 당연히 무효가 되는 것은 아니며, 행정처분에 부가한 부담이 제소기간의 도과로 불가쟁력이 생긴 경우에도, 그 부담의 이행으로 한 사법상 법률행위의 효력을 다툴 수 있음(2006다18174)
③ 판례 행정처분에 붙은 부담(a)인 부관이 제소기간의 도과로 확정되어 이미 불가쟁력이 생겼다 하더라도 부담의 이행으로서 하게 된 사법상 매매 등의 법률행위(b)는 부담을 붙인 행정처분과는 어디까지나 별개의 법률행위이므로, 그 부담(a)의 불가쟁력의 문제와는 별도로 법률행위(b)가 사회질서 위반이나 강행규정에 위반되는지 여부 등을 따져보아 그 법률행위(b)의 유효 여부를 판단하여야 함(2006다18174)

제4장 행정계약

행정계약

의의

① 행정주체('행정청')가 당사자가 되는 양 당사자 사이의 반대방향의 의사표시의 합치('계약') → 행정계약 중에는 사법상의 계약도 존재함(예 동작구의 볼펜 구매계약) → 행정법의 주된 관심은 공법상 계약

② [구분개념 – 공법상 계약] 행정계약 중 공법상의 효과(공법상 권리·의무의 변동)가 발생하게 하려는 목적으로 체결하는 계약(예 임기제 공무원 채용 계약)

③ [구분개념 – 쌍방적 행정행위] 쌍방적 행정행위와 행정계약 모두 상대방의 신청이나 동의를 그 요건으로 하지만, 쌍방적 행정행위는 그로 인한 법률관계의 내용과 발급여부가 행정청의 일방적인 결정으로 정해진다는 점에서 행정계약과 다름

④ 판례 지방자치단체가 근무기간을 정하여 임용하는 공무원으로 시민옴부즈만을 채용하는 행위는 공법상 계약에 해당함(2013두6244)

허용성

왕정 국가 시절에는 행정주체가 계약의 형식으로 행정작용을 할 수 있는지가 문제 되었음 → 오늘날에는 가능하다고 봄

법적 성질

① 행정작용 형식론에 따르면 행정계약은 ㉠ 법적 행위이면서, ㉡ 쌍방적 작용에 해당 → 쌍방적 작용이라는 말은 법률관계의 내용을 당사자들의 합의에 따라 정한다는 의미 → 비권력적 작용○ → 계약 체결 행위는 처분×

② 행정계약은 행정행위가 아니어서 공정력× → 계약이 위법할 경우 곧바로 무효○(2009다51288)

③ 행정계약은 행정행위가 아니어서 자력집행력× → 상대방이 행정계약에 따른 의무를 이행하지 않는 경우라도, 별도의 규정이 없는 한, 법원의 판결을 받아 법원의 힘을 빌려 계약 내용을 실현해야 함(타력구제) (행정상 강제집행 가능×, 행정대집행법 적용×)

법치행정의 원칙

① [법률우위의 원칙 – 적용○] 행정목적을 달성하기 위하여 필요한 경우, 행정청은 법령등을 위반하지 아니하는 범위에서 공법상 법률관계에 관한 계약을 체결할 수 있음(행정기본법 제27조 제1항 1문)

② [법률유보의 원칙 – 적용×] 당사자 사이의 자유로운 의사의 합치에 의하는 것이므로 적용× → 법적 근거가 없어도 체결 가능○

행정계약의 장점

① 법의 흠결을 보충

② 개별적·구체적 사정에 따른 탄력적 행정처리를 가능하게 함

③ 사실관계·법률관계가 명확하지 않을 때에 해결을 용이하게 해 줌

④ 법률지식이 없는 자에게도 교섭을 통하여 문제를 이해시킬 수 있음

종류

㉠ 행정주체와 행정주체가 체결하는 행정계약도 있고, ㉡ 행정주체와 사인이 체결하는 행정계약도 있음

부합계약성

공법상 계약의 내용은 당사자 간에 합의에 의하여 정해지기도 하지만, 행정주체가 일방적으로 내용을 정하고 상대방은 체결 여부만을 선택하는 방식도 있을 수 있음

사법 규정의 유추적용

① 행정계약이 사법상 계약인 경우 → 민법 등 사법의 규정이나 법리들이 그대로 적용됨

② 행정계약이 공법상 계약인 경우 → 민법 등 사법의 규정이나 법리들이 유추적용됨

국계법과 지계법	개설	국가나 지방자치단체가 당사자가 되어 계약을 체결하는 경우를 규율하기 위해 일반법으로서 「국가를 당사자로 하는 계약에 관한 법률」과 「지방자치단체를 당사자로 하는 계약에 관한 법률」이 제정되어 있음

국계법과 지계법에 따른 계약의 법적 성질

① 국가나 지방자치단체가 계약의 당사자이기만 하면 그 계약의 성질이 공법상 계약인지 사법상 계약인지와 상관없이 원칙적으로 이 법률들이 적용○ → 국계법이나 지계법에 따라 계약이 체결되었다고 해서 공법상 계약인 것× → 오히려 대법원은 이 법률들에 따라 입찰방식에 의해 사인과 체결하는 계약을 사법상 계약(공법상 계약×)이라고 보고 있음 → 학설은 비판

② [관련 개념 – 공공계약] 「국계법」이나 「지계법」에 근거하여 국가나 지방자치단체가 사인과 체결하는 물품공급계약이나 도급계약❶ → [법적성질] 사법상의 계약

③ [공공기관의 운영에 관한 법률에 따라 계약을 체결한 경우 – 법리확장적용] 「공공기관의 운영에 관한 법률」의 적용 대상인 공기업이 일방 당사자가 되는 계약도 기본적으로 공기업이 사경제의 주체로서 상대방과 대등한 지위에서 체결하는 사법상의 계약(공법상 계약×)에 해당○(2012다74076) → ※ 「공공기관의 운영에 관한 법률」은 공공기관이 계약을 체결할 경우에 적용되는 법률임

④ [정부투자기관 관리기본법에 따라 계약을 체결한 경우 – 법리확장적용] 구 「정부투자기관 관리기본법」의 적용 대상인 정부투자기관이 일방 당사자가 되는 계약은 사법상의 계약으로서 그에 관한 법령에 특별한 정함이 있는 경우를 제외하고는 사적 자치의 원칙이 그대로 적용됨(2010다83182)

⑤ 판례 「예산회계법」 또는 「지방재정법」에 따라 지방자치단체가 당사자가 되어 체결하는 계약은 사법상의 계약일 뿐, 공권력을 행사하는 것이거나 공권력 작용과 일체성을 가진 것은 아니라고 할 것이므로 이에 관한 분쟁은 행정소송의 대상×(96누14708) → ※ 예산회계법과 지방재정법은 지방자치단체를 당사자로 하는 계약에 관한 법률의 전신임

⑥ 판례 「국가를 당사자로 하는 계약에 관한 법률」에 따라 국가가 당사자가 되는 이른바 공공계약(조달계약)은 특별한 사정이 없는 한 사경제 주체로서 상대방과 대등한 위치에서 체결하는 사법상 계약으로서, 그 본질적인 내용은 사인 간의 계약과 다를 바가 없으므로, 그에 관한 법령에 특별한 정함이 있는 경우를 제외하고는 사적 자치와 계약자유의 원칙 등 사법의 원리가 그대로 적용○(2012마1097)

⑦ 판례 「지방자치단체를 당사자로 하는 계약에 관한 법률」에 따라, 지방자치단체가 당사자가 되는 이른바 공공계약은 본질적인 내용이 사인 간의 계약과 다를 바가 없음 (2006마117)

⑧ 판례 지방자치단체가 체결하는 이른바 '공공계약'이 사경제의 주체로서 상대방과 대등한 위치에서 체결하는 사법상 계약에 해당하는 경우, 그 계약에는 법령에 특별한 정함이 있는 경우 외에는 사적 자치와 계약자유의 원칙 등 사법의 원리가 그대로 적용○(2014두11328)

(변) 적용범위 – 요청조달계약

① [개념] 국가(조달청장)가 어떤 물자나 공사가 필요한 기관('수요기관')을 위하여, 물건이나 공사의 업자들을 상대방으로 하여 수요기관을 대신하여 체결하는 계약

② 요청조달계약도 국가가 당사자가 되는 것이기 때문에, 특별한 규정이 없는 한, 당연히 「국가를 당사자로 하는 계약에 관한 법률」의 적용을 받음(2014두14389)

③ 다만, 국가의 자체의 필요를 위하여 체결하는 계약이 아니기 때문에, 「국가를 당사자로 하는 계약에 관한 법률」상의 규정들 중 ㉠ 국가가 사경제 주체로서 국민과 대등한 관계에 있음을 전제로 한 사법관계에 대한 규정들만이 적용○, ㉡ 우월적(고권적) 지위에서 국민에게 침익적 효과를 발생시키는 행정처분(㉢ 입찰참가자격제한)에 대한 규정들은 적용×(2014두14389)

---

❶ [민법] 도급계약이란 어떤 일을 완성하여 주면 그 대가로 돈을 주기로 하는 계약을 말한다. 보통 건축공사계약이 도급계약의 형식으로 이루어진다.

계약상대방 선정	① 행정청은 공법상 계약의 상대방을 선정하고 계약 내용을 정할 때 공법상 계약의 공공성과 제3자의 이해관계를 고려하여야 함(행정기본법 제27조 제2항) ② [「사회기반시설에 대한 민간투자법」상 민간투자사업❶의 사업시행자 지정과정] 민간사업에 대한 공모 ➜ 우선협상대상자 선정(처분) ➜ 우선협상대상자와 총사업비, 사용기간 등 사업시행의 조건이 포함된 실시협약 체결(공법상 계약) ➜ 협약에 따른 사업시행자 지정(처분) ➜ 시설공사 착공 ③ 판례 ㉠「사회기반시설에 대한 민간투자법」(약칭 민간투자법)에 근거한 서울 – 춘천 간 민간투자사업(고속도로)의 사업시행자 지정은 공법상 계약이 아니라 행정처분에 해당○ But ㉡ 그 지정의 근거가 되는 공사비용의 액수, 공사완료기간 등 구체적인 권리·의무의 내용을 정하는 실시협약은 공법상 계약에 해당○(2007두13159) ➜ 대법원이 구체적으로 언급하지는 않았으나, 민간투자사업의 사업시행자 지정을 강학상 특허로 파악하고 있는 것으로 봄(사업시행자로 지정될 경우「토지보상법」이 정한 절차에 따라 토지 등을 수용할 수 있는 등 각종 공법상 권한을 부여받게 됨) ④ 판례「사회기반시설에 대한 민간투자법」에 따라 지방자치단체와 유한회사 간 체결한 '터널 민간투자사업 실시협약'은 공법상 계약에 해당함(2017두46455) ⑤ 판례 지방자치단체의 장이「공유재산 및 물품관리법」에 근거하여 기부채납 및 사용·수익허가 방식으로 민간투자사업(태양광발전시설 설치)을 추진하는 과정에서, 사업시행자를 지정하기 위한 전 단계에서 공모제안을 받아 일정한 심사를 거쳐 ㉠ 우선협상대상자를 선정하는 행위와, ㉡ 이미 선정된 우선협상대상자를 그 지위에서 배제하는 행위는 모두 항고소송의 대상이 되는 행정처분으로 보아야 함(2017두31064) ➜ ∵ 이 행위들은, 민간투자사업의 세부내용에 관한 협상을 거쳐 공유재산법에 따른 공유재산의 사용·수익허가를 우선적으로 부여받을 수 있는 지위를 설정하거나 또는 이미 설정한 지위를 박탈하는 행위들로서, 강학상 특허에 해당하기 때문
공무위탁계약	① 행정계약을 통하여 사인에게 행정권한을 부여(예 별정우체국 지정)하는 경우 ➜ 그 계약은 공법상 계약(∵ 공무수탁사인으로서의 지위를 부여하는 것이기 때문) ② 행정계약을 통하여, 단순히 행정주체가 이행해야 할 의무를 대행하게 하는 경우 ➜ 그 계약은 사법상 계약 ③ 판례 음식물류 폐기물의 수집·운반 업무의 대행을 위탁하고 그에 대한 대행료를 지급하는 것을 내용으로 하는 지방자치단체와 사인간의 계약은 민사소송의 대상○(2014두11328) ④ 판례 지방자치단체가 자원회수시설과 부대시설의 운영·관리 등을 위탁하고 그 위탁운영비용을 지급하는 것을 내용으로 하는 용역 계약을 사인과 체결한 경우, 이러한 위탁운영에 관한 협약의 법적 성질은 사법상 계약에 해당하므로 그에 관한 다툼은 민사소송의 대상○(2018두60588)
계약서의 작성	① 본래 구두로도 체결될 수 있지만, 국가나 지방자치단체가 당사자인 경우에는, 국계법과 지계법에 의해 계약서를 작성해야 함 ➜ 작성하지 않은 경우 위법 ➜ 공정력이 없어 무효(2013다215133) ② 공법상 계약을 체결할 때에도, 계약의 목적 및 내용을 명확하게 적은 계약서를 작성할 것을 행정기본법이 요구하고 있음(행정기본법 제27조 제1항 2문)
공법상 계약에 관한 쟁송	① [원칙적 당사자소송] ㉠ 공법상 계약과 관련된 쟁송(예 계약해지의 의사표시가 유효한지 여부에 대한 확인청구, 계약위반에 따른 의무이행청구 등)은 원칙적으로 당사자소송의 형식으로 하여야 하지만, ㉡ 공법상 계약과 관련하여 행해진 행위에 처분성이 인정되는 경우에는 그에 대한 불복은 항고소송에 의하여야 함 ② [국가배상청구] 공법상 계약과 관련된 공무원의 불법행위로 국민이 입은 손해는「국가배상법」에 의한 배상의 대상○ ③ 판례 공법상 계약의 한쪽 당사자가 다른 당사자를 상대로 효력을 다투거나 이행을 청구하는 소송은, 분쟁의 실질이 공법상 권리·의무의 존부·범위에 관한 다툼이 아니라 손해배상액의 구체적인 산정방법·금액에 국한되는 등의 특별한 사정이 없는 한, 공법상 당사자소송으로 제기하여야 함(2019다277133)

---

❶ [더 들어가기] 민간투자사업이란 국가나 지방자치단체가 공공시설(예 지하철, 고속도로 등)의 건설·운영에 필요한 재원의 전부 또는 일부를 사인(사기업)으로부터 조달하고, 그에게 일정한 범위 내에서 시설의 운영 및 수익권을 보장하는 방식으로 시행하는 사업을 말한다.

법률관계 종료행위의 취급 (행정계약 특수논점)	법리	① [협약에 근거한 경우 – 처분×] 법률관계의 당사자 사이에 협약으로 정해놓았던 사유가 발생하여 그 협약에 따라 법률관계를 종료시키는 행위는, 행정청이 대등한 당사자의 지위에서 행하는 계약에 따른 의사표시일 뿐 처분× ➡ ∵ 법집행행위도 아니고, 우월적 지위임을 전제로 하여 이루어지는 것도 아니기 때문

(표 형식 재구성)

법률관계 종료행위의 취급 (행정계약 특수논점)

법리

① **[협약에 근거한 경우 – 처분×]** 법률관계의 당사자 사이에 협약으로 정해놓았던 사유가 발생하여 그 협약에 따라 법률관계를 종료시키는 행위는, 행정청이 대등한 당사자의 지위에서 행하는 계약에 따른 의사표시일 뿐 처분× ➡ ∵ 법집행행위도 아니고, 우월적 지위임을 전제로 하여 이루어지는 것도 아니기 때문

② **[법령에 근거한 경우 – 처분○]** 행정청이 기존에 국민과 맺고 있던 법률관계(협약, 계약)를 법령을 통하여 부여받은 우월적 지위에서 일방적 의사표시로 종료시키는 경우도 있음 ➡ 이 의사표시는 공권력의 행사로서 처분○(∵ '법집행행위'이기 때문)

③ 행정청이 자신과 상대방 사이의 법률관계를 일방적인 의사표시로 종료시킨 경우 양자의 분간 문제 발생 ➡ 시험 문제에서 구체적 법령을 제시× ➡ 암기!

④ **판례** 행정청이 자신과 상대방 사이의 법률관계(剛 자금지원 협약 관계)를 일방적인 의사표시로 종료시켰다고 하더라도 곧바로 그 의사표시가 행정청으로서 공권력을 행사하여 행하는 행정처분이라고 단정할 수는 없고, 관계 법령이 상대방의 법률관계에 관하여 구체적으로 어떻게 규정하고 있는지에 따라 ㉠ 그 의사표시가 항고소송의 대상이 되는 행정처분에 해당하는 것인지, ㉡ 아니면 공법상 계약관계의 일방 당사자로서 대등한 지위에서 행하는 의사표시('공법상 계약에 따른 의사표시')인지 여부를 개별적으로 판단하여야 함(2015두41449)

⑤ **근로관계 종료행위도 마찬가지** 행정청이 자신과 상대방 사이의 근로관계를 일방적인 의사표시로 종료시켰다고 하더라도 곧바로 그 의사표시가 행정청으로서 공권력을 행사하여 행하는 행정처분이라고 단정할 수는 없고, 관계 법령이 상대방의 근무관계에 관하여 구체적으로 어떻게 규정하고 있는지에 따라, ㉠ 그 의사표시가 항고소송의 대상이 되는 행정처분에 해당하는 것인지, ㉡ 아니면 공법상 계약관계의 일방 당사자로서 대등한 지위에서 행하는 의사표시인지 여부를 개별적으로 판단하여야 함 (2010두18963)

행정청이 대등한 당사자의 지위에서 하는 의사표시로 본 경우

중소기업정보화지원사업협약 해지 중소기업기술정보진흥원장이 甲 주식회사와 「중소기업 기술혁신 촉진법」상의 중소기업 정보화지원사업에 따른 지원금 출연을 위하여 공법상 계약(사법상 계약×)인 중소기업정보화지원사업협약을 체결하였다가, 甲주식회사의 협약 불이행으로 인해 사업실패가 초래되어, 그 협약에서 정한 바에 따라 행한 해지 및 정부지원금 환수통보(2015두41449) ➡ 처분×, 행정청이 대등한 당사자의 지위에서 하는 의사표시○(∵ 그 해지의 효과는 전적으로 협약이 정한 바에 따라 정해질 뿐 달리 협약 해지의 효과 또는 이에 수반되는 행정상 제재 등에 관하여 관련 법령에 아무런 규정이 없었기 때문) ➡ 이에 대한 다툼은 당사자소송(2015두41449)

처분으로 본 경우

① **2단계 두뇌한국 21사업협약 해지통보** 지식경제부장관으로부터 업무를 위탁받은 재단법인 한국연구재단이 연구개발비의 부당집행을 이유로, 「과학기술기본법령」에 근거하여 甲대학교 총장에게 행한 甲대학교 소속 乙사업단과의 '해양생물유래 고부가식품·향장·한약 기초소재 개발 인력양성사업에 대한 2단계 두뇌한국(BK)21 사업' 협약을 해지한다는 내용의 통보를 한 경우 ➡ 이 협약의 해지는 처분○, 乙사업단의 연구팀장 丙에게는 위 처분에 대해 다툴 수 있는 원고적격○(2012두28704)

② **[비교판례]** 위 사건에서 연구팀장 丙에 대한 대학의 자체징계를 요구한다는 내용의 통보도 같이 하였는데, 그 통보는 처분에 해당하지 않는다고 보았음(2012두28704)

③ **산업단지 입주계약 해지통보** 「산업집적활성화 및 공장설립에 관한 법률」에 따른 산업단지 입주계약의 해지통보는, 행정청인 관리권한자(지식경제부장관)로부터 관리업무를 위탁받은 공법인인 한국산업단지공단이 우월적 지위에서 그 상대방에게 일정한 법률상 효과를 발생하게 하는 것으로서 항고소송의 대상이 되는 행정처분○(2010두23859)

④ **공단입주 변경계약 취소** 행정청인 관리권자로부터 관리업무를 위탁받은 성남산업단지관리공단이 행한 공단입주 변경계약의 취소는 처분○ ➡ 항고소송으로 다투어야 함 ➡ ∵ 「산업집적활성화 및 공장설립에 관한 법률」에서 이를 공단이 우월적 지위에서 행하는 작용으로 규정하고 있었기 때문(2014두46843)

⑤ **연구개발중단조치 및 연구비 집행중지조치** 한국환경산업기술원장이 甲주식회사와 연구개발사업협약을 체결하였다가, 수행과제에 대한 연차평가(중간평가)결과 연구실적 부진(절대평가 60점 미만)을 이유로 대통령령인 「국가연구개발사업의 관리 등에 관한 규정」에 근거하여 연구개발중단조치 및 연구비 집행중지조치를 한 경우 각 조치는 행정처분○(2015두264) ➡ ※ 이 각 조치들은 계약을 해지하기 전에, 연구개발비를 지원한 업체에 대하여 연구개발을 중단하고 이미 지급된 연구비를 더이상 사용하지 말아야 할 공법상 의무를 부과하는 작용임

계약직 공무원❶ 관련 특수논점	채용 및 채용계약해지 (처분×)	① [채용] 계약직 공무원(예 공중보건의사, 시립무용단원, 시립합창단원, 이장) 채용은 외형상 일방적으로 이루어지는 것처럼 보일지라도, 공법상 계약의 체결로 봄(92누4611) ➜ 처분× ➜ 이에 대해 다툴 때는 당사자소송
		② [채용계약 해지] 계약직 공무원 채용계약 해지의 의사표시는 외형상 일방적으로 이루어지는 것처럼 보일지라도 일반공무원에 대한 징계처분과는 달라서 처분×, 행정청이 채용관계의 한쪽 당사자로서 대등한 당사자의 지위에서 하는 의사표시○(2002두5948) ➜ ⊙ 이에 대해 다툴 때는 당사자소송○, ⓒ 행정처분과 같이 「행정절차법」에 따라 근거와 이유를 제시하여야 하는 것×, (변) ⓒ 징계해고 등에서와 같이 법원이 그 징계사유에 한하여 효력 유무를 판단하여야 하는 것×
		③ 판례 서울특별시립무용단원의 위촉은 공법상 계약임 ➜ 그 단원의 해촉에 대하여는 공법상의 당사자소송으로 무효확인을 청구할 수 있음(95누4636)
		④ 판례 농어촌 등 보건의료를 위한 특별조치법령에 따른 계약직 공무원의 일종인 전문직 공무원인 공중보건의사 ⊙ 채용계약은 공법상 계약○, ⓒ 채용계약 해지의 의사표시는 일정한 사유가 있을 때에 관할 도지사가 채용계약 관계의 한쪽 당사자로서 대등한 지위에서 행하는 의사표시임 ➜ 당사자소송으로 그 의사표시의 무효확인을 청구하여야 함(95누10617)
		⑤ 판례 읍·면장에 의한 이장(里長)의 임명 및 면직은 공법상 계약 및 그 계약을 해지하는 의사표시임(2010두18963) ➜ 처분×
	재계약의 자유	① 판례 광주광역시문화예술회관장의 시립합창단원 위촉은 행정처분이 아니라 공법상 근로계약○ ➜ 위촉기간이 만료되는 자들의 재위촉 신청에 대하여 실기와 근무성적에 대한 평정을 실시하여 재위촉을 거부한 행위(재위촉을 하지 아니한 행위)는 처분에 해당×(∵ 계약 체결 여부는 본래 사인 사이에서도 자유에 속하는 것이기 때문)(2001두7794)
		② 판례 지방공무원법상 지방전문직공무원 채용계약에서 정한 채용기간이 만료한 경우에는 채용계약의 갱신이나 기간연장 여부는 기본적으로 지방자치단체장의 재량○(2013두9031)
	채용절차 중단	① 계약직 공무원 채용계약의 체결 과정에서 행정청의 일방적인 의사표시로 계약이 성립하지 아니한 경우 ➜ 관계법령이 상대방의 법률관계에 관하여 구체적으로 어떻게 규정하고 있는지에 따라 의사표시가 ⊙ 항고소송의 대상이 되는 처분에 해당하는지 아니면 ⓒ 공법상 계약관계의 일방당사자로서 대등한 지위에서 행하는 의사표시인지 개별적으로 판단(2013두6244)
		② 판례 '서울특별시 시민감사옴부즈만 운영 및 주민감사청구에 관한 조례'에 따라 계약직으로 구성하는 옴부즈만 공개채용과정에서 최종합격자로 공고된 자에 대해, 서울특별시장이 인사위원회의 심의결과에 따라 채용하지 아니하겠다고 통보한 경우, 그 불채용통보는 처분이 아니어서 그에 대해서는 항고소송을 통해 다투는 것 가능×(2013두6244) ➜ 계약은 본래 그 체결여부가 자유인 것이어서, 채용 중단을 특별히 권력적인 작용을 한 것으로 볼 수 없다고 하였음
	계약직 공무원에 대한 징계 (처분○)	① 계약직 공무원에 대한 징계(예 보수삭감)는 일반공무원에 대한 징계와 실질적으로 동일 ➜ ⊙ 동일한 절차에 따라 이루어져야 하고, ⓒ 동일하게 처분성도 인정됨
		② 판례 지방계약직 공무원에 대해서도, 채용계약상 특별한 약정이 없는 한, 「지방공무원법」, 「지방공무원 징계 및 소청규정」에 정한 징계절차에 의하지 않고서는 보수를 삭감할 수는 없음(2006두16328)
		③ 판례 국가나 지방자치단체에 근무하는 청원경찰은 「국가공무원법」이나 「지방공무원법」상의 공무원은 아니지만, 다른 청원경찰과는 달리 그 근무관계는 공법관계 ➜ 지방자치단체에 근무하는 청원경찰에 대한 징계처분은 행정처분으로서 이에 대한 시정을 구하기 위해서는 민사소송이 아니라 행정소송을 제기하여야 함(92다47564) ➜ [비교] 지방자치단체에 근무하는 청원경찰은 「국가배상법」 제2조에서 규정하는 '공무원'에 해당○(92다47564)

---

❶ 계약직 공무원은 현행법상으로는 '임기제 공무원'이라 칭하는데, 판례 법리의 정리는 '계약직 공무원'이라 칭하던 시절에 이루어졌기 때문에, 행정법에서는 여전히 '계약직 공무원'에 관한 법리로서 논의가 되고 있다.

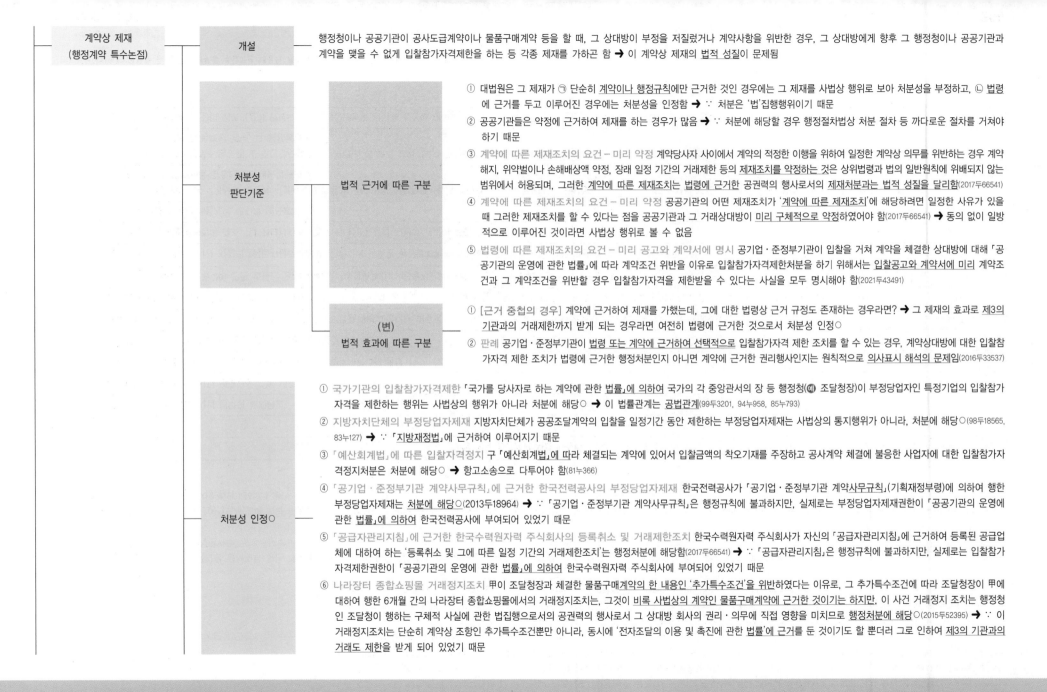

계약상 제재 (행정계약 특수논점)	개설		행정청이나 공공기관이 공사도급계약이나 물품구매계약 등을 할 때, 그 상대방이 부정을 저질렀거나 계약사항을 위반한 경우, 그 상대방에게 향후 그 행정청이나 공공기관과 계약을 맺을 수 없게 입찰참가자격제한을 하는 등 각종 제재를 가하곤 함 → 이 계약상 제재의 법적 성질이 문제됨
	처분성 판단기준	법적 근거에 따른 구분	① 대법원은 그 제재가 ㉠ 단순히 계약이나 행정규칙에만 근거한 것인 경우에는 그 제재를 사법상 행위로 보아 처분성을 부정하고, ㉡ 법령에 근거를 두고 이루어진 경우에는 처분성을 인정함 → ∵ 처분은 '법'집행행위이기 때문 ② 공공기관들은 약정에 근거하여 제재를 하는 경우가 많음 → ∵ 처분에 해당할 경우 행정절차법상 처분 절차 등 까다로운 절차를 거쳐야 하기 때문 ③ 계약에 따른 제재조치의 요건 – 미리 약정 계약당사자 사이에서 계약의 적정한 이행을 위하여 일정한 계약상 의무를 위반하는 경우 계약 해지, 위약벌이나 손해배상액 약정, 장래 일정 기간의 거래제한 등의 제재조치를 약정하는 것은 상위법령과 법의 일반원칙에 위배되지 않는 범위에서 허용되며, 그러한 계약에 따른 제재조치는 법령에 근거한 공권력의 행사로서의 제재처분과는 법적 성질을 달리함(2017두66541) ④ 계약에 따른 제재조치의 요건 – 미리 약정 공공기관의 어떤 제재조치가 '계약에 따른 제재조치'에 해당하려면 일정한 사유가 있을 때 그러한 제재조치를 할 수 있다는 점을 공공기관과 그 거래상대방이 미리 구체적으로 약정하였어야 함(2017두66541) → 동의 없이 일방적으로 이루어진 것이라면 사법상 행위로 볼 수 없음 ⑤ 법령에 따른 제재조치의 요건 – 미리 공고와 계약서에 명시 공기업·준정부기관이 입찰을 거쳐 계약을 체결한 상대방에 대해 「공공기관의 운영에 관한 법률」에 따라 계약조건 위반을 이유로 입찰참가자격제한처분을 하기 위해서는 입찰공고와 계약서에 미리 계약조건과 그 계약조건을 위반할 경우 입찰참가자격을 제한받을 수 있다는 사실을 모두 명시해야 함(2021두43491)
		(변) 법적 효과에 따른 구분	① [근거 중첩의 경우] 계약에 근거하여 제재를 가했는데, 그에 대한 법령상 근거 규정도 존재하는 경우라면? → 그 제재의 효과로 제3의 기관과의 거래제한까지 받게 되는 경우라면 여전히 법령에 근거한 것으로서 처분성 인정○ ② 판례 공기업·준정부기관이 법령 또는 계약에 근거하여 선택적으로 입찰참가자격 제한 조치를 할 수 있는 경우, 계약상대방에 대한 입찰참가자격 제한 조치가 법령에 근거한 행정처분인지 아니면 계약에 근거한 권리행사인지는 원칙적으로 의사표시 해석의 문제임(2016두33537)
	처분성 인정○		① 국가기관의 입찰참가자격제한 「국가를 당사자로 하는 계약에 관한 법률」에 의하여 국가의 각 중앙관서의 장 등 행정청(예 조달청장)이 부정당업자인 특정기업의 입찰참가자격을 제한하는 행위는 사법상의 행위가 아니라 처분에 해당○ → 이 법률관계는 공법관계(99두3201, 94누958, 85누793) ② 지방자치단체의 부정당업자제재 지방자치단체가 공공조달계약의 입찰을 일정기간 동안 제한하는 부정당업자제재는 사법상의 통지행위가 아니라, 처분에 해당○(98두18565, 83누127) → ∵ 「지방재정법」에 근거하여 이루어지기 때문 ③ 「예산회계법」에 따른 입찰자격정지 구 「예산회계법」에 따라 체결되는 계약에 있어서 입찰금액의 착오기재를 주장하고 공사계약 체결에 불응한 사업자에 대한 입찰참가자격정지처분은 처분에 해당○ → 항고소송으로 다투어야 함(81누366) ④ 「공기업·준정부기관 계약사무규칙」에 근거한 한국전력공사의 부정당업자제재 한국전력공사가 「공기업·준정부기관 계약사무규칙」(기획재정부령)에 의하여 행한 부정당업자제재는 처분에 해당○(2013두18964) → ∵ 「공기업·준정부기관 계약사무규칙」은 행정규칙에 불과하지만, 실제로는 부정당업자제재권한이 「공공기관의 운영에 관한 법률」에 의하여 한국전력공사에 부여되어 있었기 때문 ⑤ 「공급자관리지침」에 근거한 한국수력원자력 주식회사의 등록취소 및 거래제한조치 한국수력원자력 주식회사가 자신의 「공급자관리지침」에 근거하여 등록된 공급업체에 대하여 하는 '등록취소 및 그에 따른 일정 기간의 거래제한조치'는 행정처분에 해당함(2017두66541) → 「공급자관리지침」은 행정규칙에 불과하지만, 실제로는 입찰참가자격제한권한이 「공공기관의 운영에 관한 법률」에 의하여 한국수력원자력 주식회사에 부여되어 있었기 때문 ⑥ 나라장터 종합쇼핑몰 거래정지조치 甲이 조달청장과 체결한 물품구매계약의 한 내용인 '추가특수조건'을 위반하였다는 이유로, 그 추가특수조건에 따라 조달청장이 甲에 대하여 행한 6개월 간의 나라장터 종합쇼핑몰에서의 거래정지조치는, 그것이 비록 사법상의 계약인 물품구매계약에 근거한 것이기는 하지만, 이 사건 거래정지 조치는 행정청인 조달청이 행하는 구체적 사실에 관한 법집행으로서의 공권력의 행사로서 그 상대방 회사의 권리·의무에 직접 영향을 미치므로 행정처분에 해당○(2015두52395) → ∵ 이 거래정지조치는 단순히 계약상 조항인 추가특수조건뿐만 아니라, 동시에 '전자조달의 이용 및 촉진에 관한 법률'에 근거를 둔 것이기도 할 뿐더러 그로 인하여 제3의 기관과의 거래도 제한을 받게 되어 있었기 때문

처분성 인정×

① 한국철도시설공단의 낙찰적격 심사기준점수 감점통보 한국철도시설공단(현 국가철도공단)이 甲주식회사에 대하여 시설공사 입찰참가 당시 허위 실적증명서를 제출하였다는 이유로, 「공기업·준정부기관 계약사무규칙」에 근거하여 제정된 한국철도시설공단 「공사낙찰적격심사세부기준」에 따라 행한, 향후 2년간 공사낙찰적격심사시 종합취득점수의 10/100을 감점한다는 내용의 통보 ➔ 처분×, 사법상의 효력을 가지는 통지행위○(2010두6700) ➔ ∵ 법령에 의하여 이러한 권한이 부여된 것이 아니라, 대내적 효력만을 갖는 행정규칙인 「공사낙찰적격심사세부기준」에 근거한 것이기 때문

② (변) 「정부투자기관회계규정」에 근거한 한국전력공사의 입찰참가제한조치 한국전력공사가 「정부투자기관회계규정」에 근거하여 한 입찰참가제한조치는 행정처분×, 단지 상대방을 한국전력공사가 시행하는 입찰에 참가시키지 않겠다는 뜻의 사법상의 효력을 가지는 통지행위에 불과○(99부3) ➔ 한국전력공사의 입찰참가제한조치에 대해 법령상의 근거가 없던 시절의 판례○ ➔ ※ 2008년부터는 공기업·준정부기관에 입찰참가자격제한 권한이 법률에 의해 부여되고 있음

(변) 낙찰자결정 ── 「국가를 당사자로 하는 계약에 관한 법률」에 따른 입찰절차에서의 낙찰자의 결정은 「행정소송법」상 처분×, 그 상대방이 원할 경우 후에 본계약을 체결하자고 요구할 수 있는 권리를 부여하는 사법상의 편무예약❶ ○(2005다41603)

입찰보증금 국고귀속조치 ── 구 「예산회계법」에 따라 체결되는 계약에 있어서 입찰보증금의 국고귀속조치는 국가가 사법상의 재산권의 주체로서 행위하는 것○, 처분×(∵ 손해배상의 예정과 동일하기 때문) ➔ 사법관계 ➔ 이에 대한 분쟁은 민사소송의 대상(81누366)

공법상 계약 관련행위 처분성 정리 처 두 산 나 연 입 등	
사건	처분성
2단계 두뇌한국(BK)21 사업 협약의 해지통보	처분○
2단계 두뇌한국(BK)21 사업 연구팀장 乙에 대한 대학의 자체징계 요구	처분×
산업집적활성화 및 공장설립에 관한 법률상의 산업단지 입주계약 해지통보	처분○
산업집적활성화 및 공장설립에 관한 법률에 따른 입주변경계약 취소	처분○
조달청장과 체결한 물품구매계약의 한 내용인 '추가특수조건'을 위반하였다는 이유로 그 추가특수조건에 따라 행한 6개월의 나라장터 종합쇼핑몰 거래정지 조치	처분○
한국환경산업기술원장이 환경기술개발사업 협약을 체결한 甲 주식회사 등에게 연차평가 실시 결과 절대평가 60점 미만으로 평가되었다는 이유로 연구개발 중단 조치 및 연구비 집행중지 조치	처분○
「국가를 당사자로 하는 계약에 관한 법률」, 「지방재정법」, 「예산회계법」, 「공공기관의 운영에 관한 법률」에 따른 입찰참가자격제한	처분○
한국수력원자력 주식회사가 자신의 「공급자관리지침」에 근거하여 등록된 공급업체에 대하여 하는 '등록취소 및 그에 따른 일정 기간의 거래제한조치'	처분○
중소기업기술정보진흥원장이 중소기업 정보화지원사업 지원대상인 사업 지원에 관하여 체결한 협약을 해지	처분×
계약직 공무원에 대한 채용계약 해지의 의사표시	처분×
한국철도시설공단이 甲주식회사에 대하여 시설공사 입찰참가 당시 허위 실적증명서를 제출하였다는 이유로, 한국철도시설공단 「공사낙찰적격심사세부기준」에 따라 행한, 향후 2년간 공사낙찰적격심사시 종합취득점수의 10/100을 감점한다는 내용의 통보	처분×
'서울특별시 시민감사옴부즈만 운영 및 주민감사청구에 관한 조례'에 따라 계약직으로 구성하는 옴부즈만 공개채용과정에서 최종합격자로 공고된 자에 대해, 서울특별시장이 인사위원회의 심의결과에 따라 채용하지 아니하겠다고 통보한 경우, 그 불채용통보	처분×
광주광역시문화예술회관장이 위촉기간이 만료되는 시립합창단원의 재위촉 신청에 대하여 실기와 근무성적에 대한 평정을 실시하여 재위촉을 거부한 행위	처분×

❶ [민법] 편무예약이란 당사자 중 한쪽만 의무를 부담하는 내용의 계약을 장래에 체결하기로 하는 약정을 말한다.

행정상 사실행위

사실행위(Factual Act)

의의

① [개념] 일정한 법적 효과의 발생을 목적으로 하지 않고, 단순히 <u>사실상의 결과 실현만을 목적으로 하는</u> 행정작용 ➔ 📖 환경미화원들을 통한 서울시의 도로청소 행위

② 사실행위의 결과로 법적 효과가 발생하는 경우(📖 환경미화원들이 도로를 청소하던 중 시민을 다치게 하여 손해배상의무가 발생하는 경우)도 있으나, 이는 사실행위로 인한 <u>부수적 효과</u>이지 행정청이 사실행위를 할 때 <u>목적한 바에 의한 것은 아님</u>

③ 어떤 행정작용이 권리나 의무의 변동을 목적으로 하는지 여부는 <u>관련법령을 검토해 보아야</u> 알 수 있는 경우가 많음 ➔ 직관적으로는 권리나 의무의 변동을 목적으로 하지 않는 행위 같아 보여도, 관련법령에서 그 행위를 하면 권리나 의무가 변동된다는 규정이 있는 경우에는 그 행위는 사실행위가 아니게 됨 ➔ 암기의 대상 ➔ 📖 금융기관의 임원에 대한 금융감독원장의 문책경고는 사실행위×, 행정행위○(2003두14765) ➔ 관계법령에 문책경고를 받은 금융기관의 임원은 3년간 금융업종 임원으로 선임될 수 없다는 제한 규정이 있기 때문

종류

권력적 사실행위

① [개념] 행정주체가 <u>일방적으로 결정하고 상대방은 그에 따를 것이 강제되는</u> 사실행위

② 📖 불법주차차량 견인조치, 감염병환자의 강제입원, 행정대집행의 실행 등

③ 판례 구속된 피의자가 수갑 및 포승을 사용한 상태로 피의자 신문을 받도록 한 <u>수갑 및 포승 사용행위</u>는 권력적 사실행위에 해당○(2001헌마728)

비권력적 사실행위

① [개념] 권력적 사실행위 이외의 사실행위

② 📖 교량보수공사, 도로 위에 떨어져 있는 타이어 제거, 행정지도, 경찰관의 순찰행위 등

③ [판별방법] 행정입법이나, 행정행위, 행정계약도 아니면서 권력적이지도 않은 행정작용은 모두 비권력적 사실행위에 해당 ➔ 실제로 행해지는 행정작용들의 대부분은 이에 속하지만, 아직 이론이 발전되어 있지 못함

④ 판례 일반적으로 어떤 행위가 헌법소원의 대상이 되는 <u>권력적 사실행위에 해당하는지 여부</u>는 당해 행정주체와 상대방과의 관계, 그 사실행위에 대한 상대방의 의사·관여 정도·태도, 그 사실행위의 목적·경위, 법령에 의한 명령·강제수단의 발동 가부 등 그 행위가 행하여 질 당시의 구체적 사정을 <u>종합적으로 고려하여 개별적으로 판단해야 함</u>(2017헌마730)

법적 근거

권력적 사실행위

① 작용법적 근거 필요○ ➔ 법률유보의 원칙 적용 ○

② 당해 행정기관의 소관사무의 범위 내에서 행해져야 함(조직법적 근거 필요○)

③ 판례 수형자가 검열을 거부하는 경우에는 서신을 발송할 다른 방법이 없어 검열을 수인하지 않을 수 없기 때문에, 교도소장의 <u>수용자의 서신에 대한 검열행위</u>는 강학상 권력적 사실행위에 해당○ ➔ <u>법률에 근거함이 없이 행하여졌다면 위법</u>(96헌마398)

비권력적 사실행위

① 작용법적 근거 필요× ➔ 법률유보의 원칙 적용 ×

② 당해 행정기관의 소관사무의 범위 내에서 행해져야 함(조직법적 근거 필요○)

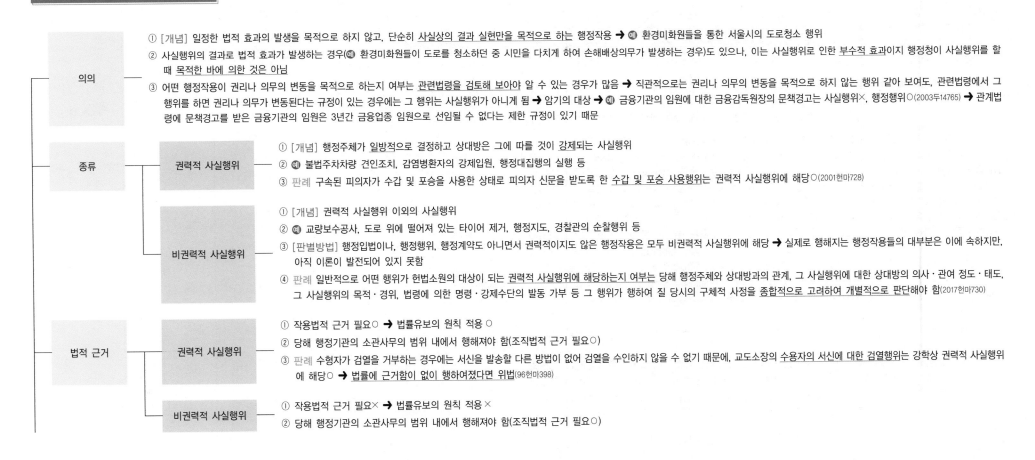

권력적 사실행위가 항고소송의 대상("처분등")이 되는지 여부에 대해 논쟁이 있음

(변) 긍정설1	권력적 사실행위에는 언제나 동시에 상대방에게 수인의무를 부과하는 하명(행정행위)이 동반되고 그 하명 부분 때문에 처분성이 인정된다고 보는 견해
(변) 긍정설2	권력적 사실행위는 '그 밖에 이에 준하는 행정작용'에 해당함을 이유로 처분성을 인정하는 견해
(변) 부정설	취소라는 것은 법적 효력을 상실시키는 행위이므로, 취소는 법적 행위에 대해서만 가능하고 사실행위에 대해서는 불가능한 것임을 이유로 처분성을 부정하는 견해

권리구제 — 권력적 사실행위 — 항고소송 — 대상적격 처분성 — 논쟁 / 판례의 태도

① [판례 – 긍정] ㉠ 대법원은 권력적 사실행위에 속하는 개별 행정작용(⑩ 수도의 공급거부)들의 처분성을 인정한 바 있고, ㉡ 헌법재판소도 명시적으로 권력적 사실행위의 처분성을 인정하고 있음(2001헌마754)

② (변) 다만, 권력적 사실행위가 행정처분의 준비단계로서 행하여지거나 행정처분과 결합된 경우에는, 행정처분에 흡수·통합되어 불가분의 관계에 있다 할 것이므로, 행정처분만이 취소소송의 대상이 되고, 따로 권력적 사실행위만을 다툴 실익은 없음(2001헌마754)

③ 판례 지방자치단체장(종로구청장)이 수도요금체납자에 대하여 행한 수도의 공급거부(단수)는 사실행위이지만 권력적 사실행위로서 처분성이 인정됨(79누218)

④ 판례 교도소장이 특정 수형자를 '접견내용 녹음·녹화 및 접견시 교도관 참여대상자'로 지정한 행위는 수형자의 구체적 권리·의무에 직접적 변동을 가져오는 행위로서 항고소송의 대상이 되는 행정처분에 해당하는 사실행위에 해당○(2013두20899) ➜ 이 지정에 따라 실제로 교도관들이 접견시에 접견내용을 녹음·녹화할 경우, 수형자는 싫어도 받아들일 수밖에 없으며, 그로 인하여 사생활의 비밀과 자유를 침해받게 되기 때문

⑤ (변) 판례 구청장이 사회복지법인에 특별감사 결과 ㉠ 지적사항에 대한 시정지시와 ㉡ 그 결과를 관계서류와 함께 보고하도록 지시한 경우, 그 시정지시는 비권력적 사실행위가 아니라 권력적 사실행위로서 항고소송의 대상이 되는 처분에 해당함(2008두3500) ➜ 사회복지사업법에 따르면 보고명령(㉡)에 따르지 않을 경우 법인설립허가를 취소하거나 사업정지 명령 등의 불이익 처분을 할 수 있다는 규정은 존재하였으나, 시정지시(㉠)를 할 수 있다는 규정은 존재하지 않았는데, '지적사항에 대한 시정지시 결과를 관계서류와 함께 보고하도록 지시'가 이루어진 경우라면, 시정지시에 자체에 대해서는 법령상 근거가 없어 그에 따를 의무가 부과되는 것은 아니라 하더라도, 그 상대방이 보고명령을 이행하기 위해서는 필연적으로 시정지시 사항을 이행할 수밖에 없기 때문에, 시정지시가 권력적 사실행위에 해당한다고 보아 처분성을 인정한 것

소의 이익

① 권력적 사실행위의 처분성이 인정된다 하더라도, 소의 이익이 없어 각하되는 경우가 많음 ➜ ∵ 불법주차된 차량 견인조치처럼 단기간에 끝나는 경우가 많기 때문

② 물론, 침해행위가 항고소송의 사실심 변론종결시에도 지속되고 있는 경우(⑩ 감염병 환자의 강제입원)라면 항고소송을 통한 구제 가능○

(변) 헌법소원 (헌법학)

① [청구적격 – "공권력의 행사"] 권력적 사실행위가 헌법소원의 대상("공권력의 행사")이 되는지가 문제되는데, 헌법재판소는 헌법소원의 대상이 된다고 보고 있음

② [청구의 이익 및 보충성] 헌법재판소는 권력적 사실행위가 현재에도 계속되고 있으면 보충성을 이유로 헌법소원을 허용하지 않지만, 단기간에 종료된 경우라면, 동일한 기본권침해가 장차 반복될 위험이 있거나 헌법적 해명이 필요한 경우에는 ㉠ 심판청구의 이익을 인정하고 있고, ㉡ 헌법소원의 청구요건인 보충성의 예외도 인정하여, 권력적 사실행위에 대한 헌법소원을 허용하고 있음(2001헌마728) ➜ 권력적 사실행위가 단기간에 종료된 경우라 하더라도, 항고소송에서와 달리 헌법소원은 받아주는 경우가 있다는 결론만 기억

③ 단기간에 종료된 경우 – 헌법소원○ 교도소 수형자에게 소변을 받아 제출하게 한 것은, 형을 집행하는 우월적인 지위에서 외부와 격리된 채 형의 집행에 관한 지시, 명령을 복종하여야 할 관계에 있는 자에게 행해진 것으로서 권력적 사실행위에 해당○(2005헌마277) ➜ 무언가를 지시(명령)하였다 하더라도, 그에 대한 근거 규정이 없으면, 상대방은 의무를 부담하지 않아 행정행위인 하명에 해당하지 않고, 대신 따를 것이 '사실상' 강제되는 권력적 사실행위에 해당하게 됨

④ 계속되고 있는 경우 – 헌법소원✕ 마산교도소장이 교도소에 복역중인 자에 대하여 법령상의 수용자 1인의 영치품 휴대 허가기준에 따라, 이에 부합하지 않는 그에게 송부되어 온 단추 달린 남방형 티셔츠 휴대를 불허하는 행위는 권력적 사실행위에 해당○(2002헌마462)

비권력적 사실행위	① [항고소송] 처분성 인정× ➡ 항고소송으로 다툴 수 없음

① [항고소송] 처분성 인정× ➡ 항고소송으로 다툴 수 없음

② [헌법소원] 공권력의 행사로 인정× ➡ 헌법소원으로 다툴 수 없음

③ 운수사업면허에 선행한 추첨행위 – 처분× 추첨방식에 의해 운수사업면허대상자를 선정하는 경우에 있어서의 추첨행위는 행정처분을 위한 사전 준비절차로서의 사실행위에 불과(92누15987) ➡ 후속하는 운수사업면허가 발급되어야 그것에 의해 그 상대방에게 어떤 권리가 발생하는 것이라는 이유로 처분성을 부정하였음

④ 경계측량 및 표지의 설치 – 처분× 건설부장관이 행한 국립공원지정처분에 따라 공원관리청이 행한 경계측량 및 표지의 설치 등은 사실상의 행위이므로 공권력 행사로서의 행정처분의 일부라고 볼 수 없음(92누2325)

⑤ (변) 나무식재 행위 – 처분× 지방자치단체의 장(부산시 서구청장)이 甲 소유의 밭에 측백나무 300그루를 식재하는 행위는 처분×(79누137)

국가배상 — 사실행위로 인하여 피해가 발생한 경우에는, 요건을 구비할 경우 국가배상청구권이 성립할 수 있음 ➡ ∵ 권력적 사실행위든, 비권력적 사실행위든 '직무행위'에 해당하기 때문(행정상 전보제도 부분에서 다룸)

행정지도(Administrative Guidance)

의의

① [개념] 비권력적 사실행위 중 일정한 행정목적의 달성을 위해, 국민이 자발적으로 행동하도록 <u>유도</u>하거나 자발적으로 협력하여 줄 것을 요청하는 행정기관의 작용(다수설) ➔ "행정기관이 그 소관 사무의 범위에서 일정한 행정목적을 실현하기 위하여 특정인에게 일정한 행위를 하거나 하지 않도록 <u>지도, 권고, 조언</u> 등을 하는 행정작용"(「행정절차법」 제2조상의 정의)

② [특징] 비권력적 사실행위의 일종이기 때문에, 상대방은 행정지도에 따를 의무가 없고, 본인의 판단에 따라 지도받은 행위를 할 것인지를 결정할 수 있음

③ [사례] 「인공조명에 의한 빛공해 방지법」에 따르면, 간판의 밝기(휘도)가 일정 기준을 초과할 경우 행정청은 과태료를 부과할 수 있는데, 과태료를 부과하는 절차를 밟기 전에, 담당공무원이 그 가게에 찾아가서 간판의 밝기가 기준치를 초과하고 있으니 간판을 교체하거나 간판 불을 꺼달라고 부탁하는 계도(啓導)활동을 하는 경우, 그 계도활동은 행정지도에 해당함

④ 📕 교차로 꼬리물기 자제 계도, 영농지도, 노사분쟁조정, 코로나19 바이러스 전염 예방을 위한 학원·교습소에 대한 휴업권고, 식품회사들에 대한 물가안정 협조요청 등 각종 <u>권고(勸告), 요청, 요구, 촉구</u>행위들

종류

개념	정의	예
조성적 행정지도	일정한 질서 형성을 유도하기 위한 행정지도	장학지도, 생활개선지도, 중소기업기술지도, 영농지도
조정적 행정지도	경제적 이해대립과 과당경쟁을 조정하기 위한 행정지도	노사분쟁의 조정, 수출량 조절을 위한 지도, 기업의 계열화 촉진
규제적 행정지도	일정한 행위를 억제하기 위한 지도	물가인상 억제를 위한 지도, 오물투기의 억제를 위한 지도

문제점 ─ 법치주의의 붕괴, 책임소재의 불분명으로 인한 책임행정의 이탈 등은 행정지도의 문제점에 해당됨

원칙 (제48조)

① [비례성의 원칙] 행정지도는 그 목적달성에 필요한 최소한도에 그쳐야 함

② [임의성의 원칙] 행정지도는 지도받는 자의 의사에 반하여 부당하게 강요되어서는 안 됨

③ [불이익조치 금지의 원칙] 행정기관은 상대방이 행정지도에 따르지 않았다는 이유로 불이익조치를 해서는 안 됨

절차 및 방식

개설 ─ 실무상 행정기관이 국민에 대하여 행정지도를 한다는 명목으로 애매모호한 방식으로 압력을 가하는 경우들이 빈번하게 발생하고 있음 ➔ 사전에 그 절차와 방식 통제하려는 목적에서 「행정절차(기본×)법」 제49조~제51조에서 그 절차에 관하여 규정하고 있음

행정지도 실명제 ─ 행정지도를 행하는 자는 상대방이 <u>요구하지 않아도</u> 그 행정지도의 취지와 내용 및 자신의 신분을 밝혀야 함(제49조 제1항)

서면교부청구권 ─ 행정지도는 <u>말로 하는 것도 가능</u>하지만, 상대방이 행정지도의 취지, 내용, 신분을 적은 서면의 교부를 요구하는 때에는 직무수행에 특별한 지장이 없는 한(반드시×) 그렇게 해야 함(제49조 제2항)

의견제출권 ─ 행정지도의 상대방은 행정지도의 <u>방식</u>이나 <u>내용</u>에 관하여 행정기관에 의견을 제출할 수 있음(제50조)

다수인을 상대로 하는 행정지도 ─ 같은 목적으로 여러 사람에게 행정지도를 하는 경우에는 <u>공통사항을 공표</u>해야 함(제51조)

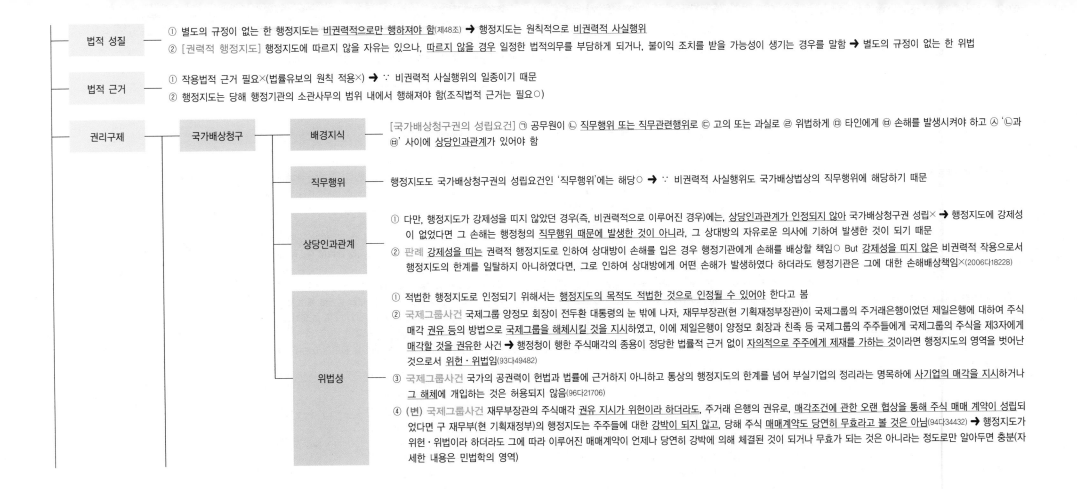

| 법적 성질 | ① 별도의 규정이 없는 한 행정지도는 비권력적으로만 행하져야 함(제48조) ➜ 행정지도는 원칙적으로 비권력적 사실행위 |
| | ② [권력적 행정지도] 행정지도에 따르지 않을 자유는 있으나, <u>따르지 않을 경우</u> 일정한 법적의무를 부담하게 되거나, 불이익 조치를 받을 가능성이 생기는 경우를 말함 ➜ 별도의 규정이 없는 한 위법 |

| 법적 근거 | ① 작용법적 근거 필요×(법률유보의 원칙 적용×) ➜ ∵ 비권력적 사실행위의 일종이기 때문 |
| | ② 행정지도는 당해 행정기관의 소관사무의 범위 내에서 행해져야 함(조직법적 근거는 필요○) |

권리구제 — 국가배상청구

배경지식

[국가배상청구권의 성립요건] ㉠ 공무원이 ㉡ 직무행위 또는 직무관련행위로 ㉢ 고의 또는 과실로 ㉣ 위법하게 ㉤ 타인에게 ㉥ 손해를 발생시켜야 하고 ㉦ '㉡과 ㉥' 사이에 상당인과관계가 있어야 함

직무행위

행정지도도 국가배상청구권의 성립요건인 '직무행위'에는 해당○ ➜ ∵ 비권력적 사실행위도 국가배상법상의 직무행위에 해당하기 때문

상당인과관계

① 다만, 행정지도가 강제성을 띠지 않았던 경우(즉, 비권력적으로 이루어진 경우)에는, <u>상당인과관계가 인정되지 않아</u> 국가배상청구권 성립× ➜ 행정지도에 강제성이 없었다면 그 손해는 행정청의 직무행위 때문에 발생한 것이 아니라, 그 상대방의 자유로운 의사에 기하여 발생한 것이 되기 때문

② 판례 강제성을 띠는 권력적 행정지도로 인하여 상대방이 손해를 입은 경우 행정기관에게 손해를 배상할 책임○ But <u>강제성을 띠지 않은</u> 비권력적 작용으로서 행정지도의 한계를 일탈하지 아니하였다면, 그로 인하여 상대방에게 어떤 손해가 발생하였다 하더라도 행정기관은 그에 대한 손해배상책임×(2006다18228)

위법성

① 적법한 행정지도로 인정되기 위해서는 행정지도의 목적도 적법한 것으로 인정될 수 있어야 한다고 봄

② 국제그룹사건 국제그룹 양정모 회장이 전두환 대통령의 눈 밖에 나자, 재무부장관(현 기획재정부장관)이 국제그룹의 주거래은행이었던 제일은행에 대하여 주식 매각 권유 등의 방법으로 국제그룹을 해체시킬 것을 지시하였고, 이에 제일은행이 양정모 회장과 친족 등 국제그룹의 주주들에게 국제그룹의 주식을 제3자에게 매각할 것을 권유한 사건 ➜ 행정청이 행한 주식매각의 종용이 정당한 법률적 근거 없이 자의적으로 주주에게 제재를 가하는 것이라면 행정지도의 영역을 벗어난 것으로서 <u>위헌·위법임</u>(93다49482)

③ 국제그룹사건 국가의 공권력이 헌법과 법률에 근거하지 아니하고 통상의 행정지도의 한계를 넘어 부실기업의 정리라는 명목하에 <u>사기업의 매각을 지시</u>하거나 그 해체에 개입하는 것은 허용되지 않음(96다21706)

④ (변) 국제그룹사건 재무부장관의 주식매각 <u>권유 지시</u>가 위헌이라 하더라도, 주거래 은행의 권유로, 매각조건에 관한 오랜 협상을 통해 주식 매매 계약이 성립되었다면 구 재무부(현 기획재정부)의 행정지도는 주주들에 대한 <u>강박이 되지 않고</u>, 당해 주식 매매계약도 당연히 무효라고 볼 것은 아님(94다34432) ➜ 행정지도가 위헌·위법이라 하더라도 그에 따라 이루어진 매매계약이 언제나 당연히 강박에 의해 체결된 것이 되거나 무효가 되는 것은 아니라는 정도로만 알아두면 충분(자세한 내용은 민법학의 영역)

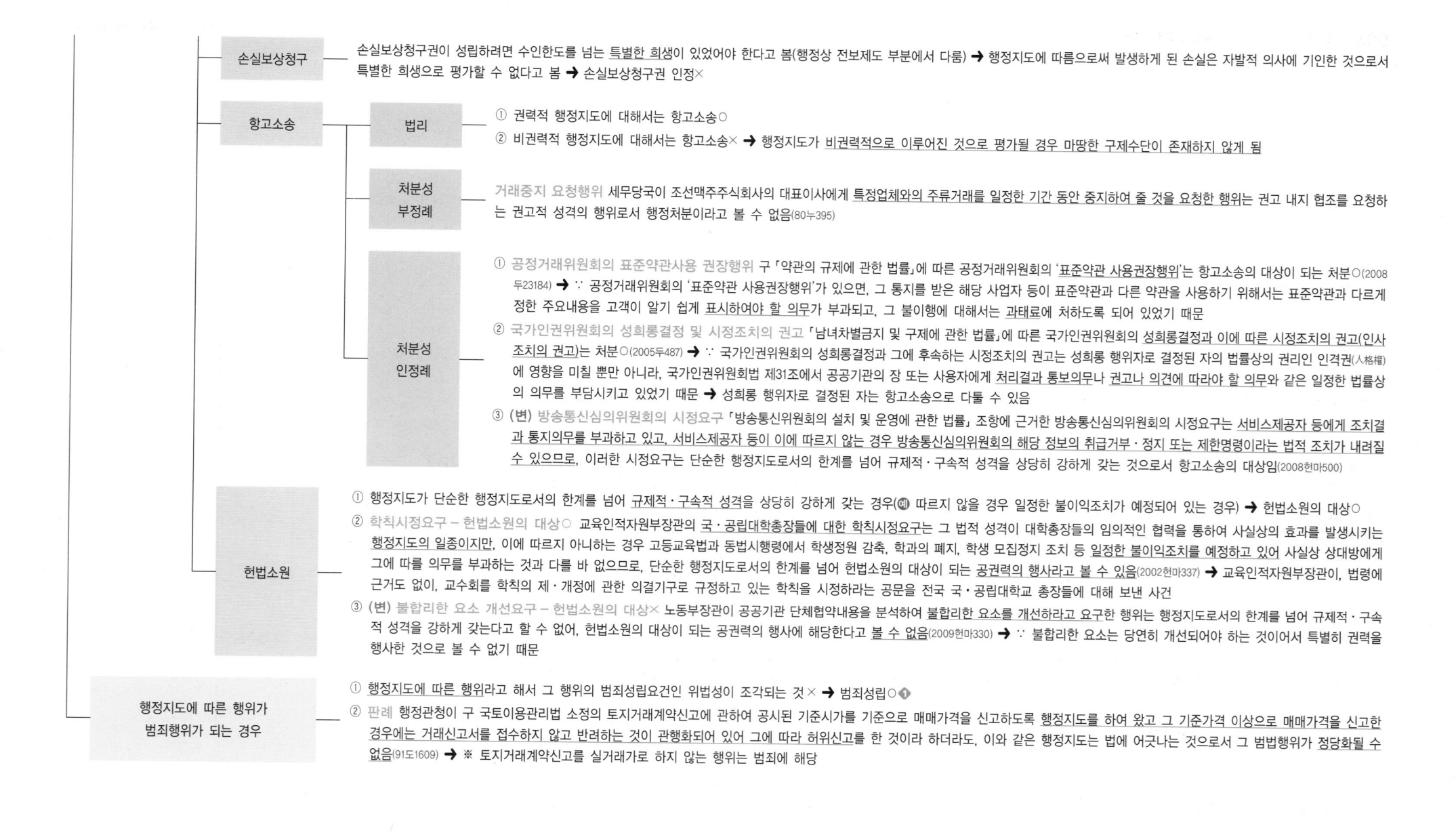

손실보상청구 손실보상청구권이 성립하려면 수인한도를 넘는 **특별한 희생**이 있었어야 한다고 봄(행정상 전보제도 부분에서 다룸) ➜ 행정지도에 따름으로써 발생하게 된 손실은 자발적 의사에 기인한 것으로서 특별한 희생으로 평가할 수 없다고 봄 ➜ 손실보상청구권 인정×

항고소송

법리
① 권력적 행정지도에 대해서는 항고소송○
② 비권력적 행정지도에 대해서는 항고소송× ➜ 행정지도가 비권력적으로 이루어진 것으로 평가될 경우 마땅한 구제수단이 존재하지 않게 됨

처분성 부정례
거래중지 요청행위 세무당국이 조선맥주주식회사의 대표이사에게 특정업체와의 주류거래를 일정한 기간 동안 중지하여 줄 것을 요청한 행위는 권고 내지 협조를 요청하는 권고적 성격의 행위로서 행정처분이라고 볼 수 없음(80누395)

처분성 인정례
① 공정거래위원회의 표준약관사용 권장행위 구 「약관의 규제에 관한 법률」에 따른 공정거래위원회의 '표준약관 사용권장행위'는 항고소송의 대상이 되는 처분○(2008두23184) ➜ ∵ 공정거래위원회의 '표준약관 사용권장행위'가 있으면, 그 통지를 받은 해당 사업자 등이 표준약관과 다른 약관을 사용하기 위해서는 표준약관과 다르게 정한 주요내용을 고객이 알기 쉽게 표시하여야 할 의무가 부과되고, 그 불이행에 대해서는 과태료에 처하도록 되어 있었기 때문
② 국가인권위원회의 성희롱결정 및 시정조치의 권고 「남녀차별금지 및 구제에 관한 법률」에 따른 국가인권위원회의 성희롱결정과 이에 따른 시정조치의 권고(인사조치의 권고)는 처분○(2005두487) ➜ ∵ 국가인권위원회의 성희롱결정과 그에 후속하는 시정조치의 권고는 성희롱 행위자로 결정된 자의 법률상의 권리인 인격권(人格權)에 영향을 미칠 뿐만 아니라, 국가인권위원회법 제31조에서 공공기관의 장 또는 사용자에게 처리결과 통보의무나 권고나 의견에 따라야 할 의무와 같은 일정한 법률상의 의무를 부담시키고 있었기 때문 ➜ 성희롱 행위자로 결정된 자는 항고소송으로 다툴 수 있음
③ (변) 방송통신심의위원회의 시정요구 「방송통신위원회의 설치 및 운영에 관한 법률」 조항에 근거한 방송통신심의위원회의 시정요구는 서비스제공자 등에게 조치결과 통지의무를 부과하고 있고, 서비스제공자 등이 이에 따르지 않는 경우 방송통신심의위원회의 해당 정보의 취급거부·정지 또는 제한명령이라는 법적 조치가 내려질 수 있으므로, 이러한 시정요구는 단순한 행정지도로서의 한계를 넘어 규제적·구속적 성격을 상당히 강하게 갖는 것으로서 항고소송의 대상임(2008헌마500)

헌법소원
① 행정지도가 단순한 행정지도로서의 한계를 넘어 규제적·구속적 성격을 상당히 강하게 갖는 경우(예 따르지 않을 경우 일정한 불이익조치가 예정되어 있는 경우) ➜ 헌법소원의 대상○
② 학칙시정요구 – 헌법소원의 대상○ 교육인적자원부장관의 국·공립대학총장들에 대한 학칙시정요구는 그 법적 성격이 대학총장들의 임의적인 협력을 통하여 사실상의 효과를 발생시키는 행정지도의 일종이지만, 이에 따르지 아니하는 경우 고등교육법과 동법시행령에서 학생정원 감축, 학과의 폐지, 학생 모집정지 조치 등 일정한 불이익조치를 예정하고 있어 사실상 상대방에게 그에 따를 의무를 부과하는 것과 다를 바 없으므로, 단순한 행정지도로서의 한계를 넘어 헌법소원의 대상이 되는 공권력의 행사라고 볼 수 있음(2002헌마337) ➜ 교육인적자원부장관이, 법령에 근거도 없이, 교수회를 학칙의 제·개정에 관한 의결기구로 규정하고 있는 학칙을 시정하라는 공문을 전국 국·공립대학교 총장들에 대해 보낸 사건
③ (변) 불합리한 요소 개선요구 – 헌법소원의 대상× 노동부장관이 공공기관 단체협약내용을 분석하여 불합리한 요소를 개선하라고 요구한 행위는 행정지도로서의 한계를 넘어 규제적·구속적 성격을 강하게 갖는다고 할 수 없어, 헌법소원의 대상이 되는 공권력의 행사에 해당한다고 볼 수 없음(2009헌마330) ➜ ∵ 불합리한 요소는 당연히 개선되어야 하는 것이어서 특별히 권력을 행사한 것으로 볼 수 없기 때문

행정지도에 따른 행위가 범죄행위가 되는 경우
① 행정지도에 따른 행위라고 해서 그 행위의 범죄성립요건인 위법성이 조각되는 것× ➜ 범죄성립○❶
② 판례 행정관청이 구 국토이용관리법 소정의 토지거래계약신고에 관하여 공시된 기준시가를 기준으로 매매가격을 신고하도록 행정지도를 하여 왔고 그 기준가격 이상으로 매매가격을 신고한 경우에는 거래신고서를 접수하지 않고 반려하는 것이 관행화되어 있어 그에 따라 허위신고를 한 것이라 하더라도, 이와 같은 행정지도는 법에 어긋나는 것으로서 그 범법행위가 정당화될 수 없음(91도1609) ➜ ※ 토지거래계약신고를 실거래가로 하지 않는 행위는 범죄에 해당

---

❶ [형법] 범죄는 구성요건 해당성이 있고, 위법성이 있으며, 유책한 경우에 성립한다. 구체적인 의미는 이해하지 못해도 된다. 형법학의 영역이다.

제6장

그 밖의 행정작용 형식

확약

의의

① 행정청이 장래에 일정한 처분('본처분')을 하거나 하지 아니할 것을 약속하는 내용의 의사표시 → 신뢰보호의 대상이 되는 공적견해 표명의 대표적인 예

② **예** 인·허가 발급의 약속, 어업면허 우선순위 결정❶, 공무원 임명의 내정, 내허가, 내인가

③ [비교 – 사전결정] 사전결정은 요건충족여부에 대해 종국적으로 판단하는 행정행위의 일종임 → But 확약은 장차 변경될 수도 있는 약속의 일종임

④ [비교 – 공법상 계약] 확약은 일방적 행위라는 점에서, 복수당사자의 의사의 합치인 공법상 계약과도 다름

허용성

① [본처분권한설] 확약에 대한 별도의 명문 규정이 없다 하더라도, 본처분 권한에는 확약에 대한 권한이 포함되어 있으므로, 확약이 가능함(다수설) → 다만, 확약은 본행정행위(본처분)을 발급할 수 있는 정당한 권한을 가진 행정청만이 할 수 있고, 당해 행정청의 행위권한의 범위 내에 있어야 함

② [명문 규정에 의한 허용] 법령등에서 당사자가 신청할 수 있는 처분을 규정하고 있는 경우, 행정청은 당사자의 신청에 따라 장래에 어떤 처분을 하거나 하지 아니할 것을 내용으로 하는 의사표시("확약")를 할 수 있음(행정절차법 제40조의2 제1항)

③ [기속행위의 경우] 기속행위는 요건충족시 어차피 발급되어야 하는 것이기 때문에, 기속행위 발급에 대한 확약도 가능한지에 대해 논쟁 → 기속행위와 재량행위를 가리지 않고 확약이 가능하다고 보는 것이 다수설 → 확약을 하면 상대방에게 예지이익 및 대처이익이라는 이익보호가 가능해진다❷는 점을 근거로 함

법적 성질

① [행정행위×] 확약을 기존 행정작용인 행정행위의 일종으로 보려는 견해도 있으나, 판례(判例)는 확약은 행정행위가 아니어서 공정력이나 불가쟁력 같은 효력이 확약에 인정되지 않는다고 봄 → 위법한 확약은 곧바로 무효

② [처분×] 확약은 처분성이 부정되어 항고소송의 대상이 될 수 없음

③ [비교 – 확약 취소] 확약 취소가 행정행위인 본처분의 발급 거부를 의미할 경우에는 확약 취소에 처분성 인정 ○

④ 판례 어업권면허에 선행하는 우선순위 결정은 강학상 확약이어서 처분×(94누6529)

⑤ 판례 자동차운송사업 양도양수인가신청에 대하여 행정청이 내인가를 한 후 그 본인가신청이 있음에도 내인가를 취소함으로써 다시 본인가에 대하여 따로 인가여부의 처분을 한다는 사정이 보이지 않는 경우, 위 내인가 취소를 인가신청 거부처분으로 볼 수 있음(90누4402) → 확약 취소는 원칙적으로 처분성 인정○

⑥ 판례 어업면허우선순위결정 대상 탈락자 결정은 최종적인 법적 효과를 가져오므로 처분○(91누704)

형식 및 절차

① [문서] 확약은 문서로 하여야 함(행정절차법 제40조의2 제2항) → 구두로는×

② [확약 전 협의 등 완료] 행정청은 다른 행정청과의 협의 등의 절차를 거쳐야 하는 처분에 대하여 확약을 하려는 경우에는 확약을 하기 전에 그 절차를 거쳐야 함(행정절차법 제40조의2 제3항)

---

❶ 어업면허 우선순위 결정은, 우선권자로 약속된 자의 신청이 있으면 강학상 특허인 어업면허처분을 하겠다고 약속하는 행정청의 행위이다.

❷ 예컨대, 기속행위의 경우라도 행정청이 확약을 하면 발급을 언제까지 해줄 것인 지를 미리 알게 되거나, 요건을 충족했음에도 불구하고 발급하지 않을 것이라고 확약을 하게 된 경우 국민은 쟁송 준비를 할 수 있게 된다는 말이다.

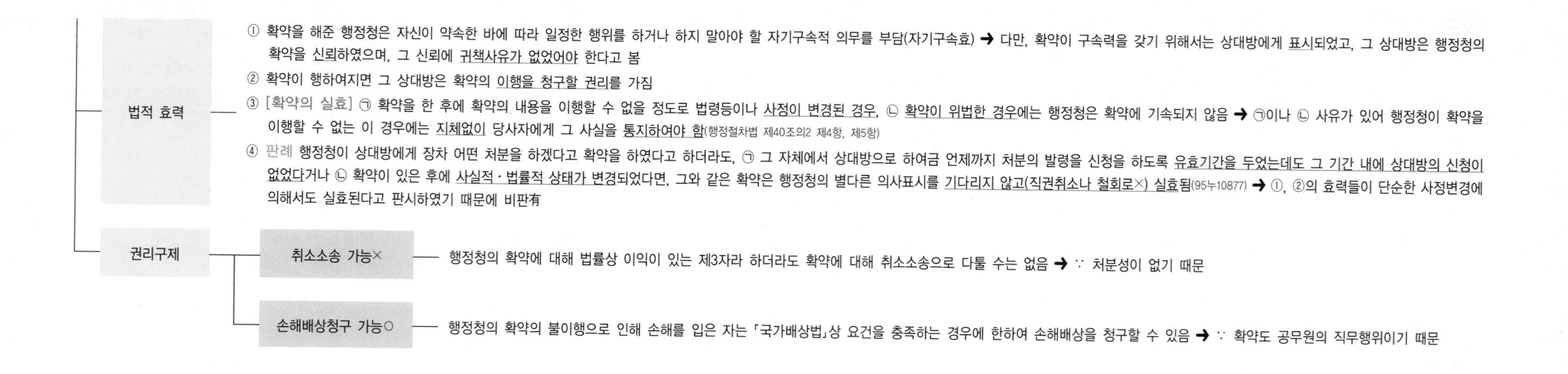

| | | ① 확약을 해준 행정청은 자신이 약속한 바에 따라 일정한 행위를 하거나 하지 말아야 할 자기구속적 의무를 부담(자기구속효) ➜ 다만, 확약이 구속력을 갖기 위해서는 상대방에게 표시되었고, 그 상대방은 행정청의 확약을 신뢰하였으며, 그 신뢰에 귀책사유가 없었어야 한다고 봄 |

법적 효력

① 확약을 해준 행정청은 자신이 약속한 바에 따라 일정한 행위를 하거나 하지 말아야 할 자기구속적 의무를 부담(자기구속효) ➜ 다만, 확약이 구속력을 갖기 위해서는 상대방에게 표시되었고, 그 상대방은 행정청의 확약을 신뢰하였으며, 그 신뢰에 귀책사유가 없었어야 한다고 봄

② 확약이 행하여지면 그 상대방은 확약의 이행을 청구할 권리를 가짐

③ [확약의 실효] ㉠ 확약을 한 후에 확약의 내용을 이행할 수 없을 정도로 법령등이나 사정이 변경된 경우, ㉡ 확약이 위법한 경우에는 행정청은 확약에 기속되지 않음 ➜ ㉠이나 ㉡ 사유가 있어 행정청이 확약을 이행할 수 없는 이 경우에는 지체없이 당사자에게 그 사실을 통지하여야 함(행정절차법 제40조의2 제4항, 제5항)

④ 판례 행정청이 상대방에게 장차 어떤 처분을 하겠다고 확약을 하였다고 하더라도, ㉠ 그 자체에서 상대방으로 하여금 언제까지 처분의 발령을 신청을 하도록 유효기간을 두었는데도 그 기간 내에 상대방의 신청이 없었다거나 ㉡ 확약이 있은 후에 사실적·법률적 상태가 변경되었다면, 그와 같은 확약은 행정청의 별다른 의사표시를 기다리지 않고(직권취소나 철회로×) 실효됨(95누10877) ➜ ①, ②의 효력들이 단순한 사정변경에 의해서도 실효된다고 판시하였기 때문에 비판有

권리구제

취소소송 가능× — 행정청의 확약에 대해 법률상 이익이 있는 제3자라 하더라도 확약에 대해 취소소송으로 다툴 수는 없음 ➜ ∵ 처분성이 없기 때문

손해배상청구 가능○ — 행정청의 확약의 불이행으로 인해 손해를 입은 자는 「국가배상법」상 요건을 충족하는 경우에 한하여 손해배상을 청구할 수 있음 ➜ ∵ 확약도 공무원의 직무행위이기 때문

| 의의 | ① 도시의 건설·정비·개량 등과 같은 특정한 행정목표를 달성하기 위하여, 관련되는 행정수단을 종합·조정함으로써 장래의 일정한 시점에 있어서 일정한 질서를 실현하기 위한 활동기준으로 설정된 것 |
| | ② **예**「국토의 계획 및 이용에 관한 법률」상 도시·군 관리계획, 국가산업단지 관리기본계획, 「도시 및 주거환경정비법」상 재건축·재개발시 사업시행계획·관리처분계획 |

특징
(출제×)

① [행정입법과 행정행위의 중간적 구체성] 행정계획은 일부 지역의 주민들만을 대상으로 하기 때문에, 모든 국민을 적용대상으로 하는 행정입법보다는 구체적이고, 반대로 개별적인 국민을 대상으로 하는 행정행위보다는 추상적임

② [불복상 난점] 처분성이 인정되기 어려운 경우도 많고, 본안에 들어 가더라도 계획재량의 범위가 넓어 내용상 위법도 인정되기 어려워, 주민들에 대한 공람 절차 생략 등 절차상 하자를 문제삼아 위법성을 인정받는 수밖에 없는 경우가 많음

집중효
(대체효)

① 행정계획이 확정되면 다른 법령상의 승인이나 허가 등을 받은 것으로 간주하는 경우가 있음 ➔ 이를 행정계획의 대체효라 함(독일 도시계획법에 있는 개념)

② [인·허가 의제제도와의 관계] 인·허가 의제제도는 행정계획뿐만 아니라 인가나 허가 등의 행정행위에 대해서도 인정될 수 있는 것이지만, 양자간 본질적인 차이는 없다고 보는 것이 다수설

법적 근거

① 현행법상 행정계획에 관한 일반법❶은 존재×
② 행정계획에 대해서는 「국토의 계획 및 이용에 관한 법률」 등 개별 법률에서 각각 규정하고 있음
③ 「행정절차법」에는 행정계획에 관한 규정이 존재○

배경지식

① 「국토의 계획 및 이용에 관한 법률」은 도시계획의 수립에 관하여 규정하고 있는 법률로서 구체적인 내용은 각론의 범위 ➔ 그러나 거의 대부분의 행정계획에 대한 판례는 도시계획과 관련된 것이기 때문에 대강의 개념은 알고 있어야 함

② 「국토의 계획 및 이용에 관한 법률」은 도시계획을 ㉠ 광역도시계획(**예** 2020년 수도권 광역도시계획) ➔ ㉡ 도시·군기본계획(**예** 2040서울플랜) ➔ ㉢ 도시·군관리계획(**예** 마포구 동교동 157-1번지 역세권 활성화사업 지구단위계획)의 순으로 구체화해 나감

법적 성질

① 행정계획은 정해진 형식이 없음 ➔ ㉠ 법률의 형식으로 수립된 경우 법률의 성질을, ㉡ 법규명령의 형식으로 수립된 경우 법규명령의 성질을, ㉢ 조례의 형식으로 수립된 경우 조례의 성질을 지님

② [논점] 행정계획이 특정의 형식을 취하지 않은 경우 어떤 성질을 갖는지가 문제됨 ➔ 행정입법설, 사실행위설, 행정행위설 등

③ [대법원] ㉠ 일률적으로 판단하지 않고 개별 행정계획마다 법적 성질을 달리 판단하고 있고(개별적 판단설), ㉡ 또 구체적으로 어떤 행정작용에 해당하는 것으로 보아야 하는지가 아니라, 당해 행정계획에 처분성이 있는지 여부에 대해서만 관심

④ 판례 대법원은 ㉠ 광역도시계획과 도시·군기본계획의 처분성은 부정하지만, ㉡ 도시·군관리계획의 처분성은 인정하고 있음

❶ 일반법이란 어떤 사항만을 규율하기 위해 별도로 제정된 법을 말한다.

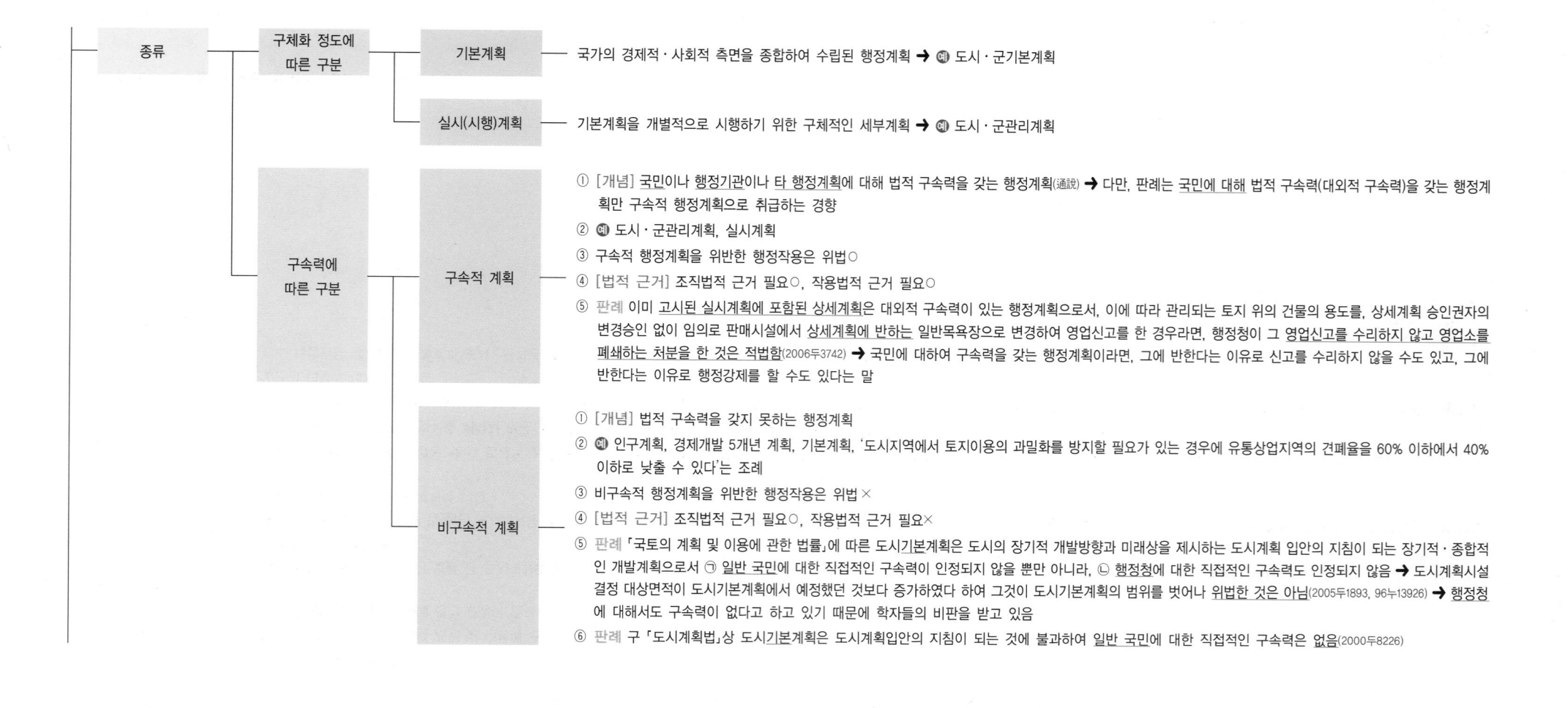

종류

구체화 정도에 따른 구분

- **기본계획** — 국가의 경제적·사회적 측면을 종합하여 수립된 행정계획 ➡ 📝 도시·군기본계획

- **실시(시행)계획** — 기본계획을 개별적으로 시행하기 위한 구체적인 세부계획 ➡ 📝 도시·군관리계획

구속력에 따른 구분

구속적 계획

① [개념] 국민이나 행정기관이나 타 행정계획에 대해 법적 구속력을 갖는 행정계획(通說) ➡ 다만, 판례는 국민에 대해 법적 구속력(대외적 구속력)을 갖는 행정계획만 구속적 행정계획으로 취급하는 경향

② 📝 도시·군관리계획, 실시계획

③ 구속적 행정계획을 위반한 행정작용은 위법○

④ [법적 근거] 조직법적 근거 필요○, 작용법적 근거 필요○

⑤ 판례 이미 고시된 실시계획에 포함된 상세계획은 대외적 구속력이 있는 행정계획으로서, 이에 따라 관리되는 토지 위의 건물의 용도를, 상세계획 승인권자의 변경승인 없이 임의로 판매시설에서 상세계획에 반하는 일반목욕장으로 변경하여 영업신고를 한 경우라면, 행정청이 그 영업신고를 수리하지 않고 영업소를 폐쇄하는 처분을 한 것은 적법함(2006두3742) ➡ 국민에 대하여 구속력을 갖는 행정계획이라면, 그에 반한다는 이유로 신고를 수리하지 않을 수도 있고, 그에 반한다는 이유로 행정강제를 할 수도 있다는 말

비구속적 계획

① [개념] 법적 구속력을 갖지 못하는 행정계획

② 📝 인구계획, 경제개발 5개년 계획, 기본계획, '도시지역에서 토지이용의 과밀화를 방지할 필요가 있는 경우에 유통상업지역의 건폐율을 60% 이하에서 40% 이하로 낮출 수 있다'는 조례

③ 비구속적 행정계획을 위반한 행정작용은 위법×

④ [법적 근거] 조직법적 근거 필요○, 작용법적 근거 필요×

⑤ 판례 「국토의 계획 및 이용에 관한 법률」에 따른 도시기본계획은 도시의 장기적 개발방향과 미래상을 제시하는 도시계획 입안의 지침이 되는 장기적·종합적인 개발계획으로서 ㉠ 일반 국민에 대한 직접적인 구속력이 인정되지 않을 뿐만 아니라, ㉡ 행정청에 대한 직접적인 구속력도 인정되지 않음 ➡ 도시계획시설 결정 대상면적이 도시기본계획에서 예정했던 것보다 증가하였다 하여 그것이 도시기본계획의 범위를 벗어나 위법한 것은 아님(2005두1893, 96누13926) ➡ 행정청에 대해서도 구속력이 없다고 하고 있기 때문에 학자들의 비판을 받고 있음

⑥ 판례 구 「도시계획법」상 도시기본계획은 도시계획입안의 지침이 되는 것에 불과하여 일반 국민에 대한 직접적인 구속력은 없음(2000두8226)

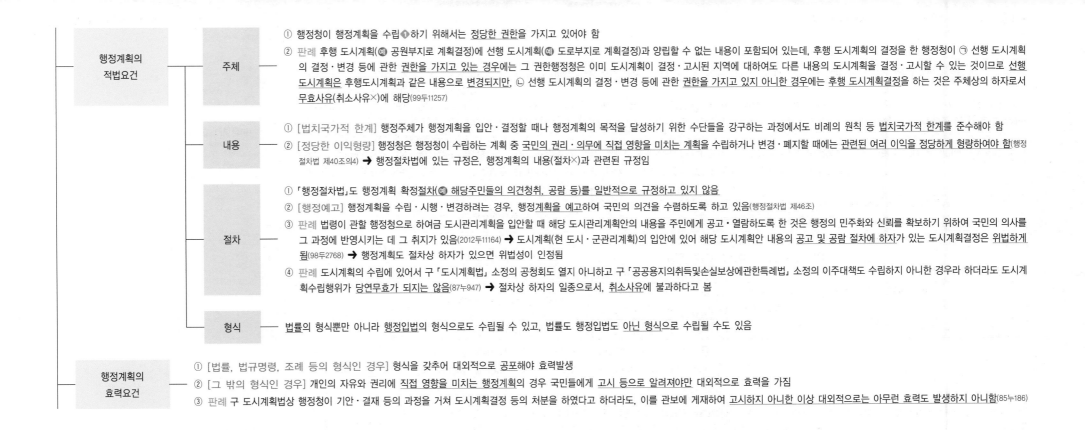

행정계획의 적법요건

주체

① 행정청이 행정계획을 수립❶하기 위해서는 정당한 권한을 가지고 있어야 함

② 판례 후행 도시계획(예 공원부지로 계획결정)에 선행 도시계획(예 도로부지로 계획결정)과 양립할 수 없는 내용이 포함되어 있는데, 후행 도시계획의 결정을 한 행정청이 ㉠ 선행 도시계획의 결정·변경 등에 관한 권한을 가지고 있는 경우에는 그 권한행정청은 이미 도시계획이 결정·고시된 지역에 대하여도 다른 내용의 도시계획을 결정·고시할 수 있는 것이므로 선행 도시계획은 후행도시계획과 같은 내용으로 변경되지만, ㉡ 선행 도시계획의 결정·변경 등에 관한 권한을 가지고 있지 아니한 경우에는 후행 도시계획결정을 하는 것은 주체상의 하자로서 무효사유(취소사유✕)에 해당(99두11257)

내용

① [법치국가적 한계] 행정주체가 행정계획을 입안·결정할 때나 행정계획의 목적을 달성하기 위한 수단들을 강구하는 과정에서도 비례의 원칙 등 법치국가적 한계를 준수해야 함

② [정당한 이익형량] 행정청은 행정청이 수립하는 계획 중 국민의 권리·의무에 직접 영향을 미치는 계획을 수립하거나 변경·폐지할 때에는 관련된 여러 이익을 정당하게 형량하여야 함(행정절차법 제40조의4) ➔ 행정절차법에 있는 규정은, 행정계획의 내용(절차✕)과 관련된 규정임

절차

① 「행정절차법」도 행정계획 확정절차(예 해당주민들의 의견청취, 공람 등)를 일반적으로 규정하고 있지 않음

② [행정예고] 행정계획을 수립·시행·변경하려는 경우, 행정계획을 예고하여 국민의 의견을 수렴하도록 하고 있음(행정절차법 제46조)

③ 판례 법령이 관할 행정청으로 하여금 도시관리계획을 입안할 때 해당 도시관리계획안의 내용을 주민에게 공고·열람하도록 한 것은 행정의 민주화와 신뢰를 확보하기 위하여 국민의 의사를 그 과정에 반영시키는 데 그 취지가 있음(2012두11164) ➔ 도시계획(현 도시·군관리계획)의 입안에 있어 해당 도시계획안 내용의 공고 및 공람 절차에 하자가 있는 도시계획결정은 위법하게 됨(98두2768) ➔ 행정계획도 절차상 하자가 있으면 위법성이 인정됨

④ 판례 도시계획의 수립에 있어서 구 「도시계획법」 소정의 공청회도 열지 아니하고 구 「공공용지의취득및손실보상에관한특례법」 소정의 이주대책을 수립하지 아니한 경우라 하더라도 도시계획수립행위가 당연무효가 되지는 않음(87누947) ➔ 절차상 하자의 일종으로서, 취소사유에 불과하다고 봄

형식

법률의 형식뿐만 아니라 행정입법의 형식으로도 수립될 수 있고, 법률도 행정입법도 아닌 형식으로 수립될 수도 있음

행정계획의 효력요건

① [법률, 법규명령, 조례 등의 형식인 경우] 형식을 갖추어 대외적으로 공포해야 효력발생

② [그 밖의 형식인 경우] 개인의 자유와 권리에 직접 영향을 미치는 행정계획의 경우 국민들에게 고시 등으로 알려져야만 대외적으로 효력을 가짐

③ 판례 구 도시계획법상 행정청이 기안·결재 등의 과정을 거쳐 도시계획결정 등의 처분을 하였다고 하더라도, 이를 관보에 게재하여 고시하지 아니한 이상 대외적으로는 아무런 효력도 발생하지 아니함(85누186)

---

❶ 참고로, 도시계획의 '수립'은 입안과 결정을 포함하는 개념이다. 입안은 초기에 도시계획의 형태를 만드는 행위를 말하고, 결정은 입안권자가 제시한 도시계획안을 확정하는 행위를 말한다.

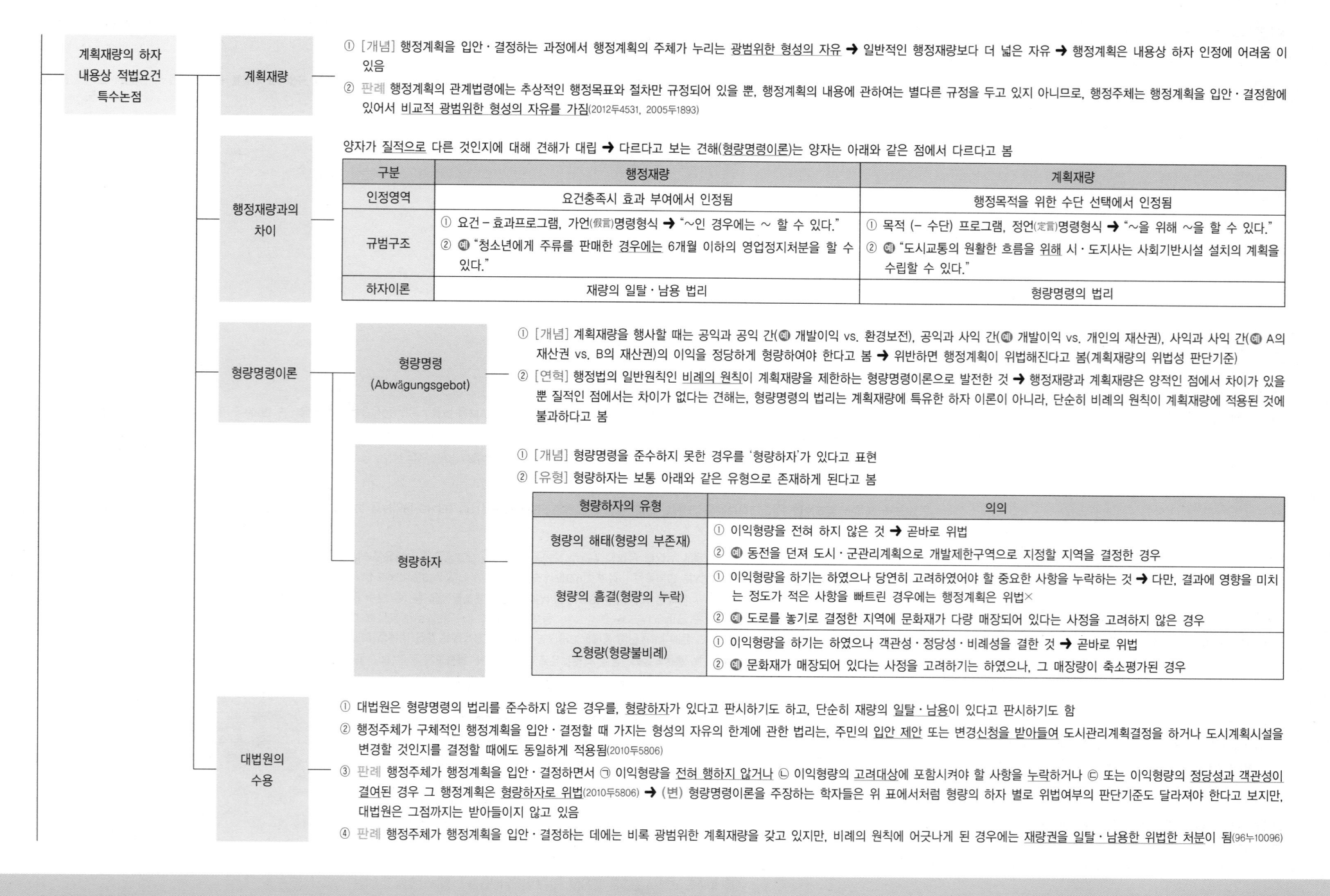

| | 계획재량 | ① [개념] 행정계획을 입안·결정하는 과정에서 행정계획의 주체가 누리는 광범위한 형성의 자유 ➜ 일반적인 행정재량보다 더 넓은 자유 ➜ 행정계획은 내용상 하자 인정에 어려움이 있음
② 판례 행정계획의 관계법령에는 추상적인 행정목표와 절차만 규정되어 있을 뿐, 행정계획의 내용에 관하여는 별다른 규정을 두고 있지 아니하므로, 행정주체는 행정계획을 입안·결정함에 있어서 비교적 광범위한 형성의 자유를 가짐(2012두4531, 2005두1893) |

계획재량의 하자
내용상 적법요건
특수논점

행정재량과의 차이

양자가 질적으로 다른 것인지에 대해 견해가 대립 ➜ 다르다고 보는 견해(형량명령이론)는 양자는 아래와 같은 점에서 다르다고 봄

구분	행정재량	계획재량
인정영역	요건충족시 효과 부여에서 인정됨	행정목적을 위한 수단 선택에서 인정됨
규범구조	① 요건 – 효과프로그램, 가언(假言)명령형식 ➜ "~인 경우에는 ~ 할 수 있다." ② 예 "청소년에게 주류를 판매한 경우에는 6개월 이하의 영업정지처분을 할 수 있다."	① 목적(– 수단) 프로그램, 정언(定言)명령형식 ➜ "~을 위해 ~을 할 수 있다." ② 예 "도시교통의 원활한 흐름을 위해 시·도지사는 사회기반시설 설치의 계획을 수립할 수 있다."
하자이론	재량의 일탈·남용 법리	형량명령의 법리

형량명령이론

형량명령
(Abwägungsgebot)

① [개념] 계획재량을 행사할 때는 공익과 공익 간(예 개발이익 vs. 환경보전), 공익과 사익 간(예 개발이익 vs. 개인의 재산권), 사익과 사익 간(예 A의 재산권 vs. B의 재산권)의 이익을 정당하게 형량하여야 한다고 봄 ➜ 위반하면 행정계획이 위법해진다고 봄(계획재량의 위법성 판단기준)
② [연혁] 행정법의 일반원칙인 비례의 원칙이 계획재량을 제한하는 형량명령이론으로 발전한 것 ➜ 행정재량과 계획재량은 양적인 점에서 차이가 있을 뿐 질적인 점에서는 차이가 없다는 견해는, 형량명령의 법리는 계획재량에 특유한 하자 이론이 아니라, 단순히 비례의 원칙이 계획재량에 적용된 것에 불과하다고 봄

형량하자

① [개념] 형량명령을 준수하지 못한 경우를 '형량하자'가 있다고 표현
② [유형] 형량하자는 보통 아래와 같은 유형으로 존재하게 된다고 봄

형량하자의 유형	의의
형량의 해태(형량의 부존재)	① 이익형량을 전혀 하지 않은 것 ➜ 곧바로 위법 ② 예 동전을 던져 도시·군관리계획으로 개발제한구역으로 지정할 지역을 결정한 경우
형량의 흠결(형량의 누락)	① 이익형량을 하기는 하였으나 당연히 고려하였어야 할 중요한 사항을 누락하는 것 ➜ 다만, 결과에 영향을 미치는 정도가 적은 사항을 빠트린 경우에는 행정계획은 위법× ② 예 도로를 놓기로 결정한 지역에 문화재가 다량 매장되어 있다는 사정을 고려하지 않은 경우
오형량(형량불비례)	① 이익형량을 하기는 하였으나 객관성·정당성·비례성을 결한 것 ➜ 곧바로 위법 ② 예 문화재가 매장되어 있다는 사정을 고려하기는 하였으나, 그 매장량이 축소평가된 경우

대법원의
수용

① 대법원은 형량명령의 법리를 준수하지 않은 경우를, 형량하자가 있다고 판시하기도 하고, 단순히 재량의 일탈·남용이 있다고 판시하기도 함
② 행정주체가 구체적인 행정계획을 입안·결정할 때 가지는 형성의 자유의 한계에 관한 법리는, 주민의 입안 제안 또는 변경신청을 받아들여 도시관리계획결정을 하거나 도시계획시설을 변경할 것인지를 결정할 때에도 동일하게 적용됨(2010두5806)
③ 판례 행정주체가 행정계획을 입안·결정하면서 ㉠ 이익형량을 전혀 행하지 않거나 ㉡ 이익형량의 고려대상에 포함시켜야 할 사항을 누락하거나 ㉢ 또는 이익형량의 정당성과 객관성이 결여된 경우 그 행정계획은 형량하자로 위법(2010두5806) ➜ (변) 형량명령이론을 주장하는 학자들은 위 표에서처럼 형량의 하자 별로 위법여부의 판단기준도 달라져야 한다고 보지만, 대법원은 그급까지는 받아들이지 않고 있음
④ 판례 행정주체가 행정계획을 입안·결정하는 데에는 비록 광범위한 계획재량을 갖고 있지만, 비례의 원칙에 어긋나게 된 경우에는 재량권을 일탈·남용한 위법한 처분이 됨(96누10096)

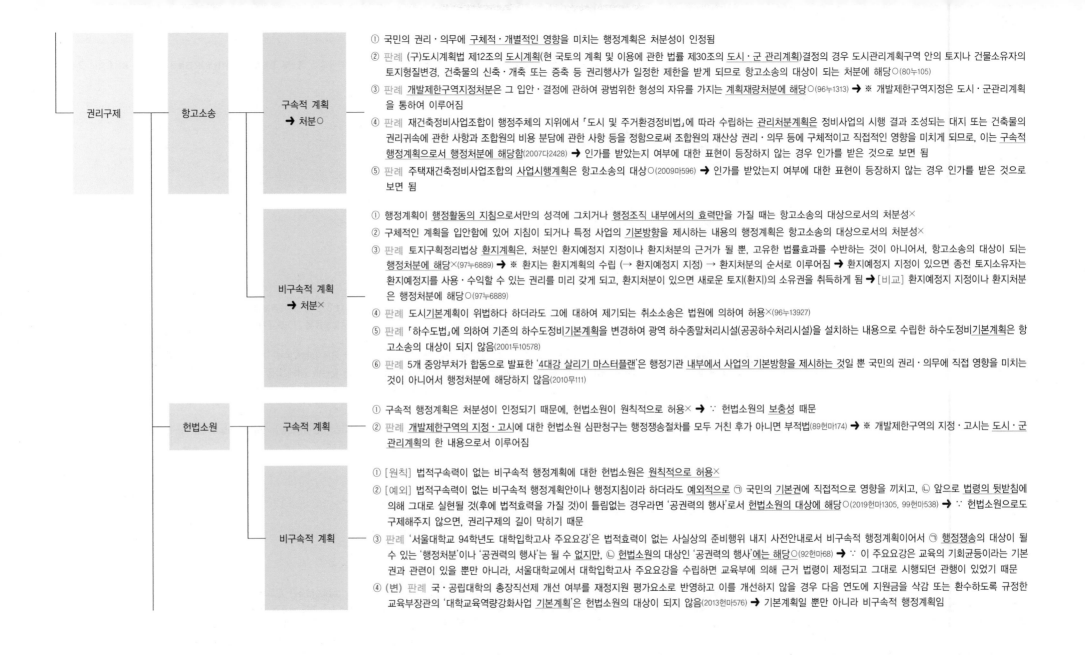

권리구제	항고소송	구속적 계획 → 처분○

① 국민의 권리·의무에 구체적·개별적인 영향을 미치는 행정계획은 처분성이 인정됨

② 판례 (구)도시계획법 제12조의 도시계획(현 국토의 계획 및 이용에 관한 법률 제30조의 도시·군 관리계획)결정의 경우 도시관리계획구역 안의 토지나 건물소유자의 토지형질변경, 건축물의 신축·개축 또는 증축 등 권리행사가 일정한 제한을 받게 되므로 항고소송의 대상이 되는 처분에 해당○(80누105)

③ 판례 개발제한구역지정처분은 그 입안·결정에 관하여 광범위한 형성의 자유를 가지는 계획재량처분에 해당○(96누1313) ➜ ※ 개발제한구역지정은 도시·군관리계획을 통하여 이루어짐

④ 판례 재건축정비사업조합이 행정주체의 지위에서 「도시 및 주거환경정비법」에 따라 수립하는 관리처분계획은 정비사업의 시행 결과 조성되는 대지 또는 건축물의 권리귀속에 관한 사항과 조합원의 비용 분담에 관한 사항 등을 정함으로써 조합원의 재산상 권리·의무 등에 구체적이고 직접적인 영향을 미치게 되므로, 이는 구속적 행정계획으로서 행정처분에 해당함(2007다2428) ➜ 인가를 받았는지 여부에 대한 표현이 등장하지 않는 경우 인가를 받은 것으로 보면 됨

⑤ 판례 주택재건축정비사업조합의 사업시행계획은 항고소송의 대상○(2009마596) ➜ 인가를 받았는지 여부에 대한 표현이 등장하지 않는 경우 인가를 받은 것으로 보면 됨

비구속적 계획 → 처분×

① 행정계획이 행정활동의 지침으로서만의 성격에 그치거나 행정조직 내부에서의 효력만을 가질 때는 항고소송의 대상으로서의 처분성×

② 구체적인 계획을 입안함에 있어 지침이 되거나 특정 사업의 기본방향을 제시하는 내용의 행정계획은 항고소송의 대상으로서의 처분성×

③ 판례 토지구획정리법상 환지계획은, 처분인 환지예정지 지정이나 환지처분의 근거가 될 뿐, 고유한 법률효과를 수반하는 것이 아니어서, 항고소송의 대상이 되는 행정처분에 해당×(97누6889) ➜ ※ 환지는 환지계획의 수립 (→ 환지예정지 지정) → 환지처분의 순서로 이루어짐 ➜ 환지예정지 지정이 있으면 종전 토지소유자는 환지예정지를 사용·수익할 수 있는 권리를 미리 갖게 되고, 환지처분이 있으면 새로운 토지(환지)의 소유권을 취득하게 됨 ➜ [비교] 환지예정지 지정이나 환지처분은 행정처분에 해당○(97누6889)

④ 판례 도시기본계획이 위법하다 하더라도 그에 대하여 제기되는 취소소송은 법원에 의하여 허용×(96누13927)

⑤ 판례 「하수도법」에 의하여 기존의 하수도정비기본계획을 변경하여 광역 하수종말처리시설(공공하수처리시설)을 설치하는 내용으로 수립한 하수도정비기본계획은 항고소송의 대상이 되지 않음(2001두10578)

⑥ 판례 5개 중앙부처가 합동으로 발표한 '4대강 살리기 마스터플랜'은 행정기관 내부에서 사업의 기본방향을 제시하는 것일 뿐 국민의 권리·의무에 직접 영향을 미치는 것이 아니어서 행정처분에 해당하지 않음(2010무111)

헌법소원	구속적 계획

① 구속적 행정계획은 처분성이 인정되기 때문에, 헌법소원이 원칙적으로 허용× ➜ ∵ 헌법소원의 보충성 때문

② 판례 개발제한구역의 지정·고시에 대한 헌법소원 심판청구는 행정쟁송절차를 모두 거친 후가 아니면 부적법(89헌마174) ➜ ※ 개발제한구역의 지정·고시는 도시·군관리계획의 한 내용으로서 이루어짐

비구속적 계획

① [원칙] 법적구속력이 없는 비구속적 행정계획에 대한 헌법소원은 원칙적으로 허용×

② [예외] 법적구속력이 없는 비구속적 행정계획안이나 행정지침이라 하더라도 예외적으로 ㉠ 국민의 기본권에 직접적으로 영향을 끼치고, ㉡ 앞으로 법령의 뒷받침에 의해 그대로 실현될 것(후에 법적효력을 가질 것)이 틀림없는 경우라면 '공권력의 행사'로서 헌법소원의 대상에 해당○(2019헌마1305, 99헌마538) ➜ ∵ 헌법소원으로도 구제해주지 않으면, 권리구제의 길이 막히기 때문

③ 판례 '서울대학교 94학년도 대학입학고사 주요요강'은 법적효력이 없는 사실상의 준비행위 내지 사전안내로서 비구속적 행정계획이어서 ㉠ 행정쟁송의 대상이 될 수 있는 '행정처분'이나 '공권력의 행사'는 될 수 없지만, ㉡ 헌법소원의 대상인 '공권력의 행사'에는 해당○(92헌마68) ➜ ∵ 이 주요요강은 교육의 기회균등이라는 기본권과 관련이 있을 뿐만 아니라, 서울대학교에서 대학입학고사 주요요강을 수립하면 교육부에 의해 근거 법령이 제정되고 그대로 시행되던 관행이 있었기 때문

④ (변) 판례 국·공립대학의 총장직선제 개선 여부를 재정지원 평가요소로 반영하고 이를 개선하지 않을 경우 다음 연도에 지원금을 삭감 또는 환수하도록 규정한 교육부장관의 '대학교육역량강화사업 기본계획'은 헌법소원의 대상이 되지 않음(2013헌마576) ➜ 기본계획일 뿐만 아니라 비구속적 행정계획임

| (변)
행정계획의
미집행에
따른 권리구제 | ① [개설] 개인의 토지가 도로, 공원, 학교 등 도시계획시설로 지정되면 토지소유자는 그 토지가 매수될 때까지 시설예정부지의 개발을 금지받음 ➔ 재산권보장의 문제 발생
② 판례 도시계획시설결정의 집행이 지연되는 경우, 토지재산권의 강화된 사회적 의무와 도시계획의 필요성이란 공익에 비추어, ㉠ 일정한 기간까지는 토지소유자가 도시계획시설결정의 집행지연으로 인한 재산권의 제한을 수인해야 하지만, ㉡ 일정기간이 지난 뒤에는 입법자가 보상규정의 제정을 통하여 과도한 부담에 대한 보상을 하여야 도시계획시설결정에 관한 집행계획은 비로소 헌법상의 재산권 보장과 조화될 수 있음(97헌바26) ➔ 장기미집행은 경우에 따라 재산권 침해로서 위헌일 수 있다는 말
③ 판례 장기미집행 도시계획시설결정의 실효제도는, 도시계획시설부지로 하여금 도시계획시설결정으로 인한 사회적 제약으로부터 벗어나게 하는 것으로서, 결과적으로 개인의 재산권이 보다 보호되는 측면이 있는 것은 사실이나, 이와 같은 보호는 입법자가 새로운 제도를 마련함에 따라 얻게 되는 법률에 기한 권리일 뿐 헌법상 재산권으로부터 당연히 도출되는 권리×(2002헌바84) ➔ 장기간 집행되지 않은 도시계획시설결정이 당연히 실효되려면 별도로 법률 규정의 제정이 필요○ |

행정계획 관련 국민의 권리들

개설	행정계획에 대하여 이해관계인들이 무언가를 요구할 수 있는 권리를 인정할 수 있는지가 문제됨 ➔ [실익] 인정될 경우 그 요구를 거부한 행위에는 처분성이 인정되어❶, 소송의 본안으로 들어가 다툴 수 있게 됨
행정계획의 특징	① [공공성] 행정계획은 다수인과 관련되어 있는 경우가 많아, 그것을 수립하거나 변경하거나 폐지할 때, 개개인의 구구(區區)한 이익을 모두 고려할 수가 없음 ② [변화가능성] 행정계획은 미래에 대한 구상이기 때문에 변화가능성을 내재하고 있음 ➔ 행정계획은 그 본질상 변경가능성과 신뢰보호의 긴장관계에 있음 ③ [변경불가능성] 행정계획이 한번 수립되면 그와 관계된 국민들은 그에 대한 신뢰를 갖게 되기 때문에 번복하기 어렵다는 특성도 동시에 가짐
계획보장청구권 (계획존속청구권)	① [개념] 기존에 존재하던 행정계획의 존속을 요구할 수 있는 권리 ② 원칙적으로 계획보장청구권은 인정× ➔ 예외적으로 계획의 변경이나 폐지로 인한 공익보다, 상대방의 신뢰보호의 이익이 훨씬 더 큰 경우에만 인정○(通說)

❶ 어떤 거부행위에 처분성이 인정되기 위해서는 그 행위를 요구할 수 있는 신청권이 필요한데, 이에 대해서는 행정쟁송법 부분에서 다룬다.

계획변경청구권	법리	① [개념] 기존 행정계획의 변경을 청구할 수 있는 권리
		② 대법원은 원칙적으로 계획변경청구권은 인정할 수 없고, 다만 ㉠ 장래 일정한 기간 내에 관계 법령이 규정하는 시설 등을 갖추어 일정한 행정처분을 구하는 신청을 할 수 있는 법률상 지위에 있는 자가 계획변경을 신청한 경우에 그 계획변경신청을 거부하는 것이 실질적으로 당해 행정처분 자체를 거부하는 결과가 되는 경우 그 자에게나, ㉡ 소유하고 있는 토지가 행정계획에 따라 어떤 구역이나 단지로 지정된 경우에 그 토지의 소유자에게는, 변경 여부의 응답을 요구할 수 있는 변경신청권 정도가 예외적으로 인정된다고 본 것이 있음
		③ 판례 장기성·종합성이 요구되는 행정계획에 있어서는 그 계획이 일단 확정된 후에 어떤 사정의 변경이 있다 하여, 지역주민에게 일일이 그 계획의 변경을 청구할 권리가 인정되지 않음(89누725)
		④ 판례 관계법령에 따라 장래 일정한 행정처분을 구하는 신청을 할 수 있는 법률상 지위에 있는 자의 국토이용계획변경신청을 거부하는 것이 실질적으로 당해 행정처분 자체를 거부하는 결과가 되는 경우에는 예외적으로, 그 신청인에게 국토이용계획변경을 신청할 권리가 인정됨(2001두10936) ➔ 국토이용계획변경 신청을 거부한 행위는 처분에 해당
	신청권이 부정된 판례	① 판례 구 「국토이용관리법」상 국토이용계획이 일단 확정된 후에는 어떤 사정의 변동이 있다고 하여, 일반적으로 지역주민이나 일반 이해관계인에게 일일이 그 계획의 변경 또는 폐지를 신청할 권리를 인정하여 줄 수 없음(2001두10936, 93누22029)
		② 판례 헌법재판소에 의하면 도시계획사업의 시행으로 토지를 수용당하여 토지에 대한 소유권을 상실한 사람은, 도시계획결정과 토지수용이 당연무효가 아닌 한, 그 토지에 대한 도시계획결정 자체의 취소를 청구할 법률상의 이익이 없음(2000헌바58) ➔ 도시계획시설결정은 광범위한 지역과 상당한 기간에 걸쳐 다수의 이해관계인에게 다양한 법률적·경제적 영향을 미치는 것이 되어, 일단 도시계획시설사업의 시행에 착수한 뒤에는 시행의 지연에 따른 손해나 손실의 배상 또는 보상을 받는 것은 별론으로 하고, 그 결정 자체의 취소나 해제를 요구할 권리를 일부의 이해관계인에게 줄 수는 없다는 이유(다수의 이해관계인이 결부된 처분에 대해서는 취소를 구할 소의 이익을 인정하지 않으려는 경향)
	신청권이 인정된 판례	① 폐기물처리사업계획의 적정통보를 받은 자 「폐기물관리법」상의 폐기물처리업허가를 받기 위해서는 당해 부지의 용도지역을 '농림지역 또는 준농림지역'에서 '준도시지역'으로 변경하는 국토이용계획이 선행되어야 하는 경우에는, 폐기물처리사업계획의 적정통보를 받은 자는 이 국토이용계획변경의 입안 및 결정권자에 대하여 그 계획변경을 신청할 법규상 또는 조리상의 권리를 가짐(2001두10936)
		② 문화재보호구역 내의 토지소유자 문화재보호구역 내에 있는 토지소유자의 문화재보호구역 지정해제❶ 신청에 대한 행정청의 거부행위는 항고소송의 대상이 되는 행정처분에 해당함(2003두8821) ➔ 문화재 보호구역의 지정해제를 요구할 수 있는 신청권을 인정하였기 때문에 거부행위의 처분성이 인정된 것
		③ 산업단지 안의 토지소유자 산업단지개발계획상 산업단지 안의 토지 소유자로서 산업단지개발계획에 적합한 시설을 설치하여 입주하려는 자는 산업단지지정권자 또는 그로부터 권한을 위임받은 기관에 대하여 산업단지개발계획의 변경을 요청할 수 있는 법규상 또는 조리상 신청권이 있음(2016두44186)
계획입안제안·변경청구권		① [배경지식] 원칙적으로 도시·군관리계획의 입안은 시장이나 군수가 하고, 그에 대한 결정은 시·도지사나 국토교통부장관이 함
		② [규정] 「국토의 계획 및 이용에 관한 법률」은, 도시계획구역 내 토지 등을 소유하고 있는 주민에게 ㉠ 도시·군관리계획의 입안을 제안(예 우리 동네에 중학교를 설치해 달라)하거나, ㉡ 입안은 되었으나 아직 결정되지 않은 계획내용에 대해 행정청에 변경을 청구할 수 있는 권리를 인정하고 있음
		③ 판례 도시계획구역 내 토지 등을 소유하고 있는 주민과 같이 도시계획시설결정에 이해관계가 있는 사람으로서는 도시시설계획의 입안권자 내지 결정권자에게 도시시설계획의 입안 내지 변경을 요구할 수 있는 법규상 또는 조리상 신청권이 인정되며, 따라서 이러한 신청에 대한 .거부행위는 처분에 해당함(2014두42742)
		④ 판례 도시·군관리계획 구역 내에 토지 등을 소유하고 있는 주민의 봉안시설[(구)납골시설]에 대한 도시·군관리계획 입안제안을 입안권자인 군수가 반려한 행위는 항고소송의 대상이 됨(2010두5745)
		⑤ 판례 지구단위계획구역의 지정 및 변경과 지구단위계획의 수립 및 변경에 관한 사항에 대해서는 주민이 입안을 제안할 수 있으므로, 이 경우에 도시계획구역 내 토지 등을 소유하고 있는 주민은 입안권자에게 입안을 요구할 수 있는 법규상 또는 조리상의 신청권이 있음(2003두1806)

---

❶ 문화재보호구역의 지정도 행정계획으로 이루어지기 때문에, 그것을 해제하려면 행정계획을 변경하여야 한다.

자동화된 행정결정(행정자동결정)

의의
① 자동화된 행정결정이란 행정작용이 이루어지는 과정에 있어서 컴퓨터 등 전자처리정보가 투입되어 행정업무의 전부 또는 일부가 자동적으로 수행되는 경우로서, '행정의 자동결정'이라고도 부름
② **예** 컴퓨터를 통한 학교배정, 세금 및 각종 공과금의 부과결정, 신호등에 의한 교통신호 등

허용성
① 종래에 자동화된 행정결정의 방식으로 행정작용을 하는 것이 가능한지에 대해 논란이 있었으나, 「행정기본법」 제20조에서 명문으로 이를 허용하고 있음
② [행정기본법 제20조 본문] "행정청은 법률(행정규칙×)으로 정하는 바에 따라 완전히 자동화된 시스템(인공지능 기술을 적용한 시스템을 포함한다)으로 처분을 할 수 있다."

대상행위
재량행위에 대해서는 허용×, 기속행위에 대해서만 허용○(행정기본법 제20조 단서)

법적 성질
① [행정행위로서의 요건을 충족한 경우] 행정의 자동결정은 행정기관이 정한 프로그램에 따라 기계적으로 이루어지기 때문에, 결국 행정기관의 의사에 따라 이루어지는 것이어서, 행정의 자동결정도 행정행위의 개념적 요소를 구비하는 경우에는 행정행위의 일종이라 보는 것이 통설의 입장임
② [사실행위로서의 요건을 충족한 경우] 행정자동결정이 사실행위에 해당할 경우, 그것은 직접적인 법적 효과는 발생하지 않으며, 다만, 국가배상청구권의 발생 등 간접적인 법적 효과만 발생함이 원칙임 ➡ 일반적인 사실행위와 똑같은 성질을 가짐

프로그램의 법적 성질
자동결정의 기준이 되는 프로그램의 법적 성질은 행정입법('명령')이라는 견해가 다수설

적법요건
① 행정의 자동결정도 행정작용의 하나이므로 행정의 법률적합성과 행정법의 일반원칙에 의한 법적 한계를 준수하여야 함
② 자동화된 행정결정은 발령행정청의 기명과 서명이 생략될 수 있음

권리구제
자동화된 행정결정이 처분성을 갖는 경우('자동적 처분')에는 행정쟁송도 가능함

비공식적 행정작용(독일 논의)

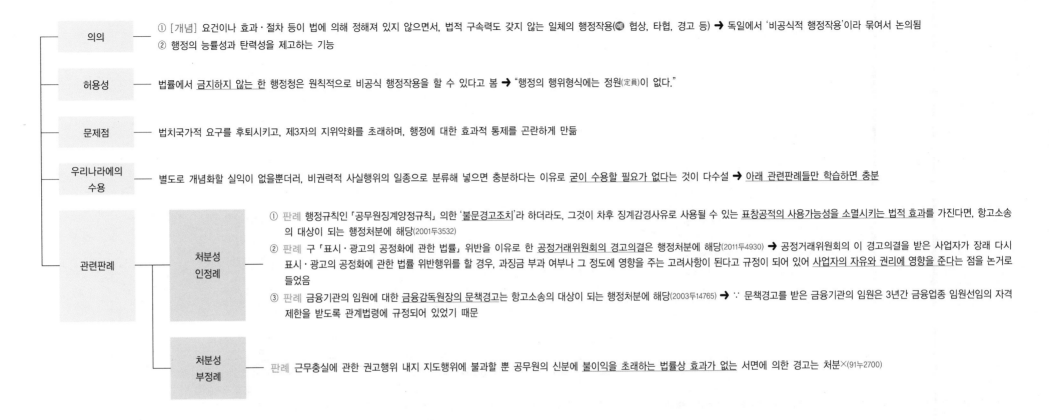

의의
① [개념] 요건이나 효과·절차 등이 법에 의해 정해져 있지 않으면서, 법적 구속력도 갖지 않는 일체의 행정작용(예 협상, 타협, 경고 등) ➜ 독일에서 '비공식적 행정작용'이라 묶여서 논의됨
② 행정의 능률성과 탄력성을 제고하는 기능

허용성
법률에서 <u>금지하지 않는</u> 한 행정청은 원칙적으로 비공식 행정작용을 할 수 있다고 봄 ➜ "행정의 행위형식에는 정원(定員)이 없다."

문제점
법치국가적 요구를 후퇴시키고, 제3자의 지위약화를 초래하며, 행정에 대한 효과적 통제를 곤란하게 만듦

우리나라에의 수용
별도로 개념화할 실익이 없을뿐더러, 비권력적 사실행위의 일종으로 분류해 넣으면 충분하다는 이유로 굳이 수용할 필요가 없다는 것이 다수설 ➜ <u>아래 관련판례들만 학습하면 충분</u>

관련판례

처분성 인정례
① 판례 행정규칙인 「공무원징계양정규칙」에 의한 '불문경고조치'라 하더라도, 그것이 차후 징계감경사유로 사용될 수 있는 <u>표창공적의 사용가능성을 소멸시키는 법적 효과</u>를 가진다면, 항고소송의 대상이 되는 행정처분에 해당(2001두3532)
② 판례 구 「표시·광고의 공정화에 관한 법률」 위반을 이유로 한 공정거래위원회의 경고의결은 행정처분에 해당(2011두4930) ➜ 공정거래위원회의 이 경고의결을 받은 사업자가 장래 다시 표시·광고의 공정화에 관한 법률 위반행위를 할 경우, 과징금 부과 여부나 그 정도에 영향을 주는 고려사항이 된다고 규정이 되어 있어 <u>사업자의 자유와 권리에 영향을 준다</u>는 점을 논거로 들었음
③ 판례 금융기관의 임원에 대한 <u>금융감독원장의 문책경고</u>는 항고소송의 대상이 되는 행정처분에 해당(2003두14765) ➜ ∵ 문책경고를 받은 금융기관의 임원은 3년간 금융업종 임원선임의 자격제한을 받도록 관계법령에 규정되어 있었기 때문

처분성 부정례
판례 근무충실에 관한 권고행위 내지 지도행위에 불과할 뿐 공무원의 신분에 불이익을 초래하는 <u>법률상 효과가 없는 서면에 의한 경고는 처분×</u>(91누2700)

사법(私法)형식의 행정작용

개설 —— 행정작용은 사법(私法)작용의 형식으로 이루어지기도 함 ➜ ㉠ 행정사법(私法)작용과 ㉡ 협의의 국고(國庫, Fiskus)작용이 있음

협의의 국고작용
① [개념] 본래 개인과 개인 사이에서도 이루어질 수 있는 행위이기 때문에 사법의 형식으로 이루어지는 행정작용
② ⑩ 물품구매계약, 교량건축 도급계약 등

행정사법작용
① [개념] 사법의 형식으로 이루어진 공익과 밀접한 관련이 있는 행정작용(⑩ 한국전력공사의 전기공급) ➜ 공법적 구속을 피하기 위해 사법의 형식으로 이루어지는 행정작용을 통제하기 위한 목적으로 독일에서 만들어진 개념
② [규율법리] ㉠ 원칙적으로 사법의 적용을 받기는 하지만, ㉡ 경우에 따라 공법적 구속을 받기도 하고, 부당결부금지의 원칙이나 비례의 원칙 등 행정법의 일반원칙에도 구속을 받음
③ ⑩ 전기공급계약, 철도이용계약, 중소기업에 대한 자금지원계약, 국립극장이용계약 등
④ [허용영역] 행정사법작용은 급부행정영역이나 유도행정작용 그리고, 교부금지원과 같이 행정주체에게 법형식에 대한 선택가능성이 있는 경우에만 허용됨 ➜ 선택가능성이 부인되는 영역(⑩ 경찰행정이나 조세행정)에서는 허용×
⑤ [권리구제] 행정사법작용에 관한 법적 분쟁은 특별한 규정이 없는 한 민사소송을 통해 구제를 도모하여야 함

PART

03

행정절차

제1장 서론 | 제2장 행정절차법 | 제3장 민원 처리에 관한 법률

제1장 서론

행정절차 일반론

행정절차의 의의

① 행정절차란 행정기관이 행정작용을 할 때 준수해야 하는 절차를 뜻함
② **에** 의견청취, 이유제시, 사전통지 등
③ 행정기관이 행정작용을 할 때 준수해야 할 절차를 사전에 정해 놓음으로써, 행정작용으로 인한 위법사태가 발생하지 않게 하려는 취지에서, 행정작용의 적법요건의 일종으로서 행정절차 개념이 발전

절차를 행정작용의 적법요건으로서 요구하는 법적 근거

헌법적 근거 (적법절차의 원칙)

① [적법절차의 원칙(due process of law)] 국민에 대한 국가의 모든 공권력 작용은 개인의 권익을 보호하기 위하여 필요한 적정한 절차를 준수하여 이루어져야 한다는 헌법상의 원칙
② [적정한 절차?] '적정한 절차'의 내용은 일률적으로 정해지는 것이 아니고, 개별 사안마다 달리 결정되는 유동적인 개념
③ [우리 헌법적 근거] 헌법 제12조는 신체의 자유와 관련하여, 형사절차의 영역에 대하여서만 적법절차의 원칙을 언급하고 있지만, 적법절차의 원칙은 입법, 행정 등 국가의 모든 공권력 작용에 적용된다고 봄(2017헌가29, 92헌가8)
④ [법률상 규정이 없더라도 법적 효력을 갖는 헌법상 원칙] 법률상 특정한 절차를 요구하는 규정이 없는 경우에도 행정권의 행사가 적정한 절차에 따라 행해지지 아니한 경우 그 행정권 행사는 적법절차의 원칙에 반함(92헌마78)
⑤ 판례 적법절차의 원칙은 세무공무원의 세무조사권의 행사에서도 준수되어야 함(2012두911)

> 대한민국 헌법 제12조 ① 모든 국민은 신체의 자유를 가진다. 누구든지 법률에 의하지 아니하고는 체포·구속·압수·수색 또는 심문을 받지 아니하며, 법률과 적법한 절차에 의하지 아니하고는 처벌·보안처분 또는 강제노역을 받지 아니한다.
> ③ 체포·구속·압수 또는 수색을 할 때에는 적법한 절차에 따라 검사의 신청에 의하여 법관이 발부한 영장을 제시하여야 한다. (단서 생략)

법률적 근거

① 행정절차에 대한 일반법으로서 「행정절차법」이 제정되어 있고, 이외에도 「민원 처리에 관한 법률」 등 개별 법률들에서 행정작용에 따르는 각종 행정절차를 요구하고 있음
② [행정기본법] 국가와 지방자치단체는 국민의 삶의 질을 향상시키기 위하여 적법절차에 따라 공정하고 합리적인 행정을 수행할 책무를 짐(제3조 제1항)

절차상 하자의 위법 정도

① [논점] 처분에 절차상 하자가 있는 경우 그 하자가 취소사유에 해당하는지 무효사유에 해당하는지가 문제됨 ➜ 별도의 명문 규정이 있으면 그에 따라 처리되겠지만, 일반법인 「행정절차법」에는 이에 대한 규정×
② [결론] 명문의 규정이 없는 경우, 대법원은 이를 원칙적으로 취소사유로 보고 있음
③ [명문규정이 있는 경우 – 국가공무원법] 「국가공무원법」에는 소청심사위원회가 소청 사건을 심사할 때 소청인이나 대리인에게 진술 기회를 주어야 하고, 이 진술의 기회를 주지 않은 경우에는 결정을 무효로 한다는 명문의 규정이 존재(제13조)
④ 판례 이유제시의 하자도 무효사유와 취소사유의 구별기준에 따라 무효인 하자나 취소할 수 있는 하자가 되는데, 이유제시의 하자는 통상 취소사유로 취급됨(96누12634, 84누431)
⑤ 판례 행정청이 침해적 행정처분을 하면서 당사자에게 행정절차법상의 사전통지를 하지 않거나 의견제출의 기회를 주지 아니한 경우, 그 처분에는 취소사유가 있는 것으로 취급됨(2004두1254)
⑥ 판례 행정절차법상 청문절차를 거쳐야 하는 처분임에도 청문절차를 결여한 처분은 위법하나, 당연무효인 것은 아님(2005두15700)

절차상 하자의 독자성

① [논점] 처분에 내용상의 하자나 주체상의 하자 등은 없이, 단지 절차상의 하자만 있는 경우에도 당해 처분을 취소할 수 있는지가 문제됨 ➜ ∵ 기속행위의 경우, 절차상 하자를 이유로 위법하다고 보아 법원이 취소하더라도, 행정청은 결국 적법한 절차를 거쳐 다시 동일한 처분을 할 것이 예상되기 때문
② [대법원 – 독자성 인정] 절차상의 하자만 있는 경우라 하더라도 기속행위나 재량행위를 불문하고 처분을 취소하고 있음(84누116, 82누420) ➜ ∵ 그렇지 않으면 행정절차 제도들을 무력하게 만들기 때문

제1절 행정절차법 총칙

행정절차법 총칙

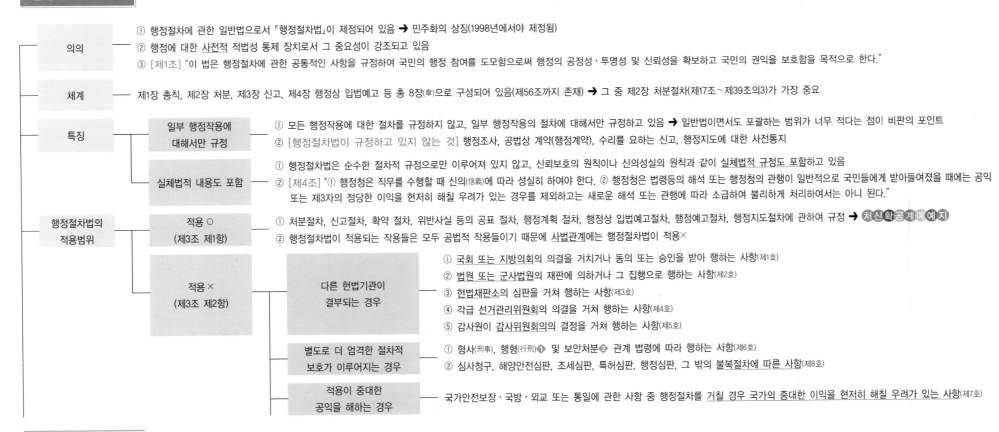

의의		① 행정절차에 관한 일반법으로서 「행정절차법」이 제정되어 있음 ➡ 민주화의 상징(1998년에서야 제정됨) ② 행정에 대한 <u>사전적</u> 적법성 통제 장치로서 그 중요성이 강조되고 있음 ③ [제1조] "이 법은 행정절차에 관한 공통적인 사항을 규정하여 국민의 행정 참여를 도모함으로써 행정의 공정성·투명성 및 신뢰성을 확보하고 국민의 권익을 보호함을 목적으로 한다."
체계		제1장 총칙, 제2장 처분, 제3장 신고, 제4장 행정상 입법예고 등 총 8장(章)으로 구성되어 있음(제56조까지 존재) ➡ 그 중 제2장 처분절차(제17조~제39조의3)가 가장 중요
특징	일부 행정작용에 대해서만 규정	① 모든 행정작용에 대한 절차를 규정하지 않고, 일부 행정작용의 절차에 대해서만 규정하고 있음 ➡ 일반법이면서도 포괄하는 범위가 너무 적다는 점이 비판의 포인트 ② [행정절차법이 규정하고 있지 않는 것] 행정조사, 공법상 계약(행정계약), 수리를 요하는 신고, 행정지도에 대한 사전통지
	실체법적 내용도 포함	① 행정절차법은 순수한 절차적 규정으로만 이루어져 있지 않고, 신뢰보호의 원칙이나 신의성실의 원칙과 같이 <u>실체법적 규정</u>도 포함하고 있음 ② [제4조] "① 행정청은 직무를 수행할 때 신의(信義)에 따라 성실히 하여야 한다. ② 행정청은 법령등의 해석 또는 행정청의 관행이 일반적으로 국민들에게 받아들여졌을 때에는 공익 또는 제3자의 정당한 이익을 현저히 해칠 우려가 있는 경우를 제외하고는 새로운 해석 또는 관행에 따라 소급하여 불리하게 처리하여서는 아니 된다."
행정절차법의 적용범위	적용 ○ (제3조 제1항)	① 처분절차, 신고절차, 확약 절차, 위반사실 등의 공표 절차, 행정계획 절차, 행정상 입법예고절차, 행정예고절차, 행정지도절차에 관하여 규정 ➡ 처 신 확 공 계 예 예 지 ② 행정절차법이 적용되는 작용들은 모두 공법적 작용들이기 때문에 <u>사법관계</u>에는 행정절차법이 적용×
	적용× (제3조 제2항)	**다른 헌법기관이 결부되는 경우** ① <u>국회</u> 또는 지방의회의 의결을 거치거나 동의 또는 승인을 받아 행하는 사항(제1호) ② 법원 또는 <u>군사법원</u>의 재판에 의하거나 그 집행으로 행하는 사항(제2호) ③ 헌법재판소의 심판을 거쳐 행하는 사항(제3호) ④ 각급 <u>선거관리위원회</u>의 의결을 거쳐 행하는 사항(제4호) ⑤ 감사원이 <u>감사위원회의</u> 결정을 거쳐 행하는 사항(제5호)
		별도로 더 엄격한 절차적 보호가 이루어지는 경우 ① 형사(刑事), 행형(行刑)❶ 및 보안처분❷ 관계 법령에 따라 행하는 사항(제6호) ② 심사청구, 해양안전심판, 조세심판, 특허심판, 행정심판, 그 밖의 <u>불복절차에 따른 사항</u>(제8호)
		적용이 중대한 공익을 해하는 경우 국가안전보장·국방·외교 또는 통일에 관한 사항 중 행정절차를 <u>거칠 경우</u> 국가의 중대한 이익을 현저히 해칠 우려가 있는 사항(제7호)

❶ 형벌을 집행하는 것을 행형이라 한다. 예컨대, 재소자들을 교도소에 가두는 것이 그에 해당한다.

❷ [형법] 보안처분이란 범죄자의 재범을 막기 위하여 형벌에 대신하여 이루어지는 교육, 보호, 치료 등의 형사관련 처분을 말한다.

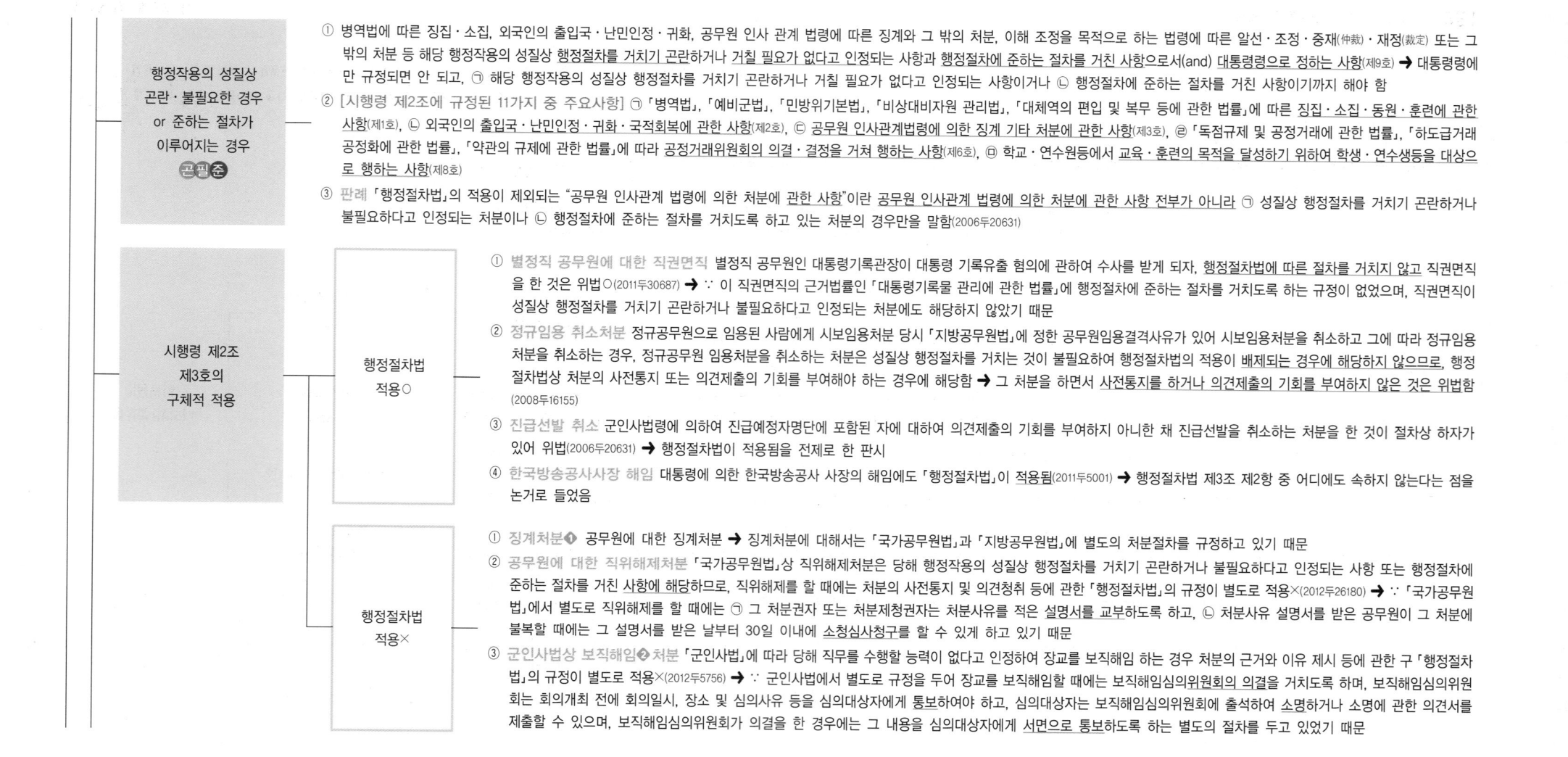

행정작용의 성질상 곤란·불필요한 경우 or 준하는 절차가 이루어지는 경우 곤필준		① 병역법에 따른 징집·소집, 외국인의 출입국·난민인정·귀화, 공무원 인사 관계 법령에 따른 징계와 그 밖의 처분, 이해 조정을 목적으로 하는 법령에 따른 알선·조정·중재(仲裁)·재정(裁定) 또는 그 밖의 처분 등 해당 행정작용의 성질상 행정절차를 거치기 곤란하거나 거칠 필요가 없다고 인정되는 사항과 행정절차에 준하는 절차를 거친 사항으로서(and) 대통령령으로 정하는 사항(제9호) ➡ 대통령령에만 규정되면 안 되고, ㉠ 해당 행정작용의 성질상 행정절차를 거치기 곤란하거나 거칠 필요가 없다고 인정되는 사항이거나 ㉡ 행정절차에 준하는 절차를 거친 사항이기까지 해야 함 ② [시행령 제2조에 규정된 11가지 중 주요사항] ㉠ 「병역법」, 「예비군법」, 「민방위기본법」, 「비상대비자원 관리법」, 「대체역의 편입 및 복무 등에 관한 법률」에 따른 징집·소집·동원·훈련에 관한 사항(제1호), ㉡ 외국인의 출입국·난민인정·귀화·국적회복에 관한 사항(제2호), ㉢ 공무원 인사관계법령에 의한 징계 기타 처분에 관한 사항(제3호), ㉣ 「독점규제 및 공정거래에 관한 법률」, 「하도급거래 공정화에 관한 법률」, 「약관의 규제에 관한 법률」에 따라 공정거래위원회의 의결·결정을 거쳐 행하는 사항(제6호), ㉤ 학교·연수원등에서 교육·훈련의 목적을 달성하기 위하여 학생·연수생등을 대상으로 행하는 사항(제8호) ③ 판례 「행정절차법」의 적용이 제외되는 "공무원 인사관계 법령에 의한 처분에 관한 사항"이란 공무원 인사관계 법령에 의한 처분에 관한 사항 전부가 아니라 ㉠ 성질상 행정절차를 거치기 곤란하거나 불필요하다고 인정되는 처분이나 ㉡ 행정절차에 준하는 절차를 거치도록 하고 있는 처분의 경우만을 말함(2006두20631)
시행령 제2조 제3호의 구체적 적용	행정절차법 적용○	① 별정직 공무원에 대한 직권면직 별정직 공무원인 대통령기록관장이 대통령 기록유출 혐의에 관하여 수사를 받게 되자, 행정절차법에 따른 절차를 거치지 않고 직권면직을 한 것은 위법○(2011두30687) ➡ ∵ 이 직권면직의 근거법률인 「대통령기록물 관리에 관한 법률」에 행정절차에 준하는 절차를 거치도록 하는 규정이 없었으며, 직권면직이 성질상 행정절차를 거치기 곤란하거나 불필요하다고 인정되는 처분에도 해당하지 않았기 때문 ② 정규임용 취소처분 정규공무원으로 임용된 사람에게 시보임용처분 당시 「지방공무원법」에 정한 공무원임용결격사유가 있어 시보임용처분을 취소하고 그에 따라 정규임용처분을 취소하는 경우, 정규공무원 임용취소처분을 취소하는 처분은 성질상 행정절차를 거치는 것이 불필요하여 행정절차법의 적용이 배제되는 경우에 해당하지 않으므로, 행정절차법상 처분의 사전통지 또는 의견제출의 기회를 부여해야 하는 경우에 해당함 ➡ 그 처분을 하면서 사전통지를 하거나 의견제출의 기회를 부여하지 않은 것은 위법함(2008두16155) ③ 진급선발 취소 군인사법령에 의하여 진급예정자명단에 포함된 자에 대하여 의견제출의 기회를 부여하지 아니한 채 진급선발을 취소하는 처분을 한 것이 절차상 하자가 있어 위법(2006두20631) ➡ 행정절차법이 적용됨을 전제로 한 판시 ④ 한국방송공사사장 해임 대통령에 의한 한국방송공사 사장의 해임에도 「행정절차법」이 적용됨(2011두5001) ➡ 행정절차법 제3조 제2항 중 어디에도 속하지 않는다는 점을 논거로 들었음
	행정절차법 적용×	① 징계처분❶ 공무원에 대한 징계처분 ➡ 징계처분에 대해서는 「국가공무원법」과 「지방공무원법」에 별도의 처분절차를 규정하고 있기 때문 ② 공무원에 대한 직위해제처분 「국가공무원법」상 직위해제처분은 당해 행정작용의 성질상 행정절차를 거치기 곤란하거나 불필요하다고 인정되는 사항 또는 행정절차에 준하는 절차를 거친 사항에 해당하므로, 직위해제를 할 때에는 처분의 사전통지 및 의견청취 등에 관한 「행정절차법」의 규정이 별도로 적용×(2012두26180) ➡ ∵ 「국가공무원법」에서 별도로 직위해제를 할 때에는 ㉠ 그 처분권자 또는 처분제청권자는 처분사유를 적은 설명서를 교부하도록 하고, ㉡ 처분사유 설명서를 받은 공무원이 그 처분에 불복할 때에는 그 설명서를 받은 날부터 30일 이내에 소청심사청구를 할 수 있게 하고 있기 때문 ③ 군인사법상 보직해임❷ 처분 「군인사법」에 따라 당해 직무를 수행할 능력이 없다고 인정하여 장교를 보직해임 하는 경우 처분의 근거와 이유 제시 등에 관한 구 「행정절차법」의 규정이 별도로 적용×(2012두5756) ➡ ∵ 군인사법에서 별도로 규정을 두어 장교를 보직해임할 때에는 보직해임심의위원회의 의결을 거치도록 하며, 보직해임심의위원회는 회의개최 전에 회의일시, 장소 및 심의사유 등을 심의대상자에게 통보하여야 하고, 심의대상자는 보직해임심의위원회에 출석하여 소명하거나 소명에 관한 의견서를 제출할 수 있으며, 보직해임심의위원회가 의결을 한 경우에는 그 내용을 심의대상자에게 서면으로 통보하도록 하는 별도의 절차를 두고 있었기 때문

❶ [각론] 징계처분은 파면, 해임, 강등, 정직, 감봉, 견책 6가지만을 말한다. 이외의 불이익 처분은 징계처분에 해당하지 않는다.

❷ 참고로, 보직해임은 군인에 대하여 이루어지는 처분으로서, 일반공무원에 대한 직위해제와 동일한 제도이다. 공군사관학교의 중국어 조교수에 대한 보직해임이 문제되었던 사건이다.

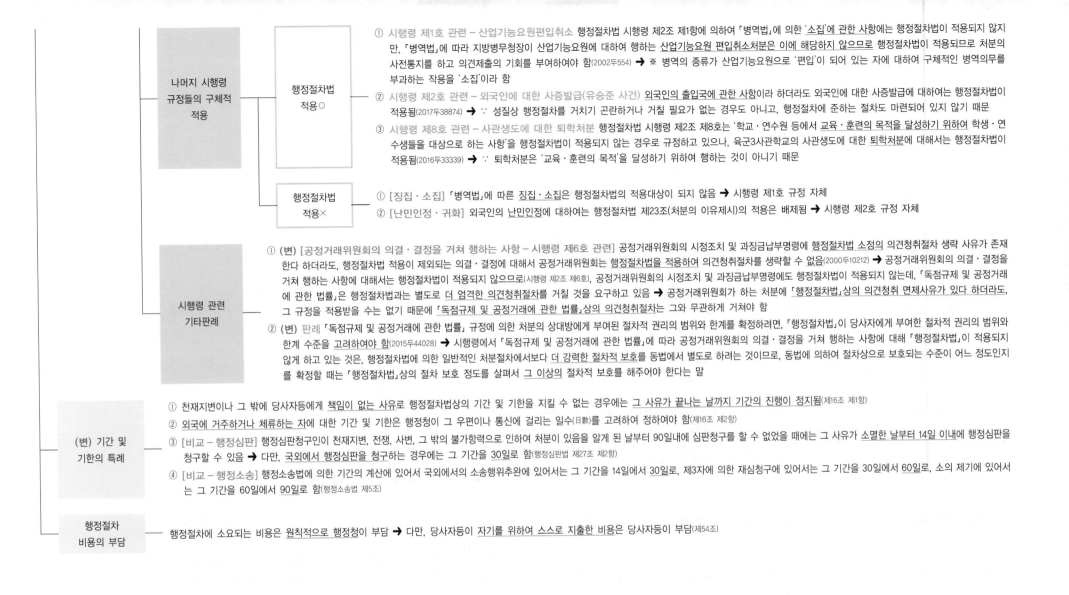

나머지 시행령 규정들의 구체적 적용

행정절차법 적용 ○

① 시행령 제1호 관련 – 산업기능요원편입취소 행정절차법 시행령 제2조 제1항에 의하여 「병역법」에 의한 '소집'에 관한 사항에는 행정절차법이 적용되지 않지만, 「병역법」에 따라 지방병무청장이 산업기능요원에 대하여 행하는 산업기능요원 편입취소처분은 이에 해당하지 않으므로 행정절차법이 적용되므로 처분의 사전통지를 하고 의견제출의 기회를 부여하여야 함(2002두554) ➡ ※ 병역의 종류가 산업기능요원으로 '편입'이 되어 있는 자에 대하여 구체적인 병역의무를 부과하는 작용을 '소집'이라 함

② 시행령 제2호 관련 – 외국인에 대한 사증발급(유승준 사건) 외국인의 출입국에 관한 사항이라 하더라도 외국인에 대한 사증발급에 대하여는 행정절차법이 적용됨(2017두38874) ➡ ∵ 성질상 행정절차를 거치기 곤란하거나 거칠 필요가 없는 경우도 아니고, 행정절차에 준하는 절차도 마련되어 있지 않기 때문

③ 시행령 제8호 관련 – 사관생도에 대한 퇴학처분 행정절차법 시행령 제2조 제8호는 '학교·연수원 등에서 교육·훈련의 목적을 달성하기 위하여 학생·연수생들을 대상으로 하는 사항'을 행정절차법이 적용되지 않는 경우로 규정하고 있으나, 육군3사관학교의 사관생도에 대한 퇴학처분에 대해서는 행정절차법이 적용됨(2016두33339) ➡ ∵ 퇴학처분은 '교육·훈련의 목적'을 달성하기 위하여 행하는 것이 아니기 때문

행정절차법 적용 ✕

① [징집·소집] 「병역법」에 따른 징집·소집은 행정절차법의 적용대상이 되지 않음 ➡ 시행령 제1호 규정 자체

② [난민인정·귀화] 외국인의 난민인정에 대하여는 행정절차법 제23조(처분의 이유제시)의 적용은 배제됨 ➡ 시행령 제2호 규정 자체

시행령 관련 기타판례

① (변) [공정거래위원회의 의결·결정을 거쳐 행하는 사항 – 시행령 제6호 관련] 공정거래위원회의 시정조치 및 과징금납부명령에 행정절차법 소정의 의견청취절차 생략 사유가 존재한다 하더라도, 행정절차법 적용이 제외되는 의결·결정에 대해서 공정거래위원회는 행정절차법을 적용하여 의견청취절차를 생략할 수 없음(2000두10212) ➡ 공정거래위원회의 의결·결정을 거쳐 행하는 사항에 대해서는 행정절차법이 적용되지 않으므로(시행령 제2조 제6호), 공정거래위원회의 시정조치 및 과징금납부명령에도 행정절차법이 적용되지 않는데, 「독점규제 및 공정거래에 관한 법률」은 행정절차법과는 별도로 더 엄격한 의견청취절차를 거칠 것을 요구하고 있음 ➡ 공정거래위원회가 하는 처분에 「행정절차법」상의 의견청취 면제사유가 있다 하더라도, 그 규정을 적용받을 수는 없기 때문에 「독점규제 및 공정거래에 관한 법률」상의 의견청취절차는 그와 무관하게 거쳐야 함

② (변) 판례 「독점규제 및 공정거래에 관한 법률」 규정에 의한 처분의 상대방에게 부여된 절차적 권리의 범위와 한계를 확정하려면, 「행정절차법」이 당사자에게 부여한 절차적 권리의 범위와 한계 수준을 고려하여야 함(2015두44028) ➡ 시행령에서 「독점규제 및 공정거래에 관한 법률」에 따라 공정거래위원회의 의결·결정을 거쳐 행하는 사항에 대해 「행정절차법」이 적용되지 않게 하고 있는 것은, 행정절차법에 의한 일반적인 처분절차에서보다 더 강력한 절차적 보호를 동법에서 별도로 하려는 것이므로, 동법에 의하여 절차상으로 보호되는 수준이 어느 정도인지를 확정할 때는 「행정절차법」상의 절차 보호 정도를 살펴서 그 이상의 절차적 보호를 해주어야 한다는 말

(변) 기간 및 기한의 특례

① 천재지변이나 그 밖에 당사자등에게 책임이 없는 사유로 행정절차법상의 기간 및 기한을 지킬 수 없는 경우에는 그 사유가 끝나는 날까지 기간의 진행이 정지됨(제16조 제1항)

② 외국에 거주하거나 체류하는 자에 대한 기간 및 기한은 행정청이 그 우편이나 통신에 걸리는 일수(日數)를 고려하여 정하여야 함(제16조 제2항)

③ [비교 – 행정심판] 행정심판청구인이 천재지변, 전쟁, 사변, 그 밖의 불가항력으로 인하여 처분이 있음을 알게 된 날부터 90일내에 심판청구를 할 수 없었을 때에는 그 사유가 소멸한 날부터 14일 이내에 행정심판을 청구할 수 있음 ➡ 다만, 국외에서 행정심판을 청구하는 경우에는 그 기간을 30일로 함(행정심판법 제27조 제2항)

④ [비교 – 행정소송] 행정소송법에 의한 기간의 계산에 있어서 국외에서의 소송행위추완에 있어서는 그 기간을 14일에서 30일로, 제3자에 의한 재심청구에 있어서는 그 기간을 30일에서 60일로, 소의 제기에 있어서는 그 기간을 60일에서 90일로 함(행정소송법 제5조)

행정절차 비용의 부담

행정절차에 소요되는 비용은 원칙적으로 행정청이 부담 ➡ 다만, 당사자등이 자기를 위하여 스스로 지출한 비용은 당사자등이 부담(제54조)

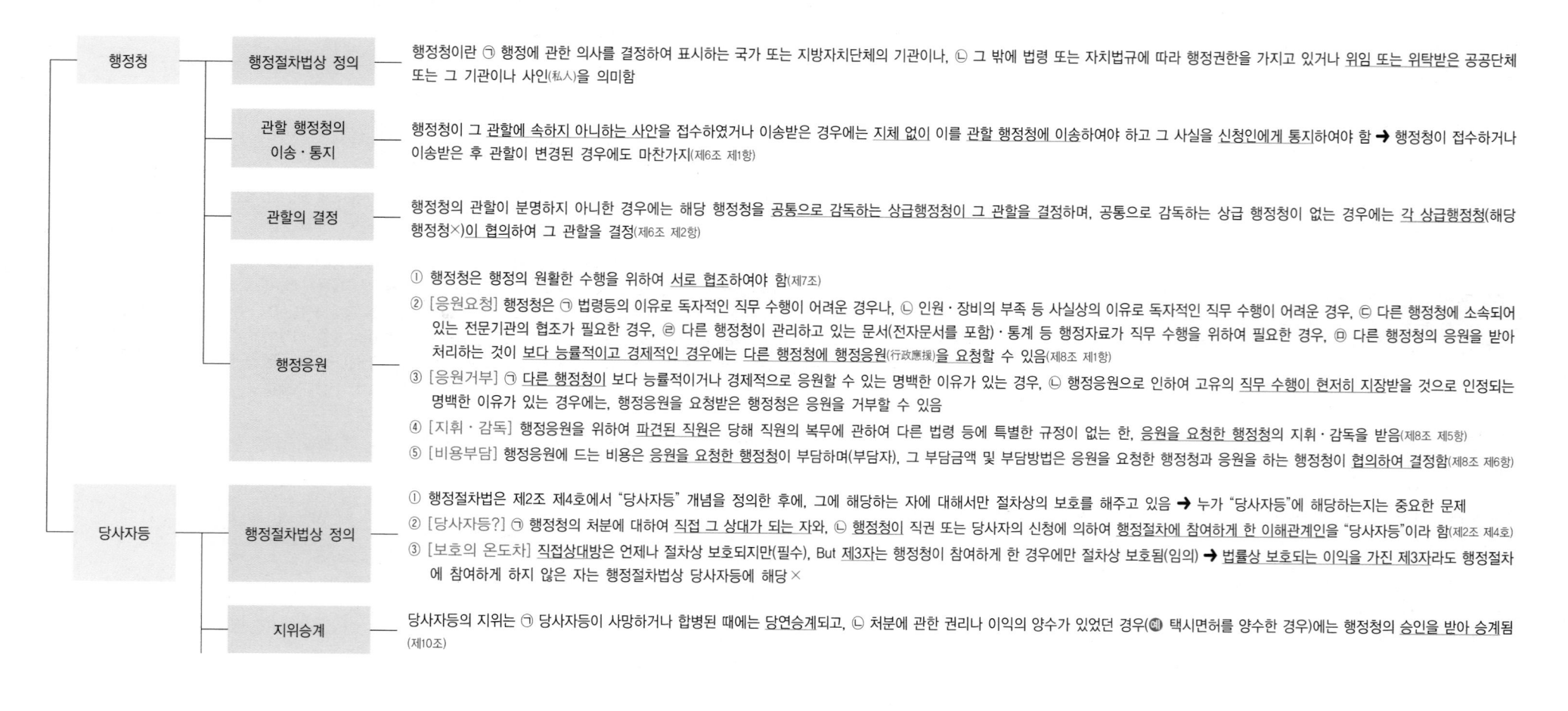

행정청 – 행정절차법상 정의

행정청이란 ㉠ 행정에 관한 의사를 결정하여 표시하는 국가 또는 지방자치단체의 기관이나, ㉡ 그 밖에 법령 또는 자치법규에 따라 행정권한을 가지고 있거나 위임 또는 위탁받은 공공단체 또는 그 기관이나 사인(私人)을 의미함

관할 행정청의 이송·통지

행정청이 그 관할에 속하지 아니하는 사안을 접수하였거나 이송받은 경우에는 지체 없이 이를 관할 행정청에 이송하여야 하고 그 사실을 신청인에게 통지하여야 함 ➜ 행정청이 접수하거나 이송받은 후 관할이 변경된 경우에도 마찬가지(제6조 제1항)

관할의 결정

행정청의 관할이 분명하지 아니한 경우에는 해당 행정청을 공통으로 감독하는 상급행정청이 그 관할을 결정하며, 공통으로 감독하는 상급 행정청이 없는 경우에는 각 상급행정청(해당 행정청×)이 협의하여 그 관할을 결정(제6조 제2항)

행정응원

① 행정청은 행정의 원활한 수행을 위하여 서로 협조하여야 함(제7조)
② [응원요청] 행정청은 ㉠ 법령등의 이유로 독자적인 직무 수행이 어려운 경우나, ㉡ 인원·장비의 부족 등 사실상의 이유로 독자적인 직무 수행이 어려운 경우, ㉢ 다른 행정청에 소속되어 있는 전문기관의 협조가 필요한 경우, ㉣ 다른 행정청이 관리하고 있는 문서(전자문서를 포함)·통계 등 행정자료가 직무 수행을 위하여 필요한 경우, ㉤ 다른 행정청의 응원을 받아 처리하는 것이 보다 능률적이고 경제적인 경우에는 다른 행정청에 행정응원(行政應援)을 요청할 수 있음(제8조 제1항)
③ [응원거부] ㉠ 다른 행정청이 보다 능률적이거나 경제적으로 응원할 수 있는 명백한 이유가 있는 경우, ㉡ 행정응원으로 인하여 고유의 직무 수행이 현저히 지장받을 것으로 인정되는 명백한 이유가 있는 경우에는, 행정응원을 요청받은 행정청은 응원을 거부할 수 있음
④ [지휘·감독] 행정응원을 위하여 파견된 직원은 당해 직원의 복무에 관하여 다른 법령 등에 특별한 규정이 없는 한, 응원을 요청한 행정청의 지휘·감독을 받음(제8조 제5항)
⑤ [비용부담] 행정응원에 드는 비용은 응원을 요청한 행정청이 부담하며(부담자), 그 부담금액 및 부담방법은 응원을 요청한 행정청과 응원을 하는 행정청이 협의하여 결정함(제8조 제6항)

당사자등 – 행정절차법상 정의

① 행정절차법은 제2조 제4호에서 "당사자등" 개념을 정의한 후에, 그에 해당하는 자에 대해서만 절차상의 보호를 해주고 있음 ➜ 누가 "당사자등"에 해당하는지는 중요한 문제
② [당사자등?] ㉠ 행정청의 처분에 대하여 직접 그 상대가 되는 자와, ㉡ 행정청이 직권 또는 당사자의 신청에 의하여 행정절차에 참여하게 한 이해관계인을 "당사자등"이라 함(제2조 제4호)
③ [보호의 온도차] 직접상대방은 언제나 절차상 보호되지만(필수), But 제3자는 행정청이 참여하게 한 경우에만 절차상 보호됨(임의) ➜ 법률상 보호되는 이익을 가진 제3자라도 행정절차에 참여하게 하지 않은 자는 행정절차법상 당사자등에 해당×

지위승계

당사자등의 지위는 ㉠ 당사자등이 사망하거나 합병된 때에는 당연승계되고, ㉡ 처분에 관한 권리나 이익의 양수가 있었던 경우(예 택시면허를 양수한 경우)에는 행정청의 승인을 받아 승계됨(제10조)

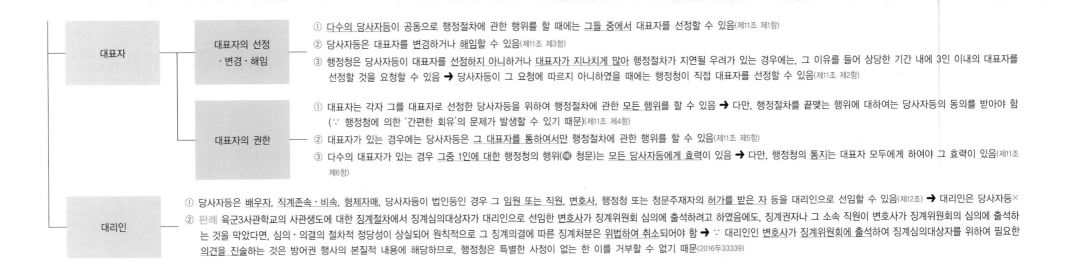

대표자	대표자의 선정·변경·해임	① 다수의 당사자등이 공동으로 행정절차에 관한 행위를 할 때에는 그들 중에서 대표자를 선정할 수 있음(제11조 제1항) ② 당사자등은 대표자를 변경하거나 해임할 수 있음(제11조 제3항) ③ 행정청은 당사자등이 대표자를 선정하지 아니하거나 대표자가 지나치게 많아 행정절차가 지연될 우려가 있는 경우에는, 그 이유를 들어 상당한 기간 내에 3인 이내의 대표자를 선정할 것을 요청할 수 있음 ➜ 당사자등이 그 요청에 따르지 아니하였을 때에는 행정청이 직접 대표자를 선정할 수 있음(제11조 제2항)
	대표자의 권한	① 대표자는 각자 그를 대표자로 선정한 당사자등을 위하여 행정절차에 관한 모든 행위를 할 수 있음 ➜ 다만, 행정절차를 끝맺는 행위에 대하여는 당사자등의 동의를 받아야 함 (∵ 행정청에 의한 '간편한 회유'의 문제가 발생할 수 있기 때문)(제11조 제4항) ② 대표자가 있는 경우에는 당사자등은 그 대표자를 통하여서만 행정절차에 관한 행위를 할 수 있음(제11조 제5항) ③ 다수의 대표자가 있는 경우 그중 1인에 대한 행정청의 행위(⑩ 청문)는 모든 당사자등에게 효력이 있음 ➜ 다만, 행정청의 통지는 대표자 모두에게 하여야 그 효력이 있음(제11조 제6항)
대리인		① 당사자등은 배우자, 직계존속·비속, 형제자매, 당사자등이 법인등인 경우 그 임원 또는 직원, 변호사, 행정청 또는 청문주재자의 허가를 받은 자 등을 대리인으로 선임할 수 있음(제12조) ➜ 대리인은 당사자등× ② 판례 육군3사관학교의 사관생도에 대한 징계절차에서 징계심의대상자가 대리인으로 선임한 변호사가 징계위원회 심의에 출석하려고 하였음에도, 징계권자나 그 소속 직원이 변호사가 징계위원회의 심의에 출석하는 것을 막았다면, 심의·의결의 절차적 정당성이 상실되어 원칙적으로 그 징계의결에 따른 징계처분은 위법하여 취소되어야 함 ➜ ∵ 대리인인 변호사가 징계위원회에 출석하여 징계심의대상자를 위하여 필요한 의견을 진술하는 것은 방어권 행사의 본질적 내용에 해당하므로, 행정청은 특별한 사정이 없는 한 이를 거부할 수 없기 때문(2016두33339)

처분절차 개관

공통적 처분절차

① 처분기준의 설정·공표(제20조)
② 처분의 이유제시(제23조)
③ 처분의 방식(제24조)
④ 처분의 정정(제25조)
⑤ 고지제도(제26조)

신청에 의한 처분절차(＝수익적 처분절차)

① 처분의 신청(제17조)
② 다수의 행정청이 관여하는 처분(제18조)
③ 처리기간의 설정·공표(제19조)

불이익 처분절차

① 처분의 사전통지(제21조)
② 의견청취(광의의 청문)(제22조)❶
　㉠ 청문(정식청문, 협의의 청문)(제1항, 제28조~제37조)
　㉡ 공청회(정식청문)(제2항, 제38조~제39조의3)
　㉢ 의견제출 기회 부여(약식청문)(제3항, 제27조~제27조의2)

---

❶ ① 이론상으로는 청문과 공청회가 불이익 처분절차로 분류되지만, 「행정절차법」 법문에 따르면 이 둘이 반드시 불이익 처분절차로만 제한되는 것은 아니다. 다만, 보통 불이익 처분을 할 때 이루어지기 때문에 이론상 불이익 처분절차로 분류되는 것뿐이다. ② 한편, 의견제출 기회 부여는 이론상으로나 법문상으로나 불이익 처분절차로 분류된다.

처분

① 「행정절차법」은 「행정심판법」, 「행정소송법」과 마찬가지로 처분의 개념을 정의하는 규정을 두고 있고, 그 내용도 동일함
② [제2조 제2항] ""처분"이란 행정청이 행하는 구체적 사실에 관한 법 집행으로서의 공권력의 행사 또는 그 거부와 그 밖에 이에 준하는 행정작용을 말한다."

처분기준의 설정·공표 (제20조)

① [행정청의 공표의무] 행정청은 필요한 처분기준을 해당 처분의 성질에 비추어 되도록 구체적으로 정하여 공표하여야 함(행정업무의 투명성) ➜ 정한 처분기준을 변경하는 경우도 마찬가지 ➜ 다만, 처분기준을 공표하는 것이 해당 처분의 성질상 현저히 곤란하거나 공공의 안전 또는 복리를 현저히 해치는 것으로 인정될 만한 상당한 이유가 있는 경우에는 처분기준을 공표하지 않거나 개략적으로만 공표할 수 있음(2018두41907)
② [공표한 처분기준의 법적 성질 – 행정규칙] 그것이 해당 처분의 근거 법령에서 구체적 위임을 받아 제정·공포되었다는 특별한 사정이 없는 한, 원칙적으로 대외적 구속력이 없는 행정규칙에 해당(2018두45633)
③ [당사자등의 해석·설명 요구권] 당사자등은 공표된 처분기준이 명확하지 아니한 경우, 해당 행정청에 그 해석 또는 설명을 요청할 수 있고 이 경우 해당 행정청은 특별한 사정이 없으면 그 요청에 따라야 함
④ [의제되는 인·허가 기준의 통합공표] 인·허가 의제의 경우 관련 인·허가 행정청은 관련 인·허가의 처분기준을 주된 인·허가 행정청에 제출하여야 하고, 주된 인·허가 행정청은 제출받은 관련 인·허가의 처분기준을 통합하여 공표하여야 함(제20조 제2항)
⑤ 미리 공표하지 않은 변경된 기준을 적용하여 처분을 했다는 이유만으로는 위법✕ 행정청이 처분기준 사전공표 의무를 위반하여 미리 공표하지 아니한 변경된 기준을 적용하여 처분을 하였다고 하더라도, 그러한 사정만으로 곧바로 해당 처분에 취소사유에 이를 정도의 흠이 존재한다고 볼 수는 없음(무효사유✕, 취소사유✕) ➜ ∵ 어차피 공표되었다 하더라도, 그것은 행정규칙에 불과하여, 그에 따르지 않은 것을 위법이라 볼 수 없기 때문 ➜ 신뢰보호의 원칙 등 행정법의 일반원칙 위반의 사유가 있어 위법한지 여부는 별도로 따져봐야 하는 문제(2018두45633)
⑥ 처분기준이 갱신여부의 기준이었던 경우 – 갱신기준의 중대한 변경은 허용✕ 심사대상기간(예 '갱신신청 3년 전까지 지난 5년간 1,000시간 이상 운전하였을 것'이라는 개인택시운송사업면허 갱신기준에서 '갱신신청 3년 전')이 이미 경과하였거나 또는 상당 부분 경과한 시점에서, 처분상대방의 갱신 여부를 좌우할 정도로 중대하게 변경하는 것은, 갱신제 자체를 폐지하거나 갱신상대방의 수를 종전보다 대폭 감축할 수밖에 없도록 만드는 중대한 공익상 필요가 인정되거나 관계 법령이 제·개정되었다는 등의 특별한 사정이 없는 한, 허용✕(2018두45633) ➜ 다만, 이 경우에도 경미한 사항을 변경하거나 다소 불명확하고 추상적이었던 부분을 명확하게 하거나 구체화하는 것은 허용○
⑦ [비교판례] 재량권의 일탈·남용을 인정한 경우 행정청이 개인택시운송사업면허 발급 여부를 심사함에 있어서 이미 설정된 면허기준의 해석상 당해 신청이 면허발급의 우선순위에 해당함이 명백함에도, 이를 제외시켜 면허거부처분을 하였다면 특별한 사정이 없는 한 그 거부처분은 재량권을 남용한 위법한 처분이 됨(2009두19137) ➜ 공표기준은 행정규칙이기 때문에, '공표기준 위반으로서' 위법하다고 보지는 않음

처분의 이유제시 (제23조)

대상 및 시기

① [대상] 행정청은 모든 처분을 할 때 당사자(이해관계인✕)에게 그 근거와 이유를 제시해야 함 ➜ 처분의 근거와 이유를 통틀어 '처분이유', '처분사유'라고도 하며, 처분의 법적 근거와 처분의 원인이 된 사실관계를 뜻함
② [시기] 처분의 이유제시는 처분을 할 때(사전에✕) 함
③ 조세실무에서는 이를 '이유부기'라 함

기능

① 행정의 자기통제를 가능하게 함
② 처분의 결정과정을 투명하게 함
③ 상대방에게 쟁송제기 여부의 판단을 용이하게 하고, 소송에서 그 논거를 구체적으로 제시할 수 있도록 함
④ 상대방을 설득하여 법원의 부담을 경감시켜줌

이유제시의 정도	① 상대방이 그 처분의 근거와 이유를 충분히 알 수 있을 정도로 구체적으로 알려주어야 함 ➔ 구체성의 정도가 이에 미치지 못할 경우 처분은 위법하게 됨	

① 상대방이 그 처분의 근거와 이유를 충분히 알 수 있을 정도로 구체적으로 알려주어야 함 ➔ 구체성의 정도가 이에 미치지 못할 경우 처분은 위법하게 됨

② [당사자가 근거 규정 등을 명시하여 신청하는 인·허가 등을 거부하는 처분을 하는 경우] 이 경우에는 당사자가 그 근거를 알 수 있을 정도로 상당한 이유를 제시하였다면, 당해 처분의 근거 및 이유를 구체적 조항 및 내용까지 명시하지 않았더라도 적법○(2016두44186) ➔ 이유제시의 구체성 정도가 완화됨

③ [처분서만을 기준으로 구체성의 정도를 판단하는 것×] 처분 당시 당사자가 어떠한 근거와 이유로 처분이 이루어진 것인지 충분히 알 수 있어서 그에 불복하여 행정구제절차로 나아가는 데에 별다른 지장이 없었던 것으로 인정되는 경우에는 처분서에 처분의 근거 이유가 구체적으로 명시되어 있지 않았다고 하더라도, 그 처분은 위법한 것으로 되지 않음(2018두41907, 2011두18571)

④ 판례 세무서장이 주류도매업자에 대하여 일반주류도매업면허 취소통지를 하면서 그 위반사실을 구체적으로 특정하지 아니한 것은 위법(90누1786)

⑤ 판례 변상금부과처분을 하면서 그 납부고지서 또는 적어도 사전통지서에 그 산출근거를 제시하지 아니하였다면 위법한 것이고, 그 산출근거가 법령상 규정되어 있다거나 부과통지서 등에 산출근거가 되는 법령만을 명기하였다는 것만으로는 이유제시의 요건을 충족한 것으로 볼 수 없음(2000두86)

⑥ 판례 행정청이 토지형질변경허가신청을 불허하는 근거 규정으로 '도시계획법 시행령 제20조'를 명시하지 아니하고 '도시계획법'이라고만 기재하였으나, 신청인이 자신의 신청이 개발제한 구역의 지정목적에 현저히 지장을 초래하는 것이라는 이유로 구 도시계획법 시행령 제20조 제1항 제2호에 따라 불허된 것임을 알 수 있었던 경우에는 그 불허처분이 위법하지 않음(2000두8912) ➔ 상대방이 이미 처분의 이유와 근거를 알고 있는 경우에는, 이유제시라는 행위 자체를 하지 않아도 된다는 말은 아님

⑦ 국립대학교 총장후보자에서 제외된 자에 대한 이유제시의 정도 ㉠ 교육부장관이 부적격사유가 없는 총장후보자 A와 B 가운데 A후보자가 상대적으로 총장 임용에 더 적합하다고 판단하여 대통령에게 임용제청하는 경우에는 임용제청 행위 자체로서 행정절차법상 이유제시의무를 다한 것이고, 여기에서 나아가 교육부장관에게 개별 심사항목이나 고려요소에 대한 평가 결과를 자세히 밝힐 의무까지 있는 것× But ㉡ 교육부장관이 어떤 후보자를 총장 임용에 부적격하다고 판단하여 배제하고 다른 후보자를 임용제청하는 경우라면 배제한 후보자에게 연구윤리 위반, 선거부정, 그 밖의 비위행위 등과 같은 부적격사유가 있다는 점을 구체적으로 제시할 의무가 있다고 보았음(2016두57564)

면제 사유

① ㉠ 신청 내용을 모두 그대로 인정하는 처분인 경우, ㉡ 단순·반복적인 처분 또는 경미한 처분으로서 당사자가 그 이유를 명백히 알 수 있는 경우, ㉢ 긴급히 처분을 할 필요가 있는 경우에는 이유제시가 면제됨 ➔ 이그단반경기

② 다만, ㉡과 ㉢의 경우에는 처분 후 당사자가 요청하면 그 근거와 이유를 제시해야 함 ➔ ∵ 남용의 우려 때문

③ 상대방이 행정행위의 취지를 알고 있었다거나 후에 알게 되었다는 사정은 이유제시의 면제사유×

이유제시 흠결의 하자의 정도

판례는 이유제시의 하자를 통상 취소사유로 봄(96누12634, 84누431) ➔ ∵ 절차상 하자의 일종이기 때문

처분의 방식 (제24조)

① [문서주의] 행정청이 처분을 할 때에는 다른 법령등에 특별한 규정이 있는 경우를 제외하고는 문서로 하여야 함 ➔ 다만, 예외적으로, 공공의 안전 또는 복리를 위하여 긴급히 처분을 할 필요('신속을 요')가 있거나 사안이 경미한 경우에는 말, 전화, 휴대전화를 이용한 문자 전송, 팩스, 전자우편 등 문서가 아닌 방법으로 처분을 할 수 있음(다만, 이 경우에도 당사자가 요청하면 지체 없이 처분에 관한 문서를 주어야 함❶)

② [전자문서] ㉠ 당사자등의 동의가 있거나, ㉡ 당사자가 전자문서로 처분을 신청한 경우에는 전자문서로 처분을 할 수 있음

③ 처분을 하는 문서에는 그 처분 행정청과 담당자의 소속·성명 및 연락처(전화번호, 팩스번호, 전자우편주소 등)를 적어야 함(주민등록번호 ×)

처분의 정정 (제25조)

행정청은 처분에 오기(誤記), 오산(誤算) 또는 그밖에 이에 준하는 명백한 잘못이 있을 때에는 직권 또는 신청에 따라 지체 없이 정정하고 그 사실을 당사자에게 통지하여야 함

고지제도 (제26조)

① 행정청이 처분을 할 때에는 당사자에게 그 처분에 관하여 행정심판 및 행정소송을 제기할 수 있는지 여부, 그밖에 불복을 할 수 있는지 여부, 청구절차 및 청구기간, 그밖에 필요한 사항을 알려야 함

② [적법요건×] 행정절차법상 불복방법에 대한 고지절차에 관한 규정을 위반하였다고 하여 그러한 이유만으로 처분이 위법하게 되는 것은 아님(2017두66633) ➔ 단순한 편의제공 절차

③ [비교 – 행정심판법상 고지제도] 「행정심판법」에도 행정청이 처분을 할 때에는 처분의 상대방에게 해당 처분에 대하여 행정심판을 청구할 수 있는지, 행정심판을 청구하는 경우의 심판청구절차 및 심판청구기간을 알려 주도록 하고 있음 ➔ 입법중복임 But 「행정심판법」에는 청구기간의 불(不)고지나 오(誤)고지가 있을 경우의 법적취급에 대한 규정이 존재 ○, 「행정절차법」에는 이런 규정 존재×

❶ [비교] 행정지도도 말로 하는 것이 가능하지만, 상대방이 서면의 교부를 요구하는 때에는 직무수행에 지장이 없는 한 그렇게 해야 한다(제49조).

처분의 신청 방법

① [문서주의] 행정청에 처분을 구하는 신청은 문서로 하여야 함 ➜ 다만, 다른 법령등에 특별한 규정이 있는 경우나 행정청이 미리 다른 방법을 정하여 공시한 경우에는 문서로 하지 않아도 됨(제17조 제1항)

② [전자문서] 처분신청을 전자문서로 할 수 있어 전자문서로 처분 신청을 한 경우에는, 행정청의 컴퓨터(신청인의 컴퓨터×) 등에 입력된 때에 신청한 것으로 봄(제17조 제2항) ➜ 선원주의 때문에 중요

③ [신청 필요사항 게시·편람비치] 행정청은 ㉠ 신청에 필요한 구비서류, 접수기관, 처리기간, 그 밖에 필요한 사항을 게시(인터넷 등을 통한 게시를 포함)하거나 ㉡ 이에 대한 편람을 갖추어 두고 누구나 열람할 수 있도록 해야 함(제17조 제3항)

④ [다른 행정청에 신청 가능] 행정청은 신청인의 편의를 위하여 다른 행정청에 신청을 접수하게 할 수 있음 ➜ 이를 위해 행정청은 다른 행정청에 접수할 수 있는 신청의 종류를 미리 정하여 공시하여야 함(제17조 제7항)

⑤ 판례 「행정절차법」에서 말하는 신청인의 행정청에 대한 처분신청의 의사표시는 명시적이고 확정적인 것이어야 하는데, 처분 신청인이 신청서의 접수에 앞서 담당 공무원에게 신청서 및 그 구비서류의 내용검토를 부탁하였고, 공무원이 그 내용을 개략적으로 검토한 후 구비서류 내용을 보완하여야 한다는 취지로 말하자 신청인이 신청서를 접수시키지 않은 경우 ➜ 허가업무 담당자에게 신청서의 내용에 대한 검토를 요청한 것만으로는 다른 특별한 사정이 없는 한, 신청의 의사표시가 있었다고 볼 수 없고, 구비서류의 보완을 요청한 행위를 신청거부로 볼 수도 없음(2003두13236)

처분신청 접수절차

① [행정청의 접수의무] 행정청은 신청을 접수한 경우, 다른 법령등에 특별한 규정이 있는 경우를 제외하고는 그 접수를 보류·거부하거나 부당하게 되돌려 보내서는 아니 되며, 신청인에게 접수증을 주어야 함(제17조 제4항) ➜ 다만, 행정청은 처리기간이 "즉시"로 되어 있는 신청의 경우에는 접수증을 주지 아니할 수 있음(시행령 제9조)

② [행정청의 보완요구 의무] 행정청은 신청에 구비서류의 미비 등의 흠이 있는 경우에는, 보완에 필요한 상당한 기간을 정하여 지체 없이 신청인에게 보완을 요구하여야 함(할 수 있음×)(제17조 제5항) ➜ 바로 되돌려 보낼 수 있는 것×(거부하여야 함×)

③ [보완이 가능한 사항에 대해서만 보완요구 의무 부담] ㉠ 형식적·절차적 요건 흠결의 경우에는 보완요구 의무가 있지만, ㉡ 실질적 요건이나 신청의 내용에 흠결이 있는 경우에는, 단순한 착오나 일시적 사정 등에 기한 경우(예 실수로 존재하지도 않는 지번을 주소란에 기입한 경우)가 아닌 한 보완요구 의무×(2003두6573)

④ [보완요구 후 반려] 행정청은 신청인이 위 기간 내에도 보완을 하지 아니하였을 때에는 그 이유를 구체적으로 밝혀 접수된 신청을 되돌려 보낼 수 있음(반려)(제17조 제6항)

⑤ 사실상 '보완'요구로 볼 수 없는 경우 흠결된 서류의 보완 또는 보정을 위해서는 불가피하게 주요서류의 대부분을 새로 작성하여야 해서, '사실상 새로운 신청'을 하여야 하는 경우라면, 접수를 거부하거나 반려할 수 있음(90누8862)

⑥ 판례 신청에 형식적 요건에 하자가 있는 경우에 그 하자의 보완이 가능함에도 보완을 요구하지 않고 바로 거부하였다면 그 거부는 위법하게 됨(2003두6573)

⑦ 판례 행정절차법 제17조 제5항에 따라 신청인에게 보완할 기회를 부여해야 할 의무가 있는 사항은 신청인이 신청할 때 관계 법령에서 필수적으로 첨부하여 제출하도록 규정한 서류를 첨부하지 않은 경우와 같이 쉽게 보완이 가능한 사항을 누락하는 등의 흠이 있을 때이지, 행정청으로 하여금 신청에 대하여 거부처분을 하기 전에 반드시 신청인에게 신청의 내용이나 처분의 실체적 발급요건에 관한 사항까지 보완할 기회를 부여하여야 할 의무를 정한 것×(2020두36007)

처분신청의 보완·변경·취하

신청인은 처분이 있기 전에는 그 신청의 내용을 보완·변경하거나 취하(取下) 가능○ ➜ 다만, 다른 법령등에 특별한 규정이 있거나 그 신청의 성질상 보완·변경하거나 취하할 수 없는 경우에는 가능×(제17조 제8항)

다수의 행정청이 관여하는 처분

행정청은 다수의 행정청이 관여하는 처분을 구하는 신청을 접수한 경우에는, 관계 행정청과의 신속한 협조를 통하여 그 처분이 지연되지 아니하도록 하여야 함(제18조)

처리기간의 설정·공표 (제19조)

① [처리기간 설정] 행정청은 신청인의 편의를 위하여 처분의 처리기간을 종류별로 미리 정하여 공표하여야 함

② [처리기간 연장] 행정청이 부득이한 사유로 위 기간 내에 처분을 처리하기 곤란한 경우에는, 해당 처분의 처리기간의 범위에서 한 번만 그 기간을 연장할 수 있음 ➜ 행정청이 처리기간을 연장할 때에는 반드시 처리기간의 연장 사유와 처리 예정 기한을 지체 없이 신청인에게 통지하여야 함

③ [신속처리요청권] 행정청이 정당한 처리기간 내에 처리하지 아니하였을 때에는, 신청인은 해당 행정청 또는 그 감독 행정청에 신속한 처리를 요청할 수 있음

④ [훈시규정] 다만, 처리기간에 관한 규정은 강행규정×, 훈시규정○ ➜ 처리기간을 위반했다는 점은 처분을 취소할 수 있는 절차상 하자×(2018두41907)

⑤ 판례 주택건설사업계획승인신청을 받은 행정청이, 그 처리기간을 넘겨 그 후에 결정·고시된 도시계획에 따라 승인을 거부하였더라도, 정당한 이유 없이 처리를 지연한 것이 아니라면 그 승인 거부는 위법한 것×(95누10877)

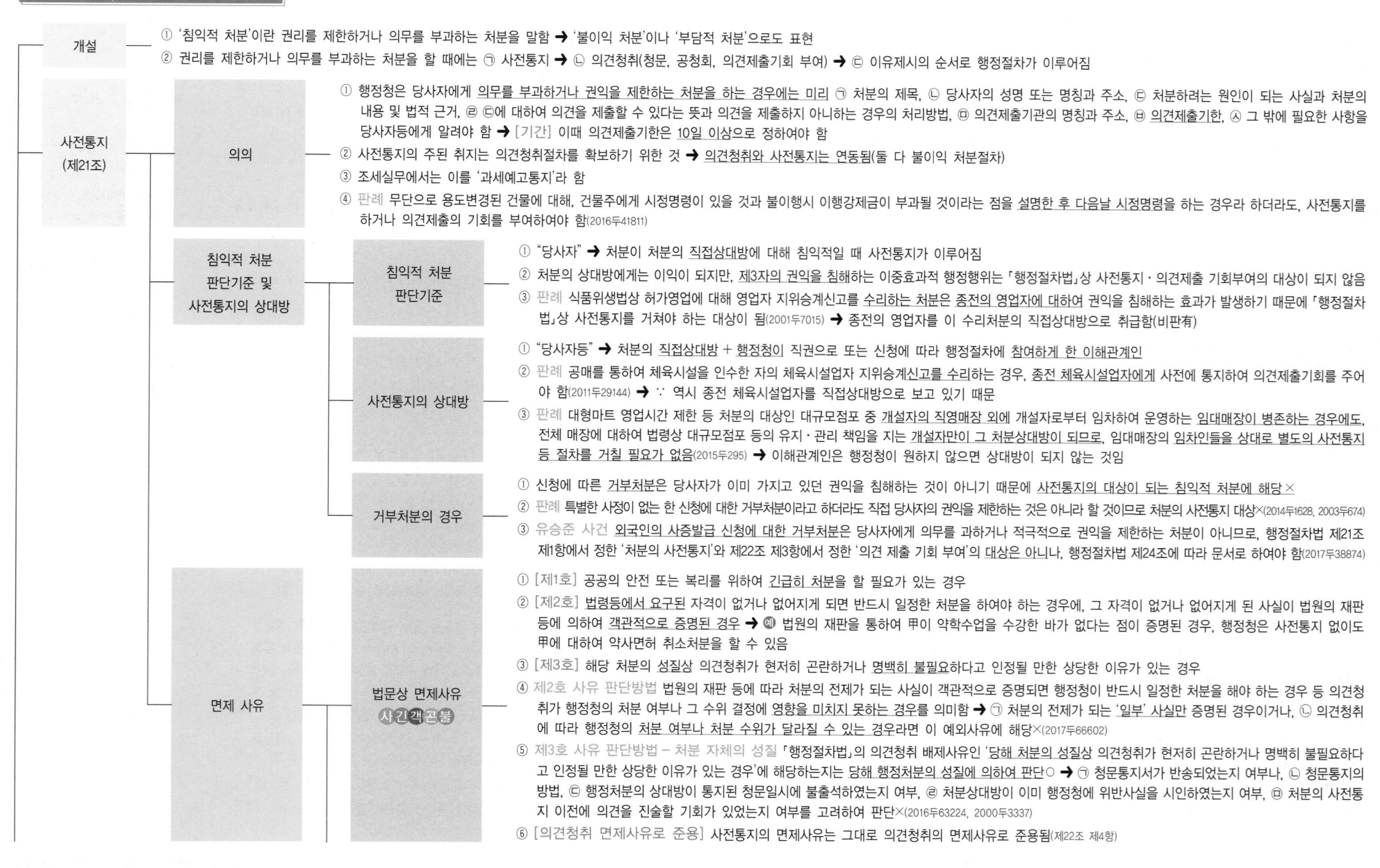

개설

① '침익적 처분'이란 권리를 제한하거나 의무를 부과하는 처분을 말함 ➜ '불이익 처분'이나 '부담적 처분'으로도 표현
② 권리를 제한하거나 의무를 부과하는 처분을 할 때에는 ㉠ 사전통지 → ㉡ 의견청취(청문, 공청회, 의견제출기회 부여) ➜ ㉢ 이유제시의 순서로 행정절차가 이루어짐

사전통지 (제21조)

의의

① 행정청은 당사자에게 의무를 부과하거나 권익을 제한하는 처분을 하는 경우에는 미리 ㉠ 처분의 제목, ㉡ 당사자의 성명 또는 명칭과 주소, ㉢ 처분하려는 원인이 되는 사실과 처분의 내용 및 법적 근거, ㉣ ㉢에 대하여 의견을 제출할 수 있다는 뜻과 의견을 제출하지 아니하는 경우의 처리방법, ㉤ 의견제출기관의 명칭과 주소, ㉥ 의견제출기한, ㉦ 그 밖에 필요한 사항을 당사자등에게 알려야 함 ➜ [기간] 이때 의견제출기한은 10일 이상으로 정하여야 함
② 사전통지의 주된 취지는 의견청취절차를 확보하기 위한 것 ➜ 의견청취와 사전통지는 연동됨(둘 다 불이익 처분절차)
③ 조세실무에서는 이를 '과세예고통지'라 함
④ 판례 무단으로 용도변경된 건물에 대해, 건물주에게 시정명령이 있을 것과 불이행시 이행강제금이 부과될 것이라는 점을 설명한 후 다음날 시정명령을 하는 경우라 하더라도, 사전통지를 하거나 의견제출의 기회를 부여하여야 함(2016두41811)

침익적 처분 판단기준 및 사전통지의 상대방

침익적 처분 판단기준

① "당사자" ➜ 처분이 처분의 직접상대방에 대해 침익적일 때 사전통지가 이루어짐
② 처분의 상대방에게는 이익이 되지만, 제3자의 권익을 침해하는 이중효과적 행정행위는 「행정절차법」상 사전통지 · 의견제출 기회부여의 대상이 되지 않음
③ 판례 식품위생법상 허가영업에 대해 영업자 지위승계신고를 수리하는 처분은 종전의 영업자에 대하여 권익을 침해하는 효과가 발생하기 때문에 「행정절차법」상 사전통지를 거쳐야 하는 대상이 됨(2001두7015) ➜ 종전의 영업자를 이 수리처분의 직접상대방으로 취급함(비판有)

사전통지의 상대방

① "당사자등" ➜ 처분의 직접상대방 + 행정청이 직권으로 또는 신청에 따라 행정절차에 참여하게 한 이해관계인
② 판례 공매를 통하여 체육시설을 인수한 자의 체육시설업자 지위승계신고를 수리하는 경우, 종전 체육시설업자에게 사전에 통지하여 의견제출기회를 주어야 함(2011두29144) ➜ ∵ 역시 종전 체육시설업자를 직접상대방으로 보고 있기 때문
③ 판례 대형마트 영업시간 제한 등 처분의 대상인 대규모점포 중 개설자의 직영매장 외에 개설자로부터 임차하여 운영하는 임대매장이 병존하는 경우에도, 전체 매장에 대하여 법령상 대규모점포 등의 유지 · 관리 책임을 지는 개설자만이 그 처분상대방이 되므로, 임대매장의 임차인들을 상대로 별도의 사전통지 등 절차를 거칠 필요가 없음(2015두295) ➜ 이해관계인은 행정청이 원하지 않으면 상대방이 되지 않는 것임

거부처분의 경우

① 신청에 따른 거부처분은 당사자가 이미 가지고 있던 권익을 침해하는 것이 아니기 때문에 사전통지의 대상이 되는 침익적 처분에 해당×
② 판례 특별한 사정이 없는 한 신청에 대한 거부처분이라고 하더라도 직접 당사자의 권리를 제한하는 것은 아니라 할 것이므로 처분의 사전통지 대상×(2014두1628, 2003두674)
③ 유승준 사건 외국인의 사증발급 신청에 대한 거부처분은 당사자에게 의무를 과하거나 적극적으로 권익을 제한하는 처분이 아니므로, 행정절차법 제21조 제1항에서 정한 '처분의 사전통지'와 제22조 제3항에서 정한 '의견 제출 기회 부여'의 대상은 아니나, 행정절차법 제24조에 따라 문서로 하여야 함(2017두38874)

면제 사유

법문상 면제사유
사 간 객 곤 불

① [제1호] 공공의 안전 또는 복리를 위하여 긴급히 처분을 할 필요가 있는 경우
② [제2호] 법령등에서 요구된 자격이 없거나 없어지게 되면 반드시 일정한 처분을 하여야 하는 경우에, 그 자격이 없거나 없어지게 된 사실이 법원의 재판 등에 의하여 객관적으로 증명된 경우 ➜ 예 법원의 재판을 통하여 甲이 약학수업을 수강한 바가 없다는 점이 증명된 경우, 행정청은 사전통지 없이도 甲에 대하여 약사면허 취소처분을 할 수 있음
③ [제3호] 해당 처분의 성질상 의견청취가 현저히 곤란하거나 명백히 불필요하다고 인정될 만한 상당한 이유가 있는 경우
④ 제2호 사유 판단방법 법원의 재판 등에 따라 처분의 전제가 되는 사실이 객관적으로 증명되면 행정청이 반드시 일정한 처분을 해야 하는 경우 등 의견청취가 행정청의 처분 여부나 그 수위 결정에 영향을 미치지 못하는 경우를 의미함 ➜ ㉠ 처분의 전제가 되는 '일부' 사실만 증명된 경우이거나, ㉡ 의견청취에 따라 행정청의 처분 여부나 처분 수위가 달라질 수 있는 경우라면 이 예외사유에 해당×(2017두66602)
⑤ 제3호 사유 판단방법 – 처분 자체의 성질 「행정절차법」의 의견청취 배제사유인 '당해 처분의 성질상 의견청취가 현저히 곤란하거나 명백히 불필요하다고 인정될 만한 상당한 이유가 있는 경우'에 해당하는지는 당해 행정처분의 성질에 의하여 판단○ ➜ ㉠ 청문통지서가 반송되었는지 여부나, ㉡ 청문통지의 방법, ㉢ 행정처분의 상대방이 통지된 청문일시에 불출석하였는지 여부, ㉣ 처분상대방이 이미 행정청에 위반사실을 시인하였는지 여부, ㉤ 처분의 사전통지 이전에 의견을 진술할 기회가 있었는지 여부를 고려하여 판단×(2016두63224, 2000두3337)
⑥ [의견청취 면제사유로 준용] 사전통지의 면제사유는 그대로 의견청취의 면제사유로 준용됨(제22조 제4항)

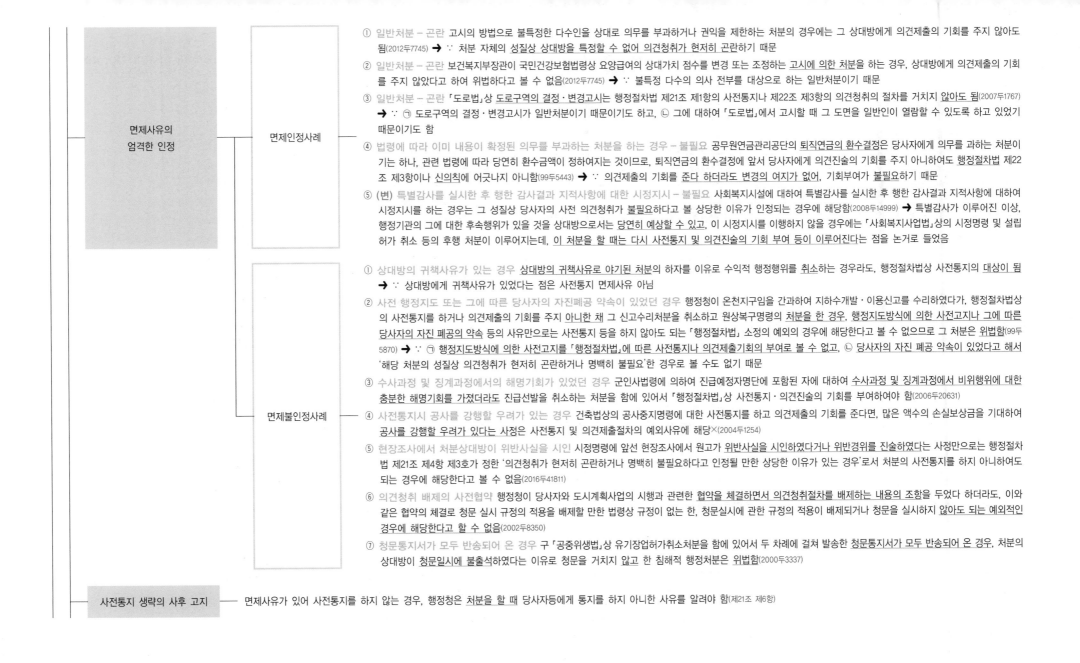

면제사유의 엄격한 인정

면제인정사례

① 일반처분 - 곤란 고시의 방법으로 불특정한 다수인을 상대로 의무를 부과하거나 권익을 제한하는 처분의 경우에는 그 상대방에게 의견제출의 기회를 주지 않아도 됨(2012두7745) ➔ ∵ 처분 자체의 성질상 상대방을 특정할 수 없어 의견청취가 현저히 곤란하기 때문

② 일반처분 - 곤란 보건복지부장관이 국민건강보험법령상 요양급여의 상대가치 점수를 변경 또는 조정하는 고시에 의한 처분을 하는 경우, 상대방에게 의견제출의 기회를 주지 않았다고 하여 위법하다고 볼 수 없음(2012두7745) ➔ ∵ 불특정 다수의 의사 전부를 대상으로 하는 일반처분이기 때문

③ 일반처분 - 곤란 「도로법」상 도로구역의 결정·변경고시는 행정절차법 제21조 제1항의 사전통지나 제22조 제3항의 의견청취의 절차를 거치지 않아도 됨(2007두1767) ➔ ∵ ㉠ 도로구역의 결정·변경고시가 일반처분이기 때문이기도 하고, ㉡ 그에 대하여 「도로법」에서 고시할 때 그 도면을 일반인이 열람할 수 있도록 하고 있었기 때문이기도 함

④ 법령에 따라 이미 내용이 확정된 의무를 부과하는 처분을 하는 경우 - 불필요 공무원연금관리공단의 퇴직연금의 환수결정은 당사자에게 의무를 과하는 처분이기는 하나, 관련 법령에 따라 당연히 환수금액이 정하여지는 것이므로, 퇴직연금의 환수결정에 앞서 당사자에게 의견진술의 기회를 주지 아니하여도 행정절차법 제22조 제3항이나 신의칙에 어긋나지 아니함(99두5443) ➔ ∵ 의견제출의 기회를 준다 하더라도 변경의 여지가 없어, 기회부여가 불필요하기 때문

⑤ (변) 특별감사를 실시한 후 행한 감사결과 지적사항에 대한 시정지시 - 불필요 사회복지시설에 대하여 특별감사를 실시한 후 행한 감사결과 지적사항에 대하여 시정지시를 하는 경우는 그 성질상 당사자의 사전 의견청취가 불필요하다고 볼 상당한 이유가 인정되는 경우에 해당함(2008두14999) ➔ 특별감사가 이루어진 이상, 행정기관의 그에 대한 후속행위가 있을 것을 상대방으로서는 당연히 예상할 수 있고, 이 시정지시를 이행하지 않을 경우에는 「사회복지사업법」상의 시정명령 및 설립허가 취소 등의 후행 처분이 이루어지는데, 이 처분을 할 때는 다시 사전통지 및 의견진술의 기회 부여 등이 이루어진다는 점을 논거로 들었음

면제불인정사례

① 상대방의 귀책사유가 있는 경우 상대방의 귀책사유로 야기된 처분의 하자를 이유로 수익적 행정행위를 취소하는 경우라도, 행정절차법상 사전통지의 대상이 됨 ➔ ∵ 상대방에게 귀책사유가 있었다는 점은 사전통지 면제사유 아님

② 사전 행정지도 또는 그에 따른 당사자의 자진폐공 약속이 있었던 경우 행정청이 온천지구임을 간과하여 지하수개발·이용신고를 수리하였다가, 행정절차법상의 사전통지를 하거나 의견제출의 기회를 주지 아니한 채 그 신고수리처분을 취소하고 원상복구명령의 처분을 한 경우, 행정지도방식에 의한 사전고지나 그에 따른 당사자의 자진 폐공의 약속 등의 사유만으로는 사전통지 등을 하지 않아도 되는 「행정절차법」 소정의 예외의 경우에 해당한다고 볼 수 없으므로 그 처분은 위법함(99두5870) ➔ ∵ ㉠ 행정지도방식에 의한 사전고지를 「행정절차법」에 따른 사전통지나 의견제출기회의 부여로 볼 수 없고, ㉡ 당사자의 자진 폐공 약속이 있었다고 해서 '해당 처분의 성질상 의견청취가 현저히 곤란하거나 명백히 불필요'한 경우로 볼 수도 없기 때문

③ 수사과정 및 징계과정에서의 해명기회가 있었던 경우 군인사법령에 의하여 진급예정자명단에 포함된 자에 대하여 수사과정 및 징계과정에서 비위행위에 대한 충분한 해명기회를 가졌더라도 진급선발을 취소하는 처분을 함에 있어서 「행정절차법」상 사전통지·의견진술의 기회를 부여하여야 함(2006두20631)

④ 사전통지시 공사를 강행할 우려가 있는 경우 건축법상의 공사중지명령에 대한 사전통지를 하고 의견제출의 기회를 준다면, 많은 액수의 손실보상금을 기대하여 공사를 강행할 우려가 있다는 사정은 사전통지 및 의견제출절차의 예외사유에 해당×(2004두1254)

⑤ 현장조사에서 처분상대방이 위반사실을 시인 시정명령에 앞선 현장조사에서 원고가 위반사실을 시인하였다거나 위반경위를 진술하였다는 사정만으로는 행정절차법 제21조 제4항 제3호가 정한 '의견청취가 현저히 곤란하거나 명백히 불필요하다고 인정될 만한 상당한 이유가 있는 경우'로서 처분의 사전통지를 하지 아니하여도 되는 경우에 해당한다고 볼 수 없음(2016두41811)

⑥ 의견청취 배제의 사전협약 행정청이 당사자와 도시계획사업의 시행과 관련한 협약을 체결하면서 의견청취절차를 배제하는 내용의 조항을 두었다 하더라도, 이와 같은 협약의 체결로 청문 실시 규정의 적용을 배제할 만한 법령상 규정이 없는 한, 청문실시에 관한 규정의 적용이 배제되거나 청문을 실시하지 않아도 되는 예외적인 경우에 해당한다고 할 수 없음(2002두8350)

⑦ 청문통지서가 모두 반송되어 온 경우 구 「공중위생법」상 유기장업허가취소처분을 함에 있어서 두 차례에 걸쳐 발송한 청문통지서가 모두 반송되어 온 경우, 처분의 상대방이 청문일시에 불출석하였다는 이유로 청문을 거치지 않고 한 침해적 행정처분은 위법함(2000두3337)

사전통지 생략의 사후 고지 ─── 면제사유가 있어 사전통지를 하지 않는 경우, 행정청은 처분을 할 때 당사자등에게 통지를 하지 아니한 사유를 알려야 함(제21조 제6항)

의견청취절차 공통 (제22조)	개설	의견청취절차는 청문, 공청회, 의견제출 기회부여로 구분되는데, 의견제출은 청문이나 공청회를 하지 않는 경우에 이루어짐 ➔ 대부분 의견제출 기회부여에 의하여 의견청취절차가 이루어짐
	면제 사유	① [법문] 사전통지 면제사유가 있는 경우 (긴 객 곤 를) ➔ 사전통지는 의견청취의 기회를 확보하기 위한 목적으로 이루어지는 절차이기 때문에, 양자의 면제 사유는 연동됨 ② [법문] 당사자가 의견진술의 기회를 포기한다는 뜻을 명백히 표시한 경우 ➔ 사전 포기협약은 이에 해당×(2002두8350)
	문서열람·복사청구권	① 당사자등(모든 국민×)은 ㉠ 의견제출의 경우에는 처분의 사전 통지가 있는 날부터 의견제출기한까지, ㉡ 청문의 경우에는 청문의 통지가 있는 날부터 청문이 끝날 때까지, 행정청에 해당 사안의 조사결과에 관한 문서와 그 밖에 해당 처분과 관련되는 문서의 열람 또는 복사를 요청할 수 있음 ➔ 이 경우 행정청은 다른 법령에 따라 공개가 제한되는 경우를 제외하고는 그 요청을 거부할 수 없음(제37조 제1항) ② 행정청은 복사에 드는 비용을 복사를 요청한 자에게 부담시킬 수 있음(제37조 제5항)
	서류·물건 반환	행정청은 처분 후 1년 이내에 당사자등이 요청하는 경우에는(요청이 없어도×), 청문·공청회 또는 의견제출을 위하여 제출받은 서류나 그 밖의 물건을 반환하여야 함(제22조 제6항)
	청취 후 신속처분	청문·공청회 또는 의견제출을 거쳤을 때에는 신속히 처분하여 해당 처분이 지연되지 아니하도록 하여야 함(제22조 제5항)
청문 (제22조 제1항)	의의	① 행정청이 어떤 처분을 하기 전에 당사자등의 의견을 직접 듣고 증거를 조사하는 절차 ➔ 보통 어떤 잘못에 대한 침익적 처분을 하기 전에 진상(眞相)을 조사해보는 절차로 기능함 ② 청문제도의 취지 행정처분의 사유에 대하여 당사자에게 변명과 유리한 자료를 제출할 기회를 부여함으로써 위법사유의 시정가능성을 고려하고, 처분의 신중과 적정을 기하려는 데 있음(2005두15700)
	청문이 이루어지는 경우	① [법령등 규정에 따른 청문] 다른 법령등에서 청문을 하도록 규정하고 있는 경우 ② [임의적 청문] 행정청이 필요하다고 인정하는 경우 ③ [의무적 청문] ㉠ 인·허가 등의 취소처분(영업정지처분×), ㉡ 신분이나 자격 박탈 처분, ㉢ 법인설립허가나 조합설립허가 취소처분을 하는 경우 ④ 판례 지방자치단체장이 구 「공유재산 및 물품관리법」에 근거하여 민간투자사업을 추진하던 중 우선협상대상자의 지위를 박탈하는 처분을 하기 위하여는 반드시 청문을 실시하여야 하는 것은 아님 ➔ ∵ 별도의 규정이 있는 것이 아니어서 행정청이 필요하다고 인정하는 경우가 아니라면, 의견제출 기회 부여로 충분하기 때문(2017두31064)
	사전통지	① [당사자등에 대한 사전통지 – 청문에 필요한 사항] 행정청은 청문을 하려면 청문이 시작되는 날부터 10일 전까지 당사자등에게 청문 주재자의 소속·직위 및 성명, 청문의 일시 및 장소, 청문에 응하지 아니하는 경우의 처리방법 등 청문에 필요한 사항을 사전통지하여야 함(제21조 제2항) ② [청문 주재자에 대한 사전통지 – 청문에 필요한 자료] 행정청은 청문이 시작되는 날부터 7일 전까지 청문 주재자에게 청문과 관련한 필요한 자료를 미리 통지하여야 함(제28조 제3항)
	청문 주재자	① [행정청의 직권 선정] 행정청 소속 직원이나 대통령령❶으로 정하는 자격을 가진 사람 중에서 (당사자등의 신청을 받아×) 행정청이 선정(제28조) ➔ 행정청이 선정하기 때문에 청문주재자에 대해 제척·기피·회피 제도를 두고 있음(제29조) ② [제척제도] ㉠ 자신이 당사자등이거나 당사자등과 친족관계에 있거나 있었던 자, ㉡ 해당 처분과 관련하여 증언이나 감정(鑑定)을 한 자, ㉢ 해당 처분의 당사자등의 대리인으로 관여하거나 관여하였던 자, ㉣ 해당 처분업무를 직접 처리하거나 처리하였던 자, ㉤ 해당 처분업무를 처리하는 부서에 근무하는 자는 청문주재자가 될 수 없음 ③ [기피제도] 청문 주재자에게 공정한 청문 진행을 할 수 없는 사정이 있는 경우 당사자등은 행정청에 기피신청을 할 수 있음(제29조 제2항) ④ [공정성의 보장] 청문 주재자는 독립하여 공정하게 직무를 수행하며, 그 직무 수행을 이유로 본인의 의사에 반하여 신분상 어떠한 불이익도 받지 아니함(제28조 제4항) ⑤ [복수의 청문 주재자 선정] 행정청은 ㉠ 다수 국민의 이해가 상충되는 처분, ㉡ 다수 국민에게 불편이나 부담을 주는 처분, ㉢ 그 밖에 전문적이고 공정한 청문을 위하여 행정청이 청문 주재자를 2명 이상으로 선정할 필요가 있다고 인정하는 처분을 하려는 경우에는, 청문 주재자를 2명 이상으로 선정할 수 있음 ➔ 이 경우 선정된 청문 주재자 중 1명이 청문 주재자를 대표함(제28조 제2항)

❶ 이에 따라 제정된 행정절차법 시행령 제15조는, 업무경험을 통해 청문사안과 관련되는 분야에 전문지식이 있는 자나 교수, 공인회계사, 변호사가 청문주재자가 될 수 있다고 규정하고 있다.

	청문절차	① [개시설명] 청문 주재자가 청문을 시작할 때에는 먼저 예정된 처분의 내용, 그 원인이 되는 사실 및 법적 근거 등을 설명하여야 함(제31조 제1항) ② [의견진술·증거제출] 당사자등은 청문에서 의견을 진술하고 증거를 제출할 수 있으며, 참고인이나 감정인 등에게 질문할 수 있음(제31조 제2항) ③ [진술간주 제도] 당사자등이 의견서를 제출한 경우에는 그 내용을 출석하여 진술한 것으로 봄(제31조 제3항) ④ [직권주의] 청문주재자는 직권 또는 당사자의 신청에 따라 필요한 조사를 할 수 있으며, 당사자등이 주장하지 아니한 사실에 대하여도 조사할 수 있음(제33조 제2항) ➔ 당사자주의가 아니라 직권주의이기 때문에 청문주재자는 당사자가 제출한 증거나 당사자의 증거신청에 구속되지 않음 ⑤ [병합·분리] 행정청은 직권이나 당사자의 신청에 따라 여러 개의 사안을 병합하거나 분리하여 청문할 수 있음(제32조) ⑥ [비공개 원칙] 청문은 당사자가 공개를 신청하거나 청문주재자가 필요하다고 인정하는 경우에는 공개 가능 ➔ 단, 공익 또는 제3자의 정당한 이익을 현저히 해칠 우려가 있는 경우에는 공개 불가(제30조)
	청문조서	① [개념] 청문 주재자가 작성하는 객관적 기록 ② 당사자등은 청문조서의 내용을 열람·확인할 수 있으며, 이의가 있을 때에는 그 정정을 요구할 수 있음(제34조 제2항)
	청문의 종결	당사자등이 청문기일에 출석하지 않거나, 의견서를 제출하지 않은 경우 ㉠ 정당한 사유가 있다면 10일 이상의 기간을 정하여 의견진술 및 증거제출을 요구한 다음, 해당 기간이 지났을 때에야 청문을 마칠 수 있으나, ㉡ 정당한 사유가 없다면 다시 의견진술 및 증거제출의 기회를 주지 않고 청문을 마칠 수 있음(제35조)
	청문 재개 명령	행정청은 청문을 마친 후 처분을 할 때까지 새로운 사정이 발견되어 청문을 재개(再開)할 필요가 있다고 인정할 때에는 청문조서 등을 되돌려 보내고 청문의 재개를 명할 수 있음(제36조)
	청문 결과 반영	행정청은 처분을 할 때에 청문조서, 청문주재자의 의견서, 그 밖의 관계 서류 등을 충분히 검토하고, 상당한 이유가 있다고 인정하는 경우에는 청문결과를 반영하여야 함(제35조의2) ➔ ※ 청문조서는 청문에 대한 청문주재자의 객관적 기록이라는 점에서 청문주재자의 의견서와 다름
	비밀누설금지·목적외 사용금지	누구든지 의견제출 또는 청문을 통하여 알게 된 사생활이나 경영상 또는 거래상의 비밀을 정당한 이유 없이 누설하거나 다른 목적으로 사용해서는 안 됨(제37조 제6항)
공청회 (제22조 제2항)	의의	① 행정청이 공개적인 토론을 통하여 어떠한 행정작용에 대하여 당사자등과 전문지식과 경험을 가진 사람, 그 밖의 일반인으로부터 의견을 널리 수렴하는 절차 ② 보통 이해관계인이 다수(多數)인 경우에 이루어짐
	공청회가 이루어지는 경우	① [법령상 규정에 따른 공청회] 다른 법령등에서 공청회를 개최하도록 규정하고 있는 경우 ② [임의적 공청회] 해당 처분의 영향이 광범위하여 널리 의견을 수렴할 필요가 있다고 행정청이 인정하는 경우 ③ [요구에 의한 공청회] 국민생활에 큰 영향을 미치는 처분으로서 대통령령❶으로 정하는 처분에 대하여 대통령령으로 정하는 수(30명) 이상의 당사자등이 공청회 개최를 요구하는 경우

---

❶ 이에 따라 제정된 행정절차법 시행령 제13조의3에서는 ㉠ 국민 다수의 생명, 안전 및 건강에 큰 영향을 미치는 처분과 ㉡ 소음 및 악취 등 국민의 일상생활과 관계되는 환경에 큰 영향을 미치는 처분으로 이를 구체화하고 있다.

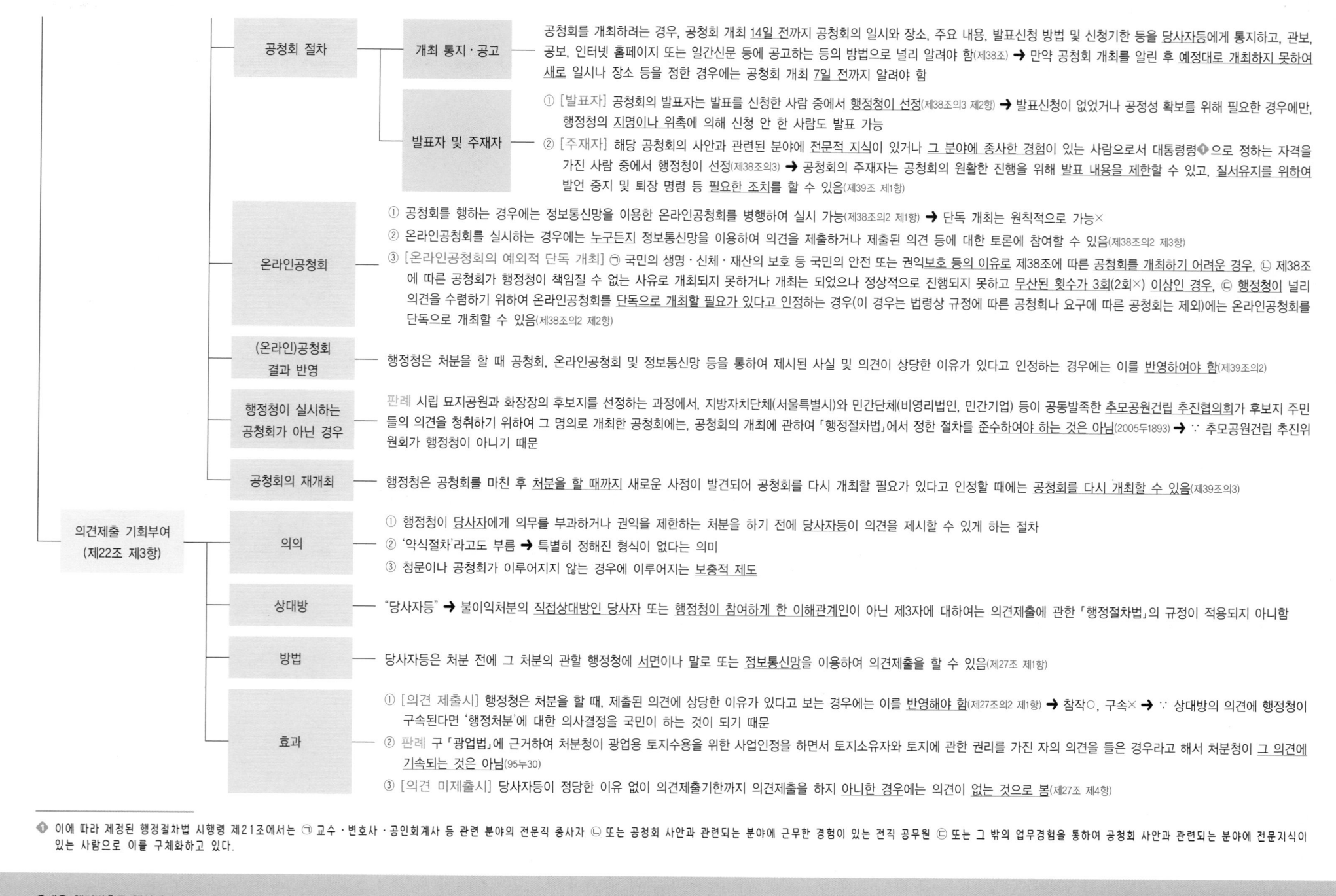

| | 공청회 절차 | 개최 통지·공고 | 공청회를 개최하려는 경우, 공청회 개최 14일 전까지 공청회의 일시와 장소, 주요 내용, 발표신청 방법 및 신청기한 등을 당사자등에게 통지하고, 관보, 공보, 인터넷 홈페이지 또는 일간신문 등에 공고하는 등의 방법으로 널리 알려야 함(제38조) ➡ 만약 공청회 개최를 알린 후 예정대로 개최하지 못하여 새로 일시나 장소 등을 정한 경우에는 공청회 개최 7일 전까지 알려야 함 |

공청회 절차

개최 통지·공고
공청회를 개최하려는 경우, 공청회 개최 <u>14일</u> 전까지 공청회의 일시와 장소, 주요 내용, 발표신청 방법 및 신청기한 등을 당사자등에게 통지하고, 관보, 공보, 인터넷 홈페이지 또는 일간신문 등에 공고하는 등의 방법으로 널리 알려야 함(제38조) ➡ 만약 공청회 개최를 알린 후 예정대로 개최하지 못하여 새로 일시나 장소 등을 정한 경우에는 공청회 개최 <u>7일</u> 전까지 알려야 함

발표자 및 주재자
① [발표자] 공청회의 발표자는 발표를 신청한 사람 중에서 행정청이 선정(제38조의3 제2항) ➡ 발표신청이 없었거나 공정성 확보를 위해 필요한 경우에만, 행정청의 지명이나 위촉에 의해 신청 안 한 사람도 발표 가능
② [주재자] 해당 공청회의 사안과 관련된 분야에 전문적 지식이 있거나 그 분야에 종사한 경험이 있는 사람으로서 대통령령❶으로 정하는 자격을 가진 사람 중에서 행정청이 선정(제38조의3) ➡ 공청회의 주재자는 공청회의 원활한 진행을 위해 발표 내용을 제한할 수 있고, 질서유지를 위하여 발언 중지 및 퇴장 명령 등 필요한 조치를 할 수 있음(제39조 제1항)

온라인공청회
① 공청회를 행하는 경우에는 정보통신망을 이용한 온라인공청회를 병행하여 실시 가능(제38조의2 제1항) ➡ 단독 개최는 원칙적으로 가능×
② 온라인공청회를 실시하는 경우에는 누구든지 정보통신망을 이용하여 의견을 제출하거나 제출된 의견 등에 대한 토론에 참여할 수 있음(제38조의2 제3항)
③ [온라인공청회의 예외적 단독 개최] ㉠ 국민의 생명·신체·재산의 보호 등 국민의 안전 또는 권익보호 등의 이유로 제38조에 따른 공청회를 개최하기 어려운 경우, ㉡ 제38조에 따른 공청회가 행정청이 책임질 수 없는 사유로 개최되지 못하거나 개최는 되었으나 정상적으로 진행되지 못하고 무산된 횟수가 3회(2회×) 이상인 경우, ㉢ 행정청이 널리 의견을 수렴하기 위하여 온라인공청회를 <u>단독으로 개최할 필요가 있다고 인정하는 경우</u>(이 경우는 법령상 규정에 따른 공청회나 요구에 따른 공청회는 제외)에는 온라인공청회를 단독으로 개최할 수 있음(제38조의2 제2항)

(온라인)공청회 결과 반영
행정청은 처분을 할 때 공청회, 온라인공청회 및 정보통신망 등을 통하여 제시된 사실 및 의견이 상당한 이유가 있다고 인정하는 경우에는 이를 반영하여야 함(제39조의2)

행정청이 실시하는 공청회가 아닌 경우
판례 시립 묘지공원과 화장장의 후보지를 선정하는 과정에서, 지방자치단체(서울특별시)와 민간단체(비영리법인, 민간기업) 등이 공동발족한 추모공원건립 추진협의회가 후보지 주민들의 의견을 청취하기 위하여 그 명의로 개최한 공청회에는, 공청회의 개최에 관하여 「행정절차법」에서 정한 절차를 <u>준수하여야 하는 것은 아님</u>(2005두1893) ➡ ∵ 추모공원건립 추진위원회가 행정청이 아니기 때문

공청회의 재개최
행정청은 공청회를 마친 후 <u>처분을 할 때까지 새로운 사정이 발견되어 공청회를 다시 개최할 필요가 있다고 인정할 때에는 공청회를 다시 개최할 수 있음</u>(제39조의3)

의견제출 기회부여 (제22조 제3항)

의의
① 행정청이 당사자에게 의무를 부과하거나 권익을 제한하는 처분을 하기 전에 당사자등이 의견을 제시할 수 있게 하는 절차
② '약식절차'라고도 부름 ➡ 특별히 정해진 형식이 없다는 의미
③ 청문이나 공청회가 이루어지지 않는 경우에 이루어지는 <u>보충적 제도</u>

상대방
"당사자등" ➡ 불이익처분의 <u>직접상대방인 당사자</u> 또는 행정청이 참여하게 한 이해관계인이 아닌 제3자에 대하여는 의견제출에 관한 「행정절차법」의 규정이 적용되지 아니함

방법
당사자등은 처분 전에 그 처분의 관할 행정청에 서면이나 말로 또는 <u>정보통신망</u>을 이용하여 의견제출을 할 수 있음(제27조 제1항)

효과
① [의견 제출시] 행정청은 처분을 할 때, 제출된 의견에 상당한 이유가 있다고 보는 경우에는 이를 반영해야 함(제27조의2 제1항) ➡ 참작○, 구속× ➡ ∵ 상대방의 의견에 행정청이 구속된다면 '행정처분'에 대한 의사결정을 국민이 하는 것이 되기 때문
② 판례 구「광업법」에 근거하여 처분청이 광업용 토지수용을 위한 사업인정을 하면서 토지소유자와 토지에 관한 권리를 가진 자의 의견을 들은 경우라고 해서 처분청이 <u>그 의견에 기속되는 것은 아님</u>(95누30)
③ [의견 미제출시] 당사자등이 정당한 이유 없이 의견제출기한까지 의견제출을 하지 <u>아니한 경우에는 의견이 없는 것으로 봄</u>(제27조 제4항)

---

❶ 이에 따라 제정된 행정절차법 시행령 제21조에서는 ㉠ 교수·변호사·공인회계사 등 관련 분야의 전문직 종사자 ㉡ 또는 공청회 사안과 관련되는 분야에 근무한 경험이 있는 전직 공무원 ㉢ 또는 그 밖의 업무경험을 통하여 공청회 사안과 관련되는 분야에 전문지식이 있는 사람으로 이를 구체화하고 있다.

행정상 입법예고제와 행정예고제

구분	행정상 입법예고	행정예고
예고하는 경우	행정청이 마련한 법령등을 제정, 개정, 폐지("입법")하려는 경우 ➔ 원칙적으로 하여야 함	정책, 제도, 계획("정책등")을 수립, 시행, 변경하려는 경우 ➔ 원칙적으로 하여야 함
면제사유	① 신속한 국민의 권리 보호 또는 예측 곤란한 특별한 사정의 발생 등으로 입법이 긴급을 요하는 경우 ② 상위 법령등의 단순한 집행을 위한 경우 ➔ ⑩ 집행명령을 제정하는 경우 ③ 입법내용이 국민의 권리·의무 또는 일상생활과 관련이 없는 경우 ④ 단순한 표현·자구를 변경하는 경우 등 입법내용의 성질상 예고의 필요가 없거나 곤란하다고 판단되는 경우 ⑤ 예고함이 공공의 안전 또는 복리를 현저히 해칠 우려가 있는 경우	① 신속하게 국민의 권리를 보호하여야 하거나 예측이 어려운 특별한 사정이 발생하는 등 긴급한 사유로 예고가 현저히 곤란한 경우 ② 법령등의 단순한 집행을 위한 경우 ③ 정책등의 내용이 국민의 권리·의무 또는 일상생활과 관련이 없는 경우 ④ 정책등의 예고가 공공의 안전 또는 복리를 현저히 해칠 우려가 상당한 경우
예고기간	예고할 때 정하되, 특별한 사정이 없는 한 40일(자치법규는 20일) 이상	예고 내용의 성격 등을 고려하여 정하되, 20일 이상 ➔ 행정목적을 달성하기 위하여 긴급한 필요가 있는 경우에는 10일 이상으로 기간을 단축할 수 있음
예고방법	① (변) [법령의 입법안을 입법예고하는 경우] 입법안의 취지, 주요 내용 또는 전문을 ㉠ 관보 및 ㉡ 법제처장이 구축·제공하는 정보시스템을 통해 공고하여야 하고(필수), ㉢ 추가로 인터넷, 신문 또는 방송 등을 통하여 공고할 수 있음(임의) ➔ 관정인신방 ② (변) [자치법규의 입법안을 입법예고하는 경우] 입법안의 취지, 주요 내용 또는 전문을 ㉠ 공보를 통해 공고하여야 하고(필수), ㉡ 추가로 인터넷, 신문 또는 방송 등을 통하여 공고할 수 있음(임의) ➔ 공인신방	정책등안(案)의 취지, 주요 내용 등을 관보·공보나 인터넷·신문·방송 등을 통하여 공고하여야 함
공통점	① 행정청은 예고안의 전문에 대한 열람 또는 복사를 요청받았을 때에는 특별한 사유가 없으면 그 요청에 따라야 함(제42조 제5항) ➔ 복사비용은 복사를 요청한 자에게 부담시킬 수 있음(제42조 제6항) ② 누구든지 예고안에 대하여 의견을 제출할 수 있음(제44조 제1항) ③ 행정청은 예고안에 대한 의견이 제출된 경우 특별한 사유가 없으면 이를 존중하여 처리하여야 함(제44조 제3항) ④ [공청회] 행정청은 예고안에 관하여 공청회를 개최할 수 있음(제45조 제1항) ⑤ [온라인공청회] 행정청은 원칙적으로 공청회와 병행하는 경우에만 정보통신망을 이용한 온라인공청회를 실시할 수 있음	
관계	행정예고의 내용이 법령등의 입법을 포함하는 경우 행정상 입법예고로 갈음할 수 있음	

입법예고 기타사항

대통령령의 국회제출 ── ① [행정절차법] 행정청은 대통령령을 입법예고하는 경우 국회 소관 상임위원회에 이를 제출해야 함(제42조 제2항)
② [국회법] 대통령령의 경우에는 입법예고를 할 때(입법예고를 생략하는 경우에는 법제처장에게 심사를 요청할 때)에도 그 입법예고안을 10일 이내에 국회 소관 상임위원회에 제출하여야 함(제98조의2 제1항 단서)

(변) 면제사유 있는 입법사항에 대한 예고 ── 법제처장은 입법예고를 하지 아니한 법령안의 심사 요청을 받은 경우에, 입법예고를 하는 것이 적당하다고 판단할 때에는 해당 행정청에 입법예고를 권고하거나 직접 예고할 수 있음(제41조 제3항)

제4절 행정절차법 기타규정

(변) 국민참여의 확대제도

온라인 정책토론 제도 (제53조)

① 행정청은 국민에게 영향을 미치는 주요 정책 등에 대하여 국민의 다양하고 창의적인 의견을 널리 수렴하기 위하여 정보통신망을 이용하여 국민의 <u>의견을 수렴하거나 정책토론</u>을 실시할 수 있음(하여야 함×)(제1항)

② [패널제도] 행정청은 효율적인 온라인 정책토론을 위하여 과제별로 <u>한시적인 토론 패널을 구성</u>하여 해당 토론에 참여시킬 수 있음(제2항)

국민제안 제도 (제52조의2)

행정청(국회사무총장 · 법원행정처장 · 헌법재판소사무처장 및 중앙선거관리위원회사무총장은 제외)은 정부시책이나 행정제도 및 그 운영의 개선에 관한 <u>국민의 창의적인 의견이나 고안</u>("국민제안")을 접수 · 처리하여야 함(제1항)

제 3 장

민원 처리에 관한 법률

(변) 민원 처리에 관한 법률

개설	① 민원이란 민원인이 행정기관에 대하여 처분등 특정한 행위를 요구하는 것을 말함 → 이에 대한 절차를 규정하기 위한 목적으로, 「행정절차법」에 대한 특별법으로서 「민원 처리에 관한 법률」이 제정되어 있음 ② 민원인이란 행정기관에 민원을 제기하는 개인이나 법인 또는 단체를 말함(제2조 제2호)

민원의 종류

용어		정의
일반민원	법정민원	법령·훈령·예규·고시·자치법규 등에서 정한 일정 요건에 따라 인가·허가·승인·특허·면허 등을 신청하거나 장부·대장 등에 등록·등재를 신청 또는 신고하거나 특정한 사실 또는 법률관계에 관한 확인 또는 증명을 신청하는 민원 → 사인의 공법행위의 일종
	질의민원	법령·제도·절차 등 행정업무에 관하여 행정기관의 설명이나 해석을 요구하는 민원
	건의민원	행정제도 및 운영의 개선을 요구하는 민원
	기타민원	법정민원, 질의민원, 건의민원 및 고충민원 외에 행정기관에 단순한 행정절차 또는 형식요건 등에 대한 상담·설명을 요구하거나 일상생활에서 발생하는 불편사항에 대하여 알리는 등 행정기관에 특정한 행위를 요구하는 민원
고충민원		행정기관 등의 위법·부당하거나, 소극적인 처분(사실행위나 부작위를 포함) 및 불합리한 행정제도로 인하여 국민의 권리를 침해하거나 국민에게 불편 또는 부담을 주는 사항에 관한 민원(현역장병 및 군(軍) 관련 의무복무자의 고충민원을 포함) → 고충민원은 국민권익위원회나 시민고충처리위원회에 신청함

민원처리의 원칙

① 행정기관의 장은 관계법령등에서 정한 처리기간이 남아 있다거나 그 민원과 관련 없는 공과금 등을 미납하였다는 이유로 민원 처리를 지연시켜서는 안 됨 → 다만, 다른 법령에 특별한 규정이 있는 경우에는 그에 따름(제6조 제1항)
② 행정기관의 장은 법령의 규정 또는 위임이 있는 경우를 제외하고는 민원 처리의 절차 등을 강화하여서는 안 됨(제6조 제2항)
③ 행정기관의 장은 민원을 접수·처리할 때에 민원인에게 관계법령등에서 정한 구비서류 외의 서류를 추가로 요구하여서는 안 됨(제10조 제1항)

민원신청 방법

민원의 신청은 문서(전자문서 포함)로 하여야 함 → 다만, 기타민원(일반민원×)은 구술이나 전화로도 가능(제8조)

처리결과의 통지

① 행정기관의 장은 접수된 민원에 대한 처리를 완료한 때에는 그 결과를 민원인에게 문서(전자문서 포함)로 통지하여야 함 → 다만, 기타민원의 경우와 통지에 신속을 요하거나 민원인이 요청하는 등 대통령령으로 정하는 경우에는 구술 또는 전화로 통지할 수 있음(제27조)
② 행정기관의 장은 민원인이 동일한 내용의 민원(법정민원을 제외)을 정당한 사유 없이 3회 이상 반복하여 제출한 경우에는 2회 이상 그 처리결과를 통지하고, 그 후에 접수되는 민원에 대하여는 종결처리할 수 있음(제23조)

이의신청

법정민원에 대한 행정기관의 장의 거부처분에 불복하는 민원인은 그 거부처분을 받은 날부터 60일 이내에 그 행정기관의 장에게 문서로 이의신청을 할 수 있음(제35조)

민원 1회방문 처리제	① 행정기관의 장은 복합민원을 처리할 때에 그 행정기관의 내부에서 할 수 있는 자료의 확인, 관계 기관·부서와의 협조 등에 따른 모든 절차를 담당 직원이 직접 진행하도록 하는 민원 1회방문 처리제를 확립함으로써 불필요한 사유로 민원인이 행정기관을 다시 방문하지 아니하도록 하여야 함(제32조 제1항) ② "복합민원"이란 하나의 민원 목적을 실현하기 위하여 관계법령등에 따라 여러 관계 기관(민원과 관련된 단체·협회 등을 포함) 또는 관계 부서의 인가·허가·승인·추천·협의 또는 확인 등을 거쳐 처리되는 법정민원을 말함(제2조 제5호) ③ [민원 1회방문 처리제의 시행절차] ㉠ 민원 1회방문 상담창구의 설치·운영 ➜ ㉡ 민원후견인의 지정 ➜ ㉢ 복합민원을 심의하기 위한 실무기구의 회의 개최 ➜ ㉣ 실무기구의 심의결과에 대한 민원조정위원회의 재심의(再審議) ➜ ㉤ 행정기관의 장의 최종 결정(제32조 제3항)
사전심사제도	① 민원인은 법정민원 중 신청에 경제적으로 많은 비용이 수반되는 민원 등 대통령령으로 정하는 민원(⑩ 정식으로 신청할 경우 토지매입 등이 필요한 경우)에 대하여는 행정기관의 장에게 정식으로 민원을 신청하기 전에, 미리 약식의 사전심사를 청구할 수 있음(필수절차×) ② 판례 구 「민원사무 처리에 관한 법률」에서 정한 사전심사결과 통보는 항고소송의 대상이 되는 행정처분에 해당×(2013두7834)
민원처리 기간의 계산	① 민원의 처리기간을 5일 이하로 정한 경우에는 민원의 접수시각부터 "시간" 단위로 계산하되, 공휴일과 토요일은 산입× ➜ 이 경우 1일은 8시간의 근무시간을 기준으로 함(제19조 제1항) ② 민원의 처리기간을 6일 이상으로 정한 경우에는 "일" 단위로 계산하고 첫날을 산입하되, 공휴일과 토요일은 산입×(제19조 제2항)
무인민원발급창구	① 행정기관의 장은 무인민원발급창구를 통하여 민원문서(다른 행정기관 소관의 민원문서를 포함)를 발급할 수 있음(제28조 제1항) ② "무인민원발급창구"란 행정기관의 장이 행정기관 또는 공공장소 등에 설치하여 민원인이 직접 민원문서를 발급받을 수 있도록 하는 전자장비를 말함(제2조 제8호)

유대웅

주요 약력

- 서울대학교 법과대학 법학부 졸업
- Oklahoma State University Research scholar
- 현, 남부고시학원 9·7급 전임강사

주요 저서

- 유대웅 행정법총론 핵심정리(박문각)
- 유대웅 행정법총론 기출문제집(박문각)
- 유대웅 행정법각론 핵심정리(박문각)
- 유대웅 행정법총론 불 동형 모의고사(박문각)
- 한 권으로 끝! 군무원 행정법(박문각)
- 유대웅 행정법총론 끝장내기(박문각)
- 유대웅 행정법총론 끝장내기 핸드북(박문각)

유대웅
행정법총론
핵심정리 #1

초판인쇄 | 2024. 7. 5. **초판발행** | 2024. 7. 10. **편저자** | 유대웅
발행인 | 박 용 **발행처** | (주) 박문각출판 **등록** | 2015년 4월 29일 제2019-000137호
주소 | 06654 서울특별시 서초구 효령로 283 서경 B/D 4층 **팩스** | (02) 584-2927
전화 | 교재 주문·내용 문의 (02) 6466-7202

저자와의
협의하에
인지생략

정가 43,000원 (1·2권 포함) **ISBN** 979-11-7262-078-3
979-11-7262-077-6(세트)